Susanne Rheinbay

Die Errichtung einer Europäischen Staatsanwaltschaft

Schriftenreihe des Max-Planck-Instituts für
ausländisches und internationales Strafrecht

Strafrechtliche Forschungsberichte

Herausgegeben von Ulrich Sieber

in Fortführung der Reihe
„Beiträge und Materialien aus dem Max-Planck-Institut
für ausländisches und internationales Strafrecht Freiburg“
begründet von Albin Eser

Band S 139

Max-Planck-Institut für ausländisches
und internationales Strafrecht

Die Errichtung einer Europäischen Staatsanwaltschaft

Susanne Rheinbay

Duncker & Humblot · Berlin

Bibliografische Information der Deutschen Nationalbibliothek

Die Deutsche Nationalbibliothek verzeichnet diese Publikation in der Deutschen Nationalbibliografie; detaillierte bibliografische Daten sind im Internet über <http://dnb.ddb.de> abrufbar.

c/o Max-Planck-Institut für ausländisches und internationales Strafrecht
Günterstalstraße 73, 79100 Freiburg i.Br.
http://www.mpicc.de
Vertrieb in Gemeinschaft mit Duncker & Humblot GmbH, Berlin
http://www.duncker-humblot.de

Umschlagbild: © Frank Schmidt, Köln
Foto der Autorin: Stugrapho
Druck: Stückle Druck und Verlag, Stückle-Straße 1, 77955 Ettenheim
Printed in Germany

ISSN 1860-0093
ISBN 978-3-86113-819-8 (Max-Planck-Institut)
ISBN 978-3-428-14365-8 (Duncker & Humblot)
Gedruckt auf alterungsbeständigem (säurefreiem) Papier
entsprechend ISO 9706 ♾

Vorwort

Die vorliegende Arbeit wurde im Wintersemester 2012/2013 von der Rechtswissenschaftlichen Fakultät der Albert-Ludwigs-Universität Freiburg als Dissertation angenommen. Sie entstand am Max-Planck-Institut für ausländisches und internationales Strafrecht in Freiburg und wurde durch ein Promotionsstipendium der International Max Planck Research School for Comparative Criminal Law (IMPRS-CC) gefördert.

Die Arbeit stützt sich auf Literatur und Rechtsprechung bis 2012. Der während der Drucklegung veröffentlichte Vorschlag für eine Verordnung des Rates über die Errichtung der Europäischen Staatsanwaltschaft (COM(2013) 534 final) konnte in den Fußnoten noch berücksichtigt werden. Die Europäische Kommission kommt zum Teil zu ähnlichen Ergebnissen wie die vorliegende Untersuchung. Die beiden Lösungsansätze unterscheiden sich allerdings hinsichtlich der konkreten Ausgestaltung der zu errichtenden Strafverfolgungsbehörde und der hierfür erforderlichen rechtlichen Schritte. Die Arbeit zeigt alternative Wege auf und bietet dadurch Anstöße für die Diskussion über den Entwurf der Kommission.

An dieser Stelle möchte ich allen danken, die mich in der Zeit der Promotion fachlich und emotional unterstützt haben. Ein besonderer Dank gilt meinem Doktorvater Prof. Dr. Dr. h.c. mult. *Ulrich Sieber*, der das Entstehen dieser Arbeit mit großem Interesse begleitete und förderte. Prof. Dr. *Walter Perron* danke ich für die zügige Erstellung des Zweitgutachtens.

Herzlich danken möchte ich auch denjenigen, die Teile meiner Arbeit Korrektur gelesen und wertvolle fachliche Anregungen gegeben haben. Besonders dankbar bin ich meiner Mutter, die unermüdlich alle Fassungen durchgesehen, kommentiert und sprachlich korrigiert hat. *Ines Hofmann* bin ich für die umsichtige redaktionelle Betreuung im Lektorat verbunden.

Meinen Kolleginnen und Kollegen am Max-Planck-Institut danke ich für den inspirierenden fachlichen Austausch und die angenehme Arbeitsatmosphäre.

Ein großer Dank gebührt auch meinen Freunden, die mir immer zur Seite standen und auf unterschiedliche Weise zum Gelingen dieser Arbeit beitrugen. Schließlich danke ich meinen Eltern *Maria* und *Jürgen Rheinbay* von ganzem Herzen dafür, dass sie mich stets liebevoll begleitet und unterstützt haben.

Frankfurt, im Februar 2014 *Susanne Rheinbay*

Inhaltsverzeichnis

Abkürzungsverzeichnis

a.A.	anderer Ansicht
ABl.	Amtsblatt
Abs.	Absatz
AEUV	Vertrag über die Arbeitsweise der Europäischen Union
a.F.	alte Fassung
Alt.	Alternative
AO	Abgabenordnung
Art.	Artikel
Aufl.	Auflage
AWF	Analysis Work Files
BayVBl	Bayerische Verwaltungsblätter
BNE	Bruttonationaleinkommen
BT-Drs.	Bundestagsdrucksache
BVerfG	Bundesverfassungsgericht
BVerfGE	Entscheidungen des Bundesverfassungsgerichts
bzw.	beziehungsweise
ca.	circa
CJ	Corpus Juris
CPS	Crown Prosecution Service
DNA	Deoxyribonucleic acid
Dok.	Dokument
DRiZ	Deutsche Richterzeitung
DVBl	Deutsches Verwaltungsblatt
EEA	Europäische Ermittlungsanordnung in Strafsachen
EG	Europäische Gemeinschaft
EGV	Vertrag zur Gründung der Europäischen Gemeinschaft
EGMR	Europäischer Gerichtshof für Menschenrechte
EJN	Europäisches Justizielles Netz
ELJ	European Law Journal
EMRK	Konvention zum Schutze der Menschenrechte und Grundfreiheiten

endg.	endgültig
ERA	Europäische Rechtsakademie
EU	Europäische Union
EuCLR	European Criminal Law Review
EuG	Gericht der Europäischen Union
EuGH	Gerichtshof der Europäischen Union
EuHB	Europäischer Haftbefehl
EuR	Europarecht
EuRhÜbk	Europäisches Übereinkommen über die Rechtshilfe in Strafsachen
Eur. J. Crime Cr.L.Cr.J.	European Journal of Crime, Criminal Law and Criminal Justice
Europol	Europäisches Polizeiamt
EUV	Vertrag über die Europäische Union
EuZW	Europäische Zeitschrift für Wirtschaftsrecht
evtl.	eventuell
EVV	Europäischer Verfassungsvertrag
EWG	Europäische Wirtschaftsgemeinschaft
EWS	Europäisches Wirtschafts- und Steuerrecht
f/ff	folgende
Fn.	Fußnote
FS	Festschrift
GA	Goltdammer's Archiv
GEG	Gemeinsame Ermittlungsgruppe
GM	Gemeinsame Maßnahme
GMBL	Gemeinsames Ministerialblatt
GO	Geschäftsordnung
GRC	Charta der Grundrechte der Europäischen Union
GS	Gedächtnisschrift
HRRS	Online-Zeitschrift für Höchstrichterliche Rechtsprechung im Strafrecht
Hrsg.	Herausgeber/in
insb.	insbesondere
i.V.m.	in Verbindung mit
JA	Juristische Arbeitsblätter
JURA	Juristische Ausbildung
JuS	Juristische Schulung

JZ	Juristenzeitung
kg	Kilogramm
lit.	littera
Mio.	Million/en
Mrd.	Milliarde/n
MüKo	Münchener Kommentar
m.w.N.	mit weiteren Nachweisen
MwSt.	Mehrwertsteuer
NJW	Neue Juristische Wochenschrift
NL-BzAR	Briefe zum Agrarrecht
Nr.	Nummer
NStZ	Neue Zeitschrift für Strafrecht
NVwZ	Neue Zeitschrift für Verwaltungsrecht
OLAF	Office européen de lutte antifraude
PIF	Protection des intérêts financiers
Rb	Rahmenbeschluss
RhÜbk-EU	Übereinkommen über die Rechtshilfe in Strafsachen zwischen den Mitgliedstaaten der Europäischen Union
RL	Richtlinie
Rn.	Randnummer
Rs	Rechtssache
RW	Rechtswissenschaft
S.	Seite
SDÜ	Übereinkommen zur Durchführung des Übereinkommens von Schengen von 1990
SGB	Sozialgesetzbuch
SIS	Schengener Informationssystem
SK	Systematischer Kommentar
StGB	Strafgesetzbuch
StPO	Strafprozessordnung
StraFo	Strafverteidiger Forum
StV	Strafverteidiger
u.Ä.	und Ähnliches
UAbs.	Unterabsatz
UCLAF	Unité de coordination de la lutte antifraude
Urt.	Urteil

v.	vom
vgl.	vergleiche
VO	Verordnung
wistra	Zeitschrift für Wirtschafts- und Steuerstrafrecht
z.B.	zum Beispiel
ZEuS	Zeitschrift für Europarechtliche Studien
ZIS	Zeitschrift für internationale Strafrechtsdogmatik
ZJS	Zeitschrift für das Juristische Studium
ZP	Zusatzprotokoll
ZRP	Zeitschrift für Rechtspolitik
ZSE	Zeitschrift für Staats- und Europawissenschaften
ZStR	Schweizerische Zeitschrift für Strafrecht
ZStW	Zeitschrift für die gesamte Strafrechtswissenschaft
ZStR	Schweizerische Zeitschrift für Strafrecht

Teil 1

Einleitung

I. Forschungsgegenstand

Durch Inkrafttreten des Vertrags von Lissabon am 1. Dezember 2009 wurde ein neues Kapitel sowohl in der Geschichte der justiziellen Zusammenarbeit in Strafsachen als auch der polizeilichen Zusammenarbeit in der Union aufgeschlagen. Die bislang als sogenannte dritte Säule der EU bezeichnete und stark intergouvernemental geprägte Zusammenarbeit der Mitgliedstaaten wurde durch den Lissabonner Vertrag in den Vertrag über die Arbeitsweise der Europäischen Union (AEUV) integriert. Die Sonderstellung der dritten Säule, die die Handlungsfähigkeit der Union auf diesem Gebiet stark limitierte,[1] wurde aufgehoben. Damit bieten sich ganz neue Möglichkeiten, innerhalb der Union stattfindende transnationale Kriminalität zu bekämpfen.

Grenzüberschreitende Kriminalität stellt sich als besondere Herausforderung für die nationalen Strafverfolgungs- und Ermittlungsbehörden dar. Zunächst beschränkt das Territorialitätsprinzip häufig bereits die Möglichkeiten, Ermittlungen gegen Verdächtige einzuleiten. Wird eine Straftat verfolgt, entstehen Schwierigkeiten, wenn Ermittlungs- oder Strafverfolgungsmaßnahmen in einem anderen Staat notwendig werden. Diese beruhen zumeist darauf, dass die Ermittlungsbehörden grundsätzlich nur auf dem Hoheitsgebiet ihres Mitgliedstaates tätig werden können und die Entscheidungen der Strafverfolgungsbehörden auf das Territorium eines Staates beschränkt sind. Nur durch oft langwierige und bürokratische Verfahren der Amts- und Rechtshilfe können sie auf das Hoheitsgebiet anderer Staaten erstreckt werden.[2] Die Ermittlungs- und Strafverfolgungsbehörden sind somit stets auf die Unterstützung anderer Staaten angewiesen, wenn sie einen Fall mit grenzüberschreitender Dimension bearbeiten.

Innerhalb der Union sind die Bedingungen für grenzüberschreitend operierende Straftäter besonders günstig. Dank der europäischen Grundfreiheiten können sie ohne Schwierigkeiten in allen 27 Mitgliedstaaten tätig werden.[3] Die nationalen Strafverfolgungsbehörden hingegen sind weiterhin auf ihr Hoheitsgebiet beschränkt. Sind Ermittlungs- oder Strafverfolgungsmaßnahmen in anderen Mitglied-

---

[1] Als „stärkste“ Maßnahme konnten Rahmenbeschlüsse erlassen werden. Diese mussten einstimmig vom Rat beschlossen werden (Art. 34 Abs. 2 EUV a.F.).

[2] *Sieber,* in: Delmas-Marty (Hrsg.), Corpus Juris, S. 2.

[3] Vgl. *Sieber,* in: Delmas-Marty (Hrsg.), Corpus Juris, S. 2.

staaten notwendig, um eine angemessene Strafverfolgung zu gewährleisten, sind die Behörden auf die Unterstützung der jeweiligen mitgliedstaatlichen Behörden angewiesen. Für sie besteht keine Möglichkeit, den Spuren der Straftäter in andere Mitgliedstaaten unmittelbar zu folgen.

Zwar gibt es auf europäischer Ebene mittlerweile Regelungen, die die Verfolgung transnationaler Kriminalität in der Union erleichtern können.[4] Grenzüberschreitende Ermittlungen sind dadurch innerhalb der Union grundsätzlich leichter durchführbar als Ermittlungen in Staaten, die nicht Teil der Union sind. Dennoch stellt sich die Notwendigkeit, transnationale Ermittlungs- oder Strafverfolgungsmaßnahmen zu ergreifen, vielfach immer noch als Untersuchungshemmnis dar.[5]

Straftaten zum Nachteil der finanziellen Interessen der Union gehören zu jenen Delikten, die besonders häufig grenzüberschreitend begangen werden. Dies ist unter anderem dadurch bedingt, dass das Muster der Straftaten in diesem Bereich oft nur verfängt, wenn eine grenzüberschreitende Dimension vorhanden ist.[6] Durch diese Straftaten entstehen dem Haushalt der Union jedes Jahr Schäden in dreistelliger Millionenhöhe.[7] Der Haushalt der Union wird zu einem großen Teil durch Beiträge der Mitgliedstaaten finanziert und ermöglicht die Durchsetzung der von der Union verfolgten Ziele. Deshalb besteht innerhalb der Union ein besonderes gemeinsames Interesse daran, dass Angriffe hierauf konsequent geahndet werden.

Bereits vor vielen Jahren wurde vorgeschlagen, die Ahndung von Straftaten zum Nachteil der finanziellen Interessen der Union einer europäischen Behörde zu übertragen, um eine angemessene Strafverfolgung auch über die nationalen Grenzen hinweg zu gewährleisten.[8] Der Vertrag von Lissabon fügte mit Art. 86 AEUV eine Norm in das Primärrecht der Union ein, die die Errichtung einer Europäischen Staatsanwaltschaft ermöglicht. Die Union könnte somit eine europäische Behörde errichten, die primär für die strafrechtliche Untersuchung und Verfolgung von Straftaten zum Nachteil der finanziellen Interessen der Union zuständig wäre (Art. 86 Abs. 1 und 2 AEUV). Sie ist hierzu jedoch nicht verpflichtet.[9] Aufgrund des Wortlauts von Art. 86 Abs. 1 AEUV „kann … einsetzen" liegt die Entscheidung über die Ausübung dieser Kompetenz im freien Ermessen der Unionsorgane.[10]

---

[4] Vgl. Teil 2, II.B.

[5] Vgl. *Wade*, S. 19; näher dazu: Teil 2, III.

[6] Vgl. Teil 2, I.B.1.

[7] Vgl. z.B. EU-Kommission, Betrugsbekämpfung 2009, S. 6; EU-Kommission, Betrugsbekämpfung 2008, S. 8.

[8] Vgl. dazu *Delmas-Marty* (Hrsg.), Corpus Juris; EU-Kommission, Grünbuch finanzielle Interessen.

[9] Grabitz/Hilf/Nettesheim-*Vogel,* Art. 86 Rn. 10; Schwarze-*Böse,* Art. 86 Rn. 2.

[10] Grabitz/Hilf/Nettesheim-*Vogel,* Art. 86 Rn. 10; Schwarze-*Böse,* Art. 86 Rn. 2.

Allerdings muss jedes Handeln der Union mit dem Subsidiaritätsprinzip im Einklang stehen. Danach muss der kleineren Einheit der Vorrang im Handeln gegenüber der größeren Einheit nach Maßgabe ihrer Leistungsfähigkeit zukommen.[11] Innerhalb der Union bedeutet dies, dass zumindest prinzipiell dem Handeln der Mitgliedstaaten ein Vorrang vor dem Handeln der Union eingeräumt werden muss. Das Subsidiaritätsprinzip ist in Art. 5 EUV niedergelegt und erfährt durch das Prinzip der begrenzten Einzelermächtigung (Art. 5 Abs. 2 EUV), das Subsidiaritätsprinzip im engeren Sinne (Art. 5 Abs. 3 EUV) und den Verhältnismäßigkeitsgrundsatz (Art. 5 Abs. 4 EUV) eine genauere Ausprägung. Das Subsidiaritätsprinzip im engeren Sinne findet auf allen Gebieten Anwendung, auf denen die Union keine ausschließliche Gesetzgebungszuständigkeit besitzt. Art. 86 AEUV zählt zum Bereich des Raums der Freiheit, der Sicherheit und des Rechts, in dem der Union keine ausschließliche Zuständigkeit zukommt. Sie teilt sich die Zuständigkeit mit den Mitgliedstaaten (Art. 4 Abs. 2 lit. j AEUV). Somit muss die Union bei der Ausübung ihrer Kompetenz das Subsidiaritätsprinzip im engeren Sinne beachten (Art. 5 Abs. 3 EUV). Dies bedeutet, dass die Union von ihrer Kompetenz nur Gebrauch machen darf, wenn und soweit die mit der Errichtung der Staatsanwaltschaft verfolgten Ziele von den Mitgliedstaaten nicht und gleichzeitig auf Unionsebene besser zu erreichen sind (Art. 5 Abs. 3 EUV). Das mit der Errichtung einer Europäischen Staatsanwaltschaft verfolgte Ziel ist die Verbesserung und Effektivierung der Bekämpfung von Straftaten zum Nachteil der finanziellen Interessen der Union durch eine effektive Strafverfolgung. Dass sie dafür tatsächlich notwendig ist, wird mitunter stark bezweifelt.[12]

II. Forschungsziele

Das erste Ziel der Arbeit ist es zu klären, inwiefern im derzeitigen System, bei dem die Mitgliedstaaten für die Strafverfolgung zuständig sind, Probleme bestehen, die die Errichtung einer Europäischen Staatsanwaltschaft rechtfertigen könnten. Es geht also um die Frage, *ob* die Union im Einklang mit dem Subsidiaritätsprinzip von ihrer Kompetenz nach Art. 86 AEUV Gebrauch machen und eine Europäische Staatsanwaltschaft schaffen könnte.

Zweites Ziel ist zu klären, *wie* eine solche Staatsanwaltschaft konkret ausgestaltet werden könnte. In diesem Rahmen relevante Themen sind beispielsweise der

---

[11] *Isensee*, S. 71.

[12] *Böse,* S. 158f; *Scheuermann*, S. 127; *Schünemann* (Hrsg.), Alternativentwurf, S. 21. Die Verfasser dieses Alternativentwurfs erkennen eine Notwendigkeit zur Errichtung einer Europäischen Staatsanwaltschaft nur für von europäischen Amtsträgern begangene Amtsdelikte an. Zur Verfolgung von Straftaten zum Nachteil der finanziellen Interessen soll die Staatsanwaltschaft demnach nur ausnahmsweise zuständig sein.

organisatorische Aufbau der Institution, ihre Kompetenzen und die Rechtskontrolle ihrer Handlungen und wie sie sich in das innerhalb der Union bestehende System der Strafverfolgung einfügt. Diese Untersuchung trägt wesentlich dazu bei, die Frage zu beantworten, ob die Schaffung einer Europäischen Staatsanwaltschaft mit dem Subsidiaritätsprinzip zu vereinbaren wäre. Denn im Rahmen dieser Prüfung kommt auch der konkreten Ausgestaltung Bedeutung zu.[13]

Die bislang umfassendsten Vorschläge zum Aufbau einer europäischen Strafverfolgungsbehörde, die für die Verfolgung von Straftaten zum Nachteil der finanziellen Interessen der Union zuständig ist, wurden im „Corpus Juris der strafrechtlichen Regelungen zum Schutz der finanziellen Interessen der Europäischen Union" (1997)[14] und im „Grünbuch zum strafrechtlichen Schutz der finanziellen Interessen der Europäischen Gemeinschaften und zur Schaffung einer Europäischen Staatsanwaltschaft" (2001)[15] vorgelegt.[16] Die Verfasser dieser Vorschläge gingen jedoch von anderen rechtlichen Voraussetzungen aus, als sie mit Art. 86 AEUV geschaffen wurden. Denn als die Vorschläge unterbreitet wurden, konnte nach herrschender Meinung nach damals geltendem Primärrecht keine europäische Strafverfolgungsbehörde errichtet werden. Insgesamt waren die Möglichkeiten der Union, auf dem Gebiet der justiziellen Zusammenarbeit tätig zu werden, sehr eingeschränkt und die auf diesem Gebiet existierenden europäischen Vereinbarungen mit der heutigen Situation nicht vergleichbar. In Anbetracht der neuen Rechtslage soll untersucht werden, ob und inwiefern auf diese Vorschläge für die Errichtung einer Europäischen Staatsanwaltschaft nach Art. 86 AEUV zurückgegriffen werden kann.

Für die Ausgestaltung der Regelungen soll ein Konzept erarbeitet werden, das nach geltendem Recht möglich und gleichzeitig auch praktikabel ist. Nur ein Konzept, das eine handlungsstarke Staatsanwaltschaft schafft, der ein effektives Arbeiten möglich ist, kann überhaupt mit dem Subsidiaritätsprinzip vereinbar sein. Denn eine Europäische Staatsanwaltschaft, die die Strafverfolgung der Straftaten zum Nachteil der finanziellen Interessen der Union nicht verbessert, brächte keinen Vorteil zur jetzigen Lage und stünde schon deshalb nicht mit dem Subsidiaritätsprinzip im Einklang. Gleichzeitig ist darauf zu achten, dass nur dort europäische Regelungen getroffen werden, wo ein Rekurs auf nationale nicht ausreicht. Denn nur in diesem Fall steht die Schaffung europäischer Regelungen nicht im Widerspruch zum Subsidiaritätsprinzip.

---

13 Teil 3, II.A.2.c).

14 *Delmas-Marty* (Hrsg.), Corpus Juris.

15 EU-Kommission, Grünbuch finanzielle Interessen.

16 Seit Juli 2013 nun auch der Vorschlag der EU-Kommission, den die Verfasserin in den Fußnoten berücksichtigt: Vorschlag für eine Verordnung des Rates über die Errichtung einer Europäischen Staatsanwaltschaft, COM(2013) 534 final.

III. Gang der Untersuchung

Nach einer kurzen Einführung in die Problematik der Schädigungen der finanziellen Interessen der Union soll eine Darstellung des derzeitigen Systems zum Schutz der finanziellen Interessen zeigen, welche Möglichkeiten nach aktueller Gesetzeslage bestehen, um Straftaten in diesem Bereich zu verfolgen. Mittels einer Analyse der Fachliteratur sowie anhand von Dokumenten verschiedener EU-Institutionen soll dann herausgearbeitet werden, welche Probleme sich nach dem jetzigen System ergeben und ob diese so schwerwiegend sind, dass sie die Errichtung einer Europäischen Staatsanwaltschaft notwendig erscheinen lassen (Teil 2). Im Anschluss daran soll eine rechtsdogmatische Analyse des Art. 86 AEUV zeigen, welche rechtlichen Rahmenbedingungen eingehalten werden müssten, wenn eine Europäische Staatsanwaltschaft errichtet würde und welche Besonderheiten sich dabei ergeben könnten (Teil 3). Schließlich soll anhand der im Corpus Juris und im Grünbuch unterbreiteten Vorschläge und weiterer bereits existierender Ideen herausgearbeitet werden, welche Regelungen getroffen werden sollten. Maßstab hierfür werden das Subsidiaritäts- und das Verhältnismäßigkeitsprinzip sowie die rechtlichen Möglichkeiten und die Praktikabilität der Vorschläge sein (Teil 4). Es folgt eine abschließende Betrachtung der im Rahmen dieser Arbeit gewonnenen Erkenntnisse (Teil 5).

Teil 2

System zum Schutz der finanziellen Interessen der EU

Um eine Vorstellung davon zu vermitteln, welche Handlungen die Finanzinteressen der Union schädigen, werden nach einer kurzen Einführung zum Begriff der finanziellen Interessen die häufigsten Betrugshandlungen dargestellt. Der Begriff des (EU-)Betrugs wird in dieser Arbeit als eine Art Generalklausel verwendet und umfasst jene Verhaltensweisen, durch die der Unionshaushalt auf der Einnahmen- oder Ausgabenseite geschädigt wird.[1] Eine sich hieran anschließende Darstellung der bereits bestehenden Regelungen und Institutionen, die Straftaten zum Nachteil der finanziellen Interessen bekämpfen können, wird verdeutlichen, wie vielfältig die bereits getroffenen Maßnahmen sind. Auf welche Probleme sie jedoch stoßen, wird anschließend näher erläutert und erörtert.

I. Problemlage

Laut Kommission entstand der Europäischen Gemeinschaft[2] im Jahr 2010 ein Schaden von ca. 1,807 Mrd. Euro.[3] Diese Summe umfasst zwar auch jene Schäden, die durch unvorsätzliches Fehlverhalten verursacht wurden, jedoch waren immerhin ca. 478 Mio. Euro auf Fälle zurückzuführen, in denen seitens der Kommission ein Betrug vermutet wurde.[4] Die Statistiken beruhen ausschließlich auf den Meldungen, die von den Mitgliedstaaten und Kommissionsdienststellen gemacht wurden.[5] Die Dunkelziffer der Betrugsfälle und der dadurch entstehende tatsächliche Schaden liegen vermutlich höher.[6]

Um das Problem des Betrugs zulasten der finanziellen Interessen der EU verständlich zu machen, müssen zunächst einige Grundlagen erläutert werden. Es gilt zu klären, was unter den Begriff der finanziellen Interessen der Union zu fassen ist.

---

1 Vgl. *Braum,* S. 178.

2 Die Union ist die Rechtsnachfolgerin der Europäischen Gemeinschaft, Art. 1 EUV.

3 EU-Kommission, Betrugsbekämpfung 2010, S. 10.

4 EU-Kommission, Betrugsbekämpfung 2010, S. 10.

5 EU-Kommission, Betrugsbekämpfung 2010, S. 9.

6 Vgl. *Dannecker,* JZ 1996, 875.

Zudem werden Handlungsweisen dargestellt, die die finanziellen Interessen schädigen und welche Wege und Mittel Betrüger nutzen. Da die Kenntnis der bei der Betrugsbegehung bestehenden Täterstrukturen für das Verständnis des Problems unerlässlich ist, wird auch hierauf kurz eingegangen.

A. Finanzielle Interessen

Obwohl der Begriff der „finanziellen Interessen" Kernstück jeglicher Betrugsbekämpfungsvorschriften ist, gibt es hierfür bis heute keine Definition im Unionsrecht.[7] Gemäß Art. 311 AEUV/Art. 6 Abs. 4 EUV stattet sich die Union mit den Mitteln aus, die erforderlich sind, um ihre Ziele zu erreichen und ihre Politik durchführen zu können. Durch diese Finanzmittel wird gemäß Art. 311 AEUV der Haushalt finanziert. Da für das Funktionieren der Union folglich sowohl die korrekte Vereinnahmung als auch Verausgabung der Mittel unbedingt erforderlich ist, umfasst der Begriff der finanziellen Interessen die Einnahmen und die Ausgaben der Union. Der Begriff der „finanziellen Interessen" könnte weitere über den Haushaltsrahmen hinausgehende Finanzmittel erfassen. Der EuGH äußerte sich in der Rechtssache C-11/00 dahingehend, „dass sich die Wendung ‚finanzielle Interessen der Gemeinschaft' in Artikel 280 EGV nicht auf den Haushalt der Europäischen Gemeinschaft im engen Sinne beschränkt".[8] Vielmehr geht der Gerichtshof von einer weiten Auslegung aus und stellt fest, dass auch Einnahmen und Ausgaben, die in den Haushalt anderer durch den Vertrag geschaffener Einrichtungen oder Ämter und Agenturen (z.B. die Europäische Zentralbank) fallen, durch Art. 280 EGV geschützt werden sollen.[9] Für diese Auslegung sprechen auch die zur Betrugsbekämpfung geschaffenen Art. 86 AEUV und Art. 325 AEUV, die ausdrücklich von den finanziellen Interessen sprechen und nicht den Begriff des „Haushalts" verwenden. Es kann mithin davon ausgegangen werden, dass diesen beiden Begriffen nicht derselbe Bedeutungsgehalt zukommen soll.[10] Diese Ansicht hat sich mittlerweile durchgesetzt[11] und ist auf Art. 325 AEUV übertragbar.[12]

[7] Rechnungshof, Stellungnahme Nr. 8/2005, S. 5; vgl. aber den Vorschlag zu einer einheitlichen Definition im Vorschlag Bekämpfung EU-Betrug (COM(2012) 363 final), Art. 2.

[8] EuGH Rechtssache C-11/00, Sammlung der Rechtsprechung 2003, I-7147 Rn. 95.

[9] Vgl. EuGH Rechtssache C-11/00, Sammlung der Rechtsprechung 2003, I-7147 Rn. 89.

[10] Vgl. Schlussantrag des Generalstaatsanwalts Jacobs, EuGH Rechtssache C-11/00, Sammlung der Rechtsprechung 2003, I-7147 Rn. 117.

[11] Vgl. z.B. Von der Groeben/Schwarze-*Prieß/Spitzer,* Art. 280 Rn. 22ff.

[12] So auch Schwarze-*Schoo,* Art. 325 Rn. 20.

1. Umfang

Wie bereits erläutert, sind auch die finanziellen Interessen von Einrichtungen, Ämtern oder Agenturen der Union geschützt, sodass zu der oben genannten großen Summe ein weiterer Betrag hinzuzurechnen ist, der sich jedoch nicht genau bestimmen lässt. Deutlich wird aber, dass es sich um beträchtliche Beträge handelt, die zu schützen sind. Da der EU-Haushalt wohl den bedeutendsten Teil hiervon stellt, wird im Folgenden ein Überblick über diesen gegeben. Von einer Darstellung der anderen Mittel, die unter die finanziellen Interessen fallen, wird abgesehen.

2. Einnahmen

Gemäß Art. 311 AEUV wird der Haushalt der Union unbeschadet der sonstigen Einnahmen vollständig aus Eigenmitteln finanziert. Die Einnahmen betrugen im Jahr 2010 ca. 147,2 Mrd. Euro.[13] Grundlage für die Finanzierung durch Eigenmittel ist der Beschluss des Rates vom 7. Juni 2007 über das System der Eigenmittel der Europäischen Gemeinschaften.[14] Nach Art. 2 Abs. 1 lit. a des Beschlusses sind drei Eigenmittelarten zu unterscheiden: Abschöpfungen und Zölle, Mehrwertsteuer-Eigenmittel und Bruttonationaleinkommen-Eigenmittel.[15]

Da das Recht, Abschöpfungen und Zölle von den Wirtschaftsteilnehmern zu verlangen, unmittelbar auf der Existenz eines einheitlichen Zollraums beruht, ist deren Zuweisung an die Mitgliedstaaten weder rechtlich noch praktisch möglich – es handelt sich um sogenannte traditionelle Eigenmittel der Union.[16] Sie setzen sich vor allem aus Abschöpfungen, Zöllen des Gemeinsamen Zolltarifs und anderen Zöllen auf den Warenverkehr mit Drittländern sowie Abgaben, die im Rahmen der gemeinsamen Marktorganisation für Zucker vorgesehen sind, zusammen.[17] Da die Union keine Steuerhoheit besitzt, werden diese Beträge von den Verwaltungen der Mitgliedstaaten erhoben,[18] wobei die Staaten 25 % für ihre Erhebungskosten einbehalten.[19]

---

[13] EU-Kommission, Haushalt 2012.

[14] Beschluss des Rates (2007/436/EG, Euratom), ABl. 2007/L163/17, siehe hierzu auch die Durchführungsverordnung VO 105/2009; im Folgenden: Eigenmittelbeschluss.

[15] Der ursprüngliche Begriff „Bruttosozialprodukt" wurde aufgrund der Verordnung (EG) Nr. 2223/96 des Rates (ABl. 1996/L310/01) gemäß dem Europäischen System Volkswirtschaftlicher Gesamtrechnungen auf nationaler und regionaler Ebene in der Gemeinschaft (ESVG 95) durch „Bruttonationaleinkommen" ersetzt.

[16] EU-Kommission, Die öffentlichen Finanzen, S. 57.

[17] Vgl. Art. 2 Abs. 1 lit. a Eigenmittelbeschluss.

[18] EU-Kommission, Finanzverfassung, S. 155.

[19] EU-Kommission, Finanzverfassung, S. 263.

Die Mehrwertsteuer-Eigenmittel werden im Gegensatz dazu nicht direkt bei den einzelnen Steuerpflichtigen erhoben. Diese Eigenmittelkategorie berechnet sich „aus der Anwendung eines für alle Mitgliedstaaten einheitlichen Satzes auf die nach Gemeinschaftsvorschriften bestimmte einheitliche Mehrwertsteuer-Eigenmittelbemessungsgrundlage eines jeden Mitgliedstaates“,[20] wobei die Bemessungsgrundlage dadurch begrenzt ist, dass sie 50 % des Bruttonationaleinkommens nicht übersteigen darf.[21] Der (nach noch weiteren Vorgaben)[22] errechnete Betrag wird von den sich aus dem nationalen Recht ergebenden Steuereinnahmen abgezogen und vom betreffenden Staat überwiesen.[23]

Auch die BNE-Einnahmen werden nicht direkt bei den Steuerpflichtigen erhoben. Ursprünglich als Restfinanzierung des EG-Haushalts gedacht,[24] machen die Einnahmen aus den BNE der Mitgliedstaaten mittlerweile den größten Teil des EU-Haushalts aus. Für deren Erhebung müssen zunächst alle anderen Einnahmen berücksichtigt werden. Im Anschluss wird der BNE-Satz danach berechnet, welcher Betrag noch benötigt wird, um die Ausgaben der Union zu decken. Dennoch erscheint Begriff der „Restfinanzierung“ in Anbetracht der Tatsache, dass beispielsweise im Jahr 2012 73 % des EU-Haushalts durch BNE-Einnahmen finanziert wurden,[25] nicht mehr angemessen.

Die Eigenmittel werden durch weitere Einnahmen[26] ergänzt, die jedoch nur etwa 1 % des Gesamthaushalts ausmachen.[27] Zu diesen sind z.B. Zwangsgelder, Geldbußen u.Ä. (sogenannte Verwaltungseinnahmen),[28] Steuern auf die Bezüge der Bediensteten, Verzugszinsen sowie der Saldo aus dem vorgehenden Haushaltsjahr zu zählen.[29]

3. Ausgaben

Im Jahr 2012 betrugen die Ausgaben der Union ungefähr 141,9 Mrd. Euro.[30] Bezüglich der Ausgaben existieren im Primärrecht bisher lediglich Regelungen verfahrensmäßiger Natur, so z.B. Art. 310 AEUV, der festschreibt, dass alle Ausgaben in den Haushalt eingesetzt werden müssen und dass der Haushaltsplan in Einnah-

---

[20] Art. 2 Abs. 1 lit. b Eigenmittelbeschluss.

[21] Art. 2 Abs. 1 lit. b Eigenmittelbeschluss.

[22] Vgl. dazu *Pache,* S. 46 und Art. 2 Eigenmittelbeschluss.

[23] *Pache,* S. 46f.

[24] *Bleckmann,* § 13 Rn. 1252.

[25] EU-Kommission, Haushalt 2012.

[26] Art. 2 Abs. 2, Eigenmittelbeschluss.

[27] *Oppermann/Classen/Nettesheim,* § 8 Rn. 23.

[28] *Magiera,* FS für Friauf, S. 18.

[29] *Oppermann/Classen/Nettesheim,* § 8 Rn. 23.

[30] OLAF, Zwölfter Tätigkeitsbericht, S. 10.

men und Ausgaben auszugleichen ist.[31] Eine Kompetenz für die Ausgaben ist im Primärrecht nicht ausdrücklich geregelt. Da sie jedoch notwendige Folge der Aufgabenkompetenz ist, bedarf es keines gesonderten Nachweises einer Finanzierungszuständigkeit.[32] Somit sind die Ausgaben gemäß der begrenzten Einzelzuständigkeit auf die sich daraus ergebenden Aufgabenfelder der Union begrenzt. Vereinzelt kommen darüber hinaus noch gewisse Fondskompetenzen hinzu.[33]

Nach Art. 312 AEUV wird ein Finanzrahmen für einen Zeitraum von mindestens fünf Jahren erstellt. Mit diesem soll abgesichert werden, dass die Ausgaben der Union innerhalb der Grenzen ihrer Eigenmittel eine geordnete Entwicklung nehmen. Der derzeit gültige, noch nach altem Recht erstellte Finanzrahmen für die Jahre von 2007 bis 2013[34] hat ein Volumen von insgesamt 975 Mrd. Euro.[35] Darin sind unter anderem Ausgaben für Forschung und technologische Entwicklung, berufliche Bildung[36] oder für die Förderung der Entwicklung der Fischerei und Umwelt vorgesehen.[37] Auch Maßnahmen, die sich außerhalb der EU auswirken, wie z.B. Entwicklungszusammenarbeit und humanitäre Hilfe in Nicht-EU-Staaten, sind vom Finanzrahmen umfasst.[38] Zudem sind Ausgaben vorgesehen, die zur Verwirklichung eines Raums der Freiheit, der Sicherheit und des Rechts beitragen und durch die der Zugang zu Leistungen der Daseinsfürsorge gewährleistet werden kann.[39] Dies sind nur einige der vielen Bereiche und Maßnahmen, die durch den Finanzrahmen 2007–2013 gestützt werden sollen.

Für die meisten Auszahlungen bedient sich die Union nationaler Verwaltungsbehörden.[40] Allein diese handeln dem Zahlungsempfänger gegenüber rechtsverbindlich.[41] Ungefähr 80 % der Mittel werden von den Mitgliedstaaten verwaltet und ausgegeben.[42]

---

31 Weitere Regelungen sind Art. 310 Abs. 2 (Bewilligung der Ausgaben) und Art. 314 AEUV (Haushaltsentwurf; Festlegung).

32 Grabitz/Hilf/Nettesheim-*Magiera,* Art. 310 Rn. 14.

33 *Oppermann/Classen/Nettesheim,* § 8 Rn. 26.

34 Interinstitutionelle Vereinbarung zwischen dem Europäischen Parlament, dem Rat und der Europäischen Kommission über die Haushaltsdisziplin und die wirtschaftliche Haushaltsführung, ABl. 2006/C139/01.

35 EU-Kommission, Neue Fonds, S. 2.

36 EU-Kommission, Mitteilung gemeinsame Zukunft, S. 7, 13f.

37 EU-Kommission, Finanzverfassung, S. 166.

38 EU-Kommission, Gesamthaushalt 2010, S. 10.

39 EU-Kommission, Mitteilung gemeinsame Zukunft, S. 6.

40 *Pache,* S. 56f.

41 *Pache,* S. 57.

42 EU-Kommission, Betrugsbekämpfung 2009, S. 4.

B. Schädigungen der finanziellen Interessen

Betrügereien, die die finanziellen Interessen der Union schädigen, beruhen mit Ausnahme der Korruption auf einem gemeinsamen Prinzip: Die Union legt für den Fall, dass bestimmte Bedingungen erfüllt sind, Zahlungspflichten oder -ansprüche fest. Der Täter täuscht dann über die Erfüllung dieser Bedingungen. Entweder spiegelt er das Vorliegen von Voraussetzungen einer ihn begünstigenden Norm vor oder macht die Nichterfüllung von Voraussetzungen einer ihn belastenden Norm zu Unrecht geltend.[43] Die finanziellen Interessen werden durch eine Verkürzung der Einnahmen geschädigt, z.B. bei zu geringer Erhebung oder Abführung von Agrarabschöpfungen oder Zöllen, oder durch unzulässige Ausgaben, z.B. bei überhöhten Zahlungen von Agrarmarkt- oder Strukturfondsmitteln.[44] Das Prinzip der Korruption beruht darauf, dass eine Machtposition ausgenutzt wird, um sich oder andere zu bereichern. Mit Ausnahme der BNE-Eigenmittel, die aufgrund der Art und Weise ihrer Berechnung über das BNE von direkten Betrügereien ausgeschlossen sind, ist auf allen oben beschriebenen Einnahmen- und Ausgabegebieten ein Betrug möglich.

1. Begehungsweisen

Anhand konkreter Beispiele soll nun gezeigt werden, welche unterschiedlichen Wege genutzt werden, um zulasten des EU-Haushalts einen unrechtmäßigen finanziellen Vorteil zu erlangen.

a) Nichtabführen von Einfuhrabgaben

Seit Gründung der Zollunion im Jahr 1968 erheben die Mitgliedstaaten keine Zölle oder zollgleiche Abgaben für Waren, die aus der Union stammen. Für Waren, die über die Außengrenzen in die Union eingeführt werden, gibt es im Rahmen der Zollunion einen gemeinschaftlichen Zolltarif, der von allen Mitgliedstaaten gleichermaßen angewendet wird. Ebenso gibt es weitere Abgaben, z.B. im Rahmen von Antidumpingmaßnahmen und Steuern, die von den Importeuren zu zahlen sind. Aber auch für Importeure, die ausschließlich mit Waren innerhalb der Europäischen Union handeln, gibt es Steuern, die im Rahmen eines solchen Geschäfts zu bezahlen sind, so z.B. die Mehrwertsteuer, die nicht im Ursprungsland der Ware bezahlt werden muss, dafür aber im Bestimmungsland.[45] Die Höhe der Abgaben richtet sich nach unterschiedlichen Kriterien wie z.B. dem Herkunftsland, der Art und der Menge der Ware.

---

43 *Sieber,* ZStR 1996, 361f.

44 *Magiera,* FS für Friauf, S. 19.

45 Vgl. Richtline Nr. 2006/112/EG des Rates vom 28.11.2006 über das gemeinsame Mehrwertsteuersystem, ABl. 2006/L347/1.

Zur Umgehung von Importabgaben sind Falschdeklarationen besonders häufig. Oft führt eine geringfügig andere Beschreibung der tatsächlich vorliegenden Ware dazu, dass für den Täter wesentlich günstigere Abgabenvorschriften anwendbar sind. So wird z.B. frischer Knoblauch als getrocknet, tiefgefroren oder als sogenannter Elefantenknoblauch deklariert, da hierfür weit geringere, für Elefantenknoblauch gar keine Abgaben anfallen.[46] Hierbei wird häufig die Tatsache ausgenutzt, dass der Unterschied zwischen der vorliegenden Ware und den Angaben des Täters mit bloßem Auge nicht erkennbar und nur durch komplizierte Verfahren nachweisbar ist, so z.B. bei Thunfisch in Dosen.[47] Ein weiteres Betrugsmuster ist die Vermeidung von Abgaben durch falsche Angaben zum Ursprung der Ware. Ein Beispiel hierfür ist der folgende Fall:[48]

Seit 2009 gelten in der EU für US-Biodiesel Antidumpingzölle. Ein indisches Unternehmen hatte danach beträchtliche Lieferungen von Biodiesel aus den USA erhalten. Anschließend vermischte dieses Unternehmen, das ebenfalls ein Biodieselproduzent war, den US-Biodiesel mit geringen Mengen von Biodiesel indischen Ursprungs. So gelang es ihm, die indischen Behörden hinsichtlich des Ursprungs und der Zusammensetzung des Produkts zu täuschen und auf diese Weise einen indischen Präferenz-Ursprungsnachweis zu erhalten. Anschließend exportierte das Unternehmen den Biodiesel in die EU. Aufgrund der Deklarierung als Biodiesel präferenziellen oder nicht-präferenziellen *indischen* Ursprungs wurden bei der Einfuhr keine Zölle gezahlt. Der Union ist dadurch ein Schaden in Höhe von 32 Mio. Euro entstanden. Diese Summe wäre aufgrund der für US-amerikanischen Biodiesel zu erhebenden Einfuhrzölle fällig gewesen.

Auch durch Betrügereien im Bereich der Mehrwertsteuer werden die Einnahmen der Union gemindert. Hier ist insbesondere das sogenannte Mehrwertsteuerkarussell[49] zu nennen, das durch das komplexe Steuersystem in der EU ermöglicht wird.[50] Dabei wird ein Export angemeldet, um einen Vorsteuerabzug für die Mehrwertsteuer durchführen zu können. Tatsächlich verbleibt die Ware jedoch im Land oder wird „schwarz" wieder importiert.[51]

Der sogenannte klassische Schmuggel,[52] bei dem die Existenz der Ware verschwiegen wird, ist vor allem bei Zigaretten und Alkohol ein beliebter Weg, fällige Abgaben bei der Einfuhr zu vermeiden.[53] Allein der deutsche Zoll stellte beispielsweise im Jahr 2010 157 Mio. Zigaretten sicher, die in die Union geschmuggelt werden sollten.[54]

---

46 OLAF, Pressemitteilung vom 10.10.2006.

47 *Sieber,* ZStR 1996, 365.

48 OLAF, Zwölfter Tätigkeitsbericht 2011, S. 23.

49 Vgl. auch EU-Kommission, Working Paper, S. 6.

50 *Neuhann,* in: Möllers/van Ooyen (Hrsg.), Jahrbuch 2008/2009, S. 535.

51 *Neuhann,* in: Möllers/van Ooyen (Hrsg.), Jahrbuch 2008/2009, S. 535.

52 *Sieber,* ZStR 1996, 362.

53 *Sieber,* ZStR 1996, 362f.

54 Bundesministerium der Finanzen, Jahresstatistik 2010, S. 10.

b) Rechtswidrige Erlangung von Fördermitteln

Die Ausgaben der Union im Rahmen von Fördermaßnahmen erstrecken sich auf die unterschiedlichsten Gebiete. So können Heranführungshilfen für Projekte beantragt werden, die potentielle Beitrittsländer unterstützen sollen, sich den Voraussetzungen für den EU-Beitritt anzunähern. Ebenso kann z.B. eine Nichtregierungsorganisation für die Entwicklung und Markteinführung FKW-freier Kühlgeräte für den kommerziellen Gebrauch[55] eine Förderung beantragen, genau wie ein Landwirt für die Einrichtung eines Hofladens[56] oder aber ein Hotelier für den Kauf und die Restaurierung eines Schlafwaggons, um ihn als Übernachtungsmöglichkeit für seine Gäste zu nutzen und somit den Tourismus in der Region zu beleben.[57] Zudem können auch weiterhin die „klassischen“ Agrarsubventionen beantragt werden, die z.B. gezahlt werden, damit die Bauern der Union ihre Produkte zu Weltmarktpreisen anbieten können. Diese Vielfalt der Fördermöglichkeiten führt auch zu einer Fülle an Betrugsmöglichkeiten.

aa) Agrarausgaben

Das oft komplizierte Beihilfesystem der Union, das Nichtvermarktungsprämien, Vergütungen für Einlagerungskosten, Produktionsbeihilfen oder flächenbezogene Beihilfen umfasst,[58] ist Angriffen verschiedenster Art ausgesetzt. Um Fördermittel der Union zu erhalten, werden beispielsweise überhöhte Angaben bezüglich der hergestellten oder gelagerten Mengen gemacht bzw. über die Quoten hinausgehende Mengen verschleiert.

Spektakulär im Hinblick auf falsche Angaben zur hergestellten Menge war ein italienischer Fall, der einen Schaden in Höhe von 3 Mio. Euro verursachte. Hier beantragten die Betrüger für 900.000 kg rein fiktiven Tabak Fördergelder. Der groß angelegte Betrug war über mehrere mitgliedstaatliche Grenzen hinweg organisiert worden und sowohl Erzeuger, Verarbeiter als auch Transportunternehmen waren beteiligt. Um die Nichtexistenz des Tabaks zu verbergen, wurden Lieferungen an ausländische Unternehmen vorgetäuscht, wodurch auch die Zahlung einer Mehrwertsteuer für den nicht existenten Tabak in Italien vermieden wurde. Gleichzeitig konnten durch angeblichen Versand und Bearbeitung in anderen Mitgliedstaaten europäische Gelder erlangt werden, die nicht hätten ausgezahlt werden dürfen.[59]

---

[55] Vgl. hierzu das Projekt der Energieverwertungsagentur in Österreich, abrufbar unter: http://ec.europa.eu/environment/life/project/Projects/index.cfm?fuseaction=search.dspPage&n_proj_id=2281 [Stand: 20.10.2011].

[56] Bundesanstalt für Landwirtschaft und Ernährung: http://www.agrar-fischerei-zahlungen.de/agrar_foerderung_4.html#top2 [Stand: 20.10.2011].

[57] Deutsche Vernetzungsstelle LEADER+ in der Bundesanstalt für Landwirtschaft und Ernährung, LEADER +, S. 196.

[58] *Sieber,* ZStR 1996, 366f.

[59] OLAF, Pressemitteilung vom 23.4.2008.

Auch das Fingieren von Exporten ist ein beliebter Weg, um Mittel der Union zu erschleichen. Europäische Waren werden, um sie trotz niedrigerer Weltmarktpreise absetzen zu können, bei der Ausfuhr aus der Union subventioniert.[60] Tatsächlich findet der bezuschusste Export jedoch nicht statt. Die Ware verbleibt in der Union. In anderen Fällen wird die Ware zwar tatsächlich exportiert, sie entspricht aber nicht den bei der Ausfuhr angegebenen Qualitäts- oder Mengenbeschreibungen (schlechtere Qualität oder weniger Ware) und rechtfertigt somit nicht die erhaltenen Subventionen.[61]

bb) Kohäsionspolitik

Typische Begehungsweisen auf diesem Gebiet sind das Erstellen von gefälschten oder fiktiven Rechnungen für nicht erbrachte Leistungen[62] oder die sogenannte Doppelfinanzierung. Hierfür werden Kosten desselben Projekts zweimal geltend gemacht, als Strukturfondsmaßnahme und als andere von der Union geförderte Maßnahme.[63] Durch die unterschiedlichen Zuständigkeiten für die jeweiligen Förderungen sind solche Doppelfinanzierungen für die Behörden meist nicht zu erkennen. Großen Schaden fügen der Union auch Täuschungen über die Förderfähigkeit der geltend gemachten Ausgaben[64] oder Wettbewerbsabsprachen[65] zu. Ebenfalls zu nennen ist hier die Verletzung von Nebenbestimmungen und Auflagen der Programme,[66] z.B. durch Nichterbringung des im Fördervertrag vereinbarten Eigenkapitals.

cc) Heranführungshilfen und Direktausgaben

In den Bereichen der Heranführungshilfen und der Ausgaben, die direkt von der Kommission verwaltet werden, entstehen große Schäden dadurch, dass bestimmte Tatsachen zu Unrecht behauptet oder aber verschwiegen werden und daraufhin eine Förderung, die dem Täter aufgrund der tatsächlich vorliegenden Bedingungen nicht zustehen würde, bewilligt wird. Die Betrüger machen sich dabei oft die große Entfernung zwischen dem Ort, an dem die geförderte Tätigkeit durchgeführt wurde, und dem Ort, an dem die Belege der für die Genehmigung der Finanzmittel zuständigen Stelle vorzulegen sind, zunutze. Die Täter halten die Überprüfbarkeit der

---

60 *Sieber,* ZStR 1996, 366.

61 Vgl. z.B. den Fall in OLAF, 9. Tätigkeitsbericht 2008, S. 50.

62 Vgl. OLAF, Working Paper, S. 3.

63 OLAF, 8. Tätigkeitsbericht 2007, S. 49.

64 OLAF, 1. Tätigkeitsbericht 2000, S. 32.

65 *Kuhl,* Kriminalistik 1997, 107.

66 *Sieber,* ZStR 1996, 368.

Rechnung für die zuständige Zahlstelle häufig für sehr gering und gehen das Risiko deshalb ein.

In einem aktuellen Fall,[67] der die Direktausgaben betrifft, beantragten Netzwerke von miteinander verbundenen Unternehmen, die in mehreren Mitgliedstaaten tätig waren, in organisierter Weise Erstattungen für nicht getätigte Ausgaben und gaben dabei fiktive Unternehmen als Partner oder Unterauftragnehmer in Forschungsprojektkonsortien an. Um die betrügerischen Handlungen zu verschleiern, waren die geschaffenen organisatorischen Strukturen bewusst undurchsichtig und erstreckten sich auf mehrere Länder. Auch die Tatsache, dass sehr viele Projekten betroffen und eine große Anzahl von juristischen Personen beteiligt waren, machte die Aufdeckung dieses Falls kompliziert. Zum Teil waren die zur Prüfung berufenen Dienststellen der Kommission sogar bereits dabei, Prüfungsberichte ohne Beanstandung abzuschließen.

c) Korruption

Die finanziellen Interessen der Union können in allen genannten Ressorts auch unter Mitwirkung von nationalen Beamten oder Unionsbeamten geschädigt werden. Dies wird unter anderem dadurch möglich, dass die Beamten bewusst falsche Dokumente akzeptieren, die Echtheit solcher Dokumente bestätigen oder Unterlagen fälschen. Zumeist beruhen solche Fälle auf Bestechung und Bestechlichkeit oder auch schlicht auf der Leistung einer Gefälligkeit durch den Beamten.

Das bekannteste Beispiel für Korruption auf diesem Gebiet ist der Fall „Griechischer Mais".[68] Mithilfe von griechischen Beamten wurde vorgetäuscht, Mais sei aus Griechenland, obwohl er aus Jugoslawien stammte. Da der Mais somit als ein Produkt der EWG galt, wurden keine Agrarabschöpfungen erhoben. Später stellten hohe Beamte falsche Dokumente aus und gaben falsche Erklärungen ab, um die Täuschung zu decken.

Ein weiterer Fall ist die sogenannte Eurostat-Affäre. Bedienstete der Gemeinschaft hatten mindestens 900.000 Euro, die Eurostat aufgrund von Datenverkäufen erhalten hatte, nicht in die Kassenbücher eingetragen und hierfür „schwarze" Kassen angelegt.[69]

2. Täterprofile

Neben dem hohen Schaden, der durch EU-Betrug verursacht wird, geben auch die festgestellten Täterstrukturen Anlass, einen energischen Kampf gegen diesen zu führen. So handelt es sich häufig nicht um Einzeltäter, die versuchen einen finanziellen Vorteil für sich zu erlangen, wenngleich es diese auch noch gibt. Vielmehr wird ein Großteil der Betrügereien mittlerweile im Namen von Unternehmen begangen, von denen einige allein zum Zwecke der Deliktsbegehung gegründet wurden.[70] Häufig geschieht das im Rahmen der Organisierten Kriminalität.[71] Diese hat

---

[67] OLAF, Jahresbericht 2011, S. 22f.

[68] EuGH Rechtssache 68/88, Sammlung der Rechtsprechung 1989, S. 2965ff.

[69] Süddeutsche Zeitung vom 26.4.2003, „Olaf als Partyschreck", S. 1.

[70] *Sieber,* ZStR 1996, 373.

den EU-Betrug als ertragreiche Einnahmequelle entdeckt und entwickelt hier zunehmende Aktivitäten. Deutlich wird dies auch anhand der von OLAF (Europäisches Amt für Betrugsbekämpfung) erstellten Berichte. So finden sich z.B. Hinweise darauf, dass Betrügereien auf dem Gebiet der Strukturfonds häufig organisiert und geplant wurden.[72] Auch auf dem Gebiet der Außenhilfe und des Zolls musste OLAF feststellen, dass EU-Betrug hier vermehrt professionell organisiert stattfindet.[73] Ob diese Aktivitäten tatsächlich solche Ausmaße annehmen, dass man den EU-Betrug als hauptsächlich ein „Privatgeschäft" der Organisierten Kriminalität bezeichnen kann,[74] lässt sich derzeit mangels fundierter Untersuchungen nicht sagen. Fest steht jedoch, dass die Organisierte Kriminalität häufig an Betrügereien zulasten der Union beteiligt ist.

C. Zusammenfassung

Durch das mittlerweile recht komplexe System der Finanzierung der Ausgaben sowie der Verteilung dieser Ausgaben innerhalb und außerhalb der Union entstehen vielfältige Angriffsmöglichkeiten auf den EU-Haushalt. Aufgrund des oben Dargestellten lässt sich feststellen, dass ein Großteil der EU-Betrugsfälle grenzüberschreitend stattfinden muss, damit das Betrugsmuster verfängt. Einfallsreiche Betrüger finden immer wieder Wege, um sich unrechtmäßig zulasten der EU zu bereichern und bauen dabei darauf, dass das Verfolgungs- und Verurteilungsrisiko gering ist.[75] Im Anschluss an den eigentlichen Betrug kommen weitere Straftaten in Betracht, wie z.B. Geldwäsche und Hehlerei. Diese Straftaten schaden der EU insofern sie die Aufklärung der vorangegangenen Tat und somit deren Sanktionierung und die Wiedereintreibung des Geldes erschweren. Besonders besorgniserregend ist die Zunahme der Fälle, in denen Täter in Zusammenhang mit der Organisierten Kriminalität operieren. Dies ist vor allem auch deshalb problematisch, weil durch die „erwirtschafteten Gewinne" weitere illegale Aktivitäten finanziert werden können. Die Folge hieraus wäre eine EU-finanzierte Stärkung der Organisierten Kriminalität.

---

71 Z.B. der Mafia, vgl. dazu einen Bericht von Focus-Online, abrufbar unter: http://www.focus.de/politik/ausland/eu/italien-sizilianische-mafia-kassiert-eu-foerdermittel_aid_614844.html [Stand: 18.11.2012]; vgl. EU-Kommission, Geänderter Vorschlag VO Amtshilfe, 5. Erwägungsgrund.

72 OLAF, 10. Tätigkeitsbericht 2009, S. 41.

73 OLAF, 10. Tätigkeitsbericht 2009, S. 43, 50; OLAF, 8. Tätigkeitsbericht 2007, S. 47.

74 *Lettieri,* in: Polizei-Führungsakademie (Hrsg.), Organisierte Kriminalität, S. 112.

75 *Neuhann,* in: Möllers/van Ooyen (Hrsg.), Jahrbuch 2008/2009, S. 534.

II. Bestehende Regelungen und Institutionen

Der Schutz der finanziellen Interessen der Union stützte sich zu Beginn vor allem auf Übereinkommen und andere Rechtsakte, die auf eine Zusammenarbeit der Mitgliedstaaten setzten. Viele dieser Vorschriften wurden nicht speziell erlassen, um die finanziellen Interessen der Union zu schützen, sondern hatten allgemeinere Ziele, wie etwa eine verbesserte generelle Kooperation auf dem Gebiet der Rechtshilfe. Dennoch finden sie in der Regel Anwendung auf Fälle, in denen den Finanzinteressen der Union ein Schaden zugefügt wurde. Im Lauf der Zeit rückte der Finanzschutz mehr in den Fokus der Aufmerksamkeit und führte dazu, dass die Verpflichtung der Union und der Mitgliedstaaten zum Schutz der finanziellen Interessen ausdrücklich in das Primärrecht übernommen wurde. In diesem Rahmen wurden dann Bestimmungen erarbeitet, die zumindest auch den Schutz der finanziellen Interessen bezweckten, zum Teil war dies sogar Hauptmotiv der getroffenen Regelung.[76] Durch die Schaffung von EU-Institutionen, die auf dem Gebiet des Finanzschutzes tätig sein können, wurde ein zusätzlicher Weg im Kampf gegen EU-Betrug eingeschlagen.

Im Folgenden soll zunächst die Norm dargestellt werden, auf die Maßnahmen gegen EU-Betrug seit Inkrafttreten des Lissabon-Vertrags gestützt werden können. Da dies in Teil 4 ausführlich behandelt wird,[77] soll hierbei noch nicht auf die Möglichkeit der Errichtung einer Europäischen Staatsanwaltschaft eingegangen werden. Anschließend sollen die bereits bestehenden Übereinkommen und Rechtsakte dargestellt werden, die primär die Mitgliedstaaten verpflichten und berechtigen. Im dritten Abschnitt werden die Institutionen, ihr Aufgabengebiet und ihre Arbeitsweise dargestellt. Der letzte Teil wird sich dann mit den Problemen befassen, die sich aus dem System zum Schutz der finanziellen Interessen in seiner jetzigen Form ergeben.

A. Art. 325 AEUV

Zwar ist der Schutz der finanziellen Interessen schon seit den 1960er Jahren ein Problem, das die Europäische Gemeinschaft beschäftigt, jedoch gab es zunächst keine primärrechtliche Norm, die sich ausdrücklich dem Kampf gegen EU-Betrug widmete und auf deren Basis sekundärrechtliche Vorschriften erlassen und Maßnahmen ergriffen werden konnten. Frühe Regelungen zum Schutz der finanziellen Interessen mussten deshalb noch auf unterschiedliche Normen des Primärrechts gestützt werden. So wurde z.B. die Verordnung Nr. 2988/95 über den Schutz der

---

76 Z.B. Übereinkommen über den Schutz der finanziellen Interessen; vgl. hierzu unten II.B.1.

77 Vgl. Teil 4.

finanziellen Interessen der Europäischen Gemeinschaften auf Art. 235 EGV a.F. (Art. 308 EGV, Art. 352 AEUV) gestützt. Ein weiteres Beispiel ist der Errichtungsbeschluss für das Europäische Amt für Betrugsbekämpfung (OLAF),[78] dem Art. 162 Abs. 2 EGV a.F. (bzw. Art. 218 Abs. 2 EGV, Art. 249 Abs. 1 AEUV) zugrunde liegt. Hierbei war teilweise umstritten, ob die jeweilige Norm überhaupt als Rechtsgrundlage dienen kann.[79] Durch Schaffung des Art. 209a EGV a.F. im Rahmen des Vertrags von Maastricht 1992[80] wurde der Schutz der finanziellen Interessen erstmals primärrechtlich festgeschrieben und später, mit Einführung des Art. 280 EGV durch den 1997 geschlossenen Vertrag von Amsterdam[81] eine gemeinsame Zuständigkeit der Gemeinschaft und der Mitgliedstaaten für einen effektiven und abschreckenden Schutz begründet. Ergänzend dazu stützte die Kommission ihre Zuständigkeit im Bereich des Schutzes der finanziellen Interessen unter anderem auf die ihr gemäß Art. 274 EGV (Art. 317 AEUV) überantwortete Aufgabe der Ausführung des Haushaltsplans.[82] Die primärrechtliche Basis für Regelungen zum Schutz der finanziellen Interessen hat sich somit im Lauf der Zeit gefestigt und wurde sogar noch erweitert. Dass die Betrugsbekämpfung immer mehr an Bedeutung gewonnen hat, zeigt sich auch daran, dass sie im AEUV in einem eigenen Kapitel (Kapitel 6) geregelt wird. Art. 280 EGV war noch unter den Finanzvorschriften innerhalb des Vertrages eingeordnet, Art. 325 AEUV steht unter dem Kapitel „Betrugsbekämpfung". Dieser Artikel ist seit Inkrafttreten des Vertrags von Lissabon die Rechtsgrundlage für jene Maßnahmen, die die Union zum Schutz der finanziellen Interessen der Union erlässt.

1. Regelungsgehalt

Art. 325 AEUV begründet in Abs. 1 zunächst die Pflicht für die Union und die Mitgliedstaaten, Betrügereien und sonstige rechtswidrige Handlungen, die gegen die finanziellen Interessen der Union gerichtet sind, zu bekämpfen. Dabei sind sie angehalten Maßnahmen zu ergreifen, die abschreckend und effektiv sind. Die Pflichten treffen die Union und die Mitgliedstaaten grundsätzlich in gleichberechtigter Weise und begründen somit für beide eine Pflicht zur Normsetzung bzw. -anwendung und -durchsetzung.[83] Neu im Vergleich zu Art. 280 Abs. 1 EGV ist die explizite Regelung, dass die Maßnahmen nicht nur in den Mitgliedstaaten einen effektiven Schutz bewirken sollen, sondern auch in den Organen, Einrichtungen und sonstigen Stellen der Union.

---

78 Vgl. unten II.C.4.

79 Zweifelnd zum Errichtungsbeschluss: *Rabe,* NJW-Sonderheft 2001, 54.

80 Der Vertrag von Maastricht trat zum 1.11.1993 in Kraft.

81 Der Vertrag von Amsterdam trat zum 1.5.1999 in Kraft.

82 1. Erwägungsgrund, VO 1073/1999, ABl. 1999/L136/1.

83 Von der Groeben/Schwarze-*Prieß/Spitzer,* Art. 280 Rn. 27.

In Abs. 2 ist das sogenannte Assimilierungsprinzip statuiert. Danach müssen die Mitgliedstaaten zur Bekämpfung von Betrügereien, die sich gegen die finanziellen Interessen der Union richten, die gleichen Maßnahmen ergreifen, wie jene, die sie ergreifen, um ihre eigenen finanziellen Interessen vor Betrügereien zu schützen. Dies gilt für die nationalen materiellen Rechtsnormen des Straf- und Verwaltungssanktionsrechts genauso wie für das Verfahrensrecht.[84]

Nach Abs. 3 sind die Mitgliedstaaten verpflichtet, ihre Tätigkeit zum Schutz der finanziellen Interessen der Union zu koordinieren und dafür zusammen mit der Kommission eine enge, regelmäßige Zusammenarbeit zwischen den zuständigen Behörden zu ermöglichen. Koordinierung umfasst hierbei nicht nur die Abstimmung des einzelstaatlichen Vorgehens. Eingeschlossen ist auch die Beseitigung materieller und verfahrensrechtlicher Unterschiede.[85]

Für die in Abs. 1 bereits statuierte Pflicht, Maßnahmen zum Schutz der finanziellen Interessen zu ergreifen, wird der Union in Abs. 4 neben der Zuständigkeit der Mitgliedstaaten eine eigenständige Kompetenz zur Betrugsbekämpfung eingeräumt.[86] Die Union darf alle erforderlichen Maßnahmen treffen, um Betrügereien in den Mitgliedstaaten und den Organen, Einrichtungen und anderen Stellen der Union zu verhüten und zu bekämpfen. Etwa kann die Union sektoriell oder durch horizontale Maßnahmen Verwaltungssanktionen anordnen und mittels Richtlinien die Angleichung nationaler Strafnormen zum Schutz ihrer Interessen durchsetzen. Der bislang umstrittenen Frage, inwiefern Abs. 4 die Union auch zum Erlass europäischer strafrechtlicher Normen berechtigt, soll in einem späteren Teil der Arbeit nachgegangen werden.[87] Schließlich legt Abs. 5 von Art. 325 AEUV noch eine Berichtspflicht für die Kommission und die Mitgliedstaaten fest. Diese müssen dem Europäischen Parlament und dem Rat jährlich über diejenigen Maßnahmen Bericht erstatten, die sie zur Betrugsbekämpfung ergriffen haben.

2. Betrügereien und sonstige rechtswidrige Handlungen

a) Betrügereien

Unter den Begriff der Betrügereien fallen alle subjektiv vorwerfbaren Handlungen, die zu Verstößen gegen das Unionsrecht führen.[88] Nicht umfasst sind jedoch Handlungen, bei denen lediglich ein Fahrlässigkeitsvorwurf zu machen ist. Andernfalls würde dem Unrechtsgehalt, der dem Wort „Betrügereien“ innewohnt, nicht ausreichend Bedeutung zugemessen.

---

84 Streinz-*Satzger,* Art. 325 Rn. 10.

85 Schwarze-*Schoo,* Art. 325 Rn. 22.

86 Von der Groeben/Schwarze-*Prieß/Spitzer,* Art. 280 Rn. 85.

87 Unten II.A.3.

88 Calliess/Ruffert-*Waldhoff,* Art. 325 Rn. 4.

Nach der Rechtsprechung des EuGH ist die missbräuchliche oder betrügerische Berufung auf Unionsrecht nicht gestattet.[89] Somit sind auch sogenannte Schein- und Umgehungsgeschäfte, unabhängig davon, ob sie vordergründig rechtmäßig erscheinen, als unionsrechtswidrig anzusehen.[90]

Handlungen, die unter den Begriff der Betrügereien fallen, müssen rechtswidrig sein. Dies ergibt sich aus einer Auslegung des Wortlauts „sonstige rechtswidrige Handlungen“. Der Begriff “sonstige“ setzt logisch voraus, dass bereits andere rechtswidrige Handlungen erwähnt wurden. In Art. 325 AEUV können das nur die „Betrügereien“ sein. Aufgrund der Einstufung von Schein- und Umgehungshandlungen als rechtswidrig entsteht hierdurch keine Schutzlücke. Betrügereien sind somit all jene vorsätzlichen oder zumindest leichtfertigen Verhaltensweisen, die sich gegen die finanziellen Interessen der Union richten und rechtswidrig sind.

b) Sonstige rechtswidrige Handlungen

In Abgrenzung zu den Betrügereien muss nach dem oben Gesagten der Begriff der „sonstige[n] gegen die finanziellen Interessen der Gemeinschaft gerichtete[n] Handlungen“, diejenigen Handlungen umfassen, die zwar nicht vorsätzlich oder leichtfertig begangen wurden, aber dennoch rechtswidrig sind.

3. Unberührtklausel

Aus der Neufassung des Absatzes 4 des Art. 280 EGV bzw. jetzt Art. 325 AEUV ergibt sich eine bedeutsame Neuerung. Art. 280 EGV Abs. 4 Satz 2 sah vor, dass „die Anwendung des Strafrechts der Mitgliedstaaten und ihre Strafrechtspflege“ durch die nach Abs. 4 ergriffenen Maßnahmen unberührt bleiben. Dieser Satz wurde nicht in die Neufassung durch Art. 325 AEUV übernommen.

Die „Unberührtklausel“ des Art. 280 EGV wurde heftig diskutiert. Strittig war, ob Abs. 4 die Gemeinschaft auch zum Erlass von strafrechtlichen Normen berechtigte. Es wurde vertreten, diese Klausel schließe strafrechtliche Maßnahmen nicht generell aus.[91] Vielmehr ergebe sich aus Sinn und Zweck der Vorschrift wie auch aus dem Wortlaut, dass insofern strafrechtliche Regelungen erlassen werden dürften, als sie das nationale Recht ergänzten, wenn dieses die finanziellen Interessen der Gemeinschaft nicht ausreichend schütze.[92] Diese Norm fände dann ausschließlich in den Mitgliedstaaten Anwendung, in denen der Schutz als nicht befriedigend

---

89 Vgl. Rechtssache C-212/97, Sammlung der Rechtsprechung 1999, I-1459 Rn. 24.

90 Vgl. *Wolffgang,* in: Ehlers/Wolffgang (Hrsg.), Rechtsfragen, S. 213 Fn. 19; Grabitz/Hilf/Nettesheim-*Magiera,* Art. 325 Rn. 16; a.A. *Weber*, S. 31; Streinz-*Satzger,* Art. 325 Fn. 23.

91 *Tiedemann,* AGON 23 (1999), 7.

92 *Tiedemann,* in: Delmas-Marty/Vervaele (Hrsg.), Implementation I, S. 385.

betrachtet wird.[93] Solange die *Anwendung* des mitgliedstaatlichen Rechts unberührt bliebe, würde der Bestimmung von Art. 280 EGV Abs. 4 Satz 2 gerecht. Dies sei auch der Fall, wenn europäische Straftatbestände geschaffen würden, die neben dem nationalen Recht anzuwenden wären.[94] Durch Art. 280 Abs. 4 EGV würde also eine Komplementärkompetenz der Gemeinschaft festgeschrieben, die bis zum Grad des „erforderlichen" Schutzniveaus ergänzt, erforderlichenfalls aber auch erstmalig gewährleistet werden könne.[95]

Die wohl herrschende Meinung war einer solchen Auslegung jedoch bislang entgegengetreten.[96] Begründet wurde dies damit, dass mit der Einführung einer Strafrechtsetzungsbefugnis der EG eine grundlegende Durchbrechung der Kompetenzverteilung, wie sie sich aus einer systematischen Interpretation von EUV und EGV ergebe, vorgenommen würde.[97] Angeführt wurde auch, die Annahme einer strafrechtlichen Ergänzungskompetenz widerspräche dem Willen der Vertragsparteien.[98] In Anbetracht der bedeutenden Folgen hätte eine Übertragung von strafrechtlichen Kompetenzen auf die Gemeinschaft ausdrücklich und unmissverständlich geregelt werden müssen.[99] Zudem begründe der Wortlaut gerade das Ergebnis, dass eine Kompetenzübertragung nicht stattgefunden habe. Denn Satz 2 erkläre nicht lediglich das nationale Recht für anwendbar, vielmehr statuiere er, dass das nationale Recht unberührt zu bleiben habe. Durch eine Strafgesetzgebung seitens der Gemeinschaft werde das nationale Recht aber stets auch berührt.[100] Mithin könne nicht angenommen werden, dass die Gemeinschaft zum Erlass strafrechtlicher Maßnahmen ermächtigt worden sei.

Durch den Wegfall der „Unberührtklausel" ergibt sich eine andere Situation, die einer erneuten Begutachtung der Bedeutung des Abs. 4 bedarf. Nicht geklärt ist, ob Satz 2 nicht übernommen wurde, um weitere, wie auch immer geartete Missverständnisse auszuschließen, oder aber, ob dadurch gezielt die Einführung strafrechtlicher Vorschriften der Union beabsichtigt war.[101] Für ein bewusstes Vorgehen zur Schaffung einer strafrechtlichen Gesetzgebungskompetenz der Union spricht jedoch, dass im Rahmen des Vorschlags zur Streichung des Satzes 2 Ausführungen gemacht wurden, die verdeutlichen, dass durch die Streichung von Satz 2 der Weg

---

[93] *Tiedemann,* GA 1998, 108 Fn. 7.

[94] *Wolffgang/Stephan,* EuR 1998, 644.

[95] *Moll*, S. 7.

[96] Vgl. nur: Von der Groeben/Schwarze-*Prieß/Spitzer,* Art. 280 Rn. 104; *Rosenau,* ZIS 2008, 15; Streinz-*Satzger,* Art. 325 Rn. 20 m.w.N.

[97] *Hecker,* § 4 Rn. 81.

[98] Vgl. Streinz-*Satzger,* Art. 325 Rn. 20.

[99] *Griese,* EuR 1998, 476.

[100] *Satzger*, S. 140f.

[101] *Fromm*, S. 69.

für ein supranationales EU-Strafrecht geebnet werden soll.[102] Für die Annahme einer gewollten Strafrechtskompetenz für die Union spricht auch, dass die gegen eine solche bislang vorgebrachten systematischen Einwände entfallen sind. Nach der Auflösung der Säulenstruktur im Rahmen des Vertrags von Lissabon stellt eine strafrechtliche Kompetenz der Union keine Durchbrechung der Kompetenzverteilung mehr dar.[103]

Das Fehlen der „Unberührtklausel" spricht mithin dafür, Abs. 4 nun so zu lesen, dass die Anwendung des Strafrechts nicht mehr unberührt bleibt und der Union eine Strafrechtsetzungskompetenz auf dem Gebiet des EU-Betrugs zukommt.[104]

B. Übereinkommen und Rechtsakte

Die im Folgenden dargestellten Bestimmungen sind nicht zwingend solche, die nur zwischen den Mitgliedstaaten der EU vereinbart wurden. So sind auf dem Gebiet der Rechtshilfe Übereinkommen geschlossen worden, die allen Mitgliedern des Europarats offenstehen. Diese haben naturgemäß nicht den Schutz besonderer EU-Werte im Sinn, sondern allgemeinere Ziele. Sie werden hier dennoch vorgestellt, da in ihren Anwendungsbereich auch EU-Betrugsfälle fallen können. Aufgrund der Fülle der innerhalb der EU existierenden Regelungen werden im Folgenden nur jene dargestellt, die im Rahmen der Betrugsbekämpfung besonders relevant erscheinen.

1. Übereinkommen über den Schutz der finanziellen Interessen

Eine der bedeutendsten Regelungen für den Schutz der finanziellen Interessen ist das Übereinkommen über den Schutz der finanziellen Interessen der Gemeinschaft.[105] Es zielt vorrangig darauf, die materiell-rechtlichen Regelungen zum EU-Betrug zu vereinheitlichen. Der Rückgriff auf das Instrument des Übereinkommens war damals die einzige Möglichkeit, Regelungen auf dem Gebiet des Strafrechts zu treffen. Das Übereinkommen wurde am 26. Juli 1995 von den damaligen Mitglied-

---

[102] *Walter,* ZStW 117 (2005), 918.

[103] *Calliess,* Europäische Union, S. 467f.

[104] So auch *Calliess,* Europäische Union, S. 467f; *Deiters*, S. 229; *Frenz*, Institutionen und Politiken, Rn. 1679; Geiger/Khan/Kotzur-*Khan,* Art. 325 Rn. 6; *Rosenau,* ZIS 2008, 16; Schönke/Schröder/Eser-*Hecker,* Vorb. vor § 1 Rn. 29; EuropStrafRecht-*Sieber,* Einführung, Rn. 175; *Tiedemann,* ZStW 116 (2004), 955; *Walter,* ZStW 117 (2005), 918; anders: Schwarze-*Schoo,* Art. 325 Rn. 25.

[105] Übereinkommen aufgrund von Artikel K.3 des Vertrags über die Europäische Union über den Schutz der finanziellen Interessen der Gemeinschaften, ABl. 1995/C316/49; im Folgenden: PIF-Übereinkommen. PIF steht für „protection des intérêts financiers".

staaten der EU angenommen. Es trat jedoch erst über sieben Jahre später, am 17.10.2002 in Kraft, nach Ratifizierung durch die damals noch 15 Mitgliedstaaten.

a) Inhalt

Ziel des Übereinkommens war es, durch Festlegung strafrechtlicher Mindestnormen eine bessere Vereinbarkeit der strafrechtlichen Bestimmungen der einzelnen Mitgliedstaaten zu erreichen, dadurch den Schutz der finanziellen Interessen wirksamer zu gestalten und die Zusammenarbeit in Strafsachen zu verstärken.[106] Im Übereinkommen wird zunächst eine einheitliche Betrugsdefinition festgelegt. Von der Definition ist nur vorsätzliches Handeln oder Unterlassen umfasst. Dieses muss sich schädigend auf die Einnahmen- oder Ausgabenseite des Gemeinschaftshaushalts auswirken. Die Verhaltensweisen, die nach dem Übereinkommen unter den Betrugsbegriff fallen, sind explizit benannt, so z.B. die Verwendung oder Vorlage falscher, unrichtiger oder unvollständiger Erklärungen.[107] Hieran muss sich eine unrechtmäßige Bereicherung zulasten der finanziellen Interessen anschließen. Unter Zugrundelegung dieser Definition verpflichten sich die Mitgliedstaaten, sämtliche unter die Begriffsbestimmung fallenden Verhaltensweisen in ihrem nationalen Recht als Straftat zu bewerten (Art. 1 Abs. 2). Sie müssen dabei Strafen vorsehen, die wirksam, angemessen und abschreckend sind und zumindest in schweren Betrugsfällen Freiheitsstrafen umfassen, die zu einer Auslieferung führen können (Art. 2 Abs. 1). Darüber hinaus werden Regelungen zur Vereinfachung der Auslieferung getroffen (Art. 5) und die Mitgliedstaaten zur wirksamen Zusammenarbeit verpflichtet (Art. 6).

b) Protokolle

Der Rat verfasste zwei Protokolle,[108] die die Bestimmungen des Übereinkommens ergänzen, sowie ein am 29.11.1996 erlassenes Protokoll betreffend die Auslegung des PIF-Übereinkommens durch den EuGH im Wege der Vorabentscheidung. Im ersten Protokoll werden die Mitgliedstaaten verpflichtet auch die

---

106 Erläuternder Bericht zum Übereinkommen über den Schutz der finanziellen Interessen der Europäischen Gemeinschaften, ABl. 1997/C191/1; im Folgenden: Erläuternder Bericht, PIF, S. 3.

107 Vgl. die vollständige Aufzählung in Art. 1 Abs. 1 PIF-Übereinkommen.

108 Protokoll aufgrund von Artikel K.3 des Vertrags über die Europäische Union zum Übereinkommen über den Schutz der finanziellen Interessen der Europäischen Gemeinschaften – Erklärungen der Mitgliedstaaten bei der Annahme des Rechtsaktes über die Fertigstellung des Protokolls, ABl. 1996/C313/2; im Folgenden: Erstes PIF-Protokoll; Zweites Protokoll aufgrund von Artikel K.3 des Vertrags über die Europäische Union zum Übereinkommen über den Schutz der finanziellen Interessen der Europäischen Gemeinschaften – Gemeinsame Erklärung zu Artikel 13 Abs. 2 – Erklärung der Kommission zu Artikel 7, ABl. 1997/C221/12; im Folgenden: Zweites PIF-Protokoll.

Bestechung und Bestechlichkeit von nationalen und Gemeinschaftsbeamten zulasten des Gemeinschaftshaushalts in der gleichen Weise zu kriminalisieren, wie das für rein nationale Fälle vorgesehen ist (Art. 4). Für besonders schwere Fälle müssen Freiheitsstrafen vorgesehen werden (Art. 5). Das zweite Protokoll (vom 19.6.1997), widmet sich der Strafbarkeit von Geldwäsche[109] sowie der Verantwortlichkeit von juristischen Personen. Die Mitgliedstaaten müssen hiernach sicherstellen, dass eine juristische Person für die im Übereinkommen oder den Protokollen genannten Handlungen verantwortlich gemacht werden kann[110] und Sanktionen gegen die juristische Person verhängt werden können.[111] Das erste Protokoll und das Protokoll betreffend die Auslegung des PIF-Übereinkommens durch den EuGH traten gleichzeitig mit dem PIF-Übereinkommen am 17. Oktober 2002 in Kraft. Das zweite Protokoll trat erst am 19. Mai 2009 in Kraft.[112]

c) Umsetzung

Die Kommission stellte 2004 in ihrem ersten Bericht über die nationale Umsetzung des Übereinkommens und seiner Protokolle fest, dass sich der strafrechtliche Schutz der finanziellen Interessen der Union aufgrund der in den Mitgliedstaaten erlassenen Umsetzungsregelungen zwar verbessert habe,[113] jedoch „kein einziger Mitgliedstaat sämtliche Maßnahmen ergriffen [habe], die für eine vollständige Umsetzung der Rechtsakte zum Schutz der finanziellen Interessen der Gemeinschaften erforderlich wären".[114] Dies führe dazu, dass nach wie vor bestimmte Delikte nicht geahndet würden.[115] Die Kommission zweifelte zudem daran, dass die in den Mitgliedstaaten vorgesehenen Strafen stets wirksam, verhältnismäßig und abschreckend waren.[116] 2008 legte die Kommission erneut einen Bericht über die Umsetzung des Übereinkommens und seiner Protokolle vor.[117] Darin stellte die Kommission fest, dass trotz ihrer Empfehlungen im ersten Bericht weiterhin schwerwiegende Mängel in den Strafvorschriften bestehen[118] und auch in den neuen Mitgliedstaaten die Umsetzung teilweise schwerwiegende Mängel aufweist.[119] 13 Jahre nach der Unterzeichnung des Übereinkommens hatten nur fünf Mitgliedstaaten das

---

[109] Art. 2 Zweites PIF-Protokoll.
[110] Art. 3 Zweites PIF-Protokoll.
[111] Art. 4 Zweites PIF-Protokoll.
[112] EU-Kommission, Mitteilung Zweites Protokoll PIF.
[113] EU-Kommission, Erster Umsetzungsbericht, S. 8.
[114] EU-Kommission, Erster Umsetzungsbericht, S. 8.
[115] EU-Kommission, Erster Umsetzungsbericht, S. 8.
[116] EU-Kommission, Erster Umsetzungsbericht, S. 8f.
[117] EU-Kommission, Zweiter Umsetzungsbericht.
[118] EU-Kommission, Zweiter Umsetzungsbericht, S. 7.
[119] Vgl. z.B. Lettland, EU-Kommission, Zweiter Umsetzungsbericht, S. 14, Annex.

Übereinkommen zufriedenstellend umgesetzt.[120] Die mit den Rechtsakten bezweckte Angleichung der Rechtsvorschriften aller 27 Mitgliedstaaten wurde somit weder formell- noch materiell-rechtlich in vollem Umfang erreicht.[121]

2. Rechtshilferegelungen

Da viele Fälle des EU-Betrugs grenzüberschreitend begangen werden,[122] ist die Rechtshilfe ein wichtiges Instrument für die nationalen Strafverfolgungsbehörden. Um ein komplettes Ermittlungsergebnis zu erhalten, müssen sie häufig in anderen Mitgliedstaaten um Rechtshilfe ersuchen. Unter Rechtshilfe versteht man jede Unterstützung, die auf Ersuchen für ein ausländisches Strafverfahren gewährt wird.[123] Ob dieses Verfahren von einem Gericht oder einer Behörde betrieben wird oder ob ein Gericht oder eine Behörde die erbetene Rechtshilfehandlung vornimmt, ist hierbei nicht relevant.[124]

Trotz mannigfaltiger Regelungen zur Rechtshilfe existieren auch weiterhin bi- und multilaterale Vereinbarungen zwischen den Mitgliedstaaten.[125] Sie können, zumindest wenn sie zusätzliche Erleichterungen in den geregelten Bereichen bieten, den EU-Bestimmungen vorgehen. Auf diese wird im Folgenden jedoch nicht eingegangen, da sie oft nur marginale Abweichungen zu den EU-Regelungen enthalten und stets nur für einige wenige Mitgliedstaaten anwendbar sind.

a) Übereinkommen über die Rechtshilfe in Strafsachen

Im Jahr 1959 wurde das Europäische Übereinkommen über die Rechtshilfe in Strafsachen des Europarats geschlossen,[126] welches mittlerweile für alle Staaten der EU anwendbar ist. Ähnliches gilt für das hierzu im Jahr 1978 erlassene Protokoll,[127] das derzeit nur in Malta noch nicht anwendbar ist.[128]

---

[120] EU-Kommission, Zweiter Umsetzungsbericht, S. 5.

[121] EU-Kommission, Zweiter Umsetzungsbericht.

[122] Vgl. oben I.C.

[123] *Hackner/Lagodny/Schomburg/Wolf*, S. 1 (5. Aufl.).

[124] *Hackner/Lagodny/Schomburg/Wolf*, S. 1 (5. Aufl.).

[125] Vgl. z.B. zum Europäischen Übereinkommen über die Rechtshilfe in Strafsachen die Auflistung bilateraler Ergänzungsverträge in *Hackner/Lagodny/Schomburg/Wolf*, S. 775ff.

[126] Europäisches Übereinkommen über die Rechtshilfe in Strafsachen, BGBl II, 1964 S. 1386; im Folgenden: EuRhÜbk.

[127] Zusatzprotokoll zum Übereinkommen über die Rechtshilfe in Strafsachen, BGBl. 1990 II, S. 124; im Folgenden: Erstes Zusatzprotokoll EuRhÜbk.

[128] Zum Stand der Ratifizierung vgl. http://conventions.coe.int/Treaty/Commun/ChercheSig.asp?NT=099&CM=30/07/2010&CL=ENG [Stand: 20.10.2011].

Die Vertragsparteien verpflichten sich, einander „Rechtshilfe zu leisten in allen Verfahren hinsichtlich strafbarer Handlungen“.[129] Grundsätzlich sieht die Konvention vom Erfordernis der beiderseitigen Strafbarkeit ab. Dies wird jedoch dadurch eingeschränkt, dass jeder Staat gemäß Art. 5 Abs. 1 lit. a. des Übereinkommens für Rechtshilfeersuchen bezüglich Durchsuchung oder Beschlagnahme erklären kann, „dass die dem Rechtshilfeersuchen zugrunde liegende strafbare Handlung sowohl nach dem Recht des ersuchenden Staates als auch nach dem des ersuchten Staates strafbar sein muss“. Außer der generellen Rechtshilfeverpflichtung sind im EuRhÜbk vor allem Verfahrensfragen und Geschäftswegeregelungen vorgesehen,[130] so etwa Regelungen über die Zustellung von Verfahrensurkunden, das Erscheinen von Zeugen, Sachverständigen und Beschuldigten sowie dazu, welche Behörde für die Stellung eines Rechtshilfeersuchens zuständig ist.

Von der Pflicht zur Gewährung der Rechtshilfe kann abgesehen werden, wenn es sich um militärisch oder politisch strafbare Handlungen handelt, zudem dann, wenn der ersuchte Staat seine Souveränität, seine Sicherheit, seine öffentliche Ordnung oder andere wesentliche Interessen durch Leistung von Rechtshilfe gefährdet sieht.[131] Durch das im Jahr 1978 verfasste Zusatzprotokoll wurde die Möglichkeit, einen Vorbehalt aufgrund fiskalisch strafbarer Handlungen geltend zu machen, abgeschafft[132] und somit ein wichtiges Feld für den Kampf gegen EU-Betrug bereitet. Mangels Unterzeichnung dieses Protokolls durch einige Vertragsparteien des Übereinkommens blieb dieser Vorbehalt jedoch zunächst in einigen Mitgliedstaaten der EU erhalten. 2001 wurde ein zweites Zusatzprotokoll[133] erstellt, das großteils dem EU-Rechtshilfeübereinkommen von 2000[134] entspricht, anders als dieses aber keine Regelung zur Überwachung des Fernmeldeverkehrs vorsieht.[135]

b) Schengener Durchführungsübereinkommen

Das auf dem Schengener Übereinkommen[136] beruhende Übereinkommen zur Durchführung des Übereinkommens von Schengen von 1990 (SDÜ)[137] bietet seit

---

129 Art. 1 Abs. 1 EuRhÜbk.

130 *Meuters*, S. 47.

131 Art. 1 Abs. 2, Art. 2 EuRhÜbk.

132 Art. 1 Erstes Zusatzprotokoll EuRhÜbk.

133 Zweites Zusatzprotokoll zum Übereinkommen über die Rechtshilfe in Strafsachen; in englischer Sprache abrufbar unter: http://conventions.coe.int/Treaty/en/Treaties/html/182.htm [Stand: 20.10.2011]; im Folgenden: Zweites Zusatzprotokoll EuRhÜbk.

134 Vgl. unten c).

135 Vgl. Art. 11 und 12 RhÜbk-EU.

136 Übereinkommen zwischen den Regierungen der Staaten der Benelux-Wirtschaftsunion, der Bundesrepublik Deutschland und der Französischen Republik betreffend den schrittweisen Abbau der Kontrollen an den gemeinsamen Grenzen, GMBl. 1986, S. 79.

seiner Überführung in EU-Recht im Jahr 1999 weitere Möglichkeiten der Rechtshilfe innerhalb der EU. In den Artikeln 48ff des Schengener Durchführungsübereinkommens finden sich Bestimmungen zur Rechtshilfe in Strafsachen. Diese sollten das EuRhÜbk ergänzen und seine Anwendung erleichtern.[138] Die Unterzeichnerstaaten sind grundsätzlich zur Leistung von Rechtshilfe verpflichtet, wenn es sich um die Verfolgung bestimmter Fiskaldelikte handelt.[139] Durch die Ratifizierung des SDÜ wurde somit zumindest die Verfolgung einiger fiskalischer Delikte auch in denjenigen Mitgliedstaaten erleichtert, die das 1. Zusatzprotokoll zum EuRhÜbk zu diesem Zeitpunkt noch nicht unterzeichnet hatten. Gleichzeitig wurde die im Rahmen des EuRhÜbk vorgesehene Möglichkeit eingeschränkt, im Fall von Durchsuchung und Beschlagnahme eine beiderseitige Strafbarkeit zu fordern.[140] Durch Art. 53 SDÜ werden die Justizbehörden in die Lage versetzt, Rechtshilfeersuchen sowie entsprechende Antworten unmittelbar auszutauschen,[141] statt sie von Staat zu Staat auf diplomatischem Wege übermitteln zu müssen. Zusätzlich wurde das Schengener Informationssystem (SIS) geschaffen.[142] Es ermöglicht die Ausschreibung zur Fahndung in einem von allen Schengenstaaten einsehbaren System. Dadurch bedarf es nicht mehr der Aufnahme der Ausschreibung in die nationalen Systeme.

c) EU-Rechtshilfeübereinkommen

Das jüngste für die Mitgliedstaaten relevante Abkommen auf dem Gebiet der Rechtshilfe ist das Übereinkommen über die Rechtshilfe in Strafsachen zwischen den Mitgliedstaaten der Union (RhÜbk-EU).[143] Durch dieses Übereinkommen wurde die EU erstmals im Rahmen der sonstigen Rechtshilfe selbst aktiv.[144] Es wurde im Jahr 2000 geschlossen und ist seit dem 23. August 2005 in Kraft. Das Übereinkommen ergänzt die innerhalb der Union bereits angewendeten Vorschrif-

---

137 Übereinkommen zur Durchführung des Übereinkommens von Schengen vom 14.6.1985 zwischen den Regierungen der Staaten der Benelux-Wirtschaftsunion, der Bundesrepublik Deutschland und der Französischen Republik betreffend den schrittweisen Abbau der Kontrollen an den gemeinsamen Grenzen, BGBl II, 1993, S. 1013, in Kraft seit 26.3.1995; im Folgenden: SDÜ.

138 Art. 48 Abs. 1 SDÜ.

139 Art. 50 SDÜ.

140 Art. 51 SDÜ.

141 Die Art. 49 lit. a, 52, 53 und 73 des SDÜ wurden später durch Art. 2 Abs. 2 RhÜbk-EU ersetzt.

142 Art. 92ff SDÜ.

143 Übereinkommen – gemäß Art. 34 des Vertrags über die Europäische Union vom Rat erstellt – über die Rechtshilfe in Strafsachen zwischen den Mitgliedstaaten der Europäischen Union, ABl. 2000/C197/3; im Folgenden: RhÜbk-EU oder EU-Rechtshilfeübereinkommen.

144 *Dannecker/Reinel,* in: Leitner (Hrsg.), Finanzstrafrecht 2006, S. 58.

ten und ist nicht dazu gedacht, diese zu ersetzen. Es kann deshalb nicht als alleinige Grundlage für ein Rechtshilfeersuchen dienen.[145] Mithin beruht die Rechtshilfe zwischen Justizbehörden größtenteils weiterhin auf dem EuRhÜbk als dem „Mutterübereinkommen" justizieller Zusammenarbeit in Strafsachen.[146]

Die mit dem Abschluss des Übereinkommens verfolgten Ziele sind die Verbesserung der justiziellen Zusammenarbeit durch Weiterentwicklung und Modernisierung der bestehenden Rechtshilfebestimmungen, um die Rechthilfe zügiger, flexibler und effizienter zu machen, sowie die Erleichterung und Weiterentwicklung grenzüberschreitender Ermittlungen. Schließlich soll den Entwicklungen im Bereich der Technologie Rechnung getragen werden.[147] Das Übereinkommen legt entgegen traditioneller Rechtshilferegeln[148] fest, dass der ersuchte Staat bei Durchführung der Rechtshilfe nach Möglichkeit die Formvorschriften einhält, die der ersuchende Mitgliedstaat vorgegeben hat (Art. 4 Abs. 1). Dadurch soll sichergestellt werden, dass beispielsweise im Rahmen der Rechtshilfe gewonnene Beweise in einem Gerichtsverfahren des ersuchenden Staates verwertet werden können, obwohl sie im Ausland erhoben wurden.

Im Gegensatz zu Art. 53 SDÜ schreibt das EU-Rechtshilfeübereinkommen bis auf wenige Ausnahmen *verbindlich* vor, dass Rechtshilfeersuchen unmittelbar von Justizbehörde zu Justizbehörde übermittelt werden (Art. 6 Abs. 1). Dies bedeutet eine Abkehr von dem bislang geltenden Prinzip, dass Rechtshilfeersuchen stets auf diplomatischem Wege übermittelt werden müssen.[149] Zudem wird in diesem Artikel erstmals die Übermittlung von Rechtshilfeersuchen per E-Mail zugelassen. Diese beiden Vorschriften können dazu beitragen, das Rechtshilfeverfahren zu beschleunigen. Das Übereinkommen sieht vor, dass die zuständigen nationalen Behörden auch ohne ein diesbezügliches Ersuchen Informationen übermitteln (Art. 7). Dadurch können die Mitgliedstaaten von sich aus einen anderen Mitgliedstaat über einen mögliches Delikt informieren, von dem dieser noch nichts weiß. So wird es für Straftäter schwerer, beispielsweise durch einen Umzug in einen anderen Mitgliedstaat ihrer Strafverfolgung zu entgehen, wenn es innerhalb der EU bereits Informationen über eine Straftat gibt. Eine Besonderheit, die im Übereinkommen festgelegt ist, ist die Möglichkeit, eine gemeinsame Ermittlungsgruppe mit Mitgliedern aus verschiedenen Staaten der Union zu errichten (Art. 13).[150]

---

145 Erläuternder Bericht zu dem Übereinkommen vom 29.5.2000 über die Rechtshilfe in Strafsachen zwischen den Mitgliedstaaten der Europäischen Union, S. 9. ABl. 2000/C379/7; im Folgenden: Erl. Bericht RhÜbk-EU.

146 Vgl. *Meuters*, S. 55.

147 Erl. Bericht RhÜbk-EU, S. 8.

148 *Epiney,* EuZW 2003, 425.

149 Vgl. *Spinellis,* in: Bassiouni (Hrsg.), Criminal Law, S. 369.

150 Vgl. dazu ausführlich unten d).

Weitere Themenbereiche, die durch das Übereinkommen geregelt werden, sind z.B. die Vernehmung mittels Video- oder Telefonkonferenz.[151] Zudem werden besondere Kooperationsformen durch die Vorschriften zu kontrollierten Lieferungen[152] und verdeckten Ermittlungen geregelt,[153] die bisher nicht ausdrücklich vertraglich vorgesehen waren.[154] Ausführliche Vorschriften finden sich zudem zur immer wichtiger werdenden Überwachung des Telekommunikationsverkehrs (Art. 17ff). Im Jahr 2001 wurde ein Zusatzprotokoll zum EU-Rechtshilfeübereinkommen verfasst,[155] das weitere Ergänzungen und Erleichterungen der Zusammenarbeit, z.B. für die Einholung von Bankauskünften,[156] vorsieht. Die Möglichkeiten zur Geltendmachung von Vorbehalten bei fiskalischen und politischen Delikten werden durch das Protokoll derart eingeschränkt, dass die Rechtshilfe in diesen Fällen faktisch so gut wie gar nicht mehr verweigert werden kann (Art. 8 und 9 Zusatzprotokoll RhÜbk-EU). Zudem wird die Beteiligung der zum damaligen Zeitpunkt noch nicht tatsächlich errichteten Institution „Eurojust“[157] in Rechtshilfefällen ausdrücklich ermöglicht.[158]

d) Rahmenbeschluss über gemeinsame Ermittlungsgruppen

In Art. 13 RhÜbk-EU ist vorgesehen, dass zwei oder mehr Mitgliedstaaten zur Durchführung strafrechtlicher Ermittlungen eine gemeinsame Ermittlungsgruppe (GEG) bilden können. Damit schon vor Inkrafttreten des RhÜbk-EU Ermittlungsgruppen eingesetzt werden konnten, wurde im Jahr 2002 der Rahmenbeschluss des Rates über gemeinsame Ermittlungsgruppen[159] gefasst. Durch Inkrafttreten des EU-Rechtshilfeübereinkommens im Jahr 2005 ist der Rahmenbeschluss gemäß Art. 5 Satz 2 des Beschlusses außer Kraft getreten. Nach derzeitiger Rechtslage richtet sich die Bildung gemeinsamer Ermittlungsgruppen innerhalb der Union somit nach Art. 13 RhÜbk-EU, der jedoch inhalts- und wortgleich mit Art. 1 des Rahmenbeschlusses ist.

---

[151] Art. 11 und 12 RhÜbk-EU.

[152] Art. 12 RhÜbk-EU, dieser ersetzt Art. 73 SDÜ.

[153] Art. 13 und 14 RhÜbk-EU.

[154] *Meuters*, S. 55.

[155] Protokoll – vom Rat gemäß Artikel 34 des Vertrags über die Europäische Union erstellt – zu dem Übereinkommen über die Rechtshilfe in Strafsachen zwischen den Mitgliedstaaten der Europäischen Union, ABl. 2001/C326/2; im Folgenden: Zusatzprotokoll RhÜbk-EU.

[156] Art. 1ff Zusatzprotokoll RhÜbk-EU.

[157] Vgl. hierzu unten C.1.

[158] Art. 10 Abs. 2 Zusatzprotokoll RhÜbk-EU.

[159] Rahmenbeschluss des Rates (2002/465/JI) vom 13.6.2002 über Gemeinsame Ermittlungsgruppen, ABl. 2002/L162/1; im Folgenden: Rb GEG.

Eine gemeinsame Ermittlungsgruppe kann in einem oder mehreren der an der Gruppe beteiligten Mitgliedstaaten agieren. Die zuständigen Behörden von mindestens zwei Mitgliedstaaten müssen hierfür eine Vereinbarung über die Bildung einer solchen Ermittlungsgruppe treffen, in der Zweck, Zeitraum für die Existenz der Gruppe und ihre Zusammensetzung festgelegt werden. Eine GEG kann insbesondere gebildet werden, wenn in einem Ermittlungsverfahren eines Mitgliedstaates zur Aufdeckung von Straftaten schwierige und aufwändige Ermittlungen mit Bezügen zu anderen Mitgliedstaaten durchzuführen sind (Art. 1 Abs. 1 Satz 3 lit. a Rb GEG/ Art. 13 Abs. 1 lit. a RhÜbk-EU). Ebenso kann ein Ersuchen zur Bildung einer gemeinsamen Ermittlungsgruppe gestellt werden, wenn mehrere Mitgliedstaaten Ermittlungen zur Aufdeckung von Straftaten durchführen, die ein koordiniertes und abgestimmtes Vorgehen erforderlich machen (Art. 1 Abs. 1 Satz 3 lit. b/Art. 13 Abs. 1 lit. B RhÜbk-EU). Voraussetzung für die Bildung einer GEG ist, dass mindestens in einem Mitgliedstaat bereits ein Ermittlungsverfahren eingeleitet wurde. Eine Beschränkung auf einen bestimmten Kriminalitätsbereich oder bestimmte Straftaten gibt es nicht.

Neben dem Recht der Mitgliedstaaten, ein Ersuchen zur Bildung einer GEG zu stellen, besteht für Europol und Eurojust die Möglichkeit, die Bildung einer solchen Gruppe vorzuschlagen.[160] Gebildet wird die Gruppe in einem der Mitgliedstaaten, in denen die Ermittlungen voraussichtlich durchzuführen sind (Art. 1 Abs. 1 Satz 4 und Satz 5 Rb GEG/Art. 13 Abs. 1 Satz 4 und Satz 5 RhÜbk-EU). Jede gemeinsame Ermittlungsgruppe hat einen Leiter und sogenannte entsandte Mitglieder. Der Leiter ist ein Vertreter der an den strafrechtlichen Ermittlungen beteiligten zuständigen Behörde des Mitgliedstaats, in dem der Einsatz der Gruppe erfolgt. Er handelt im Rahmen der ihm nach nationalem Recht zustehenden Befugnisse.[161] Entsandte Mitglieder sind jene, die aus einem anderen Mitgliedstaat stammen, als dem, in dem die Ermittlungsgruppe eingesetzt ist (Art. 1 Abs. 4 Rb GEG/ Art. 13 Abs. 4 RhÜbk-EU). Die GEG muss sich bei der Erfüllung ihrer Aufgaben nach den Rechtsvorschriften des Mitgliedstaats richten, in dem ihr Einsatz stattfindet. Entsandte Mitglieder dürfen bei Ermittlungsmaßnahmen im Einsatzstaat bis auf wenige Ausnahmen grundsätzlich anwesend sein. Der Gruppenleiter kann nach Maßgabe der Rechtsvorschriften des Einsatzstaates entsandte Mitglieder unter bestimmten Voraussetzungen mit der Durchführung bestimmter Ermittlungsmaßnahmen betrauen (Art. 1 Abs. 6 Rb GEG/Art. 13 Abs. 6 RhÜbk-EU).

Um die Ermittlungen der GEG zu erleichtern, kann jedes entsandte Mitglied die zuständigen Behörden seines Landes darum ersuchen, Ermittlungsmaßnahmen zu ergreifen, die von der gemeinsamen Ermittlungsgruppe benötigt werden. Der Mitgliedstaat muss dieses Ersuchen gemäß den Bedingungen erwägen, die für im Rahmen innerstaatlicher Ermittlungen erbetene Maßnahmen gelten würden (Art. 1

[160] Art. 6 und 7 Eurojust-Beschluss; Art. 5 lit. d Europol-Beschluss.

[161] Art. 1 Abs. 3 lit. a Rb GEG/Art. 13 Abs. 3 lit. a RhÜbk-EU.

Abs. 7 Rb GEG/Art. 13 Abs. 7 RhÜbk-EU). Dadurch muss nicht der „klassische" Rechtshilfeweg gegangen werden: Im Rahmen der Rechtshilfe relevante Verweigerungsgründe werden nicht geprüft. Die so erlangten Informationen stehen somit allen Mitgliedern direkt zur Verfügung und müssen nicht formell übermittelt werden. Jedes Mitglied der GEG darf der Gruppe, insofern dies nach den rechtlichen Vorschriften seines Heimatstaates gestattet ist, zudem Informationen für die Zwecke der von der Gruppe geführten strafrechtlichen Ermittlungen vorlegen, über die der das Mitglied entsendende Staat verfügt (Art. 1 Abs. 9 Rb GEG/Art. 13 Abs. 9 RhÜbk-EU).

Die gemeinsamen Ermittlungsgruppen sind hauptsächlich auf Mitglieder ausgelegt, die Vertreter der zuständigen nationalen Behörden sind. Dennoch kann auch die Teilnahme von anderen Personen, wie beispielsweise Mitarbeitern von OLAF oder Europol, vereinbart werden. Ihnen kommen in der Regel nur beschränkte Rechte zu (Art. 1 Abs. 12 Rb GEG/Art. 13 Abs. 12 RhÜbk-EU).

e) Zusammenfassung

Durch die verschiedenen vorgestellten Regelungen wurde die Rechtshilfe zwischen den Mitgliedstaaten Schritt für Schritt vereinfacht. Insbesondere die fast vollständige Abschaffung des Erfordernisses der doppelten Strafbarkeit sowie die Möglichkeit des direkten Kontakts zwischen den mitgliedstaatlichen Strafverfolgungsbehörden stellen wesentliche Erleichterungen dar. Die durch Art. 4 RhÜbk-EU gegebene Möglichkeit des ersuchenden Mitgliedstaates, Formvorschriften für die Durchführung eines Rechtshilfeersuchens vorzugeben, erleichtert die Beweisverwertung in einem späteren Gerichtsverfahren. Die Bildung gemeinsamer Ermittlungsgruppen könnte sich als erfolgreiches Konzept zu einer besseren Bekämpfung von grenzüberschreitendem EU-Betrug erweisen. Rechtshilfeersuchen werden in diesem Rahmen obsolet, da Ermittlungsmaßnahmen direkt bei den anderen Mitgliedern beantragt werden können. Die Koordinierung vor Ort wird durch die Anwesenheit der Mitglieder aus verschiedenen betroffenen Mitgliedstaaten erleichtert.

3. Prinzip der gegenseitigen Anerkennung in Strafsachen

Neben den klassischen Rechtshilferegelungen gibt es Normen, die auf dem Prinzip der gegenseitigen Anerkennung in Strafsachen beruhen. Innerhalb Europas entstammt dieses Prinzip dem Binnenmarkt der EG.[162] Auf seinem Gipfeltreffen 1999 in Tampere erklärte der Europäische Rat, das Prinzip der gegenseitigen Anerkennung solle auch in Strafsachen zum Eckpfeiler der justiziellen Zusammenarbeit

---

162 Vgl. detaillierter: *Braum,* GA 2005, 687; *Scheuermann,* S. 5ff.

werden.[163] Eine gegenseitige Anerkennung solle sowohl für Urteile als auch für andere Entscheidungen von Justizbehörden gelten. Gegenseitige Anerkennung bedeutet, dass die nationalen Behörden die Entscheidung einer ausländischen Behörde ohne weitere Prüfung anerkennen und vollstrecken.[164] Für eine Umsetzung dieses Prinzips ist Vertrauen der Mitgliedstaaten in die Justizsysteme der anderen Mitgliedstaaten eine wichtige Voraussetzung. Dieses Vertrauen beruht laut Rat und Kommission auf gemeinsamen Grundwerten, wie z.B. dem Demokratie- und Rechtsstaatsprinzip und der Anerkennung der Menschenrechte und der Grundfreiheiten.[165] Infolge des Gipfeltreffens beschlossen der Rat und die Kommission im November 2000 ein Maßnahmenprogramm[166] zur Umsetzung des Prinzips. Daraufhin wurden weitere Bestimmungen erlassen, die auf dem Prinzip der gegenseitigen Anerkennung in Strafsachen beruhen. Sie werden als Schritte zur Ersetzung der bestehenden Rechtshilfebestimmungen durch eine unionsweit einheitliche Regelung verstanden und sehen in dem jeweiligen Regelungsbereich von einem Bewilligungsakt des vollstreckenden Mitgliedstaates ab.[167]

Mit Art. 82 Abs. 1 AEUV wurde das Prinzip der gegenseitigen Anerkennung in Strafsachen erstmals vertraglich im Primärrecht verankert. Die wichtigsten Regelungen zur strafrechtlichen Zusammenarbeit, die auf dem Prinzip der gegenseitigen Anerkennung beruhen, werden im Folgenden dargestellt.[168]

a) Rahmenbeschluss über den Europäischen Haftbefehl

Der Rahmenbeschluss über den Europäischen Haftbefehl (EuHB) und die Übergabeverfahren zwischen den Mitgliedstaaten wurde 2002 gefasst.[169] Der Rb EuHB legt neue Regelungen bezüglich der Auslieferung zwischen den Mitgliedstaaten

---

163 Nr. 33, Tampere Europäischer Rat, Schlussfolgerungen des Vorsitzes, abrufbar unter: http://www.europarl.europa.eu/summits/tam_de.htm [Stand: 20.10.2011].

164 Grabitz/Hilf/Nettesheim-*Vogel,* Art. 82 Rn. 5.

165 Maßnahmenprogramm zur Umsetzung des Prinzips der gegenseitigen Anerkennung in Strafsachen, ABl. 2001/C12/10, S. 10.

166 Maßnahmenprogramm zur Umsetzung des Prinzips der gegenseitigen Anerkennung in Strafsachen, ABl. 2001/C12/10.

167 *Von Bubnoff*, S. 51.

168 Nicht eingegangen wird auf den im Rahmen des Strafrechts ebenfalls relevanten Rahmenbeschluss (2005/214/JI) des Rates vom 24.2.2005 über die Anwendung des Grundsatzes der gegenseitigen Anerkennung von Geldstrafen und Geldbußen und den Rahmenbeschluss (2008/909/JI) des Rates vom 27.11.2008 über die Anwendung des Grundsatzes der gegenseitigen Anerkennung auf Urteile in Strafsachen, durch die eine freiheitsentziehende Strafe oder Maßnahme verhängt wird, für die Zwecke ihrer Vollstreckung in der Europäischen Union.

169 Rahmenbeschluss (2002/584/JI) des Rates vom 13.6.2002 über den europäischen Haftbefehl und die Übergabeverfahren zwischen den Mitgliedstaaten, ABl. 2002/L190/1, zuletzt geändert durch Rahmenbeschluss (2009/299/JI) des Rates vom 26.2.2009; im Folgenden: Rb EuHB.

fest. Der EuHB ersetzt innerhalb der Union alle bis dahin zwischen den Mitgliedstaaten geltenden Instrumente bezüglich der Auslieferung.[170]

Bei einem Europäischen Haftbefehl handelt es sich um eine justizielle Entscheidung, die in einem Mitgliedstaat ergangen ist und die Festnahme und Übergabe durch einen anderen Mitgliedstaat zur Strafverfolgung oder zur Vollstreckung einer Freiheitsstrafe oder einer freiheitsentziehenden Maßnahme bezweckt (Art. 1 Abs. 1). Die Mitgliedstaaten müssen einen EuHB nach dem Prinzip der gegenseitigen Anerkennung und den im Rahmenbeschluss festgelegten Bedingungen vollstrecken (Art. 1 Abs. 2). Ein EuHB kann erlassen werden, wenn es um Handlungen geht, die nach den Rechtsvorschriften des Ausstellungsstaates mit einer Freiheitsstrafe oder einer freiheitsentziehenden Maßregel der Sicherung im Höchstmaß von mindestens zwölf Monaten bedroht sind, oder falls bereits eine Verurteilung erfolgt ist, wenn die Strafe oder Anordnung einer Maßregel der Sicherung mindestens vier Monate beträgt (Art. 2 Abs. 1). Sind bei Erlass des EuHB zusätzliche Bedingungen erfüllt, wird die Vollstreckung dadurch vereinfacht, dass eine Prüfung der doppelten Strafbarkeit, wie im Auslieferungsverkehr üblich, entfällt. Hierfür muss es sich um Straftaten handeln, die im Ausstellungsmitgliedstaat mit einer Mindesthöchststrafe von drei Jahren bedroht sind (Art. 2 Abs. 2) und unter den in Art. 2 Abs. 2 normierten Deliktskatalog fallen.[171] Für jene Straftaten, die nicht unter Art. 2 Abs. 2 fallen, gilt, dass die Übergabe vom Vorliegen einer beiderseitigen Strafbarkeit der Handlung abhängig gemacht werden kann (Art. 2 Abs. 4).

Den Mitgliedstaaten werden trotz der prinzipiellen Anwendung des Grundsatzes der gegenseitigen Anerkennung Möglichkeiten eingeräumt, in besonderen Fällen den EuHB nicht zu vollstrecken. Die Gründe, die den Vollstreckungsstaat zur Ablehnung der Vollstreckung verpflichten oder berechtigen, sind in Art. 3 und 4 festgelegt.

---

[170] 11. Erwägungsgrund Rb EuHB, Art. 31 Rb EuHB.

[171] Beteiligung an einer kriminellen Vereinigung; Terrorismus; Menschenhandel; sexuelle Ausbeutung von Kindern und Kinderpornografie; illegaler Handel mit Drogen und psychotropen Stoffen; illegaler Handel mit Waffen, Munition und Sprengstoffen; Korruption; Betrugsdelikte, einschließlich Betrug zum Nachteil der finanziellen Interessen der Europäischen Gemeinschaften im Sinne des Übereinkommens vom 26.7.1995 über den Schutz der finanziellen Interessen der Europäischen Gemeinschaften; Wäsche von Erträgen aus Straftaten; Geldfälschung, einschließlich der Euro-Fälschung; Cyberkriminalität, Umweltkriminalität, einschließlich des illegalen Handels mit bedrohten Tierarten oder mit bedrohten Pflanzen- und Baumarten; Beihilfe zur illegalen Einreise und zum illegalen Aufenthalt; vorsätzliche Tötung, schwere Körperverletzung; illegaler Handel mit Organen und menschlichem Gewebe; Entführung, Freiheitsberaubung, Geiselnahme; Rassismus und Fremdenfeindlichkeit; Diebstahl in organisierter Form oder mit Waffen; illegaler Handel mit Kulturgütern, einschließlich Antiquitäten und Kunstgegenstände; Betrug; Erpressung und Schutzgelderpressung; Nachahmung und Produktpiraterie; Fälschung von amtlichen Dokumenten und Handel damit; Fälschung von Zahlungsmitteln; illegaler Handel mit Hormonen und anderen Wachstumsförderern; illegaler Handel mit nuklearen und radioaktiven Substanzen; Handel mit gestohlenen Kraftfahrzeugen; Vergewaltigung; Brandstiftung; Verbrechen, die in die Zuständigkeit des Internationalen Strafgerichtshofs fallen; Flugzeug- und Schiffsentführung; Sabotage.

Die Vollstreckung eines EuHB wird beispielsweise abgelehnt, wenn die gesuchte Person wegen derselben Handlung bereits rechtskräftig verurteilt wurde und die Sanktion vollstreckt worden ist, vollstreckt wird oder nach dem Recht des Urteilsstaates nicht mehr vollstreckt werden kann (Art. 3 Nr. 2).

Ein Recht, die Vollstreckung zu verweigern, hat die Justizbehörde unter anderem dann, wenn die Person, gegen die der EuHB ergangen ist, im Vollstreckungsstaat wegen derselben Handlung, aufgrund deren der EuHB ausgestellt worden ist, strafrechtlich verfolgt wird (Art. 4 Nr. 2). Gleiches gilt, wenn die Justizbehörden des Vollstreckungsstaates bereits aufgrund eigener Ermittlungen beschlossen haben, kein Verfahren einzuleiten oder aber ein Verfahren wegen derselben Straftat bereits eingestellt haben (Art. 4 Nr. 3). Ist die Strafverfolgung oder die Strafvollstreckung nach den Rechtsvorschriften des Vollstreckungsstaates verjährt und bestand hinsichtlich der Handlungen nach seinem eigenen Strafrecht eine Gerichtsbarkeit, darf die Vollstreckung ebenfalls verweigert werden (Art. 4 Nr. 4).

Auch nachdem entschieden wurde, einen EuHB zu vollstrecken, kann die Übergabe der gesuchten Person vom Vollstreckungsstaat aufgeschoben werden, damit diese im Vollstreckungsstaat gerichtlich verfolgt werden oder eine Haftstrafe im Hoheitsgebiet des Vollstreckungsstaats verbüßen kann (Art. 24 Abs. 1).

Bei Erlass eines EuHBs muss ein Formblatt[172] ausgefüllt werden (Art. 8). Das bisherige Auslieferungsersuchen, für das zum Teil umfangreiche Unterlagen notwendig waren, wird durch eine einheitliche Urkunde ersetzt.[173] Die Übermittlung erfolgt immer von der ausstellenden Justizbehörde an die im Vollstreckungsstaat zuständige Justizbehörde (Art. 9, 10). Die Auslieferung zwischen den Mitgliedstaaten wird somit abgeschafft und durch ein System der Übergabe zwischen Justizbehörden ersetzt.[174] Die Vollstreckung eines EuHBs muss stets als Eilsache verfolgt (Art. 17 Abs. 1) und innerhalb bestimmter Fristen erledigt werden (Art. 17, 23). Neben der Übergabe der gesuchten Person können auch beschlagnahmte Gegenstände, die als Beweisstücke dienen können oder die die gesuchte Person aus der Straftat erlangt hat, übergeben werden (Art. 29 Abs. 1 lit. a, b).[175]

b) Rahmenbeschluss über Sicherstellungsentscheidungen

Ebenfalls im Maßnahmenprogramm von 2000 vorgesehen war die Annahme eines Rechtsakts zur Anwendung der gegenseitigen Anerkennung auf die Sicher-

172 Siehe Anhang Rb EuHB.

173 *Hackner,* NStZ 2005, 313.

174 5. Erwägungsgrund, Rb EuHB.

175 Dies ist sogar dann möglich, wenn die Person tot oder auf der Flucht ist und deswegen nicht übergeben werden kann (Art. 29 Abs. 2).

stellung von Beweismitteln und Vermögensgegenständen.[176] Daraufhin wurde 2003 der Rahmenbeschluss über die Vollstreckung von Entscheidungen über die Sicherstellung von Vermögensgegenständen oder Beweismitteln in der Europäischen Union[177] gefasst. Dieser legt Vorschriften fest, nach denen ein Mitgliedstaat eine Sicherstellungsentscheidung in seinem Hoheitsgebiet anerkennt und vollstreckt, die von einer Justizbehörde eines anderen Mitgliedstaates im Rahmen eines Strafverfahrens erlassen wurde (Art. 1).

Unter Sicherstellungsentscheidung ist „jede von einer zuständigen Justizbehörde des Entscheidungsstaates getroffene Maßnahme [zu verstehen], mit der vorläufig jede Vernichtung, Veränderung, Verbringung, Übertragung oder Veräußerung von Vermögensgegenständen verhindert werden soll, deren Einziehung angeordnet werden könnte oder die ein Beweismittel darstellen könnte“ (Art. 2 lit. c). Die Sicherstellungsentscheidung muss zum Zwecke der Sicherung von Beweismitteln (Art. 3 Abs. 1 lit. a) oder zur späteren Einziehung von Vermögensgegenständen erlassen werden (Art. 3 Abs. 1 lit. b). Art. 3 Abs. 2 enthält einen Katalog derjenigen Deliktsarten, bei deren Vorliegen keine Überprüfung der beiderseitigen Strafbarkeit vorgenommen wird. Der Straftatenkatalog entspricht dem des Europäischen Haftbefehls, sieht aber ein Höchstmaß von drei Jahren vor.

Die zuständige Justizbehörde muss nach dem Prinzip der gegenseitigen Anerkennung eine Sicherstellungsentscheidung des Vollstreckungsstaates grundsätzlich ohne weitere Formalität anerkennen (Art. 5 Abs. 1). Sie muss diese wie eine von einer nationalen Behörde erlassene Entscheidung behandeln und unverzüglich die erforderlichen Maßnahmen für deren unmittelbare Vollstreckung treffen (Art. 5 Abs. 1). Sofern die von der zuständigen Justizbehörde des Entscheidungsstaates für die Vollstreckung angegebenen Formvorschriften und Verfahren nicht den Grundprinzipien des Rechts des Vollstreckungsstaates zuwiderlaufen, hält die Vollstreckungsbehörde diese immer ein, wenn sichergestellt werden muss, dass das erlangte Beweismittel Gültigkeit[178] hat (Art. 5 Abs. 1). Etwaige zu ergreifende Zwangsmaßnahmen werden jedoch stets nach dem Recht des Vollstreckungsstaates durchgeführt (Art. 5 Abs. 2).

Von der grundsätzlichen Verpflichtung, Sicherstellungsentscheidungen anzuerkennen, gibt es jedoch Ausnahmen, die in Art. 7 und Art. 8 abschließend aufgezählt werden:

---

176 2.1. Maßnahmenprogramm zur Umsetzung des Prinzips der gegenseitigen Anerkennung in Strafsachen, ABl. 2001/C12/10.

177 Rahmenbeschluss 2003/577/JI des Rates vom 22.7.2003 über die Vollstreckung von Entscheidungen über die Sicherstellung von Vermögensgegenständen oder Beweismitteln in der Europäischen Union; ABl. 2003/L196/45; im Folgenden: Rb Sicherstellungsentscheidungen.

178 Zu Recht kritisch zu dieser Formulierung: *Scheuermann,* S. 101.

Die Vollstreckungsbehörde kann die Vollstreckung nach Art. 7 Abs. 1 lit. a verweigern, wenn die Bescheinigung nach Art. 9 fehlt oder fehlerhaft ist. Die Vollstreckung kann auch versagt werden, wenn nach dem Recht des Vollstreckungsstaates Befreiungen oder Vorrechte bestehen, die die Vollstreckung der Sicherstellungsentscheidung unmöglich machen (Art. 7 Abs. 1 lit. b), oder eine Übergabe des Beweismittels an den Entscheidungsstaat oder eine Einziehung des Vermögens gegen den Grundsatz des ne bis in idem verstoßen würde (Art. 7 Abs. 1 lit. c). Zudem kann immer dann die Vollstreckung versagt werden, wenn die Tat im Vollstreckungsstaat nicht strafbar ist (Art. 7 Abs. 1 lit. d), es sei denn, es liegt eine Straftat nach Art. 3 Abs. 2 vor.

Nach Art. 8 kann die zuständige Behörde die Vollstreckung unter bestimmten Bedingungen aufschieben. Das ist möglich, wenn durch die Vollstreckung laufende Ermittlungen beeinträchtigt würden (Art. 8 Abs. 1 lit. a). Die Behörde kann die Vollstreckung solange aufschieben, wie sie es für angemessen hält. Waren die betreffenden Vermögensgegenstände oder Beweismittel bereits Gegenstand einer Sicherstellungsentscheidung im Rahmen eines Strafverfahrens, kann die Vollstreckung ebenfalls aufgeschoben werden (Art. 8 Abs. 1 lit. b). Dies geht jedoch nur so lange, bis diese Sicherstellungsentscheidung aufgehoben wird. Wird die Sicherstellung im Hinblick auf eine spätere Einziehung für Vermögensgegenstände angeordnet, die im Vollstreckungsstaat bereits Gegenstand einer im Rahmen eines anderen Verfahrens ergangenen Entscheidung sind, kann die Vollstreckung unter bestimmten Umständen (Art. 8 Abs. 1 lit. c Satz 2) solange aufgeschoben werden, bis diese Entscheidung aufgehoben wird (Art. 8 Abs. 1 lit. c).

Die Sicherstellungsentscheidung wird nach Art. 4 Abs. 1 von der Entscheidungsbehörde, direkt an die zuständige Vollstreckungsbehörde übermittelt. Beigefügt werden muss eine Bescheinigung nach Art. 9. Diese besteht aus einem Formblatt,[179] das die wichtigsten Daten der Sicherstellungsentscheidung, auch hinsichtlich der Bitte um Einhaltung bestimmter Form- und Verfahrensvorschriften, wiedergibt. So formalisiert können Missverständnisse und Unklarheiten vermieden werden. Über eine vom Entscheidungsstaat übermittelte Sicherstellungsentscheidung müssen die zuständigen Justizbehörden des Vollstreckungsstaates, wenn möglich, innerhalb von 24 Stunden nach deren Erhalt entscheiden und ihre Entscheidung dann der zuständigen Behörde mitteilen (Art. 5 Abs. 3).

Um das sichergestellte Beweismittel zu erlangen oder eine Einziehung des Vermögens zu erreichen, muss die Entscheidungsbehörde bei der Vollstreckungsbehörde ein diesbezügliches Rechtshilfeersuchen nach den allgemein geltenden Rechtshilferegeln stellen (Art. 10 Abs. 1 lit a, b, Art. 10 Abs. 2). Diese werden aber insofern modifiziert, als eine Ablehnung des Ersuchens nur eingeschränkt möglich ist (Art. 10 Abs. 3).

---

179 Bescheinigung nach Art. 9, Anhang Rb Sicherstellungsentscheidungen.

c) Rahmenbeschluss über die Europäische Beweisanordnung

Speziell zur Erlangung von Sachen, Schriftstücken und Daten zur Verwendung in Strafsachen wurde 2008 vom Rat der Rahmenbeschluss über die Europäische Beweisanordnung gefasst.[180] Nach Vorstellung der Kommission soll die Europäische Beweisanordnung nur der erste Schritt auf dem Weg zu einem einheitlichen EU-Instrument zur gegenseitigen Anerkennung von Beweisen sein, das später alle bisher bestehenden Rechtshilfemechanismen ersetzen soll.[181] Der Rahmenbeschluss besteht neben den bereits existierenden Rechtshilfeinstrumenten, ist aber bis auf wenige Ausnahmen vorrangig anzuwenden.[182]

Die im Rahmenbeschluss geregelte Europäische Beweisanordnung ist eine von einer zuständigen Behörde eines Mitgliedstaates erlassene justizielle Entscheidung zur Erlangung von Sachen, Schriftstücken und Daten aus einem anderen Mitgliedstaat zur Verwendung in bestimmten Verfahren (Art. 1 Abs. 1), insbesondere Strafverfahren.[183] Sie kann direkt von der Anordnungsbehörde an die Vollstreckungsbehörde übermittelt werden (Art. 8 Abs. 1) und ist ohne gesonderte innerstaatliche Bewilligung innerhalb einer bestimmten Frist (Art. 15) von den Mitgliedstaaten zu vollstrecken. Dabei sind die Behörden des Vollstreckungsmitgliedstaates, sofern es nicht wesentlichen Grundsätzen ihres Rechts zuwiderläuft, verpflichtet, die Formvorschriften und Verfahren einzuhalten, die der Anordnungsstaat vorgegeben hat (Art. 12). Dadurch soll gewährleistet werden, dass die erlangten Beweismittel in einem späteren Verfahren im Anordnungsstaat zulässig und verwertbar sind.

Die Ausnahmen von der Pflicht, eine Europäische Beweisanordnung anzuerkennen oder zu vollstrecken, sind begrenzt (Art. 13, 16). Gründe, die zur Versagung der Anerkennung oder Vollstreckung berechtigen, sind beispielsweise, dass die Vollstreckung dem Grundsatz ne bis in idem zuwiderliefe oder Immunitäten im Vollstreckungsstaat bestehen, die die Vollstreckung unmöglich machen (Art. 13 Abs. 1 lit. a, d). Auch wenn die Vollstreckung der Europäischen Beweisanordnung in einem bestimmten Fall wesentlichen nationalen Sicherheitsinteressen schaden, die Informationsquelle beeinträchtigen oder die Verwendung von Verschlusssachen über spezifische nachrichtendienstliche Tätigkeiten voraussetzen würde, darf die Anerkennung oder Vollstreckung versagt werden (Art. 13 Abs. 1 lit. g). Gleiches gilt auch für den Fall, dass das für die Europäische Beweisanordnung vorgesehene Formblatt nicht richtig ausgefüllt und nicht berichtigt wurde (Art. 13 Abs. 1 lit. h).

---

[180] Rahmenbeschluss 2008/978/JI des Rates vom 18.12.2008 über die Europäische Beweisanordnung zur Erlangung von Sachen, Schriftstücken und Daten zur Verwendung in Strafsachen, ABl. 2008/L350/72; im Folgenden: Rb Europäische Beweisanordnung.

[181] EU-Kommission, Vorschlag Beweisanordnung, S. 2.

[182] Art. 21 Rb Europäische Beweisanordnung.

[183] Vgl. Art. 5 Rb Europäische Beweisanordnung.

Anders als im Rechtshilfeverkehr üblich darf die Anerkennung oder Vollstreckung grundsätzlich nicht von der Überprüfung der beiderseitigen Strafbarkeit abhängig gemacht werden, wenn keine Beschlagnahme oder Durchsuchung erforderlich ist. Soll eine solche durchgeführt werden, wird die beiderseitige Strafbarkeit ebenfalls nicht geprüft, wenn die Tat im Anordnungsstaat mit einer Freiheitsstrafe mit einem Höchstmaß von mindestens drei Jahren bedroht ist und zu den im Rahmenbeschluss aufgeführten Straftatbeständen gehört (Art. 14).

Unter bestimmten Umständen kann die Vollstreckungsbehörde die Anerkennung oder die Vollstreckung einer Europäischen Beweisanordnung aufschieben (Art. 16). Diese Ausnahmeregelung wurde jedoch eng gefasst. Sowohl für den Aufschub der Anerkennung als auch für den der Vollstreckung sind jeweils nur zwei Gründe vorgesehen. So kann verhindert werden, dass von der Möglichkeit des Aufschubs unangemessen häufig Gebrauch gemacht wird.

Vor Erlass einer Beweisanordnung hat der Anordnungsstaat zu prüfen, ob er die angeforderten Dinge für sein Verfahren tatsächlich benötigt und die Erlangung dazu in einem angemessenen Verhältnis steht. Weitere zu prüfende Anordnungsvoraussetzung ist, dass die angeforderten Dinge, wenn sie sich im Hoheitsgebiet des anordnenden Staates befänden, nach dessen Recht in einem vergleichbaren Fall rechtmäßig erlangt werden könnten (Art. 7). Inhaltlich kann die Europäische Beweisanordnung für Sachen, Schriftstücke oder Daten erlassen werden, die sich im Vollstreckungsstaat befinden und in einem Verfahren im Anordnungsstaat benötigt werden (Art. 4 Abs. 1). Nicht möglich ist der Erlass einer Europäischen Beweisanordnung zur Durchführung von Vernehmungen oder körperlichen Untersuchungen oder zur Entnahme von DNA-Proben sowie zur Überwachung des Telekommunikationsverkehrs.[184] Hierfür ist auch weiterhin der Weg über den traditionellen Rechtshilfeverkehr notwendig. Wurden diese Maßnahmen jedoch unabhängig von einer Europäischen Beweisanordnung bereits durchgeführt, kann der Anordnungsstaat dadurch bereits vorliegende Sachen, Schriftstücke oder Daten verlangen (Art. 4 Abs. 4).

Wesentliches Merkmal einer Europäischen Beweisanordnung ist, dass sie stets nur auf die Erlangung bereits vorhandener Beweise zielen kann. Für die Beweiserhebung muss auf die klassische Rechtshilfe zurückgegriffen werden. Die Europäische Beweisanordnung trifft keine Regelung zur späteren Verwertbarkeit der im Rahmen einer Beweisanordnung erlangten Beweise.

4. Reformvorschläge

Obwohl die grenzüberschreitende Strafverfolgung durch die obenstehenden Regelungen erleichtert werden kann, wird das derzeitige System häufig als nicht

---

184 Art. 4 Abs. 2 Rb Europäische Beweisanordnung.

ausreichend angesehen. Im Folgenden sollen zwei Reformvorschläge vorgestellt werden, die in den vergangenen Jahren unterbreitet wurden. Während sich der Vorschlag zum Erlass einer Richtlinie zum strafrechtlichen Schutz der finanziellen Interessen der Gemeinschaft[185] explizit mit dem Finanzschutz befasst, zielt der Vorschlag zum Erlass einer Richtlinie über die Europäische Ermittlungsanordnung[186] ganz allgemein auf die Verbesserung der transnationalen Strafverfolgung innerhalb der Union.

a) Richtlinie über den strafrechtlichen Schutz der finanziellen Interessen der Gemeinschaft

Die Kommission unterbreitete im Jahr 2001 einen Vorschlag für eine Richtlinie über den strafrechtlichen Schutz der finanziellen Interessen der Gemeinschaft.[187] Ziel war es, die einschlägigen strafrechtlichen Bestimmungen der Mitgliedstaaten zu harmonisieren. Zum damaligen Zeitpunkt waren weder das Übereinkommen über den Schutz der finanziellen Interessen noch dessen Protokolle in Kraft, da sie nicht von allen Mitgliedstaaten ratifiziert worden waren. Um trotzdem eine Harmonisierung zu erreichen, wollte die Kommission durch Schaffung der Richtlinie die diesbezüglichen Vorschriften in geltendes EU-Recht überführen. Deshalb orientiert sich der Vorschlag inhaltlich an den Vereinbarungen des Übereinkommens und seiner Protokolle und übernimmt die meisten Definitionen und Bestimmungen.[188] Auch nach Inkrafttreten des Übereinkommens und des ersten Protokolls hielt die Kommission an ihrem Vorhaben fest und legte 2002 einen nach Stellungnahme des Europäischen Parlaments leicht geänderten Vorschlag vor.[189] Sie begründete ihr weiteres Engagement zum Erlass der Richtlinie vor allem mit dem damals noch ausstehenden Inkrafttreten des zweiten Protokolls. Zudem verwies sie darauf, dass eine Richtlinie den Vorteil hätte, den Rückgriff auf Kontrollmechanismen zu ermöglichen, die eingesetzt werden können, um die ordnungsgemäße Umsetzung und Anwendung des Gemeinschaftsrechts durch die Mitgliedstaaten zu überwachen.[190] Gemeint war damit die Anstrengung eines Vertragsverletzungsverfahrens gemäß Art. 258 AEUV[191] durch die Kommission sowie Sanktionierungsmaßnahmen im Fall einer festgestellten Verletzung gegen den betroffenen Staat. Seit 2009 ist auch das zweite PIF-Protokoll in Kraft, sodass alleiniger Nutzen des Vorschlags die Ermöglichung einer Kontrolle der korrekten Umsetzung der Vor-

---

185 EU-Kommission, Vorschlag RL Schutz der finanziellen Interessen.

186 Rat, Vorschlag EEA.

187 EU-Kommission, Vorschlag RL Schutz der finanziellen Interessen.

188 Vgl. dazu oben 1.

189 EU-Kommission, Geänderter Vorschlag RL Schutz der finanziellen Interessen.

190 EU-Kommission, Geänderter Vorschlag RL Schutz der finanziellen Interessen, S. 2.

191 Damals: Art. 226 EGV.

schriften wäre. Dadurch könnten Fehler aufgedeckt werden, die die bezweckte Angleichung der Rechtsvorschriften verhindern. Bislang wurde diese weder formell- noch materiell-rechtlich in vollem Umfang erreicht.[192] Ob eine Feststellung der Mangelhaftigkeit die Mitgliedstaaten letztlich zu einer besseren Umsetzung bewegen würde, ist jedoch zweifelhaft. Bislang entfalteten Vertragsverletzungsverfahren wegen der Weigerung, eine Richtlinie korrekt umzusetzen, kaum abschreckende Wirkung. Zudem ist mit der Verurteilung des Mitgliedstaates der Vertragsverstoß nicht beseitigt, dies erfordert immer noch ein Mitwirken des Staates.[193]

b) Richtlinie über die Europäische Ermittlungsanordnung in Strafsachen

Mit den Rahmenbeschlüssen über Sicherstellungsentscheidungen und die Europäische Beweisanordnung gibt es bereits zwei Instrumente zur Erlangung von Beweismitteln, die auf dem Prinzip der gegenseitigen Anerkennung beruhen. Dennoch wurde ein Vorschlag für eine Richtlinie über die Europäische Ermittlungsanordnung (EEA) in Strafsachen erarbeitet.[194] Grund dafür ist, dass der bestehende Rahmen für die Erhebung von Beweismitteln stark zersplittert ist und als zu kompliziert[195] angesehen wird. Durch die Richtlinie über die EEA soll ein einheitliches, effizientes und flexibles Instrument geschaffen werden, das es ermöglicht, im Rahmen von Strafverfahren Beweismittel aus einem anderen Mitgliedstaat zu erlangen.[196] Der Rahmenbeschluss zur Europäischen Beweisanordnung würde durch die Richtlinie zur EEA aufgehoben (Art. 29 Abs. 2).

Eine Europäische Ermittlungsanordnung ist „eine gerichtliche Entscheidung, die von einer zuständigen Behörde des Mitgliedstaates (Anordnungsstaat) zur Durchführung einer oder mehrerer Ermittlungsmaßnahme(n) in einem anderen Mitgliedstaat (Vollstreckungsstaat) zur Beweiserhebung der in Art. 4 genannten Verfahren erlassen wird" (Art. 1 Abs. 1). Ein solches Verfahren kann beispielsweise ein Strafverfahren sein, das eine Justizbehörde wegen einer nach dem nationalen Recht des Anordnungsstaates strafbaren Handlung eingeleitet hat (Art. 4 lit. a). Die Mitgliedstaaten müssen jede EEA gemäß Art. 1 Abs. 2 nach dem Grundsatz der gegenseitigen Anerkennung und den Bestimmungen der vorgeschlagenen Richtlinie vollstrecken.

Inhalt einer EEA können fast alle Ermittlungsmaßnahmen sein (Art. 3 Abs. 1). Nicht gedeckt ist jedoch die Anordnung der Bildung einer gemeinsamen Ermittlungsgruppe,[197] der Überwachung des Telekommunikationsverkehrs und dessen

---

192 Vgl. oben 1.c).

193 *Fromm,* StraFo 2008, 93.

194 Rat, Vorschlag EEA.

195 Rat, Vorschlag EEA, 5. Erwägungsgrund.

196 Rat, Interinstitutionelles Dossier, S. 2.

197 Vgl. zu gemeinsamen Ermittlungsgruppen oben 2.d).

unmittelbare Weiterleitung, sowie der Überwachung, Aufnahme und nachfolgenden Übermittlung der Telekommunikation (Art. 3 Abs. 2).[198] Die Vollstreckungsbehörde muss jede EEA ohne weitere Formalität anerkennen und unverzüglich alle Maßnahmen treffen, die zu deren Vollstreckung erforderlich sind (Art. 8 Abs. 1). Sie muss das in derselben Weise tun, in der die betreffende Ermittlungsmaßnahme von einer Behörde des Vollstreckungsstaates angeordnet würde, und nach denselben dafür geltenden Modalitäten. Die EEA muss innerhalb fester Fristen bearbeitet und grundsätzlich unverzüglich vollstreckt werden (Art. 11, 15). Die Vollstreckungsbehörde kann beschließen, auf eine nicht in der EEA vorgesehene Ermittlungsmaßnahme zurückzugreifen, wenn diese mit weniger eingreifenden Mitteln zu dem gleichen Ergebnis führt (Art. 9 Abs. 1).

Eine EEA wird durch Unterzeichnung eines Formblatts durch die Anordnungsbehörde erlassen (Art. 5 Abs. 1) und anschließend direkt an die Vollstreckungsbehörde übermittelt (Art. 6 Abs. 1). Diese hält die Formvorschriften, die die Anordnungsbehörde ausdrücklich angegeben hat, grundsätzlich ein und kann sich bei der Vollstreckung von Behörden des Anordnungsstaates unterstützen lassen (Art. 8 Abs. 3).

Ob der Vorschlag je umgesetzt wird, ist ungewiss. Kritisiert wird, dass er geschaffen wurde, obwohl die Europäische Beweisanordnung in der Praxis noch nicht erprobt ist. Ein Vorschlag, der diese ersetzen und erweitern soll, komme deshalb zu früh.[199] Zudem sei die Zeit noch nicht reif, das Prinzip der gegenseitigen Anerkennung auf alle Beweisgewinnungsarten anzuwenden, da europaweit einheitliche Mindeststandards noch immer fehlen.[200]

c) Richtlinie über die strafrechtliche Bekämpfung von gegen die finanziellen Interessen der Europäischen Union gerichtetem Betrug

Dieser im Jahr 2012 von der Kommission veröffentlichte Vorschlag[201] sieht unter anderem vor, bestimmte Straftatbestände in der Union einheitlich zu definieren. Dies soll das Risiko unterschiedlicher Praktiken bei der Strafverfolgung verringern und dadurch die abschreckende Wirkung verstärken. Zunächst definiert der Vorschlag den Begriff der finanziellen Interessen, um einen einheitlichen Schutzbereich zu gewährleisten (Art. 2). Als Straftatbestände, die in den Mitgliedstaaten einheitlich geregelt werden sollten, sieht der Vorschlag den Betrug zum Nachteil

198 Art. 3 Abs. 2 lit. b und lit. c verweisen auf Art. 18 und 20 RhÜbk-EU.

199 Deutscher Bundestag, Beschluss des Deutschen Bundestags, 4. Punkt.

200 *Stadler*, zum Grünbuch, aber mit gleicher Kritik: *Ambos,* ZIS 2010, 564; *Lelieur,* ZIS 2010, 601.

201 Vorschlag für eine Richtlinie des Europäischen Parlaments und des Rates über die strafrechtliche Bekämpfung von gegen die finanziellen Interessen der Europäischen Union gerichtetem Betrug, COM(2012) 363 final; vgl. zu diesem Vorschlag auch Teil 4, II.

der finanziellen Interessen der Union (Art. 3)[202] und gegen die finanziellen Interessen der Union gerichtete betrugsähnliche Straftaten (Art. 4)[203] vor.

Darüber hinaus sollen die Mitgliedstaaten verpflichtet werden, Maßnahmen zu treffen, um Anstiftung und Beihilfe sowie den Versuch der in Art. 3 und 4 definierten Straftaten als Straftat ahnden zu können (Art. 5). Genauere Regelungen werden hinsichtlich der Haftung juristischer Personen und zu Sanktionen gegen diese getroffen. Die Mitgliedstaaten müssen sicherstellen, dass juristische Personen für Straftaten haftbar gemacht werden können (Art. 6). Als Mindestsanktionen sind der Ausschluss von öffentlichen Zuwendungen oder Hilfen, ein vorübergehendes oder ständiges Verbot der Ausübung einer Handelstätigkeit, die Unterstellung unter richterliche Aufsicht, die richterlich angeordnete Eröffnung des Liquidationsverfahrens und die vorübergehende oder endgültige Schließung von Einrichtungen, die zur Begehung der Straftat genutzt wurden (Art. 9), vorgesehen. Ebenfalls vorgesehen sind einheitliche Regelungen zur Möglichkeit der Sicherstellung und Einziehung (Art. 10) und zur Verjährung (Art. 12).

Die Richtlinie soll die PIF-Übereinkommen ablösen (Art. 16). Zwar besteht durch die einheitliche Regelung im Rahmen einer Richtlinie die Möglichkeit, deren Umsetzung zu überwachen und zu kontrollieren, jedoch ergibt sich gerade aus dem von der Kommission ausdrücklich gewollten[204] Handlungsspielraum bei der Umsetzung die Gefahr, dass sich aufgrund dadurch entstehender Unterschiede eine einheitliche Regelung nicht erreichen lässt. Zudem muss die Richtlinie anders als eine Verordnung überhaupt erst von den Mitgliedstaaten umgesetzt werden, um effektiv wirken zu können.[205]

C. Supranationale Institutionen

Im Lauf der Jahre wurden auf Unionsebene verschiedene Einrichtungen geschaffen, die dem Schutz der finanziellen Interessen dienlich sein können, wenngleich die meisten nicht ausschließlich für den Finanzschutz zuständig sind. Sie unterscheiden sich sowohl in der Art ihrer Tätigkeit und ihren Kompetenzen als auch in ihrem rechtlichen Status.

---

[202] Vgl. dazu auch Teil 4. II.B.1.

[203] Vgl. dazu auch Teil 4. II.B.3.

[204] EU-Kommission, Vorschlag Bekämpfung EU-Betrug, 3.3.

[205] Vgl. dazu auch Teil 4, II.E.

1. Eurojust

Eurojust wurde mit Beschluss des Rates[206] im Jahr 2002 zur Verstärkung der Bekämpfung der schweren Kriminalität als „*Clearing*-Stelle“ errichtet.[207] Heutige Rechtsgrundlage für die Tätigkeit von Eurojust ist der Beschluss des Rates zur Stärkung von Eurojust und zur Änderung des Beschlusses 2002/187/JI über die Errichtung von Eurojust zur Verstärkung der Bekämpfung der schweren Kriminalität.[208]

a) Aufgaben

Eurojust soll die Koordination und Zusammenarbeit zwischen den nationalen Behörden, die für die Ermittlung und Verfolgung schwerer Kriminalität zuständig sind, unterstützen und verbessern, um die Wirksamkeit der Ermittlungen und Strafverfolgungsmaßnahmen zu erhöhen (Art. 85 Abs. 1 AEUV). Es soll zudem Ersuchen und Entscheidungen erleichtern, die die justizielle Zusammenarbeit betreffen, und so die Zusammenarbeit zwischen den zuständigen Behörden in den Mitgliedstaaten verbessern. Eurojust fungiert als zentrale Unterstützungseinheit für die Strafverfolgung und dient als justizielle Service- und Anlaufstelle für die nationalen Strafverfolgungsbehörden und Gerichte der EU-Mitgliedstaaten.[209]

Nach Art. 4 Abs. 1 lit. a Eurojust-Beschluss ist Eurojust für diejenigen Kriminalitätsformen zuständig, „die zum jeweiligen Zeitpunkt in die Zuständigkeit von Europol fallen“, und für jene Straftaten, die im Zusammenhang mit diesen Kriminalitätsformen und Straftaten begangen worden sind. Damit ergibt sich derzeit eine Zuständigkeit Eurojusts für Organisierte Kriminalität, Terrorismus und andere Formen schwerer Kriminalität, wie beispielsweise Betrug und Korruption.[210] Bis auf wenige Ausnahmen kann Eurojust nur tätig werden, wenn mindestens zwei Mitgliedstaaten betroffen sind (Art. 3 Eurojust-Beschluss).[211]

---

206 Beschluss des Rates vom 28.2.2002 über die Errichtung von Eurojust zur Verstärkung der Bekämpfung der schweren Kriminalität, ABl. 2002/L63/1; im Folgenden: Eurojust-Errichtungsbeschluss.

207 Vorangegangen war die Errichtung der Vorgängerinstitution „Pro-Eurojust“ durch Beschluss des Rates im Dezember 2000, die bereits koordinierend tätig war und deren Erfahrung die Grundlage für den Rechtsakt zur Einrichtung von Eurojust bilden sollten.

208 Beschluss des Rates vom 16.12.2008 zur Stärkung von Eurojust und zur Änderung des Beschlusses 2002/187/JI über die Errichtung von Eurojust zur Verstärkung der Bekämpfung der schweren Kriminalität, ABl. 2009/L138/14; im Folgenden: Eurojust-Beschluss.

209 *Esser/Herbold,* NJW 2004, 2421.

210 Für eine vollständige Aufzählung vgl. Anhang zum Beschluss des Rates vom 6.4.2009 zur Errichtung des Europäischen Polizeiamts (Europol), ABl. 2009/L121/37.

211 Ausnahmen in den Fällen des Art. 3 Abs. 2 und 3 Eurojust-Beschluss.

Eurojust wird im Regelfall aufgrund des Ersuchens eines Mitgliedstaates tätig, verfügt aber auch eingeschränkt über Initiativrechte (Art. 7 Abs. 1 Eurojust-Beschluss) oder kann von nationalen Gerichten angerufen werden (Art. 6 Abs. 1 Eurojust-Beschluss).[212] Die nationalen Behörden wenden sich zunächst an ihr nationales Mitglied.[213] Dieses leitet die Anfrage an Eurojust weiter. Je nach Sachlage wird dann eine operative Sitzung der betroffenen nationalen Mitglieder einberufen[214] oder eine Entscheidung des Kollegiums darüber, ob es sich der Sache annimmt, getroffen (Art. 15 Abs. 3 GO-Eurojust). Eurojust kann entweder als Kollegium oder durch betroffene nationale Mitglieder handeln, wobei die Befugnisse jeweils unterschiedlich ausgestaltet sind. Grundsätzlich kann es die Mitgliedstaaten um bestimmte Handlungen ersuchen. Ein solches Ersuchen durch das nationale Mitglied oder das Kollegium kann z.B. darin bestehen, Ermittlungen zu führen oder die Strafverfolgung aufzunehmen, eine Koordinierung zwischen den zuständigen Behörden der betroffenen Mitgliedstaaten vorzunehmen oder aber ein gemeinsames Ermittlungsteam einzusetzen (Art. 6 Abs. 1 lit a, i, Art. 7 Abs. 1 lit. a, i, iii, iv Eurojust-Beschluss).[215] Es besteht keine Pflicht für die nationalen Behörden, einem Ersuchen zu folgen. Sie müssen die Entscheidung, einem Ersuchen nicht stattzugeben, aber begründen (Art. 8 Eurojust-Beschluss).

Eurojust organisiert auch Koordinierungssitzungen (Art. 17 GO-Eurojust). Hier wird besprochen, welche Jurisdiktion für die Führung der Ermittlungen im konkreten Einzelfall am besten geeignet erscheint, und die Durchführung der Ermittlungen mit den beteiligten Staaten geplant und abgestimmt (z.B. Festnahmen, Durchsuchungen etc.).[216] Zusammen mit den zuständigen nationalen Behörden, den nationalen Mitgliedern Eurojusts und wichtigen Partnern wie Europol kann eine gemeinsame Strategie der Mitgliedstaaten erarbeitet werden.[217] Koordinierungssitzungen können aber auch zur Besprechung eines allgemeinen Themenbereichs, eines sogenannten *Topics* abgehalten werden. Dann wird versucht, allgemeine Schwierigkeiten bei der Zusammenarbeit der nationalen Strafverfolgungsbehörden festzustellen und Lösungen hierfür auszuarbeiten.

b) Organisationsstruktur

Eurojust ist eine selbstständige Einrichtung der Europäischen Union mit Sitz in Den Haag. Es verfügt über eigenes Personal, das sich nach keinerlei externen

---

212 *Esser/Herbold,* NJW 2004, 2422.

213 *Milke,* S. 282; zum nationalen Mitglied vgl. unten b)aa).

214 Art. 16 Geschäftsordnung von Eurojust, ABl. 2002/C286/1; im Folgenden: GO-Eurojust.

215 Vgl. näher zu gemeinsamen Ermittlungsgruppen oben B.2.d).

216 Vgl. Eurojust, Jahresbericht 2008, S. 31ff, z.B. Fall 4, S. 32.

217 Eurojust, Jahresbericht 2009, S. 15.

Weisungen richten darf (Art. 30 Abs. 3 Eurojust-Beschluss). Seine Aufgaben nimmt es aber durch die nationalen Mitglieder oder das Kollegium wahr. Anders als das Personal können die nationalen Mitglieder, selbst in Bezug auf innerhalb des Kollegiums zu fassende Beschlüsse, der Weisungsbefugnis nationaler Behörden unterstellt sein.[218] Jeder Mitgliedstaat entsendet ein nationales Mitglied an Eurojust, das mit den Kompetenzen eines Staatsanwalts, Richters oder Polizeibeamten mit gleichwertigen Befugnissen ausgestattet ist. Die Gesamtheit der 27 nationalen Mitglieder bildet das Eurojust-Kollegium (Art. 10 Abs. 1 Eurojust-Beschluss), das für die Organisation und Funktionsweise von Eurojust verantwortlich ist (Art. 28 Abs. 1 Eurojust-Beschluss).

aa) Nationale Mitglieder

Das nationale Mitglied hat seinen Arbeitsplatz am Sitz von Eurojust. Sein Status bestimmt sich nach dem Recht seines Mitgliedstaates (Art. 2 Abs. 4 Eurojust-Beschluss). Sein Mandat wird ihm für mindestens vier Jahre erteilt (Art. 9 Abs. 1 Eurojust-Beschluss). Das nationale Mitglied kann als Teil des Kollegiums handeln. Eurojust kann aber auch durch das nationale Mitglied selbst handeln, beispielsweise wenn nur eine Koordinierung zwischen drei Mitgliedstaaten notwendig ist. Dafür wendet sich das nationale Mitglied mit einem Ersuchen Eurojusts an die in seinem Mitgliedstaat zuständigen Behörden, um z.B. zu veranlassen, dass zu bestimmten Tatbeständen Ermittlungen geführt oder besondere Ermittlungsmaßnahmen ergriffen werden (Art. 6 Abs. 1 lit. a, i, vi Eurojust-Beschluss). Um seine Aufgaben innerhalb Eurojusts angemessen wahrnehmen zu können, hat das nationale Mitglied Zugang zu unterschiedlichen Registern in seinem Mitgliedstaat, wie etwa Strafregister, Ermittlungsregister oder DNA-Register.

Neben den Handlungsmöglichkeiten, die ihm im Rahmen eines Handelns für Eurojust zustehen, hat das nationale Mitglied weitere Befugnisse, die ihm von seinem Staat übertragen werden. Übt ein nationales Mitglied diese Befugnisse aus, handelt es als zuständige nationale Behörde nach dem Recht seines Staates. Nach Vereinbarung mit der zuständigen Behörde kann das nationale Mitglied Ersuchen und Entscheidungen ausstellen, ergänzen und erledigen und Ermittlungsmaßnahmen anordnen, die in einer Koordinierungssitzung für erforderlich gehalten wurden, aber auch kontrollierte Lieferungen in seinem Mitgliedstaat genehmigen und koordinieren (Art. 9c Abs. 1 lit. a–d Eurojust-Beschluss). Eingeschränkt verfügt es in diesem Bereich auch über Notkompetenzen (Art. 9d lit. a, b Eurojust-Beschluss). Die Übertragung der den nationalen Mitgliedern nach Art. 9c, d des Beschlusses zustehenden Befugnisse darf von den Mitgliedstaaten unter bestimmten Bedingungen abgelehnt werden.[219]

---

[218] Vgl. *Fawzy,* S. 39.

[219] Vgl. Art. 9e Eurojust-Beschluss.

bb) Kollegium

Jedes der 27 nationalen Mitglieder hat eine Stimme im Kollegium (Art. 10 Abs. 1 Eurojust-Beschluss). Eines der nationalen Mitglieder wird vom Kollegium zum Präsidenten gewählt, der sein Amt im Namen des Kollegiums und unter dessen Aufsicht wahrnimmt, dessen Geschäfte führt und die laufende Tätigkeit des Verwaltungsdirektors überwacht (Art. 28 Eurojust-Beschluss). Das Kollegium kann nicht nur Ersuchen stellen, sondern auch unverbindliche Stellungnahmen dazu abgeben, wie Zuständigkeitskonflikte zwischen Mitgliedstaaten gelöst werden könnten. Zudem kann es Meldungen über Schwierigkeiten im Zusammenhang mit der Erledigung von Ersuchen und Entscheidungen betreffend die justizielle Zusammenarbeit entgegennehmen und eine unverbindliche Stellungnahme abgeben, wenn eine Lösung im gegenseitigen Einvernehmen zwischen den zuständigen nationalen Behörden nicht möglich ist. Beschlussfähig ist das Kollegium, wenn zwei Drittel seiner Mitglieder anwesend sind. Ist in der Geschäftsordnung oder dem Eurojust-Beschluss nichts anderes bestimmt, fasst das Kollegium seine Beschlüsse mit einfacher Mehrheit (Art. 9 GO-Eurojust). Etwas anderes bestimmt ist beispielsweise für die Entscheidung darüber, ob sich das Kollegium mit einer konkreten Angelegenheit befasst. Für eine Befassung muss eine Zweidrittel-Mehrheit erreicht werden (Art. 8 GO-Eurojust).

c) Zusammenfassung und Ausblick

Eurojust soll die Koordinierung und Zusammenarbeit zwischen den nationalen Behörden verbessern. Die Mitgliedstaaten sind verpflichtet, bestimmte Informationen mit Eurojust auszutauschen (Art. 13 Eurojust-Beschluss). Grundsätzlich kann Eurojust aber nur in Form von Ersuchen an nationale Behörden tätig werden. Eine Pflicht, einem solchen Ersuchen nachzukommen, besteht nicht.[220] Eigenständige Ermittlungen darf Eurojust nicht führen und es darf auch nicht vor Gericht auftreten. Eurojust ist keine Strafverfolgungsbehörde, sondern dient als justizielle Service- und Anlaufstelle für nationale Strafverfolgungsbehörden und Gerichte der EU-Mitgliedstaaten.

Durch Art. 85 AEUV könnte die Rolle Eurojusts in Zukunft verändert werden. Eurojust könnte dann auch tätig werden, wenn eine Verfolgung auf gemeinsamer Grundlage erforderlich ist, ohne dass mehr als ein Mitgliedstaat betroffen ist. Hierbei ist an jene Fälle zu denken, die sich nur in einem Mitgliedstaat abspielen, bei denen aber beispielsweise ein Schaden zulasten des Finanzhaushalts der Union entstanden ist, also jene Fälle, die einen Mitgliedstaat und die Europäische Union betreffen. Aufgrund von Art. 85 AEUV könnte zudem vorgesehen werden, dass Eurojust strafrechtliche Ermittlungsmaßnahmen einleitet oder Vorschläge zur Ein-

---

220 Vgl. Art. 8 Eurojust-Beschluss.

leitung strafrechtlicher Verfolgungsmaßnahmen unterbreitet, die von den zuständigen nationalen Behörden geführt werden. Was die Ermittlungsmaßnahmen betrifft, ist, insbesondere in Fällen von Straftaten zulasten der finanziellen Interessen der Union sogar denkbar, dass Eurojust dann die Möglichkeit hätte, die nationalen Behörden anzuweisen, Ermittlungen aufzunehmen.[221] Die Einleitung strafrechtlicher Verfolgungsmaßnahmen stünde jedoch weiterhin im Ermessen der nationalen Behörden, da Eurojust diesbezüglich nur Vorschläge unterbreiten könnte (Art. 85 Abs. 1 lit. a AEUV). Eurojust könnte erlaubt werden, die Ermittlungs- und Verfolgungsmaßnahmen eigenständig zu koordinieren (Art. 85 Abs. 1 lit. b AEUV) und nicht lediglich unterstützend zur Koordination beizutragen.[222] Auch die Kompetenz zur eigenverantwortlichen Beilegung von Kompetenzkonflikten (Art. 85 Abs. 1 lit. c AEUV) wäre eine Neuerung im Tätigkeitsbereich von Eurojust. Aber auch nach Art. 85 AEUV soll Eurojust keine förmlichen Prozesshandlungen ausführen (Art. 85 Abs. 3 AEUV).

2. Europäisches Justizielles Netz (EJN)

Das Europäische Justizielle Netz wurde durch eine gemeinsame Maßnahme im Jahr 1998 errichtet,[223] um die justizielle Zusammenarbeit zwischen den Mitgliedstaaten der EU, insbesondere bei der Bekämpfung schwerer Kriminalität zu verbessern.[224] Es soll die Möglichkeit eröffnen, zweckdienliche Direktkontakte zwischen den Justizbehörden und anderen nationalen, für die justizielle Zusammenarbeit oder die Verfolgung schwerer Verbrechen zuständigen Stellen herzustellen.[225] Die Rechtshilfe soll durch enge persönliche Kontakte und ein organisiertes Kommunikationssystem optimiert werden.[226]

a) Aufgaben

Das EJN ist keine zentrale Institution, sondern ein Netzwerk von in der justiziellen Praxis tätigen Staatsanwälten, Untersuchungsrichtern und Beamten,[227] die für eine Kontaktstelle zuständig sind. Jeder Mitgliedstaat benennt eine Kontaktstelle

---

221 *Flore,* S. 591.

222 Vgl. Art. 3 lit. a Europol-Beschluss.

223 Gemeinsame Maßnahme vom 29.6.1998 – vom Rat aufgrund von Artikel K.3 des Vertrags über die Europäische Union angenommen – zur Einrichtung eines Europäischen Justitiellen Netzes (98/428/JI), ABl. 1998/L191/4; im Folgenden: Gemeinsame Maßnahme; später ersetzt durch Beschluss des Rates vom 16.12.2008 über das Europäische Justizielle Netz, ABl. 2008/L348/130; im Folgenden: EJN-Beschluss.

224 Gemeinsame Maßnahme, 1. Erwägungsgrund.

225 Vgl. Gemeinsame Maßnahme, 2. Erwägungsgrund.

226 *Von Langsdorff,* StV 2003, 473.

227 *Antor,* DRiZ 2002, 330.

für das EJN. Diese fungiert dann als „aktiver Vermittler", um die Zusammenarbeit zwischen dem eigenen Mitgliedstaat und anderen Mitgliedstaaten zu erleichtern (Art. 4 Abs. 1). Sie hilft auf Antrag bei der Herstellung zweckdienlicher Direktkontakte zwischen den zuständigen Behörden ihres Landes und denen eines anderen Mitgliedstaates. Eine Kontaktstelle wird, sofern es um die Vermittlung von Kontakten oder Beratung geht, nicht von sich aus aktiv, sondern nur, wenn sie darum gebeten wird. Jede Justiz- oder andere für die Bekämpfung von schwerer Kriminalität zuständige Behörde, die die Unterstützung des Netzes benötigt, kann sich direkt an die Kontaktstellen in den Mitgliedstaaten wenden. Die Kontaktstelle stellt auch Informationen zur Verfügung, die die Justizbehörden ihres Landes oder die Kontaktstellen und örtlichen Justizbehörden der anderen Mitgliedstaaten benötigen, um ein Ersuchen um justizielle Zusammenarbeit effizient vorbereiten zu können (Art. 4 Abs. 2).[228] Dafür hält sie organisatorische, rechtliche und praktische Informationen über das Gerichtswesen und die Verfahrenspraxis und Texte der einschlägigen Rechtsinstrumente in den Mitgliedstaaten bereit.[229] Sie verfügt darüber hinaus über die Daten aller Kontaktstellen, eine Liste der Justiz- und der lokalen Behörden in jedem Mitgliedstaat. Das EJN verarbeitet im Gegensatz zu Eurojust keine personen- und fallbezogenen Daten, sondern tauscht Informationen allgemeiner Art aus. Die Nutzung des Netzes bietet sich an, wenn sich bei der Vorbereitung eines Rechtshilfeersuchens Fragen dahingehend ergeben, welche prozessualen Möglichkeiten im ersuchten Staat bestehen, um Direktkontakte zu zuständigen ausländischen Kollegen herzustellen. Ebenso ist sie sinnvoll, wenn sich Komplikationen abzeichnen,[230] z.B. übermäßige Verzögerungen bei der Erledigung eines Rechtshilfeersuchens. Mittlerweile ist über die Internetseite des EJN auch ein sogenannter Justizatlas verfügbar, aus dem sich die für ein Rechtshilfeersuchen zuständige Behörde ermitteln lässt.[231] Anhand der ebenfalls zur Verfügung gestellten sogenannten *fiches belges* kann jeder Staatsanwalt oder Richter für jedes Land der Union feststellen, welche Ermittlungsmaßnahmen nach welchen Vorschriften dort möglich sind und was dabei zu beachten ist.[232]

b) Organisationsstruktur

Das EJN ist keine eigenständige Behörde und anders als Eurojust bewusst dezentral organisiert. Bei den von den Mitgliedstaaten benannten Kontaktstellen handelt es sich um Behörden, die ihren Sitz im jeweiligen Staat haben. Voraussetzung für die Benennung ist, dass zusätzlich zur eigenen Sprache eine Sprache aus einem

---

228 Art. 4 Abs. 2 EJN-Beschluss.

229 Art. 7 EJN-Beschluss.

230 *Müller,* S. 42.

231 *Müller,* S. 43.

232 *Antor,* DRiZ 2002, 330.

anderen EU-Mitgliedstaat gesprochen wird. Meist werden hier Praktiker auf Ebene der Generalstaatsanwälte oder Dienststellen auf mittlerer Ebene ausgewählt, damit sie auf der einen Seite ihre Erfahrung und ihr Wissen einbringen können, auf der anderen Seite auch befugt sind, gegebenenfalls innerstaatlich Weisungen zu erteilen.[233] Da nur vorgegeben ist, dass jeder Mitgliedstaat mindestens eine Kontaktstelle benennen muss, variiert die Anzahl der Kontaktstellen in den Mitgliedstaaten stark.

c) *Zusammenfassung*

Neue Rechtshilfewege wurden durch die Einrichtung des EJN nicht geschaffen.[234] Auch kann der formlose Kontakt zwischen den Stellen die förmliche Rechtshilfe nicht ersetzen. Strukturbedingte Grenzen für die Arbeit des EJN ergeben sich, wenn nicht die „klassische" bilaterale Rechtshilfe gefordert ist, sondern die Koordinierung und Abstimmung mehrerer Ermittlungsbehörden aus unterschiedlichen Ländern notwendig ist.[235] Aufgrund seiner dezentralen Organisation erweist sich eine zentrale Koordination grenzüberschreitender Strafverfolgung für das EJN als schwierig.[236] Das EJN kann vor allem in bilateralen Fällen dazu beitragen, die Rechtshilfe zu vereinfachen und zu beschleunigen.

Die Annahme, das Netz werde sich auf einen überschaubaren Personenkreis beschränken, hat sich nicht erfüllt.[237] Das EJN hat mittlerweile mehr als 300 Kontaktstellen in 27 Mitgliedstaaten.[238] Die gewünschte persönliche Nähe zwischen den Kontaktstellen ist somit nicht immer möglich. Es hat sich aber aufgrund der regelmäßig stattfindenden Arbeitssitzungen eine konstruktive Arbeitsbasis zwischen den EJN-Kontaktstellen entwickelt, die durch Vertrauen und Verlässlichkeit geprägt ist.[239] Dennoch wird das EJN von Praktikern häufig nicht genutzt.[240]

3. Europäisches Polizeiamt (Europol)

Die Möglichkeit zur Errichtung eines Europäischen Polizeiamtes (Europol) wurde durch den Vertrag von Maastricht[241] 1992 im EU-Vertrag festgeschrieben.

---

233 *Antor,* DRiZ 2002, 330.

234 *Antor,* DRiZ 2002, 330.

235 *Von Langsdorff,* StV 2003, 473.

236 *Ambos,* Internationales Strafrecht § 13 Rn. 20.

237 *Nehm,* DRiZ 2000, 359.

238 http://www.ejn-crimjust.europa.eu/ejn/EJN_StaticPage.aspx?Bread=2 [Stand: 20.10.2011].

239 http://www.staatsanwaltschaften.niedersachsen.de/master/C8617744_N7147759_L20_D0_I3749624.html [Stand: 20.10.2011].

240 EU-Kommission, Working Paper, S. 21.

241 Art. K.1 Nr. 9., ABl. 1992/C191/1, Vertrag über die Europäische Union.

Europol sollte als unionsweites System zum Austausch von Informationen aufgebaut werden und dadurch „zur Verhütung und Bekämpfung des Terrorismus, des illegalen Drogenhandels und sonstiger schwerwiegender Formen der internationalen Kriminalität“[242] beitragen. Das daraufhin im Jahr 1996 geschlossene Übereinkommen über die Errichtung eines Europäischen Polizeiamts[243] trat am 1. Oktober 1998 in Kraft. Seine operative Tätigkeit nahm Europol Mitte des Jahres 1999 auf. Das ursprüngliche Übereinkommen wurde mittlerweile durch einen Beschluss des Rates ersetzt.[244]

a) Aufgaben

Bei Europol handelt es sich um eine Strafverfolgungsbehörde der Europäischen Union.[245] Die Agentur ist allerdings nicht mit eigenen Ermittlungskompetenzen ausgestattet. Hauptaufgabe Europols ist es, als Datensammlungszentrale Informationen zu zusammenzutragen und zu analysieren.[246] Als eine Art Serviceeinrichtung für die Strafverfolgungsbehörden der Mitgliedstaaten,[247] stellt sie diesen die Informationen dann zur Verfügung.

Europol ist, unter der Bedingung, dass mindestens zwei Mitgliedstaaten betroffen sind (Art. 5 Abs. 1), für Organisierte Kriminalität, Terrorismus und andere Formen schwerwiegender Kriminalität wie Drogenhandel, Menschenhandel, Computerkriminalität, Rassismus und Fremdenfeindlichkeit, Betrug zulasten der finanziellen Interessen der Union und viele weitere Delikte zuständig (Art. 4 Abs. 1).

Während das EJN und Eurojust auf justizieller Ebene operieren, liegen die Aufgaben Europols auf polizeilicher Ebene. Europol sammelt, speichert, verarbeitet, analysiert und tauscht Informationen und Erkenntnisse aus (Art. 5 Abs. 1 lit. a). Der Informationsaustausch von und über Europol dient zu 80 % der Repression, also Ermittlungsverfahren, die unter der Sachleitungsbefugnis oder unter der Beteiligung von Justizbehörden durchgeführt werden.[248] Europol erstellt auch strategische Analysen und allgemeine Lageberichte und bewertet Bedrohungslagen (Art. 5 Abs. 1 lit. f). Es kann zudem die zuständigen Behörden der Mitgliedstaaten um die

---

242 Art. K.1. Nr. 9., ABl. 1992/C191/1, Vertrag über die Europäische Union.

243 Übereinkommen aufgrund von Artikel K.3 des Vertrags über die Europäische Union über die Errichtung eines Europäischen Polizeiamts (Europol), ABl. 1995/C316/2. Im Folgenden: Europol-Übereinkommen.

244 Beschluss des Rates vom 6.4.2009 zur Errichtung des Europäischen Polizeiamts (Europol), ABl. 2009/L121/37; im Folgenden: Europol-Beschluss.

245 https://www.europol.europa.eu/content/page/about-europol-17 [Stand: 20.10.2011].

246 Streinz-*Dannecker,* Art. 88 Rn. 13.

247 *Kretschmer,* JURA 2007, 170.

248 *Storbeck,* DRiZ 2000, 486.

Einleitung, Durchführung oder Koordinierung von Ermittlungen ersuchen.[249] Eine Pflicht, einem Ersuchen von Europol zu folgen, besteht nicht. Ebenso kann Europol die Bildung eines gemeinsamen Ermittlungsteams in bestimmten Fällen empfehlen (Art. 6). Eine Bindungswirkung für den Mitgliedstaat entsteht dadurch aber nicht. Europol nimmt darüber hinaus Unterstützungs- und Serviceaufgaben[250] wahr, die zur Verbesserung der Zusammenarbeit und der Leistungsfähigkeit der Behörden beitragen sollen.

Derzeit beschäftigt sich Europol schwerpunktmäßig mit der EDV-gestützten Sammlung, Erfassung und Auswertung (personenbezogener) Daten[251] sowie der Erstellung von Analysen (operativer und strategischer Art) und berät die Mitgliedstaaten.[252] Solche Analysen können entweder auf Ersuchen eines Mitgliedstaates als Ermittlungsunterstützung für die nationalen Strafverfolgungsbehörden verfasst werden oder auch als solche, die Ermittlungen erst anstoßen sollen.[253] Zur Anfertigung operativer Analysen verwertet Europol personenbezogene Daten. Für strategische Analysen werden keine personenbezogenen Daten verwendet. In ihnen werden unter anderem Lagebilder erstellt, aber auch Trends und zukünftige Entwicklungen beschrieben.[254] Sie dienen dazu, den Mitgliedstaaten die Grundlagen für politische, legislatorische und technisch-methodische Entscheidungen zu geben und stellen einen wichtigen Teil der Analysearbeit dar.[255]

Europol nutzt zurzeit zwei verschiedene Informationsverarbeitungssysteme. Im sogenannten Europol-Informationssystem werden Daten wie Name, Geburtsdatum, Staatsangehörigkeit oder auch DNA-Profile[256] von Personen gespeichert, die einer Straftat, für die Europol zuständig ist, oder der Beteiligung daran verdächtigt werden, wegen einer solchen verurteilt worden sind oder bei denen die Gefahr der Begehung einer solchen Straftat besteht.[257] Die Informationen werden sowohl von Europol eingegeben und abgerufen als auch von den nationalen Stellen und Verbindungsbeamten der Mitgliedstaaten.[258] Als zweites Informationsverarbeitungssystem dient die Erstellung von Arbeitsdateien zu Analysezwecken.[259] In die Dateien, sogenannte *Analysis Work Files* (AWF), dürfen die im Europol-Informationssystem gespeicherten Daten eingestellt werden und auch zusätzliche Infor-

---

249 Art. 5 Abs. 1 lit. d Europol-Beschluss.

250 *Lindner,* BayVBl 2001, 198.

251 *Ambos,* Internationales Strafrecht § 13 Rn. 9.

252 *Wandl*, S. 96.

253 *Storbeck,* DRiZ 2000, 484.

254 *Wandl*, S. 143.

255 *Storbeck,* DRiZ 2000, 485.

256 Art. 12 Abs. 2 und 3 Europol-Beschluss.

257 Art. 12 Abs. 1 lit. a und b Europol-Beschluss.

258 Art. 13 Abs. 1 Europol-Beschluss.

259 Art. 14 Europol-Beschluss.

mationen, z.B. zu Personen, die als Zeugen oder Opfer oder als Kontakt- oder Begleitperson des Straftäters in Betracht kommen.[260] Die von Europol angebotenen Services sind rund um die Uhr für die mitgliedstaatlichen Behörden verfügbar.[261]

b) Organisationsstruktur

Europol ist eine EU-Agentur,[262] die durch den Gesamthaushaltsplan der Union finanziert wird (Art. 42 Abs. 1).[263] Sitz von Europol ist Den Haag. Es hat zwei Organe, den Verwaltungsrat und den Direktor.[264] Der Direktor leitet Europol (Art. 38). Politisches Steuerungsgremium ist der Verwaltungsrat,[265] der die Strategie des Amtes erstellt und die Amtsführung des Direktors überwacht (Art. 37 Abs. 9 lit. a, b). Darüber hinaus gibt es einen Datenschutzbeauftragten, der die Einhaltung der datenschutzrechtlichen Bestimmungen gewährleisten und dafür Sorge tragen soll, dass Betroffene über die ihnen zustehenden Rechte informiert werden.[266] Wie der Direktor ist er Teil des Europol-Personals. Europol setzt sich, anders als Eurojust, nicht aus nationalen abgeordneten Mitgliedern zusammen, sondern hat eigenes Personal, das dem Personalstatut für EU-Institutionen unterworfen ist. Die Bediensteten dürfen von keiner Regierung, Behörde, Organisation oder Person außerhalb von Europol Weisungen anfordern oder entgegennehmen.[267] Zudem genießen sie gemäß Art. 51 des Europol-Beschlusses Immunität. Das bedeutet unter anderem, dass sie von der Gerichtsbarkeit bezüglich der von ihnen in amtlicher Eigenschaft vorgenommenen Handlungen befreit sind,[268] es sei denn, sie werden im Rahmen gemeinsamer Ermittlungsgruppen tätig.

Jeder Mitgliedstaat errichtet oder benennt eine sogenannte nationale Stelle (Art. 8). Diese fungiert als einzige Verbindungsstelle zwischen dem Europäischen Polizeiamt und den zuständigen Behörden der Mitgliedstaaten. Aufgabe der nationalen Stelle ist es, Europol aus eigener Initiative mit Informationen und Erkenntnissen zu versorgen und dessen Informations-, Erkenntnis- und Beratungsanfragen

---

260 Art. 14 Abs. 1 lit. a–e.

261 Europol, Europol review, S. 6.

262 *Niemeier/Walter,* Kriminalistik 2010, 18.

263 Rat, Mitteilung Europol.

264 Art. 36 Europol-Beschluss.

265 *Harings*, S. 118.

266 Art. 28 Abs. 2 Europol-Beschluss.

267 Art. 11 Verordnung Nr. 31 (EWG) 11 (EAG) über das Statut der Beamten und über die Beschäftigungsbedingungen für die sonstigen Bediensteten der Europäischen Wirtschaftsgemeinschaft und der Europäischen Atomgemeinschaft, ABl. 1962/P45/1385, zuletzt geändert durch Verordnung (EU, Euratom) Nr. 1296/2009 des Rates vom 23.12.2009, ABl. 2009/L348/10; im Folgenden: Beamtenstatut.

268 Art. 12 lit. a, Protokoll über die Vorrechte und Befreiungen der Europäischen Gemeinschaften, zuletzt geändert durch den Vertrag von Nizza, ABl. 2001/C80/1.

zu beantworten sowie gegebenenfalls eigene Anfragen an Europol zu richten.[269] Sie wertet die Informationen für die zuständigen mitgliedstaatlichen Behörden aus und leitet sie an diese weiter (Art. 8 Abs. 3 lit. d). Die nationalen Stellen dürfen direkt auf das Europol-Informationssystem zuzugreifen (Art. 13 Abs. 1). Jeder Mitgliedstaat trägt die Kosten für seine nationale Stelle.[270] Jede nationale Stelle entsendet mindestens einen Verbindungsbeamten zu Europol (Art. 9 Abs. 2). Die Verbindungsbeamten eines Mitgliedstaates bilden die Verbindungsbüros bei Europol und vertreten dort die Interessen ihres Entsendestaates.[271] Zudem sind die Verbindungsbeamten zuständig für Informationsübermittlung von der nationalen Stelle an Europol und umgekehrt. Sie unterstützen ihre nationale Stelle beim Austausch von Informationen mit den Verbindungsbeamten anderer Mitgliedstaaten, bei dem auch Informationen außerhalb der Zuständigkeit Europols ausgetauscht werden können.[272]

c) Zusammenfassung und Ausblick

Durch die stete Erweiterung sowohl der Kompetenzen als auch der Zuständigkeitsgebiete hat sich das Europäische Polizeiamt zu einer Einrichtung entwickelt, die einen wertvollen Beitrag zur Verhütung und Bekämpfung der Kriminalität in der Europäischen Union leisten kann. Europol kann jedoch weiterhin weder eigene Ermittlungen führen noch Zwangsmaßnahmen ergreifen. Es hängt insoweit von den nationalen Behörden ab, wie effektiv seine Arbeit zur Strafverfolgung in den Mitgliedstaaten beitragen kann.

Durch den Vertrag von Lissabon könnte Europol eine stärkere Rolle bei der Kriminalitätsbekämpfung zukommen. Art. 88 Abs. 1 AEUV weitet die Zuständigkeit des Amtes auf solche Straftaten aus, die ein gemeinsames Interesse verletzen. Es wird in diesen Fällen also sogar auf das Erfordernis der „schweren Kriminalität“ verzichtet und zum Teil auch auf das Erfordernis der Betroffenheit zweier Mitgliedstaaten (Art. 5 Abs. 1 Europol-Beschluss).

Zu den künftigen Aufgaben Europols könnte die „Koordinierung, Organisation und Durchführung von Ermittlungen und von operativen Maßnahmen“[273] gehören (Art. 88 Abs. 2 lit. b AEUV). Wenngleich dies nur gemeinsam mit den zuständigen Behörden der Mitgliedstaaten möglich sein soll, könnte Europol dadurch erstmals die Befugnis übertragen werden, Ermittlungen und operative Maßnahmen durchzuführen. Zwar war Europol in der Vergangenheit faktisch bereits häufig an opera-

---

[269] Art. 8 Abs. 4 lit. a, b, e Europol-Beschluss.

[270] Art. 8 Abs. 6 Europol-Beschluss.

[271] Art. 9 Abs. 2 Europol-Beschluss.

[272] Art. 9 Abs. 3 Europol-Beschluss.

[273] Art. 88 Abs. 2 lit. b AEUV.

tiven Einsätzen nationaler Polizei- und Zolldienststellen beteiligt, konnte dabei bislang jedoch nicht selbst aktiv werden.[274] Ein Gebrauchmachen von dieser Möglichkeit im Rahmen der Verordnung würde zu einer tiefgreifenden Änderung des Gleichgewichts der Beziehung zwischen den nationalen Behörden und dem europäischen Akteur Europol im Sinne einer Verschiebung des Schwerpunkts des Systems Richtung europäische Ebene führen.[275] Die Durchführung von Zwangsmaßnahmen durch Europol-Bedienstete bleibt auch nach Art. 88 AEUV ausgeschlossen.

4. Europäisches Betrugsbekämpfungsamt (OLAF)

Das europäische Amt für Betrugsbekämpfung (OLAF)[276] wurde mit Beschluss der Kommission vom 28. April 1999 errichtet.[277] Es ist derzeit die einzige Einrichtung der Union, deren Tätigkeitsschwerpunkt in dieser Aufgabe liegt. OLAF ist eine Verwaltungseinrichtung mit unabhängigen, rein verwaltungsrechtlichen Ermittlungsbefugnissen und, genau wie seine Vorgängerbehörde UCLAF, keine Polizei- oder Justizbehörde.[278]

a) Aufgaben

OLAF soll einen Beitrag zur intensiveren Bekämpfung von Betrug, Korruption und sonstigen rechtswidrigen Handlungen zum Nachteil der finanziellen Interessen der Union leisten.[279] Dafür wurde es mit der Gesamtheit der Zuständigkeiten seiner Vorgängerorganisation UCLAF ausgestattet. Zudem soll das Amt schwerwiegende Handlungen im Zusammenhang mit der Ausübung der beruflichen Tätigkeit aufdecken, die eine Verletzung der Verpflichtungen der Beamten und Bediensteten der Union oder der Mitglieder und des Personals der Organe und Einrichtungen, die nicht dem Statut unterliegen, darstellen und die disziplinarisch und gegebenenfalls strafrechtlich geahndet werden können.[280] OLAF soll also die finanziellen Interessen der Union, aber auch das Ansehen der europäischen Organe schützen.[281] Es soll sicherstellen, dass schuldhaftes Verhalten angemessen verfolgt und verfahrens-

---

274 *Hecker,* § 5 Rn. 64.

275 *Flore,* S. 562.

276 Office européen de lutte anti-fraude.

277 Beschluss der Kommission vom 28.4.1999 (1999/352/EG, EGKS, Euratom), ABl. (1999/L136/20); im Folgenden: OLAF-Errichtungsbeschluss.

278 *Von Bubnoff,* ZEuS 2002, 196.

279 Art. 1 Abs. 1 Verordnung (EG) Nr. 1073/1999 des Europäischen Parlaments und des Rates vom 25.5.1999 über die Untersuchungen des Europäischen Amtes für Betrugsbekämpfung (OLAF); im Folgenden: VO 1073/99.

280 Art. 2 Abs. 3 VO 1073/99.

281 OLAF, 9. Tätigkeitsbericht 2008, S. 22.

rechtliches Beweismaterial für vorsätzliches Handeln ermittelt wird. Dies unterscheidet seine Aufgabe vom sogenannten *ex post auditing*, bei dem es um das Aufzeigen von Missständen geht.[282] Sein Tätigkeitsfeld geht über die reine Ermittlungsarbeit hinaus. OLAF nimmt auch koordinierende und konzeptionelle Aufgaben wahr. Es kann jedoch nicht strafverfolgend tätig werden. Sämtliche Befugnisse des OLAF sind rein verwaltungsrechtlicher Natur.

aa) Externe Untersuchungen

Aufgrund von Art. 2 OLAF-Errichtungsbeschluss kann sich OLAF auf Verordnungen stützen, die bereits vor seiner Errichtung erlassen wurden und die Befugnisse auf den Gebieten der Betrugsbekämpfung ausüben, über welche die Kommission Befugnisse verfügt. Die konkreten Befugnisse zur Durchführung externer Untersuchungen werden dem OLAF durch VO 1073/99 und VO 1074/99[283] übertragen. Nach Art. 3 VO 1073/99 kann OLAF bei mitgliedstaatlichen Behörden, bei Wirtschaftsteilnehmern in den Mitgliedstaaten und in Drittstaaten sogenannte externe Ermittlungen durchführen (Art. 3 VO 1073/99). Dabei übt es die der Kommission nach VO 2185/96[284] übertragenen Befugnisse aus. Im Rahmen seiner Untersuchungsbefugnisse muss OLAF die Kontrollen nach Art. 9 Abs. 1 VO 2988/95[285] und gemäß den vorhandenen sektorbezogenen Regelungen durchführen (Art. 3 Abs. 2 VO 1073/99). Die Verordnungen gestehen der Kommission Untersuchungsbefugnisse auf dem Gebiet der Unregelmäßigkeiten zu. Der in den Verordnungen verwendete Begriff der Unregelmäßigkeiten unterscheidet sich von der generellen Aufgabenzuweisung für das OLAF in Art. 1 Abs. 1 VO 1073/99, die OLAF mit der Bekämpfung von Betrug, Korruption und sonstigen rechtswidrigen Handlungen zum Nachteil der finanziellen Interessen der Union beauftragt. Durch die Verweisung der VO 1073/99 (in Art. 3) auf die Untersuchungsbefugnisse, die sich aus der VO 2185/95 ergeben und den in dieser Verordnung enthaltenen Verweis auf die Definition der Unregelmäßigkeit in der VO 2988/95 ergibt sich eine Beschränkung der Befugnisse des OLAF bei externen Untersuchungen insoweit,

---

282 *Kuhl/Spitzer,* EuR 2000, 678.

283 VO 1073/99; Verordnung (Euratom) Nr. 1074/1999 des Europäischen Parlaments und des Rates vom 25.5.1999 über die Untersuchungen des Europäischen Amtes für Betrugsbekämpfung (OLAF) ABl. 1999/L136/8. Die Verordnungen sind inhaltsgleich. VO 1073/99 wurde auf Grundlage des EG-Vertrags erlassen, die VO 1074/1999 auf Grundlage des EAG-Vertrags. Im Folgenden wird nur auf die VO 1073/99 eingegangen.

284 Verordnung (Euratom, EG) Nr. 2185/96 des Rates vom 11.11.1996 betreffend die Kontrollen und Überprüfungen vor Ort durch die Kommission zum Schutz der finanziellen Interessen der Europäischen Gemeinschaften vor Betrug und anderen Unregelmäßigkeiten, ABl. 1996/L292/2; im Folgenden: VO 2185/96.

285 Verordnung (EG, Euratom) Nr. 2988/95 des Rates vom 18.12.1995 über den Schutz der finanziellen Interessen der Europäischen Gemeinschaften, ABl. 1995/L312/1.

als diejenigen Betrugsdelikte, die sich zulasten der Mehrwertsteuer bzw. BNE-Einnahmen auswirken, nicht überprüft werden können.[286]

OLAF, als Teil der Kommission, werden in den Verordnungen 2988/95 und 2185/96 bestimmte Befugnisse bei der Durchführung der Vor-Ort-Ermittlungen zugesprochen. Demnach darf das Amt Kontrollen und Überprüfungen vor Ort vorbereiten und durchführen, um von Wirtschaftsteilnehmern in den Mitgliedstaaten begangene Unregelmäßigkeiten aufzudecken.[287] Hierbei handelt es sich um sogenannte Anlasskontrollen.[288] Das bedeutet, es darf nicht stichprobenartig geprüft werden, sondern nur, „wenn die begründete Annahme besteht, daß Unregelmäßigkeiten begangen worden sind“ (Art. 5 VO 2185/96). In diesem Rahmen erhalten die Kontrolleure Zugang zu „Räumlichkeiten, Grundstücken, Verkehrsmitteln und sonstigen gewerblich genutzten Örtlichkeiten“ der betroffenen Wirtschaftsteilnehmer und unter strengen Voraussetzungen sogar bei solchen, die selbst nicht einer Unregelmäßigkeit verdächtigt werden, diesbezüglich aber Informationen besitzen könnten.[289] Für ihre Untersuchungen dürfen die Ermittler alle Informationen und Unterlagen über die betreffenden Vorgänge einsehen und zweckdienliche Unterlagen kopieren, wenn dies für eine ordnungsgemäße Durchführung der Kontrollen erforderlich ist (Art. 7 VO 2185/96). Für sie gelten hierbei dieselben Bedingungen wie für Kontrolleure der mitgliedstaatlichen Verwaltung. Inhalt der Überprüfungen sind z.B. EDV-Daten, Bücher und Rechnungen sowie Bankkontoauszüge und Haushalts- und Buchungsbelege. Die Ermittler dürfen aber z.B. auch Stichproben entnehmen und untersuchen und Waren auf Art und Umfang überprüfen.[290] Nicht gestattet ist ihnen, selbst Maßnahmen zu ergreifen, um Beweisstücke zu sichern. Wenn sie ein Beweismittel sichern wollen, müssen sie den jeweiligen Mitgliedstaat darum ersuchen.[291] Bei ihren Ermittlungen müssen die Kontrolleure sich stets an die Verfahrensvorschriften des jeweiligen Mitgliedstaates halten.[292] Nach einer Untersuchung wird ein Abschlussbericht verfasst, in dem die Ergebnisse der Ermittlungen erläutert und Empfehlungen für Folgemaßnahmen abgegeben werden.[293] Dieser Bericht stellt dann ein grundsätzlich zulässiges Beweismittel in den Verwaltungs- und Gerichtsverfahren des betroffenen Mitgliedstaates dar.[294]

---

286 Vgl. *Spitzer,* in: Henke (Hrsg.), Kontrollen – ATLAS – Risikoanalyse, S. 37.

287 Art. 4 VO 2185/96.

288 *Spitzer,* in: Henke (Hrsg.), Kontrollen – ATLAS – Risikoanalyse, S. 35.

289 Art. 5 VO 2185/96; eine weitere Konkretisierung wurde durch eine gemeinsame Erklärung von Rat und Kommission vorgenommen, siehe hierzu *Kuhl/Spitzer,* EuZW 1998, 41.

290 Art. 7 Abs. 1 VO 2185/96.

291 Art. 7 Abs. 2 VO 2185/96.

292 *Hallmann-Häbler/Stiegel,* DRiZ 2003, 243; Art. 7 Abs. 1 VO 2185/96.

293 Art. 9 Abs. 1 VO 1073/99.

294 Art. 9 Abs. 2 VO 1073/99.

Die Bediensteten des OLAF sind bei ihren Untersuchungen an das Recht des jeweiligen Mitgliedstaates gebunden.[295] OLAF kann keine Zwangsmaßnahmen ergreifen. Widersetzt sich ein Betroffener einer Vor-Ort-Kontrolle, muss der Mitgliedstaat die (Zwangs-)Maßnahmen treffen, die es den OLAF-Bediensteten ermöglichen, ihren Auftrag durchzuführen. Externe Untersuchungen werden deshalb regelmäßig in enger Zusammenarbeit von OLAF und den nationalen Ermittlungsbehörden durchgeführt.[296]

bb) Interne Untersuchungen

Das Europäische Amt für Betrugsbekämpfung wurde auch mit der Durchführung interner Verwaltungsuntersuchungen beauftragt (Art. 2 Abs. 1 OLAF-Errichtungsbeschluss). Interne Untersuchungen werden innerhalb der Organe, Einrichtungen sowie Ämter und Agenturen der EU[297] durchgeführt (Art. 3 VO 1073/99). Hierbei sollen Betrug, Korruption und sonstige rechtswidrige Handlungen zum Nachteil der finanziellen Interessen der Union bekämpft werden. Zudem sollen schwerwiegende Handlungen, die im Zusammenhang mit der Ausübung beruflicher Tätigkeiten begangen werden und durch die Beamte und Bedienstete der Union ihre Verpflichtungen verletzen, aufgedeckt werden (Art. 2 Abs. 1 OLAF-Errichtungsbeschluss). Bei diesen Taten ist nicht erforderlich, dass sie zum Nachteil der finanziellen Interessen der Union begangen wurden.

Auch für interne Untersuchungen finden Bestimmungen der VO 2185/96 Anwendung. Art. 4 Abs. 3 VO 1073/99 verweist auf die in der genannten Verordnung festgelegten Bedingungen und Modalitäten zur Durchführung von Kontrollen bei Wirtschaftsteilnehmern. In Art. 4 VO 1073/99 werden die genauen Ermittlungsbefugnisse festgelegt. Diese umfassen den Zutritt der Kontrolleure zu sämtlichen Informationen und Räumlichkeiten der Organe und Einrichtungen ohne vorherige Anmeldung. Das Amt kann für die Untersuchung relevante Kopien aller Informationen, die im Besitz der Organe und Einrichtungen sind, anfertigen. Anders als bei externen Ermittlungen darf OLAF diese Dokumente sicherstellen, wenn ein Verschwinden zu befürchten ist.[298] Im Rahmen seiner internen Untersuchungen darf das OLAF gemäß Art. 4 Abs. 3 VO 1073/99 nach den in VO 2185/96 festgelegten Bedingungen und Modalitäten auch bei Wirtschaftsteilnehmern Kontrollen vor Ort durchführen. Zudem kann es von jedem Betroffenen diejenigen Informationen verlangen, die es im Rahmen seiner Ermittlungen für sachdienlich hält. OLAF hat im Rahmen der internen Untersuchungen wesentlich weitere Befugnisse als bei der Durchführung externer Ermittlungen.

---

295 Art. 6 Abs. 4 VO 1073/99.

296 *Hallmann-Häbler/Stiegel,* DRiZ 2003, 243.

297 Im Folgenden: Organe und Einrichtungen.

298 Art. 4 Abs. 2 VO 1073/99.

Nach einer Untersuchung wird ein Abschlussbericht verfasst, in dem die Ergebnisse der Ermittlungen erläutert und Empfehlungen für Folgemaßnahmen an das betroffene EU-Organ abgegeben werden. Dieser Bericht wird dann an das EU-Organ übermittelt.

cc) Follow-ups

Im Abschlussbericht des OLAF werden Empfehlungen für Folgemaßnahmen, entweder an die Mitgliedstaaten oder das betroffene Organ der EU abgegeben. Die im Abschlussbericht abgegebenen Empfehlungen können Maßnahmen finanzieller, administrativer, disziplinarischer und/oder justizieller Art sein. Sie werden als *Follow-up* bezeichnet. Bei dem Zeitraum nach Abgabe der Empfehlung handelt es um eine Überwachungsphase, die verschiedene von OLAF unternommene Aktivitäten beinhalten kann. Das Amt will dadurch gewährleisten, dass die Mitgliedstaaten oder Organe die Maßnahmen ausführen, die während oder noch öfter am Ende einer OLAF-Ermittlung empfohlen werden. Für die Mitgliedstaaten sind die durch OLAF ausgesprochenen Empfehlungen nicht rechtlich verpflichtend. Die Organe und Einrichtungen hingegen müssen die gemäß den Ergebnissen der internen Untersuchungen erforderlichen Folgemaßnahmen, insbesondere justizieller und disziplinarrechtlicher Art ergreifen.[299]

dd) Unterstützende Aufgaben

Das OLAF nimmt darüber hinaus noch unterstützende Aufgaben wahr (Art. 2 Abs. 2–5, 7 OLAF-Errichtungsbeschluss). Dies erfolgt unter anderem durch strategische und operative Intelligence-Arbeit, einschließlich technischer Unterstützung, sowie durch die Bereitstellung, Instandhaltung und Verwaltung von elektronischen Informationsaustauschsystemen.[300] Zudem dient es als direkter Ansprechpartner der Polizei- und Justizbehörden (Art. 2 Abs. 6 OLAF-Errichtungsbeschluss). Darüber hinaus erarbeitet es Konzepte und Gesetzgebungsinitiativen zur Betrugsbekämpfung (Art. 2 Abs. 3, 4 OLAF-Errichtungsbeschluss).

b) Organisationsstruktur

Das OLAF ist organisatorisch bei der Kommission angesiedelt und untersteht, soweit es nicht operativ tätig ist, dem für Betrugsbekämpfung zuständigen Kommissar.[301] Hinsichtlich seiner operativen Tätigkeit, also der Durchführung von Ermittlungen, ist es von der Kommission aber, im Gegensatz zur Vorgängerorganisa-

---

[299] Art. 9 Abs. 4 VO 1073/99.

[300] EuropStrafRecht-*Brüner/Spitzer,* § 43 Rn. 40.

[301] *Neuhann,* in: Möllers/van Ooyen (Hrsg.), Jahrbuch 2008/2009, S. 537.

tion UCLAF, vollkommen unabhängig und weisungsfrei. Dem Amt wurde im Errichtungsbeschluss eine eigene Personal- und Finanzhoheit zugesprochen.[302]

Gemäß Art. 5 OLAF-Errichtungsbeschluss wird das Amt von einem Direktor geleitet, der weisungsfrei handeln muss (Art. 12 Abs. 3 VO 1073/99). Im Gegensatz dazu war der Direktor der Vorgängerinstitution UCLAF, der über die Einleitung von Ermittlungen zu entscheiden hatte, als Kommissionsbediensteter an Weisungen der Kommission gebunden. So bestand für diese die Möglichkeit, unangenehme Untersuchungen innerhalb der eigenen Reihen zu unterdrücken.[303] Auch bei OLAF kommt dem Direktor die Aufgabe zu, über die Einleitung von Ermittlungen zu entscheiden und diese dann zu leiten (Art. 6 Abs. 1 OLAF-Errichtungsbeschluss). Aufgrund seiner weisungsfreien Tätigkeit besteht die Gefahr der Beeinflussung durch die Kommission nun nicht mehr. Fühlt der Direktor sich dennoch durch die Kommission in seiner Unabhängigkeit beeinträchtigt, steht ihm der Klageweg zum Europäischen Gerichtshof offen (Art. 12 Abs. 3 Satz 2 VO 1073/99). Der Direktor erstattet dem Europäischen Parlament, dem Rat, der Kommission und dem Rechnungshof regelmäßig Bericht über die Ergebnisse der vom Amt durchgeführten Untersuchungen (Art. 12 Abs. 3 VO 1073/99).

Als Kontrollorgan über die Untersuchungsbefugnisse des Amtes und die Unabhängigkeit seiner Ermittlungen fungiert ein Überwachungsausschuss, der sich aus fünf externen unabhängigen Persönlichkeiten zusammensetzt.[304] Der Ausschuss kann Stellungnahmen abgeben, aber nicht in die Untersuchungstätigkeit des OLAF eingreifen.[305] Ihm stehen keine Befugnisse zu, anhand derer er wegen möglicher Verfehlungen des Direktors oder anderer Bediensteter des Amtes direkt auf diese einwirken oder anders begründete Missstände innerhalb von OLAF beseitigen könnte.

Die Mitarbeiter des OLAF arbeiten allein im Interesse der Union und dürfen sich nach keiner Weisung von Regierung, Behörde, Organisation oder Person außerhalb der Kommission richten.[306] Der Großteil des Personals hat bereits solide Berufserfahrung im Bereich der nationalen Ermittlungen der Polizei oder Justizbehörden, und hier besonders auf dem Gebiet der komplexen Betrugsfälle, der Analyse und Bewertung von Information oder auf dem Gebiet der Unterstützung und Entwicklung von Politik zur Betrugsbekämpfung vorzuweisen.[307] Durch eine multidisziplinäre Besetzung der Ermittlungsteams soll ein flächendeckendes und gebietsübergreifendes Handeln ermöglicht werden.[308]

---

302 Vgl. Art. 6 und Art. 13 OLAF-Errichtungsbeschluss.

303 *Wassmann,* in: Bongartz (Hrsg.), Europa im Wandel, S. 379.

304 Art. 11 VO 1073/99.

305 Art. 11 Abs. 1 Satz 2 VO 1073/99.

306 http://ec.europa.eu/dgs/olaf/mission/mission/index_de.html [Stand: 20.10.2011].

307 http://ec.europa.eu/dgs/olaf/mission/mission/index_de.html [Stand: 20.10.2011].

308 http://ec.europa.eu/dgs/olaf/mission/mission/index_de.html [Stand: 20.10.2011].

c) Zusammenfassung

Seit seiner Errichtung hat sich OLAF zu einem gut funktionierenden administrativen Untersuchungsorgan entwickelt.[309] Die Anzahl der eingehenden Hinweise hat stark zugenommen, was auf einen gesteigerten Bekanntheitsgrad des Amtes zurückzuführen ist.[310] Den Schwerpunkt setzt das Amt vermehrt auf eigene Untersuchungen, sodass diese mittlerweile 75 % seiner operativen Tätigkeit ausmachen, im Vergleich zu 25 % Amts- und Koordinierungsfällen. Eigene strafrechtliche Untersuchungen darf das OLAF jedoch nicht durchführen. Es kann lediglich durch die Beachtung der strafprozessualen Anforderungen dafür sorgen, dass die im Rahmen seiner verwaltungsrechtlichen Untersuchungen erlangten Beweise, in den Mitgliedstaaten in einem Strafprozess vor Gericht verwertbar sind.

III. Probleme beim Schutz der finanziellen Interessen der EU

Das bestehende System scheint zunächst sehr umfangreich zu sein. In der Praxis stößt es jedoch auf unterschiedliche Schwierigkeiten. Inwiefern sich das System zum Schutz der finanziellen Interessen der Union, in dem den Mitgliedstaaten die Hauptaufgaben zukommen, als problematisch erweist, soll im Folgenden dargestellt werden.

A. Grenzüberschreitende Dimension

Sehr viele der EU-Betrugsfälle haben einen grenzüberschreitenden Charakter.[311] Speziell die besonders schwerwiegenden Delikte werden in den meisten Fällen grenzübergreifend begangen.[312] Allein die Existenz dieser grenzüberschreitenden Dimension und die daraus resultierende Notwendigkeit, mit anderen Mitgliedstaaten, insbesondere im Rahmen der Rechtshilfe, zu kommunizieren und zu kooperieren, führt oftmals zu Schwierigkeiten. Schon die Tatsache, dass in einer Sprache, die nicht die Muttersprache ist, kommuniziert werden muss, erweist sich mitunter als problematisch. So wurde in einer Untersuchung festgestellt, dass die Mehrzahl der Justizangestellten nicht in der Lage war, sich in einer anderen Spra-

---

309 *Brüner,* Anhörung.

310 OLAF, 9. Tätigkeitsbericht 2008, S. 24.

311 Vgl. oben I.C.

312 EU-Kommission, Betrugsbekämpfung 1998, S. 50.

che (juristisch) korrekt auszudrücken.[313] Unzureichende Sprachkenntnisse des zuständigen Fachpersonals können zum einen dazu führen, dass es länger dauert, bis eine beantragte Rechtshilfe gewährt und geleistet wird[314] oder dass aufgrund eines falsch formulierten bzw. falsch verstandenen Ersuchens die beantragte Rechtshilfe überhaupt nicht geleistet wird.

Es hat sich gezeigt, dass allein die Existenz einer grenzüberschreitenden Dimension von den Strafverfolgungsbehörden als Untersuchungshemmnis empfunden wird.[315] Die Angst vor der Komplexität und den Verzögerungen, die durch die grenzüberschreitende Dimension hervorgerufen werden, führt teilweise dazu, dass der transnationale Teil eines Verfahrens fallen gelassen und nur die nationalen Aspekte verfolgt werden.[316] Dies ist insbesondere auch damit zu erklären, dass die Staatsanwälte in vielen Mitgliedstaaten eine bestimmte Anzahl von Fällen in einem festen Zeitraum zu bewältigen haben. Die Durchführung grenzüberschreitender Ermittlungen, die häufig sehr langwierig sind, kann die Einhaltung dieser Vorgaben unmöglich machen.

B. Zersplitterung des europäischen Strafrechtsraums

Ein weiteres Problem stellt die Zersplitterung des europäischen Strafrechtsraums dar.[317] Gemeint ist damit, dass in den Mitgliedstaaten zum Teil sehr unterschiedliche Regelungen sowohl im materiellen Strafrecht als auch im Strafverfahrensrecht existieren.

In diesem Zusammenhang bereitet auf dem Gebiet des Strafverfahrensrechts vor allem das Territorialitätsprinzip Sorgen.[318] Wenngleich beispielsweise im SDÜ und im EU-Rechtshilfeübereinkommen für bestimmte Fälle Ausnahmen von diesem Prinzip vorgesehen sind, ist es immer noch so, dass Polizei- und Justizbehörden grundsätzlich nur im Gebiet ihres eigenen Mitgliedstaates handeln können.[319] Diese gezwungenermaßen isolierte Vorgehensweise der jeweiligen Behörden führt zu konkurrierenden Ermittlungen und Strafverfolgungen, wodurch deren Erfolg partiell oder sogar komplett verhindert werden kann.[320] In Fällen in denen die Zustän-

---

313 S. 17, Schlussbericht über die erste Begutachtungsrunde – Rechtshilfe in Strafsachen, ABl. 2001/C216/14.

314 Vgl. Schlussbericht über die erste Begutachtungsrunde – Rechtshilfe in Strafsachen, ABl. 2001/C216/14, S. 24.

315 Vgl. *Wade,* S. 19.

316 *Barrot,* in: Ghaleh Marzban (Hrsg.), Quelles perspectives, S. 27; vgl. auch EU-Kommission, Mitteilung Gesamtkonzept, S. 4.

317 Vgl. z.B. EU-Kommission, Grünbuch finanzielle Interessen, S. 15; *Kinzel*, S. 97.

318 EU-Kommission, Follow-up-Mitteilung, S. 9.

319 Vgl. EU-Kommission, Grünbuch finanzielle Interessen, S. 15.

320 EU-Kommission, Grünbuch finanzielle Interessen, S. 15.

digkeit eines Mitgliedstaates nicht eindeutig zu bestimmen ist, ist es ebenfalls möglich, dass strafrechtliche Ermittlungen letztlich, trotz zahlreicher Verdachtsmomente, ausbleiben. Ein Beispiel hierfür ist der folgende Fall:[321]

Eine Untersuchung des OLAF betraf 15 Projekte, an denen der Experte X aus dem Mitgliedstaat A über mehrere Jahre beteiligt war. Die Programme waren Teil von sechs verschiedenen EU-Programmen und zehn verschiedenen Unternehmen oder Konsortien übertragen. Diese Unternehmen oder Konsortien schlossen einen Vertrag mit X über einen Subunternehmer oder über ein anderes Mitglied des Konsortiums. Die Europäische Kommission Union hatte keine direkten Vertragsbeziehungen zu X.

Es gab Hinweise, die den Verdacht nahelegten, dass X über mehrere Jahre Kosten für zwei oder drei EU-Projekte am selben Tag veranschlagte. Ungefähr 1/3 der von ihm in Rechnung gestellten Tage waren von so einer Doppel- bzw. Tripelforderung betroffen. Die Projekte liefen unter einer Vielzahl von EU-Programmen außerhalb der EU und die Vertragspartner waren Firmen, die hauptsächlich in den Mitgliedstaaten angesiedelt waren.

Der Verdächtige zog, während er seine Arbeiten ausführte, von Land zu Land. Deshalb konnte nicht eindeutig bestimmt werden, in welchem Land er lebte. Allerdings wurden die meisten seiner Dokumente in Mitgliedstaat A vorbereitet und der Kommission von dort übersandt. Ebenso hatten viele seiner Rechnungen eine Adresse in diesem Mitgliedstaat. Zahlungen an ihn wurden auf ein Bankkonto im Mitgliedstaat B geleistet. Aufgrund dessen kam OLAF zu dem Ergebnis, dass die Mitgliedstaaten A und B die engsten Beziehungen zu der begangenen Tat aufwiesen. Da X im Mitgliedstaat A lebte, übersandte das Amt seine Ermittlungsergebnisse an die dortigen Strafverfolgungsbehörden. Zwei Jahre danach lehnten die Behörden eine strafrechtliche Verfolgung mangels Zuständigkeit ab.

Aber nicht nur solche negativen, sondern auch positive Kompetenzkonflikte können sich aufgrund der Geltung des Territorialitätsprinzips ergeben und unter Umständen eine angemessene Strafverfolgung verhindern.[322] Wird eine Person in zwei Mitgliedstaaten wegen derselben Tat angeklagt und stellt einer dieser Staaten das Strafverfahren z.B. wegen Beweisschwierigkeiten ein, tritt in dem im zweiten Mitgliedstaat anhängigen Strafverfahren aufgrund des Ne-bis-in-idem-Grundsatzes Strafklageverbrauch ein. Das Verfahren muss auch hier eingestellt werden, obgleich möglicherweise ausreichend Beweise vorhanden sind, um eine Verurteilung zu erreichen.[323] Dieses Problem entsteht vor allem deshalb, weil die Behörden der Mitgliedstaaten nur in ihrem eigenen Hoheitsgebiet ermitteln können. Damit fehlt ihnen der Gesamtüberblick. Mögliche Zusammenhänge mit anderen Taten oder Tätern in anderen Mitgliedstaaten können so häufig nicht erkannt werden. Durch eine Einschaltung Eurojusts kann dem zwar entgegengewirkt werden. Dafür muss jedoch überhaupt erst einmal erkannt werden, dass ein grenzüberschreitender Zusammenhang besteht. Dies kann sich für rein national ermittelnde Strafverfolgungsbehörden unter Umständen sehr schwierig gestalten. Wenden sich die mitgliedstaatlichen Behörden nicht an diese Institution, besteht die Gefahr, dass die grenzüberschreitenden Ermittlungen mangels ausreichender Koordination scheitern

---

321 Vgl. EU-Kommission, Working Paper, S. 3.

322 Vgl. *Stiegel,* S. 2f.

323 *Brüner/Spitzer,* NStZ 2002, 397.

oder nicht so effektiv sind, wie sie durch eine Koordinierung durch Eurojust hätten sein können.[324]

Des Weiteren sind Entscheidungen von Strafverfolgungsbehörden grundsätzlich auf das Territorium der Nationalstaaten begrenzt und müssen durch Rechtshilfeverfahren auf das Hoheitsgebiet anderer Mitgliedstaaten erstreckt werden. Probleme, die im Rahmen solcher Transformationsprozesse auftreten, können zu Verzögerungen führen. Dies ist für eine effektive Strafverfolgung insbesondere deshalb schädlich, da der Faktor Zeit oft eine entscheidende Rolle spielt.[325] Langwierige Ermittlungen können dazu führen, dass ein Strafverfahren wegen Eintritts der Verjährung nicht mehr möglich ist. Darüber hinaus gibt ein sich über längere Zeit erstreckendes Verfahren den Tätern die Möglichkeit, Beweismittel zu vernichten oder aber selbst unterzutauchen.

Ebenfalls können unterschiedliche Straftatbestände in den Mitgliedstaaten einen effektiven Schutz der finanziellen Interessen der Union verhindern. Zwischen den Rechtsvorschriften der Mitgliedstaaten bestehen bei den einschlägigen Straftatbeständen immer noch gravierende Unterschiede, so z.B. bei Veruntreuung oder Korruption. Dies kann dazu führen, dass die Täter schwerwiegender Delikte in manchen Mitgliedstaaten zur Verantwortung gezogen werden können, in anderen, obwohl die gleichen Umstände vorliegen, aber nicht. Beispielsweise ist die Anwendbarkeit nationaler Regelungen auf EU-Bedienstete nicht in allen Mitgliedstaaten gewährleistet.[326] Die PIF-Vereinbarungen sehen die Vereinheitlichung zumindest einiger Straftatbestände vor. Bislang ist die Umsetzung dieser Vereinbarungen in den Mitgliedstaaten jedoch mangelhaft.[327] Somit bestehen in den Mitgliedstaaten weiterhin unterschiedliche Straftatbestände und die Verfolgung von grenzüberschreitendem EU-Betrug kann daran scheitern, dass ein Mitgliedstaat ein Verhalten als strafbar bewertet, ein anderer jedoch nicht. Darüber hinaus sind die Sanktionen in den Mitgliedstaaten zum Teil sehr unterschiedlich, sodass für die gleiche Tat ganz unterschiedliche Strafmaßandrohungen gelten.[328] Nach Rechtsprechung des EuGH müssen die Strafen für Delikte zum Nachteil der finanziellen Interessen der Union wirksam, verhältnismäßig und abschreckend sein.[329] Die derzeit geltenden Strafmaße innerhalb der Union reichen von niedrigen Geldstrafen bis hin zu langen Freiheitsstrafen.[330] Somit ist nicht gewährleistet, dass den Anforderungen des EuGH in allen Fällen Genüge getan wird.

---

324 Vgl. EU-Kommission, Working Paper, S. 5.

325 *Sieber,* ZRP 2000, 188.

326 EU-Kommission, Working Paper, S. 5.

327 Vgl. C.

328 EU-Kommission, Mitteilung Gesamtkonzept, S. 5.

329 EuGH Sammlung der Rechtsprechung 1989, S. 2965.

330 EU-Kommission, Mitteilung Gesamtkonzept, S. 8.

Als hinderlich für die grenzüberschreitende Strafverfolgung und effektive Betrugsbekämpfung erweisen sich auch die zum Teil sehr unterschiedlichen[331] Verjährungsfristen in den Mitgliedstaaten.[332] Diese können sich insbesondere dann nachteilig auswirken, wenn den beteiligten Behörden nicht bewusst ist, dass die Verjährung im relevanten Mitgliedstaat eher einsetzt als nach eigenem Recht und deshalb der Unterstützung des Mitgliedstaates nicht die notwendige Priorität eingeräumt wird.

C. Umsetzung der PIF-Vereinbarungen

Wie schon angedeutet[333] wurden auch viele Jahre nach Unterzeichnung des PIF-Übereinkommens noch schwerwiegende Mängel bei der Umsetzung festgestellt.[334] Nur bei fünf der Mitgliedstaaten, die die Rechtsakte ratifiziert hatten, wurden alle erforderlichen Maßnahmen für eine zufriedenstellende Umsetzung ergriffen.[335] Die Kommission stellte deshalb fest, dass die mit den Rechtsakten bezweckte Angleichung der Rechtsvorschriften aller 27 Mitgliedstaaten weder formell- noch materiell-rechtlich in vollem Umfang erreicht worden ist.[336] Durch die unvollständige und unzureichende Umsetzung des Übereinkommens können auch andere EU-Vorschriften zum Schutz der finanziellen Interessen nur wenig Wirkung entfalten.[337]

D. Unzulänglichkeiten bei der Rechtshilfe

Für grenzüberschreitende Ermittlungen muss vielfach auf die Verfahren der Rechtshilfe zurückgegriffen werden. Ein elementares Problem dabei stellt die unübersichtliche Rechtslage dar, die sich aufgrund der vielen internationalen, aber auch nationalen Vorschriften, die mittlerweile beachtet werden müssen, ergeben. Das dadurch entstandene „Vorschriftenchaos" ist selbst für Fachleute nur schwer zu überblicken. Darüber hinaus beziehen sich einige Vertragswerke nur auf einzelne Delikte. Folge daraus ist, dass je nach Art des konkreten Tatvorwurfs zwischen denselben Staaten unterschiedliche Rechtshilfevorschriften gelten.[338] Allein da-

---

331 EU-Kommission, Mitteilung Gesamtkonzept, S. 8.

332 EU-Kommission, Follow-up-Mitteilung, S. 9.

333 Vgl. oben B.1.c).

334 Vgl. z.B. Lettland, EU-Kommission, Zweiter Umsetzungsbericht, S. 14, Annex.

335 EU-Kommission, Zweiter Umsetzungsbericht, S. 5.

336 EU-Kommission, Zweiter Umsetzungsbericht, S. 5.

337 EU-Kommission, Mitteilung Gesamtkonzept, S. 7.

338 *Perron,* in: Militello/Arnold/Paoli (Hrsg.), Organisierte Kriminalität, S. 36.

durch entsteht häufig eine „Rechtsverwirrung".[339] Dennoch wurden zusätzlich zu den bereits existierenden Rechtshilferegelungen, die häufig sowohl inhaltlich als auch geografisch konkurrieren,[340] noch die Instrumente geschaffen, die auf dem Prinzip der gegenseitigen Anerkennung beruhen. Aufgrund dieser Vielfalt an Vorschriften kann die Bestimmung der anzuwenden Rechtshilfevorschrift besonders Staatsanwälten, die selten mit transnationalen Fällen befasst sind, Probleme bereiten, was zu zeitlichen Verzögerungen führen kann. Dies wird zudem dadurch verstärkt, dass die Mitgliedstaaten die getroffenen Übereinkünfte sehr unterschiedlich anwenden[341] und sie häufig von den vielen Möglichkeiten Gebrauch machen, einschränkende Vorbehalte für bestimmte Fälle vorzusehen.[342] Durch die Regelungen, die auf dem Prinzip der Anerkennung beruhen, konnte bislang nicht mehr Klarheit erreicht werden.[343] Ein Grund hierfür sind die Ausnahmen, die bei der Anwendung dieses Prinzips gemacht wurden.

Diese können sogar zur Folge haben, dass die Strafverfolgung komplett verhindert wird. Dies wird beispielsweise an einem Fall deutlich, in dem OLAF wegen Korruptionsverdachts ermittelte. Nachdem das Amt seine Ergebnisse an den betroffenen Mitgliedstaat übermittelt hatte, leitete dieser im Jahr 2007 strafrechtliche Ermittlungen ein. Seitdem ist er an der weiteren Strafverfolgung gehindert, da zwei Europäische Haftbefehle von den um Vollstreckung ersuchten Mitgliedstaaten nicht ausgeführt werden.[344]

Diese Ausnahmen sind zudem ein Indiz dafür, dass die Mitgliedstaaten nicht bereit sind, ihre Kontrolle und Interessen auf dem jeweiligen Gebiet tatsächlich aufzugeben.[345]

Es wurden somit zusätzliche, zum Teil in den Mitgliedstaaten unterschiedlich angewendete Regelungen geschaffen, die nun auch als mögliche Rechtsgrundlage geprüft werden müssen. Die Vielzahl der Regelungen kann dazu führen, dass die Behörden der Mitgliedstaaten nicht immer das geeignetste Instrument anwenden, um das von ihnen Benötigte zu erreichen.

Zudem geht ein Rechtshilfeersuchen grundsätzlich mit oft umständlichen Formalitäten[346] und einer Prüfung durch die ersuchte Behörde einher. Häufig vergeht

---

339 *Dannecker/Reinel,* in: Leitner (Hrsg.), Finanzstrafrecht 2006, S. 55; vgl. zu den unterschiedlichen, auf europäischer Ebene geltenden Rechtshilfevorschriften auch das Schaubild von *Lagodny*: EuropStrafRecht § 31 Rn. 4.

340 *Esser,* S. 20.

341 Schlussbericht über die erste Begutachtungsrunde – Rechtshilfe in Strafsachen, ABl. 2001/C216/14, S. 15.

342 *Hecker,* § 12 Rn. 7.

343 Vgl. *Bachmaier Winter,* ZIS 2010, 583.

344 EU-Kommission, Working Paper, S. 4.

345 *Ligeti,* 170.

346 *Esser,* S. 15.

dadurch ein halbes bis ein Jahr bis zur Erledigung eines Rechtshilfeersuchens.[347] Das ist aber auch darauf zurückzuführen, dass es bislang keine feste Frist zur Ausführung eines Rechtshilfeersuchens gibt. Zwar ist nach Art. 1 Abs. 1 Eu-RhÜbk ein Ersuchen innerhalb kürzester Frist zu erledigen, eine konkrete Zeitangabe fehlt jedoch. Auch die Regelung des Art. 4 Abs. 2 RhÜbk-EU, nach der ein Ersuchen so rasch wie möglich und so weit wie möglich unter Berücksichtigung der vom Mitgliedstaat angegebenen Verfahrens- und sonstigen Fristen erledigt werden soll, appelliert faktisch mehr an den guten Willen, als tatsächlich einzuhaltende Fristen zu setzen. Rechtshilfeersuchen werden deshalb häufig nicht mit der gebotenen Eile erledigt.[348]

Darüber hinaus verlangsamen sowohl veraltete Verfahrensweisen als auch komplexe hierarchische Strukturen in den Mitgliedstaaten die Übermittlung und Ausführung der Rechtshilfe.[349] Zu Verzögerungen tragen auch unvollständige Informationen in Rechtshilfeersuchen bei.[350] Das Fehlen von Informationen kann die sofortige Beantwortung eines Ersuchens unmöglich machen. Dann müssen die notwendigen Informationen nachgereicht werden, was wiederum Zeit in Anspruch nimmt. Standardformulare, die diesen Problemen entgegenwirken könnten, gibt es derzeit nicht in allen Fällen.

Ebenso kann die Unkenntnis der anderen mitgliedstaatlichen Strafverfahrensrechte Schwierigkeiten bei der Rechtshilfe verursachen. Ist die von einem Mitgliedstaat beantragte Verfahrensmaßnahme in diesem Mitgliedstaat für die Strafverfolgung unverzichtbar, im ersuchten aber nicht, kann die Unwissenheit der ersuchten Behörde über die Wichtigkeit der Maßnahme dazu führen, dass der Vollstreckung nur eine geringe Priorität eingeräumt wird.[351] Dies zieht in der Regel weitere Verzögerungen bei der Bearbeitung eines Ersuchens nach sich. Somit bewirkt allein die Tatsache, dass Rechtshilfeersuchen gestellt, vom ersuchten Mitgliedstaat geprüft und ausgeführt werden müssen, eine mitunter sehr große Zeitverzögerung, die in rein nationalen Fällen nicht vorläge.

Die existierenden Rechtshilfeinstrumente ermöglichen keine Kooperation zwischen den mitgliedstaatlichen Behörden auf zentraler Ebene. Dadurch ist es bisweilen sehr schwierig, ein gemeinsames Vorgehen zu beschließen. Die Verhandlungen hierzu können sich als sehr langwierig erweisen und deshalb gravierende Zeitverzögerungen verursachen.[352] Zwar können grenzüberschreitende Ermittlungen durch

---

347 *Nehm,* DRiZ 2000, 358.

348 EU-Kommission, Mitteilung Gesamtkonzept, S. 9.

349 Schlussbericht über die erste Begutachtungsrunde – Rechtshilfe in Strafsachen, ABl. 2001/C216/14, S. 15.

350 Eurojust, Jahresbericht 2009, S. 16.

351 Eurojust, Jahresbericht 2009, S. 16.

352 Vgl. EU-Kommission, Working Paper, S. 4.

Eurojust[353] unterstützt werden. Es kann bei der Koordinierung verschiedener Rechtshilfeersuchen behilflich sein und so eine Beschleunigung bewirken. Eurojust muss jedoch von den Mitgliedstaaten mit einem bestimmten Fall befasst werden, um tätig werden zu können. Auch das EJN kann insbesondere in bilateralen Fällen einen Beitrag zur besseren Zusammenarbeit und Beschleunigung leisten. Es besteht jedoch keine Pflicht, sich an eine dieser Einrichtungen zu wenden, sodass nicht in allen Fällen von ihren Vorteilen profitiert wird.

Zur Verbesserung der Rechtshilfe wurde die Möglichkeit geschaffen, gemeinsame Ermittlungsgruppen zu errichten, die selbst eine Form der Rechtshilfe darstellen.[354] Trotz der Vorteile, die sich aus ihrer Arbeit ergeben können,[355] spielen sie bislang allerdings keine wesentliche Rolle.[356]

Zudem hat sich gezeigt, dass nationale Rechtsvorschriften die Effizienz der Arbeit in der Gruppe mindern, beispielsweise, wenn diese Regelungen die Weitergabe von Informationen innerhalb der GEG untersagen.[357]

E. Mängel der auf dem Prinzip der Anerkennung beruhenden Normen

Ein grundsätzliches Problem des Prinzips der gegenseitigen Anerkennung in Strafsachen stellt das hierfür notwendige und von Rat und Kommission als vorhanden vorausgesetzte gegenseitige Vertrauen dar.[358] Die Mitgliedstaaten müssen darauf vertrauen können, dass der Staat, mit dem sie zusammenarbeiten, den eigenen vergleichbare und angemessene Normen hat, die von seinen Justizorganen ordnungsgemäß angewendet werden. Denn dieses ist, insbesondere nach der Erweiterung, in der Union in der Praxis teilweise noch schwach ausgeprägt.[359]

Außerdem wurde beispielsweise im Rahmen des Europäischen Haftbefehls[360] häufig von der Möglichkeit Gebrauch gemacht, die im Rahmenbeschluss vorgesehenen Regelungen zum Abbau von Auslieferungshindernissen und zum Ablauf des Verfahrens einzuschränken. Zwar wird der Europäische Haftbefehl dennoch angewendet, jedoch sind die hinter dem Rahmenbeschluss stehenden Bemühungen

---

353 Vgl. zu Eurojust oben II.C.1.

354 *Riegel,* eucrim 2009 (3), 105.

355 Vgl. oben II.B.2.d).

356 EuropStrafRecht-*Neumann,* § 34 Rn. 15.

357 *Rijken,* Utrecht Law Review 2006, 113.

358 Vgl. Maßnahmenprogramm zur Umsetzung des Prinzips der gegenseitigen Anerkennung in Strafsachen, ABl. 2001/C12/10, S. 10.

359 *Von Bubnoff,* S. 51; vgl. auch *Perron,* FS für Küper, S. 435.

360 Vgl. oben II.B.3.a).

um eine im Wesentlichen einheitliche Verfahrensweise der EU-Staaten dadurch in zentralen Punkten als fehlgeschlagen zu betrachten.[361] Davon betroffen sind besonders das Sprachenregime und die Verkürzung der Übermittlungsfristen.[362]

Im Rahmen grenzüberschreitender Sicherstellungen[363] hat sich als Problem herausgestellt, dass nur die Möglichkeit geschaffen wurde, ein Beweismittel sicherzustellen. Für die tatsächliche Erlangung eines Beweismittels bzw. für die Einziehung eines Vermögensgegenstandes ist neben einer Sicherstellungsentscheidung ein Rechtshilfeersuchen notwendig. Es wurde also ein zusätzliches Verfahren zur Rechtshilfe geschaffen, statt diese auf diesem Gebiet komplett zu ersetzen. Daher wird die Erlangung eines Beweismittels oder die Einziehung eines Vermögensgegenstandes im Rahmen einer Sicherstellungsentscheidung von Praktikern als zu kompliziert angesehen, weshalb selten von dieser Möglichkeit Gebrauch gemacht wird.[364]

Durch die Europäische Beweisanordnung können nur bereits vorhandene Beweise erlangt werden. Für die Beweiserhebung muss auf die klassische Rechtshilfe zurückgegriffen werden. Darum kann es sich in der Praxis als unkomplizierter erweisen, auf den Kanal der Rechtshilfe zurückzugreifen, wenn neben einem von der Beweisanordnung umfassten Beweis darüber hinaus Rechtshilfe notwendig ist. Dadurch muss insgesamt nur ein Ersuchen gestellt werden.[365] Die Europäische Beweisanordnung wird dann überhaupt nicht angewendet. Darüber hinaus wurden in der Europäischen Beweisanordnung im Vergleich zum Europäischen Haftbefehl mehr Verweigerungsgründe festgelegt und das Erfordernis der doppelten Strafbarkeit ist häufiger anwendbar.[366] Obwohl die Frist mittlerweile abgelaufen ist (Art. 23 Abs. 1 Rb Beweisanordnung), haben nicht alle Mitgliedstaaten den Rahmenbeschluss umgesetzt. Die Europäische Beweisanordnung ist folglich nicht in allen Mitgliedstaaten gültig und spielt keine Rolle im Beweismittelverkehr. Ob eine Umsetzung des Beschlusses überhaupt in allen Mitgliedstaaten erfolgt, ist fraglich. 2010 wurde ein Vorschlag für den Erlass einer Richtlinie über die Europäische Ermittlungsanordnung in Strafsachen erarbeitet.[367] Diese Richtlinie soll unter anderem den Rahmenbeschluss über die Europäische Beweisanordnung ersetzen.[368] Vor diesem Hintergrund hat beispielsweise die deutsche Bundesregierung erklärt, sie

361 *Hackner,* NStZ 2005, 315.

362 *Hackner,* NStZ 2005, 315.

363 Vgl. oben II.B.3.b).

364 Replies to the questionnaire on the evaluation of the tools for judicial cooperation in criminal matters, EJN, Dok. 5684/09, S. 6.

365 *Bachmaier Winter,* ZIS 2010, 583.

366 *Vervaele,* in: Ghaleh Marzban (Hrsg.), Quelles perspectives, S. 188.

367 Vgl. oben II.B.4.b).

368 Art. 29 Abs. 2 Vorschlag EEA.

erachte es nicht für sinnvoll, die Umsetzung eines Rechtsinstruments zu betreiben, dessen Bestand jetzt schon fraglich erscheint.[369]

Generell lässt sich sagen, dass, mit Ausnahme des Europäischen Haftbefehls, die Instrumente der gegenseitigen Anerkennung aufgrund von Problemen bei der Umsetzung in der Praxis kaum genutzt werden.[370] Wegen der unterschiedlichen Regelungen und auch des unterschiedlichen Grades der Verbindlichkeit wendet sich der Praktiker eher resignierend von der Normenflut ab, statt von den Regelungen Gebrauch zu machen.[371]

F. Beweise

EU-Betrugsfälle werden häufig grenzüberschreitend begangen. Im Rahmen transnationaler Strafverfahren müssen Beweise aus einem anderen Mitgliedstaat erlangt werden, um ein Verfahren durchführen zu können. Traditionell wird die Beweiserhebung im Rahmen der Rechtshilfe von den nationalen Behörden nach dem Prinzip locus regit actum, also nach dem am Ort der Beweiserhebung geltenden Verfahrensrecht, durchgeführt.[372] Aufgrund unterschiedlicher Beweisführungsvorschriften in den Mitgliedstaaten besteht die Gefahr, dass die Beweise nicht verwertet werden können, da bei der Beweissammlung gegen eine im nationalen Strafverfahrensrecht wesentliche Vorschrift verstoßen wurde.

Innerhalb der Union wird durch Art. 4 Abs. 1 RhÜbk-EU normiert, dass der ersuchte Staat die vom ersuchenden Staat ausdrücklich angegebenen Formvorschriften und Verfahren einhält, solange dies nicht wesentlichen Grundprinzipien seines Rechts widerspricht. Dadurch soll eine möglichst breite Verwertbarkeit von in anderen Ländern gewonnenen Beweismitteln erreicht werden. Dennoch kommt es immer wieder vor, dass der vollstreckende Staat die vom ersuchenden erbetenen Formalitäten nicht einhält,[373] beispielsweise weil schlichtweg versäumt wird, die Beweise nach der lex fori zu erheben. Ebenso kann es vorkommen, dass der ersuchende Staat von der Möglichkeit, um Einhaltung der nach seinem Recht zwingenden Formvorschriften zu ersuchen, keinen Gebrauch macht.[374]

Liegt so ein Fall vor, ergeben sich wiederum genau die Probleme, die durch Art. 4 Abs. 1 RhÜbk-EU beseitigt werden sollten. Die gleiche Situation entsteht, wenn ein bereits vorhandenes Beweismittel in ein anderes mitgliedstaatliches

---

369 BT-Drs. 17/1543, S. 2.

370 *Ligeti*, EuCLR 2011, 145.

371 *Schomburg/Lagodny/Gleß/Hackner,* Einleitung Rn. 76.

372 Vgl. z.B. Art. 3 Abs. 1 EuRhÜbk.

373 Eurojust, Jahresbericht 2009, S. 17.

374 Vgl. *Wade*, S. 22.

Strafverfahren eingeführt werden soll. Häufig stellen die mitgliedstaatlichen Strafprozessordnungen unterschiedliche Anforderungen an eine rechtmäßige Beweiserhebung. Die Verwertbarkeit einer Information, die in einem anderen Mitgliedstaat gewonnen wurde, ist deshalb so problematisch, weil jedes nationale Beweisverfahren auf eigene Weise die dafür maßgebliche Tatsachengrundlage erzeugt. Das in diesem Rahmen erlangte Ergebnis ist durch die Einhaltung der jeweiligen Rechtsregelungen legitimiert, die nicht nur ein richtiges Ergebnis, sondern gleichzeitig auch eine faire Beweisführung gewährleisten sollen.[375] Innerhalb einer Rechtsordnung wird dies dadurch sichergestellt, dass Vor- und Hauptverfahren aufeinander abgestimmt sind und auf diese Weise die Einhaltung von Verfahrensgarantien und Verteidigungsrechten ermöglicht wird. Durch den Transfer eines Beweises, der in einem anderen Staat erhoben wurde, in das Strafverfahren eines anderen Mitgliedstaates, können diese Schutzmechanismen ausgehebelt werden, da Vor- und Hauptverfahren auseinandergerissen werden.

Wie es sich auf die Verwertbarkeit eines Beweismittels im Rahmen eines nationalen Gerichtsverfahrens auswirkt, wenn bei einer Beweiserhebung im Ausland ein Beweismittel nach dem dortigen Verfahrensrecht rechtmäßig erhoben wurde, dabei aber ein Verstoß gegen das am Ort des Gerichts geltende Prozessrecht begangen wurde, ist in den Mitgliedstaaten unterschiedlich geregelt. Gleiches gilt für die Frage, wie sich die Rechtswidrigkeit der Beweiserhebung nach dem Recht des Erhebungsstaates auswirkt. Solche Regelungen ergeben sich häufig nicht aus dem geschriebenen Recht, sondern wurden mit der Zeit durch die Rechtsprechung entwickelt. Grundsätzlich müssen jedoch alle mitgliedstaatlichen Gerichte die Verwertung eines im Ausland erhobenen Beweismittels ablehnen, wenn andernfalls ein faires Verfahren (Art. 6 Abs. 1 EMRK) nicht mehr gewährleistet werden könnte.

Somit kann die Vielfalt der nationalen Vorschriften zur Folge haben, dass die in einem Mitgliedstaat gesammelten Beweise vor den Gerichten eines anderen Mitgliedstaates nicht verwertet werden können.[376] Die Wahrscheinlichkeit, in einem grenzüberschreitenden Fall verurteilt zu werden, ist geringer ist als bei rein nationalen Fällen. Zwar lässt sich wohl feststellen, dass die Mitgliedstaaten tendenziell durchaus geneigt sind, Beweise, die nach dem Ort des Erhebungsstaates rechtmäßig erlangt wurden, anzuerkennen,[377] der Beweistransfer verläuft jedoch derzeit in einem juristischen Graubereich. Die konkrete Grenzziehung zugunsten eines effektiven Beweistransfers oder zugunsten einer Konservierung hergebrachter Beweisrechtsgrundsätze hängt von rechtspolitischen Entscheidungen ab.[378] Es gibt deshalb immer noch Konstellationen, in denen das nationale Gericht einen Beweis wegen

---

375 *Gleß,* S. 141.

376 EU-Kommission, Grünbuch finanzielle Interessen, S. 17.

377 Vgl. hierzu: *Spencer,* Synthesis, in: Delmas-Marty/Vervaele (Hrsg.), Corpus Juris IV, S. 260ff.

378 *Gleß,* S. 421.

eines Verstoßes gegen das eigene Recht als unverwertbar betrachtet,[379] zumal die unumstößliche Grenze des Art. 6 Abs. 1 EMRK eine Ablehnung des Beweismittels erzwingen kann. Zudem können auch vom ersuchten Staat gemachte Verwendungsvorbehalte die Verwertung eines bestimmten Beweismittels verhindern.[380]

Im Rahmen gemeinsamer Ermittlungsgruppen kann durch die Einsetzung eines Beweisbeauftragten[381] versucht werden, die Beweise so zu erheben, wie es das Rechtssystem des Staates, in dem vermutlich Anklage erhoben wird, erfordert. Schwierigkeiten treten aber dann auf, wenn der Gerichtsstand zu Beginn der Ermittlungen noch nicht feststeht oder sich ändert. Letztlich hängt die Verwertbarkeit der Ermittlungsergebnisse vom Einzelfall und der Beurteilung des jeweiligen nationalen Gerichts ab, da in den Regelungen zu gemeinsamen Ermittlungsgruppen keine allgemeine europäische Regelung zur Verwertbarkeit der Ermittlungsergebnisse getroffen wird.[382]

Ein weiteres Problem der Verwertung von Beweismitteln in EU-Betrugsverfahren ergibt sich, wenn Beweise, die im Rahmen eines Verwaltungsverfahrens gefunden wurden, in einem Strafverfahren verwendet werden sollen. Es stellt sich insbesondere im Zusammenhang mit den von OLAF gefundenen Beweisen. Denn Beweise, die im Rahmen eines verwaltungsrechtlichen Verfahrens erlangt wurden, können nicht in allen Mitgliedstaaten auch in einem Strafverfahren verwendet werden.[383] Zwar wird dem Untersuchungsbericht des OLAF durch Art. 9 Abs. 2 VO 1073/99 Beweismittelfunktion zugewiesen. Er soll in gleicher Weise ein zulässiges Beweismittel darstellen wie ein vergleichbarer Verwaltungsbericht, der von den Behörden des Mitgliedstaates erstellt wurde. Dennoch obliegt die Beurteilung der *strafrechtlichen* Verwertbarkeit der Erkenntnisse von OLAF oder darauf aufbauender Beweisketten den nationalen Gerichten unter Maßgeblichkeit der nationalen Vorschriften.[384] Das Amt versucht durch die Beachtung der strafprozessualen Anforderungen dafür zu sorgen, dass die im Rahmen seiner verwaltungsrechtlichen Untersuchungen erlangten Beweise in den Mitgliedstaaten verwertbar sind. Trotzdem können restriktive Verfahrensvorschriften der Mitgliedstaaten, die nur einen begrenzten Rückgriff auf im Ausland gefundenes Beweismaterial zulassen, dazu

379 Vgl. z.B. *Jareborg,* in: Delmas-Marty/Vervaele (Hrsg.), Corpus Juris IV; *Stessens,* in: Delmas-Marty/Vervaele (Hrsg.), Corpus Juris IV, S. 248.

380 *Biehler/Gleß/Parra/Zeitler*, S. 36f.

381 Vgl. Punkt 9. Entschließung des Rates vom 26.2.2010 zu einem Modell für eine Vereinbarung über die Bildung einer gemeinsamen Ermittlungsgruppe (GEG), ABl. 2010/C70/1.

382 *Gleß,* S. 126.

383 So z.B. in Italien, *Varraso,* Wire Tapping Exchange.

384 *Schuster,* S. 42.

führen, dass Ergebnisse von Verwaltungsuntersuchungen von den nationalen Gerichten nicht genutzt werden.[385]

G. Nationale Interessen und Unzulänglichkeiten

Auch nationale Interessen können unter Umständen einer erfolgreichen Bekämpfung des EU-Betrugs entgegenstehen,[386] etwa wenn ein Mitgliedstaat finanzielle Nachteile fürchtet. Beispielsweise sieht die VO 1290/2005 für den EGFL[387] und den ELER[388] in bestimmten Fällen ein Anlastungsverfahren vor. Als Anlastungen werden diejenigen Ausschlüsse von der Unionsfinanzierung bezeichnet, die seitens der Europäischen Kommission gegenüber den Mitgliedstaaten aufgrund von Fehlern im Verwaltungsvollzug, schadens- und schuldunabhängig, vorgenommen werden.[389] Wenn in einem Mitgliedstaat amtlich oder gerichtlich festgestellt wurde, dass bei der Zahlung von EU-Fördermitteln eine Unregelmäßigkeit vorliegt, muss der betreffende Mitgliedstaat innerhalb einer bestimmten Frist Wiedereinziehungsmaßnahmen ergreifen. Unterlässt er dies, kann die Kommission ihn von der Förderung ausschließen.[390] Für die finanziellen Folgen der unrechtmäßigen Zahlung muss der Mitgliedstaat dann einstehen. Ein Mitgliedstaat muss also, wenn er Ermittlungen wegen Unregelmäßigkeiten einleitet und diese entweder in einem behördlichen oder in einem gerichtlichen Verfahren zum Abschluss bringt, damit rechnen, dass er die finanziellen Belastungen tragen muss, die sich aus der Unregelmäßigkeit ergeben, wenn er die Wiedereinziehung nicht rechtzeitig veranlasst. Es ist im Interesse des jeweiligen Mitgliedstaates, solche Anlastungen auf seinen Etat zu vermeiden. In Anbetracht der Tatsache, dass sowohl die Verwaltung als auch die Justiz in vielen Mitgliedstaaten als überlastet gelten, kann die vorstehende Überlegung Grund dafür sein, im Zweifel die Ermittlungen wegen EU-Betrugs gar nicht erst aufzunehmen.

Ein weiteres Problem stellen die innerstaatlichen Justizstrukturen dar. Die Zahl der Rechtshilfeersuchen nimmt stetig zu. Die derzeit in den Mitgliedstaaten zur Verfügung stehenden personellen, materiellen und finanziellen Mittel reichen aber nicht aus, um die große Anzahl der gestellten Ersuchen angemessen zu bewältigen.[391] Verzögerungen, die sich im Rahmen transnationaler Ermittlungen ergeben

---

385 EU-Kommission, Mitteilung Gesamtkonzept, S. 9.

386 Vgl. Grabitz/Hilf/Nettesheim-*Vogel,* Art. 86 Rn. 6.

387 Europäischer Garantiefonds für die Landwirtschaft.

388 Europäischer Landwirtschaftsfonds für die Entwicklung des ländlichen Raums.

389 *Deimel,* NL-BzAR 2006, 312.

390 Art. 32 insb. Abs. 4, Art. 33 insb. Abs. 5 VO 1290/2005.

391 Schlussbericht über die erste Begutachtungsrunde – Rechtshilfe in Strafsachen, ABl. 2001/C216/14, S. 15.

können, sind für Staatsanwälte, die möglichst viele Urteile in möglichst kurzer Zeit herbeiführen sollen, eventuell ein Grund, komplizierte EU-Betrugsfälle zu meiden.[392] Auch kann dies dazu führen, dass zunächst nationale Verfahren bearbeitet werden, was die grenzüberschreitenden Ermittlungen erheblich behindern kann.[393] Weitere Konsequenz ist, dass nationale Staatsanwälte, in Anbetracht der Schwierigkeiten, die sich aus der Bearbeitung eines grenzüberschreitenden Falles ergeben, die Verfolgung dieser Fälle nicht selten auf rein nationale Aspekte beschränken.[394] In manchen Mitgliedstaaten wird sogar nur dann eine strafrechtliche Verfolgung von Straftaten gegen die EU-Interessen vorgenommen, wenn die infrage stehenden Handlungen ausschließlich im eigenen Hoheitsgebiet erfolgt sind.[395] Zudem gibt es nicht in allen Mitgliedstaaten auf EU-Betrugsfälle spezialisiertes Fachpersonal, sodass sogar unabhängig von einer grenzüberschreitenden Dimension allein wegen der Komplexität der Fälle große Probleme entstehen können.

H. Schwachpunkte der Institutionen

Wie bereits dargestellt,[396] gibt es auf Unionsebene mehrere Einrichtungen, deren Aufgabengebiet sich auf die Bekämpfung von Straftaten zum Nachteil der finanziellen Interessen der Union erstreckt. Diese werden von einem Großteil der im Bereich der EU-Betrugsbekämpfung Tätigen auch als hilfreich angesehen. Dennoch wird mitunter davon abgesehen, diese Institutionen einzuschalten, weil es als zu zeitraubend empfunden wird.[397] Darüber hinaus stoßen sie bei ihrer Arbeit auf Probleme unterschiedlicher Art. Die wesentlichsten Punkte, die sich hinsichtlich der Tätigkeit der Einrichtungen als problematisch darstellen können, sollen nun aufgezeigt werden.

1. EJN

Die Nutzung des EJN bietet sich nur für bilaterale Fälle an. Multilaterale Fälle können besser innerhalb Eurojusts gelöst werden. Aufgrund der einfachen Struktur des EJN ist es in diesen Fällen schneller und einfacher, auf darauf zurückzugreifen, statt Eurojust um Unterstützung zu bitten. Dennoch wird das EJN in der Praxis anscheinend nicht sehr intensiv genutzt, um EU-Betrugsfälle zu bearbeiten.[398]

---

392 Vgl. *Klip,* in: Vervaele (Hrsg.), Transnational Enforcement, S. 95.

393 Eurojust, Jahresbericht 2009, S. 16.

394 Vgl. EU-Kommission, Mitteilung Gesamtkonzept, S. 4.

395 EU-Kommission, Mitteilung Gesamtkonzept, S. 10.

396 Siehe oben, II.C.

397 EU-Kommission, Working Paper, S. 4.

398 Vgl. EU-Kommission, Working Paper, S. 21.

2. Eurojust

Eurojust wird nicht systematisch mit den Fällen befasst, die in seinen Zuständigkeitsbereich fallen. Die Befassung steht im Ermessen der zuständigen nationalen Behörden. Es wird nicht in allen möglichen Fällen um Unterstützung gebeten, unter anderem deshalb, weil durch die Einschaltung Eurojusts Zeitverzögerungen befürchtet werden,[399] insbesondere wird das Arbeitstempo der Einrichtung mitunter als zu langsam empfunden.[400] Der Verzicht darauf, Eurojust bei der Koordinierung der Strafverfolgung heranzuziehen, kann dazu führen, dass die Strafverfolgung in grenzüberschreitenden Fällen mangels ausreichender Koordinierung scheitert.[401]

Hinzu kommt, dass Eurojust, auch wenn es von den mitgliedstaatlichen Behörden befasst wird, keine bindenden Kompetenzen hat. Es kann also die Mitgliedstaaten nicht zu einem Handeln verpflichten. Zudem kann es nicht auf nationale Verfahren einwirken. Dies kann gerade in schwierigen Fällen zu Problemen führen, da sich die Mitgliedstaaten auf ein Vorgehen einigen müssen. Mangelt es an Kompromissbereitschaft, scheitern die Verhandlungen und somit im Zweifel auch eine effektive Strafverfolgung. Da die Mitgliedstaaten allein entscheiden können, ob sie Eurojust befassen und einer Anfrage von Eurojust folgen, ist Eurojust in großem Maße vom guten Willen der Mitgliedstaaten abhängig.[402] Es kann außerdem zwar die Ermittlungen koordinieren, hat aber keine ausgewiesenen Experten für EU-Finanzbetrug. Vielmehr sind seine Mitglieder für Organisierte Kriminalität, Terrorismus und andere Formen schwerer Kriminalität generell zuständig. EU-Betrugsfälle sind aufgrund der grenzüberschreitenden Dimension und der Materie häufig sehr komplex. Nicht in allen Mitgliedstaaten sind spezialisierte Strafverfolgungsbehörden für diese Straftaten zuständig. Eurojust kann diese Fachleute jedoch nicht ersetzen.

3. Europol

Auf die Unterstützung des Europäischen Polizeiamts wird von den europäischen Strafverfolgungsbehörden selten zurückgegriffen.[403] Das ist unter anderem darauf zurückzuführen, dass es als weniger effizient als beispielsweise Interpol angesehen wird.[404] Darüber hinaus kann das Amt weder eigene Ermittlungen noch Zwangsmaßnahmen durchführen.

---

399 Vgl. EU-Kommission, Working Paper, S. 4.

400 *Wade,* S. 67.

401 Vgl. EU-Kommission, Working Paper, S. 5.

402 *Costa,* in: Apap (Hrsg.), Justice, S. 147.

403 *Wade,* S. 62, 65.

404 *Wade,* S. 67.

4. OLAF

Gemäß seinem Auftrag ermittelt OLAF nur auf verwaltungsrechtlicher Ebene.[405] Strafrechtliche Untersuchungen darf es nicht durchführen. Dennoch deutet in der VO 1073/99 einiges darauf hin, dass die strafrechtliche Relevanz der Untersuchungstätigkeit zumindest implizit anerkannt wird. Das ist z.B. der Fall, weil als Aufgabe von OLAF die Bekämpfung von Betrug und Korruption, also von Straftaten, vorgesehen ist. Oder wenn Zweck der Untersuchungen auch ist, Handlungen aufzudecken, die eventuell strafrechtlich geahndet werden können.[406] Das Dilemma, das durch diese Beschränkung der Ermittlungstätigkeit auf das Verwaltungsrecht, bei gleichzeitig nicht zu leugnender strafrechtlicher Bedeutung der Untersuchungen entsteht, führt zu Hindernissen bei der erfolgreichen Betrugsbekämpfung. Oft ist es nicht einfach, ein Verwaltungsverfahren in ein nationales Strafverfahren zu überführen.[407] Bedenken bestehen hier in den Mitgliedstaaten insbesondere hinsichtlich ihrer staatlichen Hoheitsgewalt und der Verteidigungsrechte des Beschuldigten.[408] OLAF stehen zudem im Rahmen seiner verwaltungsrechtlichen Untersuchungen vor Ort keine Beweissicherungs- und Zwangsbefugnisse zu. Das Amt kann die Mitgliedstaaten lediglich um die Ausübung dieser Befugnisse ersuchen, wenn dies aus seiner Sicht notwendig erscheint.[409] Durch diese Beschränkung ist OLAF auf das Wohlwollen der Mitgliedstaaten angewiesen, um seinem Auftrag der Betrugsbekämpfung nachkommen zu können. Die Mitgliedstaaten können dafür sorgen, dass die Zwangsmaßnahmen nur in dem Rahmen stattfinden, der ihrer Meinung nach angemessen ist,[410] wenn sie eine Angelegenheit als besonders heikel betrachten. Derzeit kommt es häufig zu erheblichen Verzögerungen, wenn das OLAF für die Durchführung seiner Ermittlungen auf die Hilfe der Mitgliedstaaten angewiesen ist.[411] Aufgrund seiner eingeschränkten Befugnisse fehlt dem Amt die Fähigkeit schnell und unabhängig zu reagieren, wie es für ein Ermittlungsorgan zu erwarten wäre.[412]

Um einen effektiven Schutz der finanziellen Interessen der Union zu bewirken, ist OLAF jedoch nicht nur hinsichtlich der Durchführung von Zwangsmaßnahmen auf die Mitgliedstaaten angewiesen. Da seine Untersuchungen per definitionem rein verwaltungsrechtlicher Natur sind, bedarf es derzeit in den Mitgliedstaaten einer Weiterverfolgung in der Form ergänzender strafrechtlicher Ermittlungen,[413]

---

[405] Art. 1 Abs. 3, VO 1073/99.

[406] *Brüner/Spitzer,* EuR 2008, 860.

[407] EU-Kommission, Grünbuch finanzielle Interessen, S. 85.

[408] *Ligeti*, EuCLR 2011, 141.

[409] Art. 7 Abs. 2 und Art. 9 VO 2185/96.

[410] *Wade,* eucrim 2008 (3/4), 129.

[411] OLAF, 9. Tätigkeitsbericht 2008, S. 30.

[412] *Wade,* eucrim 2008 (3/4), 129.

[413] Vgl. *Desterbeck*, S. 26.

um einen Strafprozess zu ermöglichen. OLAF übersendet nach Abschluss seiner Ermittlungen einen Untersuchungsbericht an die zuständigen mitgliedstaatlichen Behörden. Darin können auch Anhaltspunkte für das Vorliegen einer Straftat enthalten sein. Gibt OLAF seinen Bericht an die nationalen Justizbehörden ab, hat es keine Kontrolle darüber, welche weiteren strafrechtlichen Ermittlungen durchgeführt werden.[414] Hinsichtlich einer weiterführenden nationalen Strafverfolgung kann das Amt lediglich durch die Beachtung der strafprozessualen Anforderungen dafür sorgen, dass die im Rahmen seiner verwaltungsrechtlichen Untersuchungen erlangten Beweise in den Mitgliedstaaten in einem Strafprozess vor Gericht verwertbar sind.

Wie bereits erläutert, führt dies jedoch nicht in allen Fällen zu einer Verwertbarkeit im Strafprozess. OLAF hat keinen Einfluss darauf, ob aufgrund seiner Ermittlungen tatsächlich ein Strafverfahren eingeleitet wird. Es erscheint deshalb nicht falsch, das Amt als „qualifizierte Anzeigebehörde" zu bezeichnen, die auf den guten Willen der nationalen Ermittlungsbehörden angewiesen ist.[415] Da die strafrechtlichen Empfehlungen des OLAF für die Mitgliedstaaten nicht verbindlich sind, kann es die Mitgliedstaaten nicht dazu zwingen, die von ihm befürworteten justiziellen Folgemaßnahmen zu ergreifen. Es kann die Mitgliedstaaten ausschließlich zur Zusammenarbeit ermuntern.[416] Eine Pflicht der Mitgliedstaaten, das OLAF über die ergriffenen Folgemaßnahmen zu informieren, besteht derzeit nicht.[417]

Mitunter wird den von OLAF angeregten Ermittlungen nur eine geringe Priorität eingeräumt. Dies kann auf die Komplexität der Ermittlungen, fehlende personelle Ressourcen[418] oder aber auf die jeweilige nationale oder lokale Politik[419] zurückgeführt werden.

Aufgrund der unterschiedlichen strafrechtlichen Verfahren und Praktiken der Mitgliedstaaten sind die durchgeführten Folgemaßnahmen in der EU uneinheitlich.[420] Bislang folgen die nationalen Justizbehörden der Empfehlung des OLAF, eine strafrechtliche Untersuchung einzuleiten, nicht systematisch. Warum eine Un-

---

414 *Crétin,* in: Espina Ramos/Vicente Carbajosa (Hrsg.), Future European Public Prosecutor, S. 58.

415 So *Neuhann,* in: Möllers/van Ooyen (Hrsg.), Jahrbuch 2008/2009, S. 538.

416 OLAF, 9. Tätigkeitsbericht 2008, S. 35.

417 Eine solche sieht der neue Vorschlag zum Erlass einer Verordnung betreffend OLAF vor: Art. 10 Abs. 3, Geänderter Vorschlag für eine Verordnung des Europäischen Parlamentes und des Rates zur Änderung der Verordnung (EG) Nr. 1074/1999 über die Untersuchungen des Europäischen Amtes für Betrugsbekämpfung (OLAF) und zur Aufhebung der Verordnung (Euratom) Nr. 1074/1999, SEK(2011) 343 endgültig.

418 *Stiegel,* S. 4.

419 *Crétin,* in: Espina Ramos/Vicente Carbajosa (Hrsg.), Future European Public Prosecutor, S. 56.

420 EU-Kommission, Mitteilung Gesamtkonzept, S. 10.

tersuchung unterbleibt, ist in manchen Fällen kaum nachvollziehbar.[421] In manchen Mitgliedstaaten werden sogar in einem Großteil der Fälle keine weiteren Ermittlungen angestrengt, obwohl OLAF Anhaltspunkte für das Vorliegen einer Straftat in seinem Untersuchungsbericht herausgestellt hatte.[422] Zum Teil werden die von OLAF an die nationalen Justizbehörden weitergeleiteten Fälle nur sehr schleppend bearbeitet. So kann es vorkommen, dass OLAF erst nach zwei Jahren eine Antwort bekommt, in der die nationale Behörde die Einleitung eines Strafverfahrens mangels Zuständigkeit ablehnt.[423] Eine so späte Resonanz auf die Übersendung eines Untersuchungsberichts, unter Umständen verbunden mit einer Ablehnung der Zuständigkeit, erhöht die Gefahr, dass der infrage stehende Fall aufgrund von Verjährungsregelungen nicht mehr strafrechtlich verfolgt werden kann. Häufig wurden sogar Straftaten über mehrere Jahre hinweg weiter begangen, obwohl OLAF die zuständigen nationalen Justizbehörden über einen entsprechenden Verdacht informiert hatte. Dies ist insbesondere als Resultat der Dauer der Rechtshilfeverfahren sowie eine fehlende Koordinierung der Strafverfolgung auf EU-Ebene zu sehen.[424]

Doch selbst wenn der gute Wille zur Kooperation vorhanden ist, hat das OLAF in seiner täglichen Arbeit mit überforderten Justizsystemen zu tun und wird deshalb oft mit der Zerschlagung seiner Ermittlungsbemühungen konfrontiert.[425] Die notwendigen Ermittlungen sind häufig sehr kompliziert und können nur mit entsprechender fachlicher Spezialisierung richtig geführt werden.[426] Diese Fachleute gibt es jedoch nicht in allen Mitgliedstaaten. Deshalb sorgt in manchen Fällen das Unvermögen der nationalen Behörden, komplizierte EU-Betrugsfälle zu verstehen, für Probleme.[427] Dem OLAF kommt aber auch keine Befugnis zu, die Mitgliedstaaten dadurch zu unterstützen, dass es die strafrechtlichen Ermittlungen verschiedener Mitgliedstaaten koordiniert. Dies ist allein Aufgabe von Eurojust. Weigern sich die Mitgliedstaaten, dessen Hilfe in Anspruch zu nehmen, besteht die Gefahr, dass die Ermittlungen in verschiedenen Mitgliedstaaten nicht effektiv koordiniert werden können.[428]

---

[421] EU-Kommission, Mitteilung Gesamtkonzept, S. 6.

[422] EU-Kommission, Mitteilung Gesamtkonzept, S. 7.

[423] Vgl. hierzu den Fall unter III.B.

[424] EU-Kommission, Mitteilung Gesamtkonzept in der englischen und der französischen Fassung, S. 8. In der deutschen Fassung wird der Begriff „criminal actions“ bzw. „l'action pénale“ mit dem Begriff „strafrechtlichen Maßnahmen“ statt mit „Straftaten“ übersetzt, wodurch der Sinn der Aussage komplett verdreht wird.

[425] *Brüner,* in: Espina Ramos/Vicente Carbajosa (Hrsg.), Future European Public Prosecutor, S. 49.

[426] *Stiegel,* S. 3.

[427] *Crétin,* in: Espina Ramos/Vicente Carbajosa (Hrsg.), Future European Public Prosecutor, S. 56.

[428] Vgl. EU-Kommission, Working Paper, S. 5.

IV. Zusammenfassung

Die vorstehende Untersuchung hat gezeigt, dass der EU-Haushalt Angriffen ausgesetzt ist. Straftaten zum Nachteil der finanziellen Interessen der Union bewirken nicht nur wirtschaftlich schwerwiegende Folgen, sie greifen auch die Union als politische Institution an. So sinkt der Rückhalt in der Bevölkerung für Maßnahmen der Union, wenn der Eindruck entsteht, die zum großen Teil aus Steuern finanzierten Mittel würden nicht zweckgemäß verwendet. Jeder Angriff auf die finanziellen Interessen der Union ist folglich zugleich auch ein Angriff auf die politische Glaubwürdigkeit. Den Tätern muss deshalb ein System gegenüberstehen, das in der Lage ist, gegen die Angriffe vorzugehen und, unter anderem, durch eine effektive Strafverfolgung zu bekämpfen.

Sehr viele Fälle des EU-Betrugs werden grenzüberschreitend begangen oder haben zumindest eine anderweitige grenzüberschreitende Dimension. Diese Straftaten können nicht von einer einzigen nationalen Strafverfolgungsbehörde allein strafrechtlich untersucht und verfolgt werden. Vielmehr bedarf es der Unterstützung der Strafverfolgungsbehörden in anderen Mitgliedstaaten. Es hat sich gezeigt, dass schon das Vorhandensein einer grenzüberschreitenden Dimension in der Regel zu Verzögerungen bei den Ermittlungen führt. Um die Zusammenarbeit im Rahmen transnationaler Ermittlungen zu erleichtern, wurden verschiedene Rechtshilfevereinbarungen geschlossen. Darüber hinaus wurden Instrumente geschaffen, die nach dem Prinzip der gegenseitigen Anerkennung funktionieren und dadurch die grenzüberschreitende Zusammenarbeit weiter vereinfachen sollen. Es hat sich jedoch herausgestellt, dass sowohl die Rechtshilfeinstrumente als auch jene, die auf dem Prinzip der gegenseitigen Anerkennung beruhen, nicht immer zur Verbesserung der Strafverfolgung beitragen können.

Zudem hat sich gezeigt, dass sich unterschiedliche Straftatbestände bei der grenzüberschreitenden Verfolgung von Straftaten als hinderlich erweisen können. Die durch die PIF-Vereinbarungen bezweckte Vereinheitlichung zumindest einiger Straftatbestände konnte mangels ausreichender Umsetzung der Vorschriften durch die Mitgliedstaaten bislang nicht erreicht werden.

Ein weiteres Problem bei der grenzüberschreitenden Strafverfolgung von EU-Betrug stellen die unterschiedlichen Beweisregeln in den Mitgliedstaaten dar. Sie können verhindern, dass Beweismittel, die in anderen Mitgliedstaaten erhoben wurden, im nationalen Gerichtsverfahren verwertet werden können. Die Wahrscheinlichkeit, in einem Verfahren verurteilt zu werden, in dem Beweismittel aus anderen Mitgliedstaaten von Bedeutung sind, ist deshalb geringer, als in einem rein nationalen Verfahren verurteilt zu werden. Auch die Verwertbarkeit von Beweismitteln, die im Rahmen einer verwaltungsrechtlichen Untersuchung des OLAF gewonnen wurden, ist nicht in allen Mitgliedstaaten sichergestellt. Neben diesen rechtlichen Problemen können aber auch nationale Interessen und Unzulänglichkeiten einer erfolgreichen Betrugsbekämpfung entgegenstehen.

Auf europäischer Ebene existieren unterschiedliche Institutionen, die bei der EU-Betrugsbekämpfung nützlich sein können. So kann Eurojust die Strafverfolgung unterstützen und koordinieren. Allerdings kann es nur tätig werden, wenn es von den Mitgliedstaaten darum ersucht wird. Es kann nicht von sich aus die Koordinierung der grenzüberschreitenden Strafverfolgung übernehmen. Europol kann die Mitgliedstaaten, insbesondere durch seine *Intelligence*-Arbeit, unterstützen. Operative Befugnisse, durch die es den Mitgliedstaaten helfen könnte, hat es nicht. Das OLAF ist derzeit die einzige supranationale Ermittlungsbehörde.[429] Seine Befugnisse beschränken sich jedoch auf den verwaltungsrechtlichen Bereich. Es kann die Mitgliedstaaten nur insofern bei der strafrechtlichen Verfolgung von EU-Betrug unterstützen, als es im Rahmen seiner Verwaltungsuntersuchungen gefundene Anhaltspunkte für Straftaten an die Mitgliedstaaten weiterleitet. Die Mitgliedstaaten sind jedoch nicht verpflichtet, aufgrund dieser Mitteilung tatsächlich strafrechtliche Untersuchungen einzuleiten.

Bislang sind die auf europäischer Ebene tätig werdenden Institutionen auf die Zusammenarbeit der Mitgliedstaaten angewiesen. Sie können die Mitgliedstaaten nicht zu einem bestimmten Handeln verpflichten. Darüber hinaus ist es keiner der Institutionen gestattet, von sich aus die Koordinierung der grenzüberschreitenden Strafverfolgung zu übernehmen. Mangelnde Koordinierung zwischen den Mitgliedstaaten kann aber nicht nur zu unnötiger Doppelarbeit und Verzögerungen führen, sondern unter Umständen sogar dazu, dass ein Verfahren aufgrund des Nebis-in-idem-Grundsatzes eingestellt werden muss, obwohl ausreichend Beweise für eine Verurteilung vorhanden gewesen wären. Zwar sind OLAF und Europol nicht darauf angewiesen, von den Mitgliedstaaten eingeschaltet zu werden. Dennoch kann ihre Arbeit letztlich nur in eine strafrechtliche Verfolgung in den Mitgliedstaaten münden, wenn diese aufgrund von Informationen der Institutionen tätig werden.

Das derzeitige System zur Verfolgung von Straftaten zum Nachteil der finanziellen Interessen der Union, bei dem die Mitgliedstaaten allein für die Strafverfolgung zuständig sind, stößt somit auf Schwierigkeiten unterschiedlichster Art. Diese Probleme führen dazu, dass innerhalb der Union ein angemessener Schutz der finanziellen Interessen nicht in allen Fällen gewährleistet werden kann.

---

[429] *Ligeti*, EuCLR 2011, 141.

Teil 3

Wege zur Errichtung einer Europäischen Staatsanwaltschaft

Nach einem kurzen Abriss über die geschichtliche Entwicklung der Idee einer Europäischen Staatsanwaltschaft soll im Folgenden erläutert werden, welche grundsätzlichen rechtlichen Voraussetzungen bei der Errichtung einer solchen Institution erfüllt werden müssen. Darüber hinaus sollen Besonderheiten und Optionen, die sich bei der Schaffung einer Europäischen Staatsanwaltschaft nach Art. 86 AEUV ergeben, herausgearbeitet und erläutert werden.

I. Geschichtliche Entwicklung

Die Errichtung einer Europäischen Staatsanwaltschaft ist nicht erst durch die Einführung von Art. 86 AEUV in der Diskussion. Vielmehr wurde bereits seit einigen Jahren eine Debatte über die Möglichkeit geführt, durch eine europäische Strafverfolgungsbehörde den Schutz der finanziellen Interessen der Europäischen Union zu verbessern.

A. Corpus Juris

Die Idee, den Schutz der finanziellen Interessen der EU durch eine Europäische Staatsanwaltschaft zu verstärken, wurde erstmals im Rahmen des im Jahr 1997 veröffentlichten und von führenden europäischen Strafrechtswissenschaftlern[1] entwickelten „Corpus Juris der strafrechtlichen Regelungen zum Schutz der finanziellen Interessen der Europäischen Union“[2] formuliert. Es wurde vom Europäischen Parlament in Auftrag gegeben und stand unter der Schirmherrschaft der Kommis-

---

1 Prof. Dr. *Enrique Bacigalupo* (Universität Madrid), Prof. Dr. *Giovanni Grasso* (Universität Catania), Prof. Dr. *Nils Jareborg* (Universität Uppsala), Prof. Dr. *Mireille Delmas-Marty* (Universität Panthéon-Sorbonne, Paris I), Prof. Dr. *John R. Spencer* (Universität Cambridge), Prof. Dr. *Dionysios Spinellis* (Universität Athen), Prof. Dr. h.c. mult. *Klaus Tiedemann* (Universität Freiburg), Prof. Dr. *Christine van den Wyngaert* (Universität Antwerpen).

2 *Delmas-Marty* (Hrsg.), Corpus Juris.

sion. Darin wird ein Gesamtkonzept entworfen, das durch die Schaffung eines bereichsspezifischen Europäischen Strafrechts die finanziellen Interessen der EU besser schützen soll, als das bislang möglich war. Neben materiell-rechtlichen Vorschriften, mit deren Hilfe eine Vereinheitlichung bestimmter EU-betrugsspezifischer Straftatbestände innerhalb Europas erreicht werden sollte, wurden auch strafverfahrensrechtliche Normen formuliert, um die Ermittlung, Strafverfolgung, Klageerhebung und Vollstreckung des Urteils zu vereinheitlichen. Auf der Grundlage der Geltung eines europäischen Territorialitätsprinzips wurden beispielsweise Vorschläge zu Status und Struktur einer Europäischen Strafverfolgungsbehörde, zu ihren Untersuchungsbefugnissen und zur Regelung der örtlichen Zuständigkeit unterbreitet. Ziel war es, eine leistungsfähige europäische Strafverfolgungsbehörde zu schaffen.[3]

Die im Rahmen des Corpus Juris erarbeiteten Vorschläge eröffneten eine breite Diskussion über die Implementierung unionsweit geltender strafrechtlicher Vorschriften.[4] Allerdings enthielt der zu diesem Zeitpunkt in Kraft befindliche EG-Vertrag nach herrschender Meinung keine Kompetenzzuweisung an die Union, strafrechtliche Normen zu schaffen.[5] Er hätte deshalb geändert werden müssen, um das Corpus Juris umzusetzen. Der Plan hierzu wurde jedoch auf der Regierungskonferenz von Nizza im Jahr 2000 aus zeitlichen und sachlichen Gründen nicht weiterverfolgt.[6] In der Zwischenzeit wurde das Werk ergänzt und überarbeitet und besteht seit dem Jahr 2000 in Form des Corpus Juris 2000 (Fassung von Florenz).[7] Doch auch diese Version wurde nicht in europäisches Recht umgesetzt.

B. Grünbuch zum strafrechtlichen Schutz der finanziellen Interessen

Ende 2001 legte die Kommission ein Grünbuch zum strafrechtlichen Schutz der finanziellen Interessen der Europäischen Gemeinschaften und zur Schaffung einer Europäischen Staatsanwaltschaft vor.[8] Darin wiederholte sie ihren bereits auf der Konferenz von Nizza vorgebrachten Vorschlag, einen Art. 280a EGV einzufügen, der die rechtliche Basis für die Schaffung einer solchen Institution bilden sollte. In diesem Artikel sollten die Ernennung, die Amtszeit und die Amtsenthebung des

---

3 *Sieber,* in: Delmas-Marty (Hrsg.), Corpus Juris, S. 4.

4 Vgl. z.B. *Nelles,* ZStW 109 (1997), 752f; *Sieber,* ZRP 2000, 191; Beiträge in: *Huber* (Hrsg.), Corpus Juris, passim.

5 Vgl. Teil 2, II.A.3.

6 EU-Kommission, Follow-up-Mitteilung, S. 3.

7 *Delmas-Marty*, S. 189ff; Deutsche Übersetzung von Prof. Dr. Tonio Walter: www.ec.europa.eu/anti_fraud/green_paper/corpus/de.doc [Stand: 20.10.2011].

8 EU-Kommission, Grünbuch finanzielle Interessen.

Europäischen Staatsanwalts geregelt werden.[9] Dieser sollte im Bereich der Straftaten zulasten der finanziellen Interessen für die Ermittlung, Verfolgung und Anklageerhebung vor den Gerichten der Mitgliedstaaten zuständig sein.[10] Seine Tätigkeit sollte er unabhängig und weisungsfrei[11] nach Verfahrensvorschriften verrichten, die der Rat ebenso noch erlassen sollte wie Vorschriften zur richterlichen Kontrolle der Handlungen des Staatsanwalts.[12] Das Grünbuch machte darüber hinaus Ausführungen dazu, warum die Errichtung einer Europäischen Staatsanwaltschaft aus Sicht der Kommission notwendig sei. Hierfür verwies sie beispielsweise auf die Zersplitterung des europäischen Strafrechtsraums, der eine angemessene Strafverfolgung erschwere sowie auf die Schwerfälligkeit bereits existierender Verfahren.[13]

Die Kommission formulierte verschiedene Vorschläge zu den Ausgestaltungsmöglichkeiten der Europäischen Staatsanwaltschaft und deren Kompetenzen. Durch das Grünbuch wollte sie die bereits bestehenden Überlegungen konkretisieren und Möglichkeiten und Präferenzen für die Umsetzung des ursprünglichen Vorschlags herausarbeiten.[14] Zusätzlich sollte eine möglichst breitgeführte Debatte mit allen interessierten Kreisen angeregt werden.[15] Das Grünbuch ist somit nicht als konkreter Vorschlag zu sehen, sondern vielmehr als Diskussionsgrundlage für eine zukünftig in Betracht kommende Europäische Staatsanwaltschaft. Die sich an die Veröffentlichung des Grünbuchs anschließende Debatte wurde zwar angeregt geführt,[16] brachte jedoch zunächst keine weiteren konkreten Ergebnisse.

C. Verfassungsvertrag

Bereits im Jahr 2002, im Zuge der Verhandlungen für eine Verfassung für Europa, wurde das Projekt der Errichtung einer Europäischen Staatsanwaltschaft aufgegriffen. Trotz des Widerstands einiger Mitgliedstaaten[17] wurde schließlich in den am 29. Oktober 2004 unterzeichneten Verfassungsvertrag mit Art. III-274 eine Norm zur Schaffung einer solchen Institution eingeführt. Im Gegensatz zum von der Kommission vorgeschlagenen Art. 280a EGV sah Art. III-274 des Europäischen Verfassungsvertrags (EVV) die Errichtung einer Europäischen Staatsanwalt-

---

9 Art. 280a Abs.1 und 2 EGV.

10 Art. 280a Abs. 1 EGV.

11 Art. 280a Abs. 2 EGV.

12 Art. 280a Abs. 3 lit. b und c EGV.

13 EU-Kommission, Grünbuch finanzielle Interessen, S. 15f.

14 EU-Kommission, Follow-up-Mitteilung, S. 3.

15 EU-Kommission, Grünbuch finanzielle Interessen, S. 12.

16 Vgl. Follow-up-Mitteilung.

17 Vgl. Schlussbericht der Gruppe X „Freiheit, Sicherheit und Recht“, CONV 426/02, S. 20.

schaft nur optional vor („kann […] eingesetzt werden“, Abs. 1). Hierbei handelte es sich um eine Kompromisslösung, um auch jenen Mitgliedstaaten, die sich gegen die Einführung einer Europäischen Staatsanwaltschaft ausgesprochen hatten, gerecht zu werden. Nach der vorgeschlagenen Regelung war eine Schaffung der Staatsanwaltschaft nur nach Zustimmung im Parlament und eines daraufhin einstimmig gefällten Beschlusses des Rates möglich.[18] Die Europäische Staatsanwaltschaft sollte nach Art. III-274 Abs. 2 EVV zuständig sein für die „strafrechtliche Untersuchung und Verfolgung sowie die Anklageerhebung“ vor nationalen Gerichten in Bezug auf Personen, die Straftaten zum Nachteil der finanziellen Interessen Union begangen haben. Für die genaue Ausgestaltung der Regeln, nach denen die Staatsanwaltschaft tätig werden sollte, verwies Art. III-274 Abs. 3 EVV auf ein noch zu erlassendes Gesetz, in dem unter anderem die Einzelheiten für die Erfüllung der Aufgaben der Staatsanwaltschaft sowie die für ihre Tätigkeit geltenden Verfahrensvorschriften festgelegt werden sollten.

Nicht durchsetzen konnten sich diejenigen, die der Staatsanwaltschaft Befugnisse auch über den Bereich der Straftaten zum Nachteil der finanziellen Interessen hinaus zusprechen wollten. Es bestand nach Art. III-274 Abs. 4 EVV jedoch die Möglichkeit, die Befugnisse der Europäischen Staatsanwaltschaft durch einstimmigen Beschluss auf „die Bekämpfung von schwerer Kriminalität mit grenzüberschreitender Dimension“ auszuweiten.

Im Gegensatz zur Fassung Art. 280a EGV fehlte nun eine Regelung zur Unabhängigkeit und Weisungsfreiheit des Europäischen Staatsanwalts. Nachdem eine Ratifizierung des Verfassungsvertrags gescheitert war, wurde die Vorschrift über die Europäische Staatsanwaltschaft im Vertrag von Lissabon wieder aufgegriffen. Art. III-274 EVV wurde mit wenigen Anpassungen, wie beispielsweise der Einführung der verstärkten Zusammenarbeit, in Art. 86 AEUV übernommen.

II. Errichtung nach Art. 86 AEUV

Angelehnt an die im Verfassungsvertrag vorgesehene Regelung wurde mit Art. 86 AEUV eine Rechtsgrundlage für die Errichtung einer Europäischen Staatsanwaltschaft geschaffen.

Im Folgenden soll herausgearbeitet werden, welche rechtlichen Voraussetzungen bei der Schaffung einer Europäischen Staatsanwaltschaft erfüllt werden müssen. Dabei müssen nicht nur die Vorgaben, die sich aus Art. 86 AEUV ergeben, beachtet werden, sondern auch solche, die sich aus dem generellen Rechtsrahmen der Europäischen Union ergeben. Neben den rein formellen Vorgaben, die Art. 86

---

[18] Art. III-274 Abs. 1 Satz 2 EVV.

AEUV bezüglich des Verfahrens zur Errichtung der Staatsanwaltschaft statuiert, sollen auch jene erläutert werden, die sich auf den Tätigkeitsbereich der Staatsanwaltschaft erstrecken.

A. Subsidiaritätsprinzip

Im Rahmen der Gesetzgebung der Union kommt dem sogenannten Subsidiaritätsprinzip, das die Kompetenzausübung der Union beschränkt, eine bedeutende Rolle zu. Der Sache nach finden sich bereits bei Aristoteles erste Ansätze zum Subsidiaritätsprinzip.[19] Entscheidend geprägt und konkretisiert wurde es aber durch die katholische Soziallehre.[20] Demnach soll das, was der Einzelmensch aus eigener Initiative und mit seinen eigenen Kräften leisten kann, nicht durch die Gesellschaft geregelt werden und dem Regelungsbereich des Einzelnen dadurch entzogen werden.[21] Abstrakter gesprochen fordert der Begriff der Subsidiarität somit, dass der kleineren Einheit der Vorrang im Handeln gegenüber der größeren Einheit zukommen muss.[22] Innerhalb der Union angewendet bedeutet dies, dass grundsätzlich dem Handeln der Mitgliedstaaten der Vorrang vor einem Handeln der Union zukommen muss. Dadurch soll gewährleistet werden, dass Entscheidungen innerhalb der Union möglichst bürgernah getroffen werden.[23]

Das Subsidiaritätsprinzip wurde im Recht der Union erstmals durch den Vertrag von Maastricht in Form des Art. 3b EGV a.F. eingefügt. Heute findet sich das Subsidiaritätsprinzip im 13. Erwägungsgrund der Präambel zum EUV. Zudem übernimmt Art. 5 EUV die Regelung des Art. 3b EGV a.F. (und des Art. 5 EGV) in zum Teil abgewandelter Form. Wenngleich das Subsidiaritätsprinzip nur in Art. 5 Abs. 3 EUV erwähnt wird, ist der gesamte Art. 5 EUV mit allen Absätzen als Kodifizierung des Subsidiaritätsprinzips zu verstehen.[24] Denn alle in Art. 5 EUV getroffenen Regelungen dienen dazu, die Ausübung der Kompetenzen der Union auf das Maß zu beschränken, das notwendig ist, um ein gemeinsames Ziel der Union zu erreichen. Alles Weitere soll auf der Ebene der Mitgliedstaaten verbleiben. Somit kann davon gesprochen werden, dass Art. 5 EUV das Subsidiaritätsprinzip im weiteren Sinne normiert, dessen Einhaltung durch die dort aufgezählten Prinzipien

---

19 *Pieper,* DVBl. 1993, 706.

20 *Calliess,* Subsidiarität, S. 28f.

21 Vgl. Nr. 79 der „Enzyklika Quadragesimo Anno" aus dem Jahr 1931. Abgedruckt in: Bundesverband der Katholischen Arbeitnehmer-Bewegung Deutschlands (Hrsg.), Texte zur katholischen Soziallehre, 7. Aufl. Kevelaer 1989.

22 *Isensee*, S. 71.

23 Vgl. 13. Erwägungsgrund der Präambel zum EUV.

24 Vgl. *Calliess,* Subsidiarität, S. 66; Lenz/Borchardt-*Langguth,* Art. 5 EUV Rn. 1; vgl. auch Von der Groeben/Schwarze-*Zuleeg,* Art. 5 EGV Rn. 25; zu Art. 3b EGV a.F.: *Schmidhuber/Hitzler,* NVwZ 1992, 721.

gewährleistet werden soll. Diese Prinzipien sind somit Ausprägungen des weiten Subsidiaritätsprinzips. Normiert wurden das Prinzip der begrenzten Einzelermächtigung (Art. 5 Abs. 2 EUV), das Subsidiaritätsprinzip im engeren Sinne[25] (Art. 5 Abs. 3 EUV) und das Verhältnismäßigkeitsprinzip (Art. 5 Abs. 4 EUV). Im Folgenden sollen die verschiedenen Ausprägungen des Subsidiaritätsprinzips in der Form, wie sie durch Art. 5 EUV im Primärrecht der Union existieren, näher dargestellt werden.

1. Prinzip der begrenzten Einzelermächtigung

Für die Zuständigkeit der Union zur Regelung einer Materie gilt nach Art. 5 Abs. 2 EUV der Grundsatz der begrenzten Einzelermächtigung. Hierbei handelt es sich um eine absolute Grenze für das Tätigwerden der Union.[26] Die Union kann nur in den Bereichen tätig werden, in denen ihr von den Mitgliedstaaten eine Kompetenz übertragen worden ist.[27] Sie darf nicht in die den Mitgliedstaaten verbleibenden Kompetenzen eingreifen.[28] Für jeden Rechtsakt der Union muss somit eine ausdrückliche oder implizite Rechtsgrundlage in den Verträgen vorhanden sein.[29] Für das Sekundärrecht stellt das Primärrecht deshalb nach einer klassischen Formel des Gerichtshofs „Grundlage, Rahmen und Grenze"[30] dar.[31] Es begrenzt die Rechtsetzungsgewalt insofern, als der Union nur die im Primärrecht normierten Kompetenzen zustehen. Gleichzeitig richtet es sie im Rahmen der Normierung inhaltlich aus.[32]

Durch Art. 86 AEUV wird der Union ausdrücklich die Kompetenz zugesprochen, eine Europäische Staatsanwaltschaft einzusetzen, die gegen Straftaten zum Nachteil der finanziellen Interessen der Union vorgeht. Damit stünde ein Tätigwerden der Union auf diesem Gebiet im Einklang mit dem Prinzip der begrenzten Einzelermächtigung.

2. Subsidiaritätsprinzip im engeren Sinne

Das in Art. 5 Abs. 3 EUV normierte Subsidiaritätsprinzip im engeren Sinne findet nur Anwendung, wenn die Kompetenz, die ausgeübt werden soll, nicht in die ausschließliche Zuständigkeit der Union fällt, sondern in die mit den Mitgliedstaa-

---

[25] Vgl. zu dieser Bezeichnung: Calliess/Ruffert-*Calliess,* Art. 5 EUV Rn. 20; *Eisenberg*, S. 43.

[26] *Calliess,* Subsidiarität, S. 70.

[27] Art. 5 Abs. 2 Satz 1 EUV.

[28] Geiger/Khan/Kotzur-*Geiger,* Art. 5 EUV.

[29] *Oppermann/Classen/Nettesheim,* § 11 Rn. 3.

[30] EuGH Rechtssache 26/78, Sammlung der Rechtsprechung 1978, S. 1771 Rn. 9.

[31] *Oppermann/Classen/Nettesheim,* § 11 Rn. 4.

[32] *Oppermann/Classen/Nettesheim,* § 11 Rn. 4.

ten geteilte Zuständigkeit. Dabei regelt das Subsidiaritätsprinzip nicht die Kompetenzverteilung. Es geht vielmehr um die Ausübung der durch die Verträge bereits klar verteilten Kompetenzen.[33] Das Subsidiaritätsprinzip fungiert hier als Kompetenz*ausübungs*schranke.[34]

Bezogen auf Art. 86 AEUV ist somit Folgendes zu beachten: Diese Norm steht unter Titel V des AEUV, in dem die Regelungen bezüglich der Freiheit, der Sicherheit und des Rechts getroffen werden. Nach Art. 4 Abs. 2 lit. j AEUV teilt sich die Union die diesbezügliche Zuständigkeit mit den Mitgliedstaaten. Da es sich also nicht um eine ausschließliche Zuständigkeit der Union handelt, muss die Union bei der Ausübung ihrer Kompetenz gemäß Art. 5 Abs. 3 EUV nach dem soeben dargestellten Maßstab das Subsidiaritätsprinzip beachten.[35] Demnach darf sie im Rahmen ihrer Kompetenz nur tätig werden, „sofern und soweit die Ziele der in Betracht gezogenen Maßnahmen von den Mitgliedstaaten weder auf zentraler noch auf regionaler oder lokaler Ebene ausreichend verwirklicht werden können, sondern vielmehr wegen ihres Umfangs oder ihrer Wirkungen auf Unionsebene besser zu verwirklichen sind“ (Art. 5 Abs. 3 EUV).

Die Überprüfung der Einhaltung des Subsidiaritätsprinzips im engeren Sinne ist anhand der im Folgenden dargestellten Prüfungspunkte vorzunehmen.

a) Zielerreichung durch die Mitgliedstaaten

Ein Tätigwerden der Union ist nach der Definition des Art. 5 Abs. 3 EUV ausgeschlossen, wenn die Ziele von den Mitgliedstaaten ausreichend oder genauso gut erreicht werden können wie von der Union.[36] Bei der Prüfung dieses Punktes ist in zwei Schritten vorzugehen. Zunächst muss die Zielerreichung unter Zugrundelegung der aktuellen Sach- und Rechtslage geprüft werden. Anschließend ist eine hypothetische Abschätzung der Möglichkeiten und Fähigkeiten der Mitgliedstaaten zum Erlass *künftiger* Maßnahmen vorzunehmen.[37] Hierbei muss mit einbezogen werden, ob den Mitgliedstaaten die tatsächlichen und finanziellen Mittel zur Verfügung stehen, um die Ziele zu erreichen.[38] Dabei genügt nicht, dass nur ein Teil der Mitgliedstaaten, die Ziele erreichen können. Um eine Sperrwirkung gegenüber der Union bewirken zu können, müssen *alle* Mitgliedstaaten hierzu in der Lage

---

[33] Calliess/Ruffert-*Calliess,* Art. 5 EUV Rn. 21.

[34] Calliess/Ruffert-*Calliess,* Art. 5 EUV Rn. 5; Geiger/Khan/Kotzur-*Geiger,* Art. 5 EUV Rn. 9.

[35] Vgl. Schwarze-*Böse,* Art. 82 Rn. 9 generell zur Polizeilichen und Justiziellen Zusammenarbeit im Rahmen des AEUV.

[36] Schwarze-*Lienbacher,* Art. 5 EUV Rn. 23.

[37] Calliess/Ruffert-*Callies,* Art. I-11 Rn. 32.

[38] Vgl. EG-Kommission, Mitteilung der Kommission an den Rat und an das Europäische Parlament betreffend das Subsidiaritätsprinzip.

sein.[39] Die Fähigkeit lediglich eines Teils der Mitgliedstaaten zur Erreichung des Ziels ist im Rahmen dieser Prüfung zunächst unbeachtlich. Sie ist allerdings vor dem Hintergrund des Verhältnismäßigkeitsgrundsatzes (Art. 5 Abs. 4 EUV) zu berücksichtigen.[40]

Bereits an dieser Stelle ist jedoch zu beachten, dass ein Rekurs auf eine intergouvernementale Zusammenarbeit der Mitgliedstaaten nicht zulässig ist. Dort, wo der Union Kompetenzen zugesprochen werden, kann ihr Handeln nicht durch koordinierte Maßnahmen der Mitgliedstaaten ausgeschaltet werden.[41] Es wäre widersinnig, der Union zunächst eine Kompetenz für den Fall zuzusprechen, dass die Mitgliedstaaten nicht in der Lage sind, ein bestimmtes Ziel zu erreichen, ihr diese Kompetenz jedoch dadurch wieder zu nehmen, dass außerhalb des unionalen Rechtsrahmens Vereinbarungen zwischen allen Mitgliedstaaten getroffen werden. Hierdurch würden die dafür vorgesehenen Unionsmechanismen umgangen und somit gegen das sich aus Art. 4 Abs. 3 EUV ergebende Loyalitätsgebot verstoßen.[42]

b) Mehrwert durch ein Handeln der Union

Die Feststellung, dass das Ziel von den Mitgliedstaaten nicht ausreichend verwirklicht werden kann, genügt nicht, um von einer Kompetenz der Union auszugehen. Vielmehr muss das Ziel zusätzlich auf Unionsebene besser zu verwirklichen sein.[43] Kann die Union das Ziel nur genauso gut oder schlecht erreichen wie die Mitgliedstaaten, verbleibt die Regelungsbefugnis bei diesen.[44] Das Urteil, dass ein Ziel besser auf Unionsebene erreicht werden kann, muss auf qualitativen und, soweit möglich, quantitativen Kriterien beruhen.[45] Hinsichtlich der Ersteren muss das durch ein Handeln der Union Erreichbare mit den Folgen eines Verzichts auf Unionshandeln verglichen und die auf mitgliedstaatlicher Ebene gegebenen Handlungsm-öglichkeiten in die Beurteilung miteinbezogenwerden.[46] Nur, wenn sich hierbei ein deutlicher Vorteil für das Handeln der Union ergibt, kann durch die Ausübung der Befugnisse der vom Subsidiaritätsprinzip geforderte Mehrwert angenommen werden. Quantitativ ist besonders an den Umfang der betreffenden Maßnahme anzuknüpfen. Hier ist zu berücksichtigen, ob die Maßnahme einen grenzüberschreitenden Aspekt hat. Bei der Prüfung dieses Aspekts wiederum,

---

39 *Hirsch,* in: Ress/Stein (Hrsg.), Vorträge, S. 9.

40 Vgl. Streinz-*Streinz,* Art. 5 EUV Rn. 28.

41 *Calliess,* Subsidiarität, S. 111; *Frowein,* FS für Lerche, S. 408; *Schmidhuber,* DVBl 1993, 419.

42 Vedder/Heintschel von Heinegg-*Vedder,* Art. I-11 Rn. 14.

43 Art. 5 Abs. 3 EUV.

44 *Frenz,* JURA 2010, 643.

45 Art. 5 Satz 4, Protokoll Nr. 2 über die Anwendung der Grundsätze der Subsidiarität und der Verhältnismäßigkeit, ABl. 2008/C115/206.

46 Vedder/Heintschel von Heinegg-*Vedder,* Art. I-11 Rn. 14.

spielt auch die Art, Größe und Schwere des Problems, das durch die in Betracht gezogene Maßnahme behoben werden soll, eine Rolle.[47]

Ebenso ist von Bedeutung, ob mehrere oder alle Mitgliedstaaten von dem Problem betroffen sind.[48] Die Unionskompetenzen dürfen nicht voll ausgeübt werden, wenn anzunehmen ist, dass der zusätzliche Integrationsgewinn durch die Maßnahme gering, der Eingriff in die Zuständigkeitsbereiche der Mitgliedstaaten jedoch erheblich ist.[49] Diesbezüglich muss eine Prognose erstellt werden, da sich die tatsächlichen Auswirkungen der ergriffenen Maßnahmen erst nach deren Verwirklichung endgültig feststellen lassen.

c) Umfang der Subsidiaritätsprüfung

Über die hier angeführten Kriterien, die im Rahmen der Subsidiaritätsprüfung herangezogen werden, herrscht weitgehend Einigkeit. Jedoch ist umstritten, wie weit der Umfang der Subsidiaritätsprüfung geht.

Es wird vertreten, beim engen Subsidiaritätsprinzips gehe es allein um die Frage, *ob* die Union tätig werden dürfe.[50] Nicht relevant seien Art und Umfang der vorgesehenen Maßnahme. Dies sei allein eine Frage der Verhältnismäßigkeit. Hierfür wird auf das im Rahmen des Vertrags von Amsterdam verfasste Protokoll über die Anwendung der Grundsätze der Subsidiarität und der Verhältnismäßigkeit verwiesen,[51] das gemäß Art. 311 EGV Bestandteil des EG-Vertrags war. Darin werden unter Punkt 5 Leitlinien für die Subsidiaritätsprüfung vorgegeben. Erst unter Punkt 6 wird darauf eingegangen, dass die Maßnahmen nicht über das erforderliche Maß hinausgehen dürfen. Die Regelungsdichte einer Maßnahme sei deshalb erst im Rahmen der Verhältnismäßigkeitsprüfung relevant.

Vertreten wird aber auch, dass diese Aspekte durchaus bereits im Rahmen der Subsidiaritätsprüfung nach Art. 5 Abs. 3 EUV eine Rolle spielen könnten.[52] Das Subsidiaritätsprinzip beschränke sich nur auf den ersten Blick auf die Frage, *ob* die Union tätig werden dürfe. Bei genauerer Betrachtung verschränke sich aber das „Ob" mit dem „Wie" der Unionsrechtsetzung.[53] Die Darstellung, ob ein Handlungsbedarf in Anbetracht der ins Auge gefassten Ziele besteht, könne sich nicht

---

47 *Calliess,* Europäische Union, S. 210.

48 *Calliess,* Europäische Union, S. 210.

49 Calliess/Ruffert-*Calliess,* Art. I-11 Rn. 37.

50 Calliess/Ruffert-*Calliess,* Art. 5 EUV Rn. 24; Lenz/Borchardt-*Langguth,* Art. 5 EUV Rn. 36; *Schmidhuber/Hitzler,* NVwZ 1992, 723.

51 Protokoll Nr. 30 über die Anwendung der Grundsätze der Subsidiarität und der Verhältnismäßigkeit, ABl. 1997/C340/105.

52 Grabitz/Hilf/Nettesheim-*Bast/von Bogdandy,* Art. 5 EUV Rn. 55; *Koenig/Lorz,* JZ 2003, 168.

53 *Koenig/Lorz,* JZ 2003, 168.

nur auf das Für und Wider der Ausübung einer gegebenen Kompetenz als solches beziehen, sondern müsse auch auf die einzelnen Regelungselemente des Rechtsakts bezogen sein.[54] Dies gelte deshalb, weil die von Art. 5 Abs. 3 EUV geforderte Effizienz der Ziel- und Aufgabenverwirklichung maßgeblich von der Art und Intensität, also dem „Wie" des Unionsrechtsaktes abhänge.[55] Für eine derartige Auslegung des Art. 5 Abs. 3 Satz 1 EUV wird zudem auf den Wortlaut verwiesen. Demnach wird die Union nur tätig, „soweit" die Ziele der in Betracht gezogenen Maßnahmen von den Mitgliedstaaten nicht ausreichend verwirklicht werden können. Somit betreffe das Subsidiaritätsprinzip nicht nur die Frage, *ob* die Union tätig wird, sondern in gewissem Maße auch die Frage danach, *wie* sie es tut. Eine andere Auslegung vernachlässige den Wortlaut.[56] Da auch der Verhältnismäßigkeitsgrundsatz auf das erforderliche Maß abstelle, könne es dann zu Überschneidungen mit Gesichtspunkten kommen, die für die Prüfung der Verhältnismäßigkeit (Art. 5 Abs. 4 EUV)[57] relevant sind.[58]

Für die erstgenannte Ansicht, nach der im Rahmen des engen Subsidiaritätsprinzips allein zu klären ist, *ob* die Union tätig wird, könnte das Subsidiaritätsprotokoll von Amsterdam sprechen. Hier wird in Punkt 6, der in Verbindung mit Punkt 1 die Vorgaben des Verhältnismäßigkeitsgrundsatzes konkretisiert, vorgegeben, dass grundsätzlich der Erlass einer Richtlinie dem Erlass einer Verordnung vorzuziehen ist. Damit wird auf Art und Umfang des Tätigwerdens insofern eingegangen, als der Union eine Beschränkung hinsichtlich der Wahl des Rechtsinstruments auferlegt wird. Hieraus könnte der Schluss gezogen werden, dass Art und Umfang allein im Rahmen der Verhältnismäßigkeitsprüfung zu beachten sind.

Allerdings: Dass dieser Maßstab in Punkt 6 ausdrücklich statuiert wird, bedeutet nicht, dass dadurch eine Prüfung von Art und Umfang der Verhältnismäßigkeitsprüfung vorbehalten und im Rahmen des Subsidiaritätsprinzips ausgeschlossen würde. Denn mit Ausnahme der Vorgabe zur Rechtsformenwahl werden Regelungen zu Art und Umfang des Handelns getrennt von den Bestimmungen des Punktes 6 in Punkt 7 getroffen, und damit abgesondert von den Vorgaben zur Verhältnismäßigkeitsprüfung. In Punkt 7 wird statuiert, dass im Rahmen der zu treffenden Maßnahme hinsichtlich Art und Umfang so viel Raum wie möglich für nationale Entscheidungen bleiben soll. Diese Aussage wurde von Punkt 6 getrennt. Von einem Bezug allein auf den Verhältnismäßigkeitsgrundsatz kann deshalb nicht ausgegangen werden. Vielmehr ist ein Bezug zu beiden vorgenannten Punkten anzu-

---

[54] Grabitz/Hilf/Nettesheim-*Bast/von Bogdandy,* Art. 5 EUV Rn. 55.

[55] *Koenig/Lorz,* JZ 2003, 168.

[56] Grabitz/Hilf/Nettesheim-*Bast/von Bogdandy,* Art. 5 EUV Rn. 55; a.A. Calliess/Ruffert-*Calliess* Art. 5 Rn. 24.

[57] Vgl. unten 3.

[58] Grabitz/Hilf/Nettesheim-*Bast/von Bogdandy,* Art. 5 EUV Rn. 55; *Koenig/Lorz,* JZ 2003, 168.

nehmen und damit ebenso auf den in Punkt 5 geregelten Subsidiaritätsgrundsatz. Dem Subsidiaritätsprotokoll von Amsterdam kann demnach nicht entnommen werden, dass eine Prüfung von Art und Umfang der Maßnahme im Rahmen der Subsidiarität ausgeschlossen sein soll.

Zudem wurde das Protokoll durch Inkrafttreten des Vertrags von Lissabon mittlerweile durch ein neues Protokoll über die Anwendung der Grundsätze der Subsidiarität und der Verhältnismäßigkeit ersetzt.[59] Dieses enthält insbesondere Verfahrens- und Begründungsregeln. Die oben zum Teil dargestellten Regelungen sind weggefallen. Das neue Protokoll sieht zwar eine Begründungspflicht im Hinblick auf die Grundsätze der Subsidiarität und Verhältnismäßigkeit vor (Art. 5 Satz 1), die Vorgaben, die hierfür getroffen werden, sind jedoch äußerst vage. So soll die Feststellung, dass ein Ziel der Union besser auf Unionsebene erreicht werden kann, auf qualitativen und, soweit möglich, auf quantitativen Kriterien beruhen (Art. 5 Satz 4). Die finanzielle Belastung und der Verwaltungsaufwand, sowohl für die Union als auch für die nationalen Regierungen, sollen so gering wie möglich gehalten werden und in einem angemessenen Verhältnis zu dem angestrebten Ziel stehen (Art. 5 Satz 5). Daraus lassen sich keine konkreteren Vorgaben für die Prüfung des Subsidiaritäts- oder des Verhältnismäßigkeitsprinzips entnehmen. Die hier getroffenen Vorgaben sind bei der Beantwortung der Frage, inwieweit Art und Umfang eventuell bei der Subsidiaritätsprüfung mit einbezogen werden können, nicht weiterführend.

Die Bezugnahme auf Punkt 6 des Subsidiaritätsprotokolls und eine damit verbundene Beschränkung der Subsidiaritätsprüfung allein darauf, ob die Union tätig werden darf, ist somit aus zweierlei Gründen abzulehnen. Zunächst kann dem Subsidiaritätsprotokoll nicht entnommen werden, dass eine Prüfung von Art und Umfang im Rahmen der Subsidiaritätsprüfung nicht vorgenommen werden darf, da dies unabhängig vom Verhältnismäßigkeitsgrundsatz unter Punkt 7 geregelt ist. Vielmehr spricht genau diese Tatsache dafür, anzunehmen, dass Punkt 7 sowohl für das Subsidiaritätsprinzip als auch für das Verhältnismäßigkeitsprinzip Anwendung finden sollte. Darüber hinaus ist das Subsidiaritätsprotokoll von 1997 nicht mehr in Kraft. Das neue Subsidiaritätsprotokoll hat die dortigen Leitlinien nicht übernommen.

Für die zweitgenannte Ansicht spricht der Wortlaut des Art. 5 Abs. 3 EUV, nach dem die Union nur tätig wird, „soweit" die Ziele der in Betracht gezogenen Maßnahmen von den Mitgliedstaaten nicht ausreichend verwirklicht werden können. Sollten Art und Umfang der zu treffenden Maßnahme im Rahmen des engen Subsidiaritätsprinzips keine Bedeutung zukommen, hätte eine Formulierung dahingehend ausgereicht, dass die Union nur tätig wird, „sofern" die Ziele von den Mitgliedstaaten nicht ausreichend verwirklicht werden können. Dass jedoch der

---

[59] Protokoll (Nr. 2) über die Anwendung der Grundsätze der Subsidiarität und der Verhältnismäßigkeit, ABl. 2008/C115/206.

Wortlaut „sofern und soweit" für Art. 5 Abs. 3 EUV gewählt wurde, lässt darauf schließen, dass eine weitergehende Regelung getroffen werden sollte. Darüber hinaus lässt sich die Frage nach einem Mehrwert durch ein Handeln der Union nur schwer getrennt von der Frage beantworten, wie die Union im Rahmen ihrer Kompetenzausübung tätig zu werden beabsichtigt. Denn der Mehrwert durch ein Handeln der Union hängt maßgeblich von der Art und Intensität des Handelns ab.[60]

Diese Auslegung dürfte auch mit der Rechtsprechung des EuGH in Einklang stehen. Zwar prüft der EuGH das Subsidiaritätsprinzip häufig nur ungenau und oberflächlich,[61] er hat bislang wenig dazu beigetragen, ein klares tatbestandliches Profil der Subsidiaritätsprüfung herauszuarbeiten.[62] Der EuGH hat sich jedoch dahingehend geäußert, dass die Prüfung, ob der Subsidiaritätsgrundsatz eingehalten worden sei, zwei Schritte umfasse. Es sei zu prüfen, ob das Ziel der in Betracht gezogenen Maßnahme auf Unionsebene besser erreicht werden könne und ob die Regelungsdichte der getroffenen Maßnahme nicht über das hinausgehe, was zur Verwirklichung des angestrebten Ziels erforderlich ist.[63] Mit diesem Bezug auf die Regelungsdichte macht der EuGH deutlich, dass auch das „Wie" des Tätigwerdens im Rahmen der Subsidiaritätsprüfung relevant sein kann.

Hinsichtlich der hier vorliegenden Fragestellung bedeutet dies, dass die konkrete Ausgestaltung einer Maßnahme somit durchaus bereits im Rahmen der Prüfung des engen Subsidiaritätsprinzips relevant sein kann. Inwiefern sich dies auf die konkrete Ausgestaltung auswirkt, wird in Teil 4 untersucht.

3. Verhältnismäßigkeitsprinzip

Neben dem Subsidiaritätsprinzip im engeren Sinne gilt zudem der in Art. 5 Abs. 4 EUV normierte Grundsatz der Verhältnismäßigkeit als Kompetenzausübungsschranke. Die Union darf ihre Kompetenz nur insoweit ausüben, als die von ihr erlassene Maßnahme verhältnismäßig ist. Es geht somit um die Frage, wie eine bestehende Kompetenz ausgeübt wird,[64] also um Art und Umfang der zu ergreifenden Maßnahme.[65]

---

60 *Koenig/Lorz,* JZ 2003, 168.

61 Vgl. Schwarze-*Lienbacher,* Art. 5 EUV Rn. 31.

62 Grabitz/Hilf/Nettesheim-*Bast/von Bogdandy,* Art. 5 EUV Rn. 58.

63 EuGH Rechtssache C-491/01, Sammlung der Rechtsprechung 2002, I-11453 Rn. 6, 173–185.

64 Calliess/Ruffert-*Callies,* Art. 5 EUV Rn. 5.

65 *Calliess,* Subsidiarität, S. 119; Calliess/Ruffert-*Callies,* Art. 5 EUV Rn. 46; *Emmerich-Fritsche,* S. 274; Geiger/Khan/Kotzur-*Kotzur,* Art. 5 EUV Rn. 17; Lenz/Borchardt-*Langguth,* Art. 5 EUV Rn. 36; vgl. auch EuGH Rechtssache C-84/94, Sammlung der Rechtsprechung 1996, I-5755 Rn. 55ff; EuGH Rechtssache C-233/94, Sammlung der Rechtsprechung 1997, I-2495 Rn. 54ff.

Nach Art. 5 Abs. 4 EUV gehen die Maßnahmen der Union inhaltlich wie formal nicht über das zur Erreichung der Ziele erforderliche Maß hinaus. Im Gegensatz zum deutschen Verständnis fungiert das Verhältnismäßigkeitsprinzip nach europäischem Verständnis als allgemeine Handlungsschranke zur Überprüfung der Sachgerechtigkeit und Ausgewogenheit einer Maßnahme.[66] Es beschränkt deshalb das Handeln der Union nicht nur gegenüber dem Einzelnen, sondern auch gegenüber den Mitgliedstaaten auf das Notwendige.[67]

Im Gegensatz zum in Art. 5 Abs. 3 EUV formulierten Subsidiaritätsprinzip, das nur im Rahmen der konkurrierenden Zuständigkeit relevant wird, ist der Verhältnismäßigkeitsgrundsatz bei jeder von der Union beabsichtigten oder ergriffenen Maßnahme zu prüfen. Durch die Formulierung, dass die Maßnahmen formal nicht über das zur Zielerreichung Erforderliche hinausgehen, wird die Union verpflichtet, grundsätzlich auf die mildeste Form der Rechtsetzung zurückzugreifen, die eine Zielerreichung ermöglicht,[68] es sei denn, in den Verträgen ist die Form des Rechtsakts vorgegeben.[69] Da Art. 86 AEUV die Errichtung einer Europäischen Staatsanwaltschaft ausdrücklich durch eine Verordnung vorsieht,[70] muss die Union somit nicht auf eine mildere Rechtsform, etwa eine Richtlinie, zurückgreifen, sondern kann die Einsetzung einer Europäischen Staatsanwaltschaft mittels Verordnung beschließen.

Auch inhaltlich dürfen die Maßnahmen nicht über das erforderliche Maß hinausgehen. Zudem müssen die getroffenen Maßnahmen auch geeignet sein, das verfolgte Ziel zu erreichen. Zwar ist das Kriterium der Geeignetheit nicht in Art. 5 Abs. 4 EUV statuiert, es leitet sich aber daraus ab, dass keine über das erforderliche Maß hinausgehenden Maßnahmen getroffen werden dürfen. Ein ungeeignetes Instrument ist nie erforderlich.[71] Erweisen sich mehrere Maßnahmen als grundsätzlich geeignet, muss die am wenigsten belastende gewählt werden.[72] Der Spielraum der Mitgliedstaaten hinsichtlich Regelungsbreite bzw. -tiefe soll möglichst wenig eingeschränkt[73] und die Belastungen, egal welcher Art, durch die Maßnahmen möglichst gering gehalten werden.[74]

Für die Verordnung, die die Ausgestaltung der Europäischen Staatsanwaltschaft festlegt, gilt deshalb, dass die dort enthaltenen Regelungen geeignet und erforderlich sein müssen.

---

66 *Von Danwitz,* EWS, 394.

67 Schwarze-*Lienbacher,* Art. 5 EUV Rn. 36.

68 Vgl. Schwarze-*Lienbacher,* Art. 5 EUV Rn. 39.

69 Umkehrschluss aus Art. 296 AEUV.

70 Art. 86 Abs. 1 AEUV.

71 Von der Groeben/Schwarze, Art. 5 EGV Rn. 38.

72 Schwarze-*Lienbacher,* Art. 5 EUV Rn. 38.

73 Calliess/Ruffert-*Calliess,* Art. 5 EUV Rn. 47.

74 Lenz/Borchardt-*Langguth,* Art. 5 EUV Rn. 38.

4. Zusammenfassung

Die Prüfung, ob die Errichtung einer Europäischen Staatsanwaltschaft im Einklang mit dem Subsidiaritätsprinzip im weiteren Sinne stehen würde, ist anhand der oben beschriebenen Kriterien durchzuführen. Es konnte bereits festgestellt werden, dass der Union prinzipiell eine Kompetenz zur Errichtung einer Europäischen Staatsanwaltschaft übertragen wurde. Darüber hinaus müsste die Errichtung auch mit dem Subsidiaritätsprinzip im engeren Sinne (Art. 5 Abs. 3 EUV) und dem Verhältnismäßigkeitsgrundsatz (Art. 5 Abs. 4 EUV) vereinbar sein. Die Kriterien, die in diesem Rahmen geprüft werden müssen, wurden vorstehend erläutert. Die beiden Prinzipien lassen sich nicht immer eindeutig trennen. Welche Folgen sich für die Kompetenzausübung aus dem Subsidiaritätsprinzip ergeben und wie weit die Kompetenz der Union tatsächlich geht, wird im Zusammenhang mit den Vorschlägen zur konkreten Ausgestaltung der Europäischen Staatsanwaltschaft untersucht.[75]

B. EU-Grundrechtecharta und EMRK

Im Rahmen der Errichtung einer Europäischen Staatsanwaltschaft könnten sich auch die EU-Grundrechtecharta und die EMRK als relevant darstellen.

Die Charta der Grundrechte der Europäischen Union (GRC) wurde am 7. Dezember 2000 feierlich in Nizza proklamiert,[76] aber nicht in das Primärrecht der EU aufgenommen. Durch den Vertrag von Lissabon und den dadurch geschaffenen Art. 6 Abs. 1 Satz 2 EUV wurde die Charta den Verträgen gleichgestellt und ist somit rechtsverbindlicher Teil des EU-Primärrechts.[77] Aufgrund von Art. 51 Abs. 1 GRC sind die Organe und Einrichtungen an die EU-Grundrechtecharta gebunden. Dies bedeutet, dass die Rechte, die sich aus der Charta ergeben, bei der Unionsgesetzgebung und auch bei den Handlungen der Organe und Einrichtungen der Union beachtet werden müssen. Für den Raum der Freiheit, der Sicherheit und des Rechts, in den auch die Errichtung einer Europäischen Staatsanwaltschaft fällt, wird die Achtung der Grundrechte zusätzlich in Art. 67 Abs. 1 AEUV statuiert. Hinsichtlich der in der Konvention zum Schutze der Menschenrechte und Grundfreiheiten (EMRK) verbürgten Rechte ist die Union, mangels Beitritts, formell nicht gebunden. Allerdings statuiert Art. 6 Abs. 3 EUV ausdrücklich, dass die EMRK geachtet werden muss und sorgt somit zumindest für eine mittelbare Bindung der Union.

---

[75] Teil 4.

[76] Charta der Grundrechte der Europäischen Union, ABl. 2000/C364/1.

[77] Ausnahmen hiervon sind für das Vereinigte Königreich, Polen, die Tschechische Republik und Irland vorgesehen.

Die EU-Grundrechtecharta wurde zu großen Teilen aus Rechten der EMRK entwickelt.[78] Insofern die Rechte der Charta der EMRK entsprechen,[79] haben sie die gleiche Bedeutung und Tragweite wie in der Konvention (Art. 52 Abs. 3 Satz 1 GRC). Wie weit diese Entsprechung geht, ist jedoch umstritten. Es wird angeführt, lediglich der geschriebene Text der EMRK und die Zusatzprotokolle seien von dieser Entsprechung umfasst, nicht aber die Rechtsprechung des Europäischen Gerichtshofs für Menschenrechte (EGMR).[80] Dagegen ist jedoch einzuwenden, dass der EGMR die in der EMRK enthaltenen Rechte im Wege der Auslegung des Wortlauts der Konvention herleitet, ohne diese neu zu schaffen. Die Grundrechte stellen also einen Bestandteil der EMRK selbst dar.[81] Somit ist davon auszugehen, dass die Rechte der EMRK in der Form, die sie durch die Rechtsprechung des EGMR erhalten haben, für die EU-Grundrechtecharta von Bedeutung sind. Aufgrund der oben bereits erwähnten, zumindest mittelbaren Bindung der Union an die EMRK ergibt sich hieraus für die Gesetzgebung letztlich kein Unterschied. Für die Errichtung und die Tätigkeit der Europäischen Staatsanwaltschaft sind somit die EU-Grundrechtecharta und die EMRK gleichermaßen zu beachten.

C. Formelle Vorgaben des Art. 86 AEUV

Für das Verfahren zur Einsetzung einer Europäischen Staatsanwaltschaft legt Art. 86 AEUV bestimmte Vorgaben fest. Während die Bestimmungen zur Errichtung mittels Verordnung und zum besonderen Gesetzgebungsverfahren hinreichend genau und eindeutig sind, birgt etwa die Formulierung, dass die Einsetzung „ausgehend von Eurojust“ geschehen solle, Unklarheiten.

Im Folgenden sollen sowohl Erläuterungen zu den zu erlassenden Verordnungen und zum besonderen Gesetzgebungsverfahren vorgenommen als auch die Bedeutung der Formulierung „ausgehend von Eurojust“ geklärt werden.

1. Verordnungen

Die Errichtung einer Europäischen Staatsanwaltschaft soll gemäß Art. 86 Abs. 1 AEUV mittels vom Rat beschlossener[82] Verordnungen verwirklicht werden. Der Erlass einer Verordnung ist die stärkste Form der Rechtsetzung, die der Union zusteht. Eine Verordnung bedarf für ihre Wirksamkeit keiner nationalen Umset-

---

78 *Oppermann/Classen/Nettesheim,* § 17 Rn. 10.

79 Für Erläuterungen hinsichtlich der Entsprechungen vgl. Erläuterungen zur Charta der Grundrechte ABl. 2007/C303/17.

80 *Grabenwarter,* FS für Steinberger, S. 1136.

81 *Schneiders,* S. 162.

82 Zum diesbezüglichen Gesetzgebungsverfahren vgl. 2.

zungsmaßnahmen. Sie ist vielmehr unmittelbar wirksam und ermöglicht damit den Erlass von unionsweit geltendem einheitlichem Recht (vgl. Art. 288 Abs. 2 AEUV).

Nicht nur für die Einsetzung selbst ist der Erlass einer Verordnung vorgesehen. Auch die Festlegung derjenigen Straftaten, für welche die Europäische Staatsanwaltschaft zuständig sein soll, muss innerhalb der Verordnung nach Art. 86 Abs. 1 AEUV vorgenommen werden. Ebenso müssen gemäß Art. 86 Abs. 3 AEUV die Satzung der Europäischen Staatsanwaltschaft, die Einzelheiten für die Erfüllung ihrer Aufgaben und die für ihre Tätigkeit geltenden Verfahrensvorschriften normiert werden. Gleiches gilt für die Regeln für die Zulässigkeit von Beweismitteln und für die gerichtliche Kontrolle der von der Europäischen Staatsanwaltschaft bei der Erfüllung ihrer Aufgaben vorgenommenen Prozesshandlungen.

2. Gesetzgebungsverfahren

Art. 76 AEUV trifft die Regelungen dazu, wie die Verordnung zur Errichtung einer Europäischen Staatsanwaltschaft gemäß Art. 86 AEUV erlassen werden kann. Demnach kann dies entweder auf Vorschlag der Kommission (lit. a) oder auf Initiative eines Viertels der Mitgliedstaaten (lit. b) geschehen. Im Regelfall findet das in Art. 289 Abs. 1 AEUV vorgesehene „ordentliche Gesetzgebungsverfahren" für den Erlass von Verordnungen Anwendung. Das Europäische Parlament und der Rat nehmen hierbei auf Vorschlag der Kommission gemeinsam und gleichberechtigt eine Verordnung an.[83] Soll die Gesetzgebung nicht nach diesem Verfahren vorgenommen werden, muss dies explizit normiert sein.

Art. 86 Abs. 1 AEUV sieht vor, dass die Verordnungen zur Schaffung einer Europäischen Staatsanwaltschaft nach einem besonderen Gesetzgebungsverfahren erlassen werden. Bestimmungen hierzu finden sich in Art. 289 Abs. 2 AEUV. Im Rahmen des besonderen Gesetzgebungsverfahrens kann eine Verordnung entweder durch das Europäische Parlament mit Beteiligung des Rates oder durch den Rat mit Beteiligung des Europäischen Parlaments erlassen werden. Daraus ergibt sich, ob der Rechtsetzungsakt vorrangig durch das Europäische Parlament oder den Rat erlassen werden muss. Bislang darf das Parlament jedoch nur solche Dinge als hauptverantwortliches Organ beschließen, die in irgendeiner Form das Parlament selbst betreffen.[84] Alles Weitere beschließt der Rat hauptverantwortlich.

Im Vertrag finden sich zwei verschiedene Arten der Beteiligung von Europäischem Parlament oder Rat im Rahmen des besonderen Gesetzgebungsverfahrens, die Anhörung[85] und die Zustimmung.[86] Durch das Anhörungsverfahren ist das

---

[83] Genaues regelt Art. 294 AEUV.

[84] Vgl. Art. 223 Abs. 2, Art. 226, Art. 228 Abs. 4 AEUV.

[85] Vgl. z.B. Art. 21 Abs. 3, Art. 74, Art. 87 Abs. 3 AEUV.

[86] Vgl. z.B. Art. 19 Abs. 1, Art. 83 Abs. 1, Art. 222 Abs. 1 und 2 AEUV.

Europäische Parlament darauf beschränkt, Stellungnahmen zu einem Gesetzesvorschlag abzugeben, die der Rat prüfen muss.[87] Beabsichtigt dieser nach Anhörung des Europäischen Parlaments wesentliche Änderungen, muss dieses erneut gehört werden. Dem Europäischen Parlament kommt hier lediglich eine Beratungs-, jedoch keine Entscheidungsbefugnis zu, weshalb die Anhörung die schwächste Form der Beteiligung des Parlaments ist.[88] Für den Rat ist in keiner der Bestimmungen lediglich die schwache Beteiligungsform der Anhörung als Mitwirkungsrecht vorgesehen. Im Rahmen des besonderen Gesetzgebungsverfahrens bedarf es somit stets zumindest seiner Zustimmung. Für das Zustimmungsverfahren gilt, dass ein Rechtsakt nur angenommen werden kann, wenn die Zustimmung desjenigen, der zur Mitwirkung an diesem Gesetzgebungsakt berechtigt ist, vorliegt. Dem Rechtsakt muss entweder im Ganzen zugestimmt oder er muss komplett abgelehnt werden.[89] Eine bedingte Zustimmung oder Änderung des Vorschlags ist nicht möglich.[90] Wird die Zustimmung verweigert, kann der betreffende Rechtsakt nicht erlassen werden.

Gemäß Art. 86 Abs. 1 Satz 2 AEUV entscheidet der Rat nach Zustimmung des Europäischen Parlaments. Er kann den Vorschlag verabschieden, ändern oder verwerfen.[91] Der Rat zeichnet also hauptverantwortlich für die Errichtung der Staatsanwaltschaft. Aufgrund des mit der Einsetzung verbundenen Eingriffs in die Souveränität der Mitgliedstaaten kann der Beschluss des Rates nur einstimmig gefasst werden. Gleichzeitig ist für das Europäische Parlament die stärkere Beteiligungsform vorgesehen, nämlich die der Zustimmung. Es ist zwar kein gleichberechtigter Gesetzgeber,[92] da der Erlass der Verordnung dennoch nur mit seiner Zustimmung möglich ist, kommt ihm bei der Errichtung der Europäischen Staatsanwaltschaft zumindest ein faktisches Vetorecht zu.

Die in Art. 86 AEUV statuierte Bestimmung, die den Erlass einer Verordnung zur Einsetzung einer neuen Institution vorsieht, stellt einen Kompromiss dar.[93] Die Befürworter einer Europäischen Staatsanwaltschaft werden insofern berücksichtigt, als Art. 86 AEUV grundsätzlich deren Errichtung ermöglicht. Den Argumenten der Gegner wird dadurch Rechnung getragen, dass die Schaffung der Staatsanwaltschaft nicht zwingend vorgeschrieben, sondern nur optional vorgesehen ist. Darüber hinaus wird mit dem Einstimmigkeitserfordernis im Rat eine hohe Hürde vorgesehen, durch die sichergestellt werden soll, dass kein Mitgliedstaat Eingriffe in seine Souveränität dulden muss, denen er nicht selbst zugestimmt hat.

---

87 *Härtel,* § 19 Rn. 7.
88 *Härtel,* § 19 Rn. 7.
89 *Härtel,* § 19 Rn. 9.
90 *Oppermann/Classen/Nettesheim,* § 11 Rn. 79.
91 *Oppermann/Classen/Nettesheim,* § 11 Rn. 78.
92 *Oppermann/Classen/Nettesheim,* § 11 Rn. 73.
93 Vedder/Heintschel von Heinegg-*Kretschmer,* Art. III-274 Rn. 1.

3. „Ausgehend von Eurojust“

Nach Art. 86 Abs. 1 AEUV kann der Rat eine Europäische Staatsanwaltschaft „ausgehend von Eurojust“ einsetzen.[94] Wie genau eine Errichtung „ausgehend von Eurojust“ ausgestaltet sein sollte, ist nicht gesetzlich geregelt. Daher besteht Unklarheit darüber, wie die Formulierung auszulegen ist.

Möglich wäre, dass die Behörde eine Fortentwicklung von Eurojust sein und nicht parallel dazu existieren soll.[95] Dies könnte bedeuten, dass Eurojust in der neuen Institution aufginge, wobei die verfassungsrechtlichen Befugnisse von Art. 85 und 86 AEUV miteinander verschmelzen würden.[96] Letztlich verbliebe also nur eine Europäische Staatsanwaltschaft, die sowohl als solche in den Mitgliedstaaten tätig werden könnte als auch die Koordinations- und Unterstützungsarbeit von Eurojust übernähme.[97]

Denkbar wäre dabei eine graduelle Umwandlung von Eurojust in eine Europäische Strafverfolgungsbehörde. Die Staatsanwaltschaft könnte in der ersten Phase mit einer auf interne EU-Betrugsdelikte begrenzten Kompetenz ausgestattet werden und ihr Sekretariat mit Eurojust teilen.[98] Auf der nächsten Stufe könnten die Mitglieder von Eurojust, unter Beibehaltung ihres Status als nationale Staatsanwälte, als Europäische Staatsanwälte mit spezieller Kompetenz für die Straftaten, die in den Zuständigkeitsbereich von Eurojust fallen, tätig werden. Sie würden mit der Europäischen Staatsanwaltschaft zusammenarbeiten und hätten die operativen Befugnisse, die ihnen in ihrem Mitgliedstaat aufgrund ihrer Funktion als nationale Staatsanwälte zukommen.[99] In der dritten und letzten Phase würden die Mitglieder von Eurojust Teil der neuen Einrichtung und ihr Zuständigkeitsbereich würde sich auf die ganze Union erstrecken, wobei ein leitender Europäischer Staatsanwalt die Funktion eines Generalstaatsanwalts übernehmen könnte.[100] Allein nach dem Wortlaut des Art. 86 Abs. 1 AEUV erscheint eine solche Regelung grundsätzlich möglich.

Gegen dieses Modell spricht jedoch eine systematische und teleologische Auslegung der Norm. Denn durch die graduelle Umwandlung würde Art. 86 Abs. 4 AEUV umgangen. Dieser sieht vor, dass eine Erweiterung der Zuständigkeit der Europäischen Staatsanwaltschaft auf schwere Kriminalität nur durch einstimmigen Ratsbeschluss vorgenommen werden kann, für den zusätzlich die Zustimmung des

---

94 Vgl. ausführlich zu Eurojust oben, 1.

95 *Weigend,* ZStW 2004 (116), 300.

96 Vedder/Heintschel von Heinegg-*Kretschmer,* Art. III-274 Rn. 4.

97 Streinz-*Dannecker,* Art. 86 Rn. 15 hält dies, zumindest im Fall einer Kompetenzerweiterung nach Art. 86 Abs. 4 für den konsequentesten Weg.

98 *Van den Wyngaert,* in: Walker (Hrsg.), Europe's area, S. 228.

99 *Van den Wyngaert,* in: Walker (Hrsg.), Europe's area, S. 228.

100 *Van den Wyngaert,* in: Walker (Hrsg.), Europe's area, S. 228.

Europäischen Parlaments sowie eine Anhörung der Kommission notwendig ist. Die Voraussetzungen für die Kompetenzerweiterung sind somit, da auch eine Anhörung der Kommission verpflichtend vorgeschrieben ist, strenger als die, die an die Errichtung der Europäischen Staatsanwaltschaft gestellt werden.[101] Würde man, wie für die zweite Phase vorgeschlagen, die nationalen Staatsanwälte als europäische handeln lassen, wobei sie für die Straftaten zuständig wären, die in den Kompetenzbereich Eurojusts fallen, käme dies einer (faktischen) Erweiterung der Kompetenzen der Europäischen Staatsanwaltschaft gleich. Denn Eurojust ist bereits jetzt auf dem Gebiet der schweren Kriminalität zuständig, während für die Europäische Staatsanwaltschaft gemäß Art. 86 Abs. 1 AEUV zunächst nur eine Zuständigkeit auf dem Gebiet der Straftaten zulasten der finanziellen Interessen der Union vorgesehen ist. Die Verfolgung aller Straftaten im Kompetenzbereich Eurojusts wäre somit nicht mit den der Europäischen Staatsanwaltschaft zukommenden Zuständigkeiten vereinbar.

Zwar ist als zusätzliche Option nach Art. 86 Abs. 4 AEUV eine Kompetenzerweiterung auf schwere Kriminalität mit grenzüberschreitender Dimension vorgesehen, aber selbst wenn man davon ausginge, dass sich dieser Begriff mit dem der schweren Kriminalität nach Art. 85 Abs. 1 AEUV deckt, also die Option zur Kompetenzerweiterung gerade den von Eurojust ausgefüllten Begriff betrifft, wäre das vorgestellte Modell nicht umsetzbar. Denn das Stufenmodell setzt die Kompetenzerweiterung für die Europäische Staatsanwaltschaft zwingend voraus. Nach dem Wortlaut des Art. 86 Abs. 4 AEUV handelt es sich jedoch nur um eine Option. Es ist vom Wortlaut der Norm her ausdrücklich möglich, dass die Kompetenz der Institution stets auf Straftaten zum Nachteil der finanziellen Interessen begrenzt bleibt. Dieses Modell stünde deshalb im Widerspruch zum systematischen Zusammenhang des Art. 86 AEUV. Denn nach diesem ist zunächst die Errichtung einer Europäischen Strafverfolgungsbehörde zur Bekämpfung von Straftaten zulasten der finanziellen Interessen „ausgehend von Eurojust" gerade unabhängig von einer erweiterten Zuständigkeit vorgesehen.

Eurojust nimmt „nur" Koordinierungs- und Unterstützungsarbeit wahr und kann insofern nicht in die Souveränität der Mitgliedstaaten eingreifen. Hingegen würde eine für den Finanzschutz errichtete Staatsanwaltschaft, die auch auf jeglichen Gebieten der schweren Kriminalität strafverfolgend tätig würde, ihren Zuständigkeitsbereich überschreiten und damit rechtswidrig handeln. Damit verbunden wäre ein erheblicher Eingriff in die Souveränität der Mitgliedstaaten. Infolgedessen kann auch aus diesem Grund mit der Formulierung „ausgehend von Eurojust" nicht gemeint sein, dass jene Aufgaben, die heute noch von Eurojust wahrgenommen werden, später automatisch durch die neue Einrichtung übernommen werden.[102]

---

101 Vgl. Art. 86 Abs. 1 Satz 2 AEUV und oben 2.

102 So aber *Lingenthal,* ZEuS 2010, 101.

Zudem ergäben sich gravierende Verfahrensprobleme, wenn die Europäische Staatsanwaltschaft durch eine Umwandlung Eurojusts errichtet werden müsste. Denn eine solche Umwandlung könnte formal nur durch Änderung des Eurojust-Beschlusses in Gestalt einer Verordnung des Rates geschehen. Folge hieraus wäre ein „hybrides“ Gesetzgebungsverfahren: Die neue Verordnung müsste teils im besonderen, teils im allgemeinen Gesetzgebungsverfahren beschlossen werden. Denn soweit sie die Weiterentwicklung Eurojusts zu einer Europäischen Staatsanwaltschaft betrifft, wäre ein Vorgehen im besonderen Gesetzgebungsverfahren wegen Art. 86 Abs. 1 AEUV zwingend. Soweit sie hingegen damit einhergehende anderweitige Änderungen des Eurojust-Beschlusses betrifft, müsste sie im allgemeinen Gesetzgebungsverfahren beschlossen werden (vgl. Art. 85 Abs. 1 AEUV). Ein solches Vorgehen wäre weder sinnvoll noch praktikabel.[103]

Das vorgestellte Modell der graduellen Umwandlung stünde somit nicht im Einklang mit Art. 86 AEUV und wäre zudem nicht umsetzbar.

Neben der Möglichkeit, Eurojust vollständig in die neue Institution zu integrieren, ist auch vorstellbar, dass die beiden Einrichtungen nebeneinander bestehen. Eine Errichtung der Staatsanwaltschaft vollkommen unabhängig von Eurojust widerspräche dem Wortlaut des Art. 86 Abs. 1 AEUV. Möglich wäre jedoch, sie sukzessive aus Eurojust heraus zu entwickeln, letzten Endes aber als eigenständige Institution neben Eurojust bestehen zu lassen.

So könnte sie sich tatsächlich zunächst das Sekretariat mit Eurojust teilen. Hierfür könnte zusätzliches Personal eingestellt und innerhalb des Eurojust-Sekretariats arbeiten und angelernt werden. Später könnte dieses Personal dann selbstständig ein Sekretariat der Europäischen Staatsanwaltschaft leiten.[104] Auf diese Weise würde bereits von Beginn an darauf hingewirkt, eigene Verwaltungsstrukturen aufzubauen, obgleich zunächst jene von Eurojust genutzt werden könnten. Dadurch wäre der Arbeitsbeginn für die neue Institution früher möglich, als wenn zunächst ein eigenes Sekretariat errichtet werden müsste. Um eine Überlastung des Eurojust-Sekretariats zu vermeiden, sollte die Tätigkeit der Strafverfolgungsbehörde in dieser Zeit begrenzt sein,[105] etwa indem sie zunächst nur besonders schwerwiegende Fälle verfolgt. Währenddessen könnte sie zudem die Kooperationsstrukturen von Eurojust (z.B. mit OLAF, Europol und dem EJN) nutzen[106] und eigene aufbauen.

Darüber hinaus erscheint es auch zweckmäßig, dass sie zu Beginn ihrer Tätigkeit auf die Unterstützung der Mitglieder von Eurojust oder auf die Eurojust-Anlaufstellen zurückgreifen kann. Die nationalen Mitglieder von Eurojust sollten jedoch

---

103 Grabitz/Hilf/Nettesheim-*Vogel,* Art. 86 Rn. 17.

104 Für ein dauerhaft geteiltes Sekretariat: European Public Prosecutor Working Group, S. 7f.

105 Für eine dauerhafte Verwaltungsunterstützung: Art. 57, Vorschlag Europäische Staatsanwaltschaft.

106 *Lingenthal,* ZEuS 2010, 101.

nicht zugleich für die Europäische Staatsanwaltschaft tätig werden,[107] da diese eine eigenständige Einrichtung der Union darstellen würde,[108] während die nationalen Mitglieder von Eurojust den Weisungen ihrer Mitgliedstaaten unterworfen sind. Nähme eine Person gleichzeitig Aufgaben für beide Institutionen wahr, wäre eine Trennung zwischen weisungsfreiem und weisungsgebundenem Handeln nicht immer eindeutig möglich.

Es erscheint sinnvoll, dass die neue Behörde zunächst auf die bereits existierenden Strukturen und das Wissen von Eurojust zurückgreifen kann. Dennoch sollte sie sich im Lauf der Zeit zu einer Institution entwickeln, die nicht auf Eurojust angewiesen ist. Insbesondere da Eurojust in vielen Fällen von den Mitgliedstaaten abhängig ist, ist eine Trennung der beiden Institutionen sinnvoll. Denn gerade darin, dass sich in der Vergangenheit die Mitarbeit der Mitgliedstaaten in Fällen von EU-Betrug als nicht stets zuverlässig erwiesen hat, liegt einer der Gründe, die für unabhängige Ermittlungen durch eine Europäische Staatsanwaltschaft sprechen. Darüber hinaus kommt es stets zu einem Zeitverlust, wenn andere Partner, seien es die Mitgliedstaaten oder schlicht Eurojust selbst, involviert werden müssen. Dies scheint in Anbetracht der Tatsache, dass eine schlagkräftige und handlungsfähige Institution entstehen soll, um Straftaten zulasten der finanziellen Interessen der EU zu bekämpfen, nicht wünschenswert. Sobald sie ihre eigenen Strukturen entwickelt hat, sollte sie ganz deutlich von Eurojust abgekoppelt werden. Hierfür sollte eine bestimmte Frist vorgegeben werden. Andernfalls bestünde die Gefahr, dass die Ausgliederung lange dauert und die Entwicklung einer eigenständigen Behörde nur schleppend vorangeht.

Nach der vorstehenden Untersuchung ist der Wortlaut „ausgehend von Eurojust" somit so auszulegen, dass die Europäische Staatsanwaltschaft als eine eigene Einrichtung mit eigenem Personal errichtet wird, die aber zunächst auf die Strukturen von Eurojust zurückgreifen und diese nutzen kann, um sich sodann eigene aufzubauen. Am Ende stünden zwei voneinander unabhängige Institutionen, die dennoch eng zusammenarbeiten könnten.[109]

Eurojust und die Europäische Staatsanwaltschaft haben unterschiedliche Aufgabenbereiche, unterschiedliche Befugnisse und unterschiedliche Interessenlagen, obgleich sich diese teilweise überschneiden. Dem muss dadurch Rechnung getragen werden, dass eindeutig definiert wird, welche Aufgaben die Strafverfolgungsbehörde und welche Eurojust übernimmt. Der Befürchtung unnötiger Doppelarbeit und Kompetenzgerangels kann damit entgegengetreten werden. Durch eine klare Ausrichtung und enge Zusammenarbeit der beiden Institutionen können diese voneinander profitieren und somit beide einen Beitrag zur Bekämpfung von Straftaten

---

107 Vgl. zu diesem Problem European Public Prosecutor Working Group, S. 7f.

108 Vgl. zum Mandat der abgeordneten Europäischen Staatsanwälte Teil 4, III.B.3.c)aa).

109 Vgl. dazu auch Teil 4, VI.B.

zulasten der finanziellen Interessen der Union leisten, stets mit der Option, auf weiteren Aufgabengebieten zusammenzuarbeiten. Eine Möglichkeit, eine besonders enge Zusammenarbeit zu erreichen, wäre beispielsweise, die Europäische Staatsanwaltschaft bzw. deren Leiter als 28. Mitglied in das Eurojust-Kollegium aufzunehmen.[110] Dies hängt jedoch auch davon ab, wie die Institution letztlich organisiert wird, da auch ein Aufbau denkbar wäre, in dem diese genau wie Eurojust als Kollegium handelt.[111]

D. Inhaltliche Vorgaben des Art. 86 AEUV

Der Begriff „Europäische Staatsanwaltschaft" ist unionsrechtlicher Natur und somit autonom zu bestimmen.[112] Das bedeutet, dass das Begriffsverständnis der Mitgliedstaaten nicht übernommen werden kann. Da die Aufgaben der Staatsanwaltschaften in den Mitgliedstaaten zum Teil sehr unterschiedlich ausgestaltet sind,[113] gibt es ohnehin keine einheitliche Interpretation dieses Begriffs. Welche Rolle der Staatsanwaltschaft im Rahmen der Strafverfolgung zuteil wird, muss somit aus den ihr nach Art. 86 AEUV zukommenden Aufgaben bestimmt werden.

Die Regelungen in Art. 86 AEUV beziehen sich sowohl auf den materiellrechtlichen als auch auf den strafprozessualen Bereich. Welche Straftatbestände unter den Begriff der Straftaten zum Nachteil der finanziellen Interessen fallen oder welche konkreten Untersuchungsbefugnisse der Staatsanwaltschaft zur Erfüllung ihrer Aufgaben zuteil werden, legt Art. 86 AEUV jedoch nicht fest. Die sich aus den Vorgaben ergebenden Ausgestaltungsmöglichkeiten werden deshalb an dieser Stelle nicht erläutert.[114] Vielmehr soll zunächst ein Überblick über die für die Staatsanwaltschaft vorgesehene Tätigkeit und ihre Rolle im Rahmen der Strafverfolgung gegeben werden.

1. Straftaten zum Nachteil der finanziellen Interessen der Union

Nach Art. 86 Abs. 3 AEUV bekämpft die Europäische Staatsanwaltschaft jene Straftaten, die in der Verordnung nach Art. 86 Abs. 1 AEUV festgelegt sind.[115] In der VO müssen diese Delikte also explizit benannt werden. Eine so generelle Beschreibung wie die der „Straftaten zum Nachteil der finanziellen Interessen der

---

[110] Vgl. zu diesem Vorschlag EU-Kommission, Follow-up-Mitteilung, S. 13; *Brüner/Spitzer,* NStZ 2002, 398; *Kinzel*, S. 150f; *Weertz*, S. 347, 356. Näher dazu Teil 4, VI.B.

[111] Vgl. dazu Teil 4, III.B.1.

[112] Grabitz/Hilf/Nettesheim-*Vogel,* Art. 86 Rn. 11.

[113] Vgl. dazu ausführlicher Teil 4, IV.C.1.b)aa).

[114] Vgl. dazu Teil 4.

[115] Auf eine mögliche Kompetenzerweiterung wird unten unter III.C. eingegangen.

Union" entspräche nicht dem als allgemeiner Rechtsgrundsatz der Union anerkannten[116] Erfordernis der gesetzlichen Bestimmtheit von Strafnormen.[117] Nur durch bestimmt gefasste Gesetze kann der Sinn der Gesetzesbindung erreicht werden, nämlich dass der Gesetzgeber und nicht der Rechtsanwender über die Grenzen der Strafbarkeit entscheidet.[118] Deshalb verbietet der Bestimmtheitsgrundsatz die Strafverfolgung wegen eines Verhaltens einzuleiten, dessen Strafbarkeit sich nicht eindeutig aus dem Gesetz ergibt.[119]

Bislang ist nicht geklärt, welche Straftatbestände unter den unbestimmten Begriff der Straftaten zum Nachteil der finanziellen Interessen der Union zu fassen sind. Denkbar wäre es, die Vorschläge des Corpus Juris zu übernehmen. Ebenso vorstellbar wäre es, auf das Grünbuch zum Schutz der finanziellen Interessen zurückzugreifen. Es erscheint jedoch angemessen, die hier vorgeschlagenen Straftatbestände nicht einfach zu übernehmen, sondern sie vielmehr einer erneuten zweckgerichteten Prüfung zu unterziehen. Darüber hinaus sollte in Betracht gezogen werden, weitere, in diesen Vorschlägen nicht genannte Straftaten unter den Begriff der Straftaten zum Nachteil der finanziellen Interessen zu fassen. In der Verordnung nach Art. 86 Abs. 1 AEUV muss die Bezeichnung jedenfalls dahingehend präzisiert werden, dass konkrete Straftatbestände genannt werden, die hierunter fallen.[120]

Im Folgenden soll generell auf den Begriff der Straftaten zum Nachteil der finanziellen Interessen der Union eingegangen werden. Da die Festlegung der Straftatbestände, die in der Verordnung bestimmt werden sollten, wiederum die faktische Zuständigkeit der Europäischen Staatsanwaltschaft definiert, wird diese erst im Rahmen der Überlegungen zur konkreten Ausgestaltung der Europäischen Staatsanwaltschaft vorgenommen.[121]

Rückschlüsse auf den Inhalt des Begriffs der Straftaten zum Nachteil der finanziellen Interessen der Union könnten sich möglicherweise aus Art. 325 AEUV ziehen lassen, der sich „Betrügereien und sonstigen gegen die finanziellen Interessen der Union gerichtet[en] rechtswidrige[n] Handlungen" widmet. Durch die in Art. 86 AEUV verwendete Formulierung könnte der Schutzbereich im Vergleich zum in Art. 325 AEUV verwendeten Wortlaut eingeschränkt sein. Die Formulierung „zum Nachteil" in Art. 86 AEUV könnte voraussetzen, dass ein Schaden für die Europäische Union entstanden ist, während die Formulierung „gegen die finanziellen Interessen der Union gerichtet[e]" die Entstehung eines solchen Schadens

---

116 *Hecker,* § 10 Rn. 51.

117 Geiger/Khan/Kotzur-*Kotzur,* Art. 86 Rn. 6.

118 *Dannecker,* ZStW 117 (2005), 738.

119 EuGH Rechtssache C-74/95 und C-129/95, Sammlung der Rechtsprechung 1996, I- 6609 Rn. 25.

120 Vgl. hierzu ausführlich Teil 4, II.

121 Vgl. Teil 4, II.

nicht verlangt, sondern bereits Vorsatz zur Verursachung eines Schadens ausreichen lässt. Dagegen spricht jedoch ein Vergleich mit anderen sprachlichen Fassungen des AEUV. So wird z.B. in der englischen oder der französischen Version in Art. 86 AEUV die gleiche Formulierung (*affecting the financial interests* bzw. *portant atteinte aux intérêts financiers*) verwendet wie in Art. 325 AEUV. Zwar kann nicht nach dem „Mehrheitsprinzip" derjenige Wortlaut als allein ausschlaggebend angesehen werden, der sich in den meisten sprachlichen Fassungen findet, ohne dass die anderen Fassungen berücksichtigt werden,[122] bei der Ermittlung der Bedeutung eines Begriffs ist aber dennoch zunächst ein Vergleich der verschiedenen sprachlichen Fassungen durchzuführen, um dann unter Berücksichtigung systematischer und vor allem teleologischer Argumente den Bedeutungsgehalt zu ermitteln.[123] Betrachtet man den Wortlaut im Zusammenhang mit dem Zweck der Regelung, ergibt sich, dass der Eintritt eines Nachteils keine Voraussetzung sein kann. Der Zuständigkeitsbereich der Europäischen Staatsanwaltschaft würde extrem verkürzt, wenn nur tatsächliche Schädigungen verfolgt werden könnten. Die Formulierung „zum Nachteil der finanziellen Interessen der Union" bewirkt somit nicht, dass dieser Nachteil tatsächlich in Form eines materiellen Schadens entstanden sein muss. Der Vorsatz, einen solchen Schaden zu verursachen, genügt.

Durch die Verwendung des Begriffs „Straftaten" ergibt sich jedoch eine im Vergleich zu Art. 325 AEUV partiell eingeschränkte Kompetenz, da im Gegensatz zur dortigen Formulierung, die auch „sonstige gegen die finanziellen Interessen der Union gerichtete rechtswidrige Handlungen" umfasst, eine Bewehrung der Tat mit Strafe vorausgesetzt wird.

2. Strafprozessuale Zuständigkeit

Nach Art. 86 Abs. 2 AEUV erstreckt sich die Zuständigkeit der Europäischen Staatsanwaltschaft auf „die strafrechtliche Untersuchung und Verfolgung sowie die Anklageerhebung in Bezug auf Personen, die als Täter oder Teilnehmer Straftaten zum Nachteil der finanziellen Interessen der Union begangen haben". Es stellt sich die Frage, welche Tätigkeiten unter die Begriffe der strafrechtlichen Untersuchung und Verfolgung sowie unter die Anklageerhebung fallen.

a) Strafrechtliche Untersuchung und Verfolgung

Während auf europäischer Ebene bislang nur verwaltungsrechtliche Untersuchungen möglich sind, soll die Europäische Staatsanwaltschaft für die strafrechtliche Untersuchung und Verfolgung in Fällen von Straftaten zum Nachteil der

---

122 EuGH Rechtssache C-296/95 Sammlung der Rechtsprechung 1998, 1605 Rn. 36.

123 *Schroeder,* JuS 2004, 185.

finanziellen Interessen zuständig sein.[124] Die Formulierung zeigt zunächst, dass der Staatsanwaltschaft umfassende Befugnisse zukommen sollen. Das Konzept, wie es beispielsweise der Staatsanwaltschaft in England und Wales zugrunde liegt, dass allein die Polizei die Ermittlungen durchführt und der Staatsanwalt die Strafverfolgung nur auf die Beweise stützen kann, die diese ihm liefert[125] wurde nicht gewählt. Ebenso wenig wurde auf das unter anderem in Spanien existierende Konzept zurückgegriffen, nach dem die Ermittlungen von einem Untersuchungsrichter geführt werden.[126] Vielmehr darf die Europäische Staatsanwaltschaft die strafrechtliche Untersuchung vornehmen. Sie soll nicht nur in die Ermittlungen eingebunden werden soll, sondern ihr steht die Ermittlungsleitung zu. Dieser Aspekt entspricht dem deutschen Konzept der Strafverfolgung.[127] Die Europäische Staatsanwaltschaft soll also die strafrechtlichen Ermittlungen gegebenenfalls mit der Unterstützung Europols (Art. 86 Abs. 2 Satz 1 AEUV) durchführen. Inwiefern sie hierbei auch auf die mitgliedstaatlichen Ermittlungsbehörden zurückgreifen kann, wird unter Teil 4, III.B.3.b) näher erläutert. Ebenso wird zu klären sein, welche Kompetenzen ihr im Rahmen ihrer Zuständigkeit für die strafrechtliche Untersuchung und Verfolgung zukommen sollten.[128] Vorerst kann festgestellt werden, dass der Europäischen Staatsanwaltschaft eine aktive Rolle nicht nur bei der Strafverfolgung, sondern auch bei der strafrechtlichen Untersuchung zukommen soll. Ihr sollen dadurch alle Möglichkeiten eröffnet werden, die Erhebung einer Anklage angemessen vorzubereiten.

b) Anklageerhebung

Die Europäische Staatsanwaltschaft soll nach Art. 86 Abs. 2 Satz 1 AEUV darüber hinaus auch für die Anklageerhebung in Bezug auf Straftaten zum Nachteil der finanziellen Interessen der Union zuständig sein. Da sie gemäß Art. 86 Abs. 2 Satz 2 AEUV vor den zuständigen Gerichten der Mitgliedstaaten die Aufgaben der Staatsanwaltschaft wahrnimmt, muss die Erhebung der Anklage mithin vor den nationalen Gerichten erfolgen.

---

[124] Art. 86 Abs. 2 Satz 1 AEUV.

[125] *Spencer,* in: Huber (Hrsg.), Corpus Juris, S. 250.

[126] Vgl. zum Ermittlungsverfahren in Spanien *Gómez Colomer,* ZStW 112 (2000).

[127] Die Staatsanwaltschaft als „Herrin des Ermittlungsverfahrens“.

[128] Vgl. Teil 4, IV.C.

III. Besonderheiten und Optionen bei der Errichtung nach Art. 86 AEUV

Nachdem im vorstehenden Abschnitt die grundsätzlichen Voraussetzungen erläutert wurden, soll nun auf die Besonderheiten und Optionen, die sich bei der Errichtung der Europäischen Staatsanwaltschaft nach Art. 86 AEUV ergeben, eingegangen werden. Obgleich der Raum der Freiheit, der Sicherheit und des Rechts durch Art. 3 Abs. 2 EUV als erstes operatives Ziel der Union hervorgehoben wird, bildet dieser keinen einheitlichen und umfassenden Raum. Er wird vielmehr aufgrund von Sonderregelungen, die in Protokollen zum AEUV festgehalten wurden, durch ein hohes Maß an differenzierter Beteiligung geprägt.[129] So finden sich in Protokoll Nr. 21[130] und Nr. 22[131] Bestimmungen bezüglich der Teilnahme des Vereinigten Königreichs und Irlands sowie Dänemarks am Raum der Freiheit, der Sicherheit und des Rechts, die bei der Errichtung einer Europäischen Staatsanwaltschaft relevant sind. Darüber hinaus sieht Art. 86 Abs. 1 AEUV vor, dass die Staatsanwaltschaft im Rahmen einer verstärkten Zusammenarbeit, unter Beteiligung lediglich einzelner Mitgliedstaaten, also nicht unionsweit, geschaffen werden kann. Während diese Besonderheiten Folgen für die örtliche Zuständigkeit der Europäischen Staatsanwaltschaft haben, wirkt sich die in Art. 86 Abs. 4 AEUV statuierte Möglichkeit, den Tätigkeitsbereich der Staatsanwaltschaft auf schwere Kriminalität zu erweitern, auf den sachlichen Zuständigkeitsbereich aus.

A. Opting-outs

Die Protokolle Nr. 21 und Nr. 22 regeln die sogenannten *Opting-outs* des Vereinigten Königreichs und Irlands sowie Dänemarks auf dem Gebiet des Raums der Freiheit, der Sicherheit und des Rechts. Ein *Opting-out* bedeutet, dass sich ein Mitgliedstaat in einem bestimmten Bereich nicht an der Politik der Europäischen Union beteiligt. Die für die Errichtung der Europäischen Staatsanwaltschaft relevanten Protokolle Nr. 21 und Nr. 22 (zum AEUV) orientieren sich im Wesentlichen an den zuvor bereits vorhandenen Protokollen und beziehen ausdrücklich den gesamten Raum der Freiheit, der Sicherheit und des Rechts mit ein (Titel V AEUV).

---

129 *Calliess,* Europäische Union, S. 437.

130 Protokoll (Nr. 21) über die Position des Vereinigten Königreichs und Irlands hinsichtlich des Raums der Freiheit, der Sicherheit und des Rechts, ABl. 2008/C115/295; im Folgenden: Protokoll Nr. 21.

131 Protokoll (Nr. 22) über die Position Dänemarks, ABl. 2008/C115/299; im Folgenden: Protokoll Nr. 22.

1. Vereinigtes Königreich und Irland

Das Protokoll Nr. 21 über die Position des Vereinigten Königreichs und Irlands hinsichtlich des Raums der Freiheit, der Sicherheit und des Rechts bestimmt, dass diese beiden Mitgliedstaaten grundsätzlich nicht an Maßnahmen durch den Rat, die nach Titel V AEUV vorgeschlagen werden, teilnehmen.[132] Jegliche Maßnahmen, Vorschriften internationaler Übereinkünfte, die nach Titel V geschlossen werden, sowie Entscheidungen des Gerichtshofs entfalten für das Vereinigte Königreich und Irland keinerlei Rechtswirkung.[133] Dies gilt auch für Änderungen an einer bestehenden Maßnahme nach Titel V, die für das Vereinigte Königreich und Irland bindend ist.[134] Für Maßnahmen, die nach Titel V erlassen werden und für die beiden Mitgliedstaaten aufgrund des Protokolls nicht bindend sind, müssen diese keine finanziellen Folgen tragen.[135]

Durch das *Opting-out* konnten das Vereinigte Königreich und Irland ihre jeweilige Zurückhaltung im Bereich des Raums der Freiheit, der Sicherheit und des Rechts weiterhin durchsetzen. Für sie besteht aber dennoch die Möglichkeit, durch ein sogenanntes *Opting-in* zu einem gewissen Grad an bestimmten Maßnahmen der Union teilzunehmen. So ermöglicht ihnen Art. 3 Abs. 1 des Protokolls, sich an der Annahme und Anwendung einer bestimmten Maßnahme zu beteiligen, wenn sie den Willen hierzu dem Rat zuvor schriftlich mitteilen und keine übermäßigen Verzögerungen verursachen.[136] Auch nachdem eine Maßnahme erlassen wurde, kann jeder der beiden Mitgliedstaaten nach einer Mitteilung an die Kommission und nach Maßgabe des Art. 331 AEUV an dieser teilnehmen. Während Irland gemäß Art. 8 des Protokolls das Recht zusteht, insgesamt vom Protokoll zurückzutreten und damit Titel V in vollem Umfang Geltung zu verleihen, besteht diese Möglichkeit für das Vereinigte Königreich nicht.

2. Dänemark

Aufgrund der in der dänischen Verfassung vorgesehenen besonderen Bestimmungen für Souveränitätsübertragungen auf den Gebieten Justiz und Inneres beteiligt sich Dänemark, bis auf gewisse Visumsbestimmungen,[137] nicht an Titel V des AEUV.[138] Alle nach Inkrafttreten des Vertrags von Lissabon auf dem Gebiet des Raums der Freiheit, der Sicherheit und des Rechts beschlossenen Maßnahmen oder

---

[132] Art. 1 Satz 1 Protokoll Nr. 21.

[133] Art. 2 Protokoll Nr. 21.

[134] Art. 4a Abs. 1 Protokoll Nr. 21.

[135] Art. 5 Protokoll Nr. 21.

[136] Art. 3 Abs. 2 Protokoll Nr. 21.

[137] Art. 6 Protokoll Nr. 22.

[138] Art. 1 Protokoll Nr. 22.

ergangene Urteile sind somit für Dänemark nicht bindend oder anwendbar und berühren in keiner Weise die Zuständigkeiten, Rechte und Pflichten Dänemarks.[139] Nach Art. 2 Satz 3 des Protokolls sind jene Rechtsakte, die vor Inkrafttreten des Lissabonner Vertrags für Dänemark bereits anwendbar und bindend waren, in dieser Form auch weiterhin bindend. Werden auf Unionsebene hieran Änderungen vorgenommen, treten diese nur für jene Mitgliedstaaten in Kraft, die an Titel V teilnehmen. Für Dänemark gilt dann weiterhin die unveränderte Fassung.[140] Bei Regelungen bezüglich des Schengen-Besitzstandes besteht für Dänemark die Möglichkeit, innerhalb von sechs Monaten zu beschließen, diese Maßnahme in innerstaatliches Recht umzusetzen.[141] Für andere Maßnahmen als solche, die sich mit dem Schengen-Besitzstand befassen, besteht diese Option nicht. Nach Art. 7 des Protokolls kann Dänemark jedoch jederzeit mitteilen, dass es von dem Protokoll insgesamt oder zum Teil keinen Gebrauch mehr machen will. Dann würde es auch den bis dahin entstandenen *acquis communitaire* pauschal übernehmen.[142]

Im Unterschied zu dem Vereinigten Königreich und Irland ist es für Dänemark somit nicht möglich, abgesehen von Maßnahmen zum Schengen-Besitzstand, an einer bestimmten Maßnahme teilzunehmen. Es muss vielmehr das Protokoll zum Teil oder ganz außer Kraft setzen. Dänemark hat aber die Möglichkeit, dies zu ändern. Dann wäre es verpflichtet, den dahin geltenden Schengen-Besitzstand zu übernehmen, nicht aber an Erweiterungen oder Änderungen teilzunehmen.[143]

3. Ergebnis

Da Art. 86 AEUV unter Titel V des AEUV fällt, sind das Vereinigte Königreich und Irland sowie Dänemark aufgrund der Protokolle Nr. 21 und Nr. 22 an der Errichtung einer Europäischen Staatsanwaltschaft zunächst nicht beteiligt. In Anbetracht der geäußerten ablehnenden Haltung[144] hinsichtlich der Schaffung einer solchen supranationalen Institution ist derzeit nicht davon auszugehen, dass sie von ihren jeweiligen Möglichkeiten, sich doch noch zu beteiligen, Gebrauch machen werden. In den Protokollen ist statuiert, dass für Beschlüsse im Bereich des Titels V, welche die Einstimmigkeit im Rat erfordern, die Stimmen der Vertreter der Regierungen des Vereinigten Königreichs und Irlands sowie Dänemarks nicht erforderlich sind.[145] Somit hindert die Nichtteilnahme dieser drei Mitgliedstaaten die Schaffung der Institution nicht. Zwar könnten sich daraus, dass diese Mitglied-

---

139 Art. 2 Satz 1 Protokoll Nr. 22.

140 Art. 2 Satz 3 Protokoll Nr. 22.

141 Art. 4 Abs. 1 Satz 1 Protokoll Nr. 22.

142 Lenz/Borchardt-*Hoppe,* Art. 67 Rn. 10.

143 Lenz/Borchardt-*Hoppe,* Art. 67 Rn. 10.

144 Vgl. EU-Kommission, Follow-up-Mitteilung, Fn. 23.

145 Art. 1 Satz 2 Protokoll Nr. 21 bzw. Art. 1 Satz 2 Protokoll Nr. 22.

staaten von Anfang an nicht an ihrer Errichtung beteiligt wären, in der Praxis Probleme ergeben, da der Behörde dann von Beginn an nicht in allen Mitgliedstaaten Ermittlungsbefugnisse zukommen, letztlich könnten sich diese *Opting-outs* dennoch als förderlich für die Schaffung einer europäischen Strafverfolgungsbehörde herausstellen. Denn die zur Errichtung erforderliche Einstimmigkeit im Rat könnte mit hoher Wahrscheinlichkeit nicht erreicht werden, wenn diese Staaten an einer Abstimmung teilnähmen.

B. Verstärkte Zusammenarbeit

Die Errichtung einer Europäischen Staatsanwaltschaft ist gemäß Art. 86 Abs. 1 UAbs. 1 AEUV auch im Wege der verstärkten Zusammenarbeit möglich. Die Staatsanwaltschaft würde dann nur von einigen Mitgliedstaaten errichtet und dürfte auch nur in diesen tätig werden.

Diese Möglichkeit wurde geschaffen, um eine größere Flexibilität innerhalb der Union zu erreichen. Entscheidungsblockaden, die sich insbesondere ergeben können, wenn der Rat ein Vorhaben einstimmig beschließen muss, sollten abgewendet werden.[146] Darüber hinaus galt es zu verhindern, dass Mitgliedstaaten, die das geplante Vorhaben trotz Scheiterns im Rat durchsetzen wollen, sich außerhalb des unionsrechtlichen Rahmens organisieren und so den Integrationsprozess schwächen.[147] Es sollte eine Möglichkeit geschaffen werden, bei der diejenigen Mitgliedstaaten, die weitergehende Integrationsschritte vornehmen und den Integrationsprozess dadurch weiter vorantreiben wollen, dies auch ohne die Mitwirkung der übrigen Mitgliedstaaten innerhalb eines unionsrechtlichen Rahmens tun können.[148] Zudem wurde die verstärkte Zusammenarbeit als Chance gesehen, den Integrationsprozess insgesamt zu dynamisieren: Das Instrument sollte eine „Motorfunktion" zur Förderung der Ziele der Union und der Union als solcher übernehmen, indem der Erfolg einer solchen Zusammenarbeit den Druck auf die nicht teilnehmenden Staaten erhöht wurde, weitere Integrationsschritte vorzunehmen.[149]

1. Errichtung im Rahmen der verstärkten Zusammenarbeit

Voraussetzung für die Errichtung der Europäischen Staatsanwaltschaft ist nach Art. 86 Abs. 1 UAbs. 1 AEUV ein einstimmiger Beschluss des Rates. Kommt dieser nicht zustande, kann eine Gruppe von mindestens neun Mitgliedstaaten beantragen, dass der Europäische Rat mit dem Entwurf einer Verordnung befasst

---

146 *Hatje,* EuR 2001, 160.

147 *Diedrichs,* ZSE 2004, 240.

148 *Langner,* S. 20.

149 *Thun-Hohenstein,* in: Hummer (Hrsg.), EU nach dem Vertrag von Amsterdam, S. 130.

wird.[150] Das Verfahren im Rat wird dann ausgesetzt. Kommt eine Einigung zustande, verweist der Europäische Rat den Entwurf an den Rat zur Annahme zurück. Kann im Europäischen Rat kein Einvernehmen erzielt werden, besteht die Möglichkeit, eine verstärkte Zusammenarbeit zwischen mindestens neun Mitgliedstaaten zu begründen. Hierfür müssen diese Mitgliedstaaten innerhalb von vier Monaten dem Europäischen Parlament, dem Rat und der Kommission mitteilen, dass sie eine verstärkte Zusammenarbeit anstreben. Hierzu muss grundsätzlich eine Ermächtigung des Rates vorliegen (Art. 20 Abs. 2 EUV). Diese wird jedoch für die Errichtung der europäischen Strafverfolgungsbehörde gemäß Art. 86 Abs. 1 UAbs. 3 Satz 2 AEUV nach der entsprechenden Mitteilung der Mitgliedstaaten ebenso fingiert wie die nach Art. 329 Abs. 1 AEUV grundsätzlich notwendige Ermächtigung durch den Rat. Diese Fiktion bewirkt auch, dass die Ermächtigung zur verstärkten Zusammenarbeit nicht, wie grundsätzlich erforderlich, das „letzte Mittel" im Sinne des Art. 20 Abs. 2 EUV sein muss.

Die Schaffung der neuen Institution im Rahmen der verstärkten Zusammenarbeit richtet sich im Übrigen nach den Art. 326ff AEUV. Danach darf die Zusammenarbeit nicht dazu führen, dass der Binnenmarkt oder der wirtschaftliche, soziale oder territoriale Zusammenhalt beeinträchtigt wird (Art. 326 AEUV). Dies ist vorliegend jedoch auch nicht zu befürchten. Die Zuständigkeiten, Rechte und Pflichten der nicht beteiligten Staaten müssen beachtet werden (Art. 327 AEUV). Die verstärkte Zusammenarbeit muss zu jedem Zeitpunkt offen für die Teilnahme weiterer Mitgliedstaaten sein, die die festgelegten Teilnahmevoraussetzungen erfüllen (Art. 328 AEUV). Ob diese Voraussetzungen tatsächlich vorliegen, prüft die Kommission nach entsprechender Mitteilung des Mitgliedstaates (Art. 331 AEUV). Die Kosten für die verstärkte Zusammenarbeit werden, mit Ausnahme der Verwaltungskosten für die Organe, unter den teilnehmenden Mitgliedstaaten geteilt (Art. 332 AEUV). Im Rahmen der verstärkten Zusammenarbeit können gemäß Art. 330 AEUV alle Mitglieder an Beratungen des Rates teilnehmen. Stimmberechtigt sind jedoch nur die an der Zusammenarbeit beteiligten Mitgliedstaaten. Kommt es also dazu, dass die Europäische Staatsanwaltschaft im Rahmen der verstärkten Zusammenarbeit errichtet werden soll, sind zur Erfüllung des Einstimmigkeitserfordernisses des Art. 86 Abs. 1 UAbs. 1 Satz 2 AEUV nur die Stimmen der teilnehmenden Mitgliedstaaten nötig.

Die auf diesem Wege erlassene Verordnung zählt als abgeleitetes Unionsrecht mit eingeschränktem räumlichem Geltungsumfang nicht zum *acquis communautaire*, der von Staaten, die der EU beitreten möchten, angenommen werden muss.[151]

---

150 Art. 86 Abs. 1 UAbs. 2 AEUV.

151 Calliess/Ruffert-*Ruffert,* Art. I-44 Rn. 32.

2. Praxis der verstärkten Zusammenarbeit

Wenngleich es bereits seit 1999 theoretisch die Möglichkeit gab, im Rahmen einer verstärkten Zusammenarbeit tätig zu werden, wurde davon zunächst kein Gebrauch gemacht. Dies könnte darauf zurückzuführen sein, dass die zu diesem Zeitpunkt geltenden Bestimmungen über die verstärkte Zusammenarbeit kompliziert und mit vielen Kautelen versehen waren.[152] Auch der Vertrag von Nizza änderte daran nichts, sodass bis zum Inkrafttreten des Vertrags von Lissabon in keinem Fall eine verstärkte Zusammenarbeit politisch erwogen wurde.[153] Erst der Vertrag von Lissabon vereinfachte die Vorschriften für die verstärkte Zusammenarbeit: Einschränkungen entfielen und einige Voraussetzungen wurden exakter formuliert.[154] Im Jahr 2010 beschloss der Rat auf Antrag von 14 Mitgliedstaaten erstmals die Ermächtigung zu einer verstärkten Zusammenarbeit, und zwar im Bereich des Scheidungsrechts.[155]

3. Aussichten für eine verstärkte Zusammenarbeit

Mit der Erteilung der Ermächtigung zur Begründung einer verstärkten Zusammenarbeit auf dem Gebiet des Scheidungsrechts ist nun erstmals ein Schritt in Richtung der tatsächlichen Durchsetzung dieses Instruments gemacht worden. Es erscheint durchaus möglich, dass dadurch die Hemmschwelle zur Anwendung der verstärkten Zusammenarbeit überwunden ist und dass nun von dieser vermehrt Gebrauch gemacht werden wird.

Zu bedenken ist, dass es bei der nun begründeten Zusammenarbeit um ein zivilrechtliches Thema geht. Die Errichtung einer Europäischen Staatsanwaltschaft hätte jedoch Eingriffe in die Souveränität der Mitgliedstaaten auf den Gebieten des Straf- bzw. Strafprozessrechts zur Folge. Mit Souveränitätsübertragungen in diesem Bereich waren die Mitgliedstaaten bislang sehr zurückhaltend. In der Vergangenheit hat es sich zudem als schwierig erwiesen, die Mitgliedstaaten davon zu überzeugen, neue Gesetze zum Schutz der finanziellen Interessen zu erlassen und zu ratifizieren.

Vor allem stellt sich die Frage, warum ein paar Mitgliedstaaten sich bereit erklären sollten, Eingriffe nur in ihre Souveränität zu dulden, um ein Problem zu bekämpfen, das in allen Mitgliedstaaten existiert und das durch die Schädigung der finanziellen Interessen der Union letztlich auch allen Mitgliedstaaten Schaden zufügt.

---

152 Vgl. *Oppermann/Classen/Nettesheim,* § 11 Rn. 22.

153 Vgl. Calliess/Ruffert-*Ruffert,* Art. I-44 Rn. 1.

154 *Linke*, S. 200, zu den inhaltlich gleichen Vorschriften des Vorschlags für eine europäische Verfassung.

155 Beschluss 2010/406/EU des Rates vom 12.7.2010 über die Ermächtigung zu einer Verstärkten Zusammenarbeit im Bereich des auf die Ehescheidung und Trennung ohne Auflösung des Ehebandes anzuwendenden Rechts, ABl. 2010/L189/12.

Zudem haben diese, per se schon unliebsamen, Souveränitätseingriffe nicht nur positive Folgen für die Mitgliedstaaten: Die Tätigkeit der Europäischen Staatsanwaltschaft in den teilnehmenden Staaten würde aller Wahrscheinlichkeit nach dazu führen, dass mehr Betrugsfälle in den Mitgliedstaaten aufgedeckt und verfolgt werden können. Wenngleich dies von rechtlicher Seite begrüßenswert wäre, ergeben sich für die Mitgliedstaaten daraus nicht unbedingt erwünschte Folgen. So kann der Entzug von Subventionen die Wirtschaft des jeweiligen Landes schwächen. Darüber hinaus besteht die Möglichkeit, dass der Mitgliedstaat die finanziellen Belastungen, die sich aus einer Unregelmäßigkeit ergeben, im Rahmen des Anlastungsverfahrens tragen muss.[156] Den teilnehmenden Mitgliedstaaten könnte somit – obwohl sie letztlich im Interesse aller tätig werden – rein wirtschaftlich gesehen ein Nachteil gegenüber den Mitgliedstaaten entstehen, die nicht an der verstärkten Zusammenarbeit beteiligt sind. Da dies den Bürgern schwer zu vermitteln ist, könnte sich eine solche Lösung in den betreffenden Mitgliedstaaten als politisch schwer durchsetzbar erweisen.

Eine verstärkte Zusammenarbeit könnte auch dazu führen, dass sich die teilnehmenden Staaten letztlich von den anderen absondern. Daher wird berechtigterweise befürchtet, dass dem Instrument der verstärkten Zusammenarbeit keine auf längere Sicht integrationsfördernde, sondern eher eine desintegrierende Wirkung zukommt.[157]

Um einer solchen Absonderung entgegenzuwirken, statuiert Art. 328 Abs. 1 AEUV, dass die verstärkte Zusammenarbeit von Anfang an allen Mitgliedstaaten grundsätzlich offensteht und auch ein nachträglicher Beitritt möglich ist. Darüber hinaus sollen die Kommission und die teilnehmenden Mitgliedstaaten dafür Sorge tragen, dass die Teilnahme möglichst vieler Mitgliedstaaten gefördert wird. Zwar wird das Prinzip der Offenheit dadurch eingeschränkt, dass der beitrittswillige Mitgliedstaat die Beteiligungsvoraussetzungen erfüllen muss (Art. 331 AEUV). Diese Regelung ist jedoch notwendig, um zu gewährleisten, dass die bereits beteiligten Mitgliedstaaten diese verstärkte Zusammenarbeit auch im vorgesehenen Sinne weiter betreiben können. Der Beitritt eines Mitgliedstaates, der die Voraussetzungen nicht erfüllt, könnte diese Zusammenarbeit lähmen oder gar komplett zum Stillstand bringen.

Andererseits hat sich in der Vergangenheit bereits gezeigt – und dies mag auch die handlungsentschlossenen Mitgliedstaaten trotz der möglicherweise entstehenden Nachteile ermutigen –, dass das Konzept, dass einige Mitgliedstaaten vorangehen und die anderen später folgen, durchaus funktionieren kann. Das Schengener Abkommen, das 1985 zunächst nur zwischen fünf Mitgliedstaaten geschlossen

---

[156] Vgl. Teil 2, III.G.

[157] Vgl. Schwarze-*Hatje,* Art. 326 AEUV Rn. 6.

wurde,[158] wurde inhaltlich in den im Jahr 1999 in Kraft getretenen Amsterdamer Vertrag und damit in das Gemeinschaftsrecht übernommen. Zwar mussten hierbei bestimmte Ausnahmebestimmungen für Dänemark, Irland und das Vereinigte Königreich in Kauf genommen werden, dennoch zeigt dieses Beispiel, dass ein differenziertes Vorgehen tatsächlich beispielgebend sein kann.[159] Die nicht teilnehmenden Staaten können die Entwicklung zunächst beobachten. Zeichnet sich ein Erfolg der verstärkten Zusammenarbeit ab, wird auch das Interesse an einer Teilnahme wachsen. Darüber hinaus erhöht ein durch die Zusammenarbeit erreichter Erfolg zumindest den Druck auf die nichtteilnehmenden Mitgliedstaaten, wenn nicht schon an der verstärkten Zusammenarbeit teilzunehmen, so doch auch gemeinsam neue Lösungswege zu suchen.[160] Obwohl für das Vorgehen im Fall des Schengener Abkommens nicht das Instrument der verstärkten Zusammenarbeit genutzt werden konnte, sondern nur der Weg über eine intergouvernementale Zusammenarbeit möglich war, zeigt dieses Beispiel dennoch, dass das Konzept der sogenannten „Flexibilität“[161] oder „differenzierten Integration“[162] durchaus funktionieren kann.

Im Zuge der Beratungen über die Errichtung einer Europäischen Staatsanwaltschaft im Anschluss an das Grünbuch der Kommission wurde deutlich, dass einige Mitgliedstaaten die Idee einer solchen Institution komplett ablehnten,[163] während andere sie befürworteten[164] oder zumindest nicht strikt zurückwiesen.[165] Mittlerweile sind der Europäischen Union zwölf weitere Staaten beigetreten und es ist davon auszugehen, dass sich das Meinungsbild über die Errichtung der Staatsanwaltschaft nicht einheitlicher gestaltet als 2003.

Wenngleich die Stimmen der wohl kritischsten Mitgliedstaaten Dänemark, Irland und Vereinigtes Königreich aufgrund ihrer *Opting-outs*[166] nicht notwendig sind, erscheint ungewiss, ob die übrigen Mitgliedstaaten die Schaffung der Europäischen Staatsanwaltschaft letztlich befürworten werden. Zum Teil gibt es in den Mitgliedstaaten starke politische Widerstände hiergegen.[167] Es ist somit durchaus wahrscheinlich, dass das Unternehmen am Erfordernis der Einstimmigkeit scheitern

---

[158] Belgien, Deutschland, Frankreich, Luxemburg und die Niederlande.

[159] *Becker,* S. 40.

[160] *Becker,* S. 40.

[161] Oder „Flexibilisierung“, *Thun-Hohenstein,* in: Hummer (Hrsg.), EU nach dem Vertrag von Amsterdam, S. 125ff.

[162] *Oppermann/Classen/Nettesheim,* § 11 Rn. 18ff; Schwarze-*Hatje,* Art. 20 EUV Rn. 3.

[163] Dänemark, Frankreich, Irland, Österreich, Finnland und das Vereinigte Königreich, vgl. EU-Kommission, Follow-up-Mitteilung, S. 6 und Fn. 23.

[164] Belgien, Griechenland, Spanien, die Niederlande, Portugal und in gewisser Hinsicht Italien, vgl. EU-Kommission, Follow-up-Mitteilung, S. 6 und Fn. 21.

[165] Deutschland, Luxemburg und Schweden, EU-Kommission, Follow-up-Mitteilung, S. 6 und Fn. 22.

[166] Vgl. oben A.

[167] Schwarze-*Böse,* Art. 86 Rn. 1.

wird und einzig die Möglichkeit besteht, den Weg über die verstärkte Zusammenarbeit zu gehen.[168] Unklar ist, ob die Mitgliedstaaten, die sich bisher für die Europäische Staatsanwaltschaft ausgesprochen haben, hieran auch festhalten würden, wenn dies nur in diesem Rahmen möglich wäre.

C. Erweiterung der Kompetenzen nach Art. 86 Abs. 4 AEUV

In Art. 86 Abs. 4 AEUV ist die Möglichkeit vorgesehen, die Befugnisse der Europäischen Staatsanwaltschaft auf die Bekämpfung der schweren Kriminalität mit grenzüberschreitender Dimension auszudehnen. Im Gegensatz zu Art. 83 Abs. 1 AEUV, in dem die von der besonders schweren Kriminalität umfassten Bereiche explizit aufgezählt sind, sieht Art. 86 Abs. 4 AEUV keine nähere Definition des Begriffs der schweren Kriminalität mit grenzüberschreitender Dimension vor. Deshalb wird im Folgenden herausgearbeitet, was hierunter zu verstehen ist. Anschließend erfolgt eine nähere Betrachtung dieses Begriffs.

1. Kriminalität mit grenzüberschreitender Dimension

Der Begriff der grenzüberschreitenden Dimension wird in Art. 86 Abs. 4 AEUV nicht näher definiert. Er findet sich außer in Art. 86 Abs. 4 AEUV in Art. 82 Abs. 2 und in Art. 83 Abs. 1 AEUV. Keine dieser Normen liefert jedoch eine allgemeingültige Definition dieses Begriffs. Dies ergibt sich daraus, dass die drei Normen jeweils unterschiedliche Voraussetzungen für das Vorliegen einer grenzüberschreitenden Dimension haben.

Nach Art. 82 Abs. 2 AEUV können durch Richtlinien Mindestvorschriften festgelegt werden, wenn dies erforderlich ist, um die gegenseitige Anerkennung gerichtlicher Urteile und Entscheidungen und der polizeilichen und justiziellen Zusammenarbeit in Strafsachen mit grenzüberschreitender Dimension zu erleichtern. Der Begriff der grenzüberschreitenden Dimension bezieht sich hier somit auf Strafsachen generell. Dadurch könnte sich eine grenzüberschreitende Dimension beispielsweise bereits allein daraus ergeben, dass das Opfer einer Straftat in einen anderen Mitgliedstaat gezogen ist und dort auch eventuell verhört werden muss.[169] Da Art. 82 Abs. 2 AEUV keine Aussage darüber trifft, woraus sich die grenzüberschreitende Dimension ergeben muss, wäre dies noch von der Norm umfasst.

In Art. 83 Abs. 1 AEUV ist hingegen statuiert, dass Mindestvorschriften erlassen werden können, um Straftaten und Strafen in Bereichen besonders schwerer Kriminalität zu bestimmen, denen aufgrund der Art oder der Auswirkungen der Straftaten

---

[168] Streinz-*Dannecker,* Art. 86 Rn. 5; Schwarze-*Böse,* Art. 86 Rn. 1.

[169] Vgl. Art. 82 Abs. 2 lit. a und c AEUV.

oder aufgrund einer besonderen Notwendigkeit, sie auf einer gemeinsamen Grundlage zu bekämpfen, eine grenzüberschreitende Dimension zukommt. Bezüglich des letzten Kriteriums stellte das Bundesverfassungsgericht in seinem „Lissabon-Urteil“[170] fest, dass die besondere Notwendigkeit nicht von Art und Auswirkungen der Straftat zu trennen sei, da sich nur hieraus eine besondere Notwendigkeit ihrer Bekämpfung auf gemeinsamer Grundlage ergeben könne.[171] Wenngleich dies zunächst logisch erscheinen mag, widerspricht eine solche Auslegung dem ausdrücklichen Wortlaut der Norm.[172] Dort ist die besondere Notwendigkeit explizit als Alternative zur Art und den Auswirkungen der Straftat genannt. Es soll somit die Möglichkeit bestehen, unabhängig hiervon eine Notwendigkeit zur Bekämpfung auf gemeinsamer Grundlage festzustellen.

Für die Bestimmung des Begriffs der grenzüberschreitenden Dimension, wie er für die Europäische Staatsanwaltschaft relevant wäre, kann jedoch außer Acht bleiben, wie Art. 83 Abs. 1 AEUV zu verstehen ist. Hierauf müsste nur näher eingegangen werden, wenn man davon ausginge, dass dieser Artikel eine allgemeingültige Definition der grenzüberschreitenden Dimension beinhaltet und somit auch für Art. 86 Abs. 4 AEUV relevant wäre.[173] Dagegen spricht jedoch, dass bereits Art. 82 Abs. 2 AEUV die grenzüberschreitende Dimension erwähnt. Sollte innerhalb des Vertrages eine Definition des Begriffs vorgenommen werden, wäre es systematisch logisch gewesen, den Begriff bei der ersten Erwähnung zu definieren und im Folgenden diese Definition vorauszusetzen. Aus der Formulierung des Art. 83 Abs. 1 AEUV dahingehend, dass die Kriminalitätsbereiche aufgrund der Art oder der Auswirkungen der Straftaten oder der besonderen Notwendigkeit, sie auf gemeinsamer Grundlage zu bekämpfen, eine grenzüberschreitende Dimension haben müssen, lässt sich darüber hinaus nicht lesen, dass dies zwingende Voraussetzungen für das Vorliegen einer grenzüberschreitenden Dimension sind. Vielmehr wird aufgezählt, aus welchen Gründen sich die grenzüberschreitende Dimension ergeben kann, um den Erlass von Mindestvorschriften nach Art. 83 Abs. 1 AEUV zu rechtfertigen. Gegen die Annahme, es handle sich um eine allgemeingültige Definition, spricht auch, dass, wie oben gezeigt, beispielsweise in Art. 82 Abs. 1 AEUV durchaus aufgrund anderer Aspekte eine grenzüberschreitende Dimension vorliegen kann.

a) Grenzüberschreitende Dimension

Durch eine grammatikalische, systematische und teleologische Auslegung des Art. 86 AEUV lässt sich ermitteln, welche Bedingungen erfüllt sein müssen, damit von einer grenzüberschreitenden Dimension ausgegangen werden kann:

---

[170] BVerfGE 123, 267.

[171] BVerfGE 123, 267 (410f).

[172] So auch *Zimmermann,* JURA 2009, 849.

[173] So wohl *Nestler,* ZStW 116 (2004), 343.

Eine Ausdehnung der Befugnisse erfordert notwendigerweise auch eine Änderung des Art. 86 Abs. 2 AEUV, in dem bislang festgelegt ist, dass die Europäische Staatsanwaltschaft ihre Befugnisse in Bezug auf Personen, die als Täter oder Teilnehmer Straftaten zum Nachteil der finanziellen Interessen begangen haben, ausüben kann. Hinsichtlich dieser Änderung statuiert Art. 86 Abs. 4 AEUV, dass die Befugnisse der Staatsanwaltschaft sich nun auf Personen, die als Täter oder Teilnehmer schwere, *mehr als einen* Mitgliedstaat betreffende Straftaten begangen haben, beziehen sollen. Eine grenzüberschreitende Dimension liegt hiernach vor, wenn mindestens zwei Mitgliedstaaten betroffen sind. Eine Auslegung dahingehend, dass auch die Betroffenheit nur eines Mitgliedstaates und eines Drittstaates hierunter fallen kann, scheidet somit aus.

Der Begriff der grenzüberschreitenden Dimension in Art. 86 Abs. 4 AEUV ist anders zu verstehen als der in Art. 82 Abs. 2 AEUV und Art. 83 Abs. 1 AEUV. Art. 86 Abs. 4 AEUV macht im Vergleich zu Art. 82 Abs. 2 AEUV weitere Angaben darüber, woraus sich die grenzüberschreitende Dimension jeweils ergeben kann und bewirkt insofern eine Einschränkung. Art. 83 Abs. 1 AEUV führt aus, dass sich die grenzüberschreitende Dimension der Kriminalität entweder aus der Art oder den Auswirkungen der Straftaten oder aber aufgrund der besonderen Notwendigkeit ergibt, sie auf einer gemeinsamen Grundlage zu bekämpfen. Art. 86 Abs. 4 AEUV hingegen statuiert, dass die in den Kriminalitätsbereichen begangenen Straftaten mindestens zwei Mitgliedstaaten betreffen müssen. Für Art. 86 Abs. 4 AEUV ist somit allein entscheidend, dass es sich um schwere, mehr als einen Mitgliedstaat betreffende Straftaten handelt. Unabhängig von der konkreten Festlegung der Bereiche der schweren Kriminalität und der Straftatbestände kann sich nach Art. 86 Abs. 4 AEUV also eine Zuständigkeit der Europäischen Staatsanwaltschaft nur dann ergeben, wenn im konkreten Fall mindestens zwei Mitgliedstaaten betroffen sind.

b) Europäische Dimension

Mitunter wird gefordert, dass im Rahmen des Art. 86 Abs. 4 AEUV nicht nur eine grenzüberschreitende, sondern eine *europäische* Dimension vorliegen müsse. Diese bestünde dann, wenn drei oder mehr Mitgliedstaaten in eine Straftat involviert sind oder die Straftat ihre Gründe oder Auswirkungen in einem dritten Land hat.[174] Diese Interpretation ist meines Erachtens nicht nachvollziehbar. Wie bereits erläutert spricht der Wortlaut des Art. 86 AEUV gegen eine Interpretation dahingehend, dass die Betroffenheit eines Mitgliedstaates und eines Drittstaates für eine grenzüberschreitende Dimension ausreichend sind. Ebenso widerspricht es dem Wortlaut der Norm, die Betroffenheit von drei oder mehr Mitgliedstaaten zu fordern. Sind jedoch zwei oder mehr Mitgliedstaaten betroffen, wird die Zuständigkeit

---

[174] European Public Prosecutor Working Group, S. 19.

der Europäischen Staatsanwaltschaft auch nicht dadurch negiert, dass darüber hinaus auch Drittstaaten betroffen sind. Besondere Befugnisse, wie sie der Staatsanwaltschaft innerhalb der EU zustehen würden, kämen in den Drittstaaten dann jedoch nicht in Betracht.

2. Schwere Kriminalität

Der Europäischen Staatanwaltschaft kann gemäß Art. 86 Abs. 4 AEUV die Befugnis zugesprochen werden, *schwere Kriminalität mit grenzüberschreitender Dimension* zu verfolgen. Hierunter sind grundsätzlich zumindest jene Kriminalitätsbereiche zu verstehen, die Art. 83 Abs. 1 AEUV, der von *besonders schwerer Kriminalität* spricht, umfasst.[175] Da der Strafverfolgungsbehörde ein darüber hinausgehender Zuständigkeitsbereich übertragen werden soll, müsste festgelegt werden, bei welchen Straftatbeständen die Europäische Staatsanwaltschaft grundsätzlich tätig werden dürfte. Schlicht die Erweiterung auf *schwere Kriminalität* in der entsprechenden Verordnung festzulegen, wäre nicht zielführend. Vielmehr ergäben sich daraus insbesondere praktische Probleme im Rahmen der Strafverfolgung. Unklare Regelungen zur Zuständigkeit würden zwangsläufig zu Kompetenzkonflikten positiver oder negativer Art zwischen der Europäischen Staatsanwaltschaft und den nationalen Strafverfolgungsbehörden führen und dadurch Verzögerungen verursachen. Selbst wenn diese Kompetenzkonflikte durch eine enge Zusammenarbeit der Behörden zu lösen wären, würden sie Verzögerungen verursachen, die der Effektivität der Ermittlungen abträglich wären und durch eine eindeutige Regelung von Anfang an zu vermeiden sind.

Da in Art. 86 AEUV im Gegensatz zu Art. 83 Abs. 1 AEUV keine aufzählende Regelung getroffen wurde, ist der Umfang der Vertragskompetenz durch Auslegung zu ermitteln.[176] Hierbei muss sich der Gesetzgeber der grammatikalischen, systematischen und teleologischen Auslegung bedienen.[177] Dabei ist der teleologischen Auslegung die stärkste Gewichtung beizumessen.[178] Im vorliegenden Fall wird dieser in Form der Ermittlung des sogenannten *effet utile*[179] eine besondere Bedeutung zukommen. In diesem Rahmen muss die Befugnis im Lichte der politischen Erfordernisse ausgelegt und im umfassenden Sinn verstanden werden.[180]

---

175 So auch Grabitz/Hilf/Nettesheim-*Vogel,* Art. 86 Rn. 61; Streinz-*Dannecker,* Art. 86 Rn. 6.

176 *Hobe*, § 10 Rn. 45.

177 Der historischen Auslegung kommt im Rahmen des Unionsrecht nur eine sehr untergeordnete Bedeutung zu; vgl. hierzu: *Haratsch/Koenig/Pechstein,* Rn. 473; *Hobe*, § 10 Rn. 48; *Frenz*, Wirkungen und Rechtsschutz, Rn. 374.

178 *Frenz*, Wirkungen und Rechtsschutz, Rn. 409.

179 Vgl. hierzu: *Frenz*, Wirkungen und Rechtsschutz, Rn. 426ff; *Herdegen*, § 8 Rn. 74; *Hobe*, § 10 Rn. 49.

180 *Oppermann/Classen/Nettesheim,* § 11 Rn. 7.

Insoweit obliegt es dem Unionsgesetzgeber, diejenigen Kriminalitätsbereiche festzulegen, die vom Begriff der *schweren Kriminalität* im Sinne der Norm umfasst werden. Die Auslegung des Begriffs kann allerdings durch den EuGH auf ihre Richtigkeit überprüft werden.[181]

Zur Begründung der Zuständigkeit der Staatsanwaltschaft müsste, neben dem Vorliegen der jeweiligen Tatbestandsvoraussetzungen, hinzukommen, dass die konkrete Tat auch aufgrund einer Einzelfallbeurteilung als *schwer* anzusehen ist.[182] Denn unabhängig davon, welche Straftatbestände von der Zuständigkeit der Staatsanwaltschaft umfasst würden, kann eine *schwere* Straftat begriffsnotwendig nur dann vorliegen, wenn Unrecht und Schuld auch im Einzelfall schwer wiegen.[183] Zumindest bei den Straftaten, die in Art. 83 Abs. 1 AEUV genannt werden, wird dies zwar regelmäßig der Fall sein, insbesondere hinsichtlich anderer Straftatbestände könnten die konkreten Umstände der Tat jedoch dazu führen, dass von einer schweren Straftat nicht ausgegangen werden kann.

Als Anhaltspunkte für die Festlegung der Straftatbestände könnte eine Orientierung an den Straftaten, für die der Europäische Haftbefehl[184] Anwendung findet, dienen.[185] Ebenfalls in Betracht käme eine Orientierung am Europol-Kompetenzbereich. Hieraus können sich jedoch keinesfalls zwingende Vorgaben für die Auslegung des Begriffs der schweren Kriminalität ergeben, da das Sekundärrecht das Primärrecht nicht bestimmen darf. Möglicherweise könnte auf Art. 2 Abs. 2 des EuHB zurückgegriffen werden. Demnach könnte eine Zuständigkeit der Europäischen Staatsanwaltschaft für jene Fälle festgelegt werden, in denen die Straftat mit einer Freiheitsstrafe oder einer freiheitsentziehenden Maßregel der Sicherung im Höchstmaß von mindestens drei Jahren bedroht ist. Zusätzlich müsste es sich um eine der 32 Straftaten handeln, die in Art. 2 Abs. 2 EuHB aufgeführt sind.

Allerdings gibt es für den Großteil der Straftaten keine europäisch einheitlich festgelegten Mindesthöchststrafen.[186] Im Rahmen der Ermittlungen der Europäischen Staatsanwaltschaft könnten die Ermittlungen deshalb daran scheitern, dass deren Zuständigkeit zwar in einem Mitgliedstaat begründet wäre, in einem anderen, in dem weitere Ermittlungen notwendig wären, jedoch nicht. Zwar wäre es möglich, auf dem Grundsatz der gegenseitigen Anerkennung beruhend hierfür eine

---

[181] *Haratsch/Koenig/Pechstein,* Rn. 473.

[182] Grabitz/Hilf/Nettesheim-*Vogel,* Art. 86 Rn. 62; *Nestler*, ZStW 116 (2004), 343; Schwarze-*Böse,* Art. 86 Rn. 8.

[183] Grabitz/Hilf/Nettesheim-*Vogel,* Art. 86 Rn. 62.

[184] Rahmenbeschluss (2002/584/JI) des Rates vom 13.6.2002 über den Europäischen Haftbefehl und die Übergabeverfahren zwischen den Mitgliedstaaten, ABl. 2002/L190/1; im Folgenden EuHB.

[185] *Flore*, La perspective.

[186] Vereinbart wurden solche aber, z.B. Art. 5 Rahmenbeschluss 2004/68/JI des Rates vom 22.12.2003 zur Bekämpfung der sexuellen Ausbeutung von Kindern und der Kinderpornografie; Art. 2 PIF-Übereinkommen.

Regelung dahingehend festzulegen, dass die Zuständigkeit der Europäischen Staatsanwaltschaft, wenn sie einmal in einem Mitgliedstaat festgestellt wurde, in allen anderen als gegeben anerkannt wird. Allerdings erscheint fraglich, ob sich die Mitgliedstaaten tatsächlich auf eine solche Regelung einigen könnten. Denn hierbei würde nicht lediglich ein Haftbefehl aus einem anderen Mitgliedstaat durch nationale Behörden vollstreckt, wie beim Europäischen Haftbefehl, hier ginge es darum, Ermittlungen einer Europäischen Staatsanwaltschaft im eigenen Hoheitsgebiet zu dulden und eventuell zu unterstützen, obwohl in diesem Mitgliedstaat für die betreffende Straftat keine Zuständigkeit begründet werden kann.

Bei einer Orientierung an den Voraussetzungen des Art. 2 Abs. 2 EuHB, also der Mindesthöchststrafe von drei Jahren, und den 32 aufgeführten Straftaten für die Begriffsbestimmung der schweren Kriminalität, wäre der Straftatenkatalog um die sexuelle Ausbeutung von Frauen zu ergänzen, da dies nach Art. 83 AEUV unter den Begriff der besonders schweren Kriminalität fällt. Vorteil einer solchen Lösung wäre, dass auf europäischer Ebene bereits vereinbart wurde, dass für diese Straftaten die Strafverfolgung, zumindest partiell, erleichtert werden soll. Dennoch erscheint der Rückgriff auf den Europäischen Haftbefehl nicht ganz glücklich, weil er in keinem Zusammenhang mit der Europäischen Staatsanwaltschaft steht.

Es erscheint ebenfalls denkbar, dass die Kompetenzen Europols als Maßstab für eine Kompetenzerweiterung der Europäischen Staatsanwaltschaft auf schwere Kriminalität dienen können. Nach Art. 88 Abs. 1 AEUV kommen dem Amt Befugnisse auf den Gebieten der schweren Kriminalität, des Terrorismus und jener Kriminalitätsformen zu, die ein gemeinsames Interesse verletzen, welches Gegenstand einer Politik der Union ist. Eine detailliertere Beschreibung der in diesen Kompetenzbereich fallenden Straftaten findet sich in Art. 88 AEUV jedoch nicht. Der aktuell noch gültige, Beschluss zur Errichtung Europols aus dem Jahr 2009[187] könnte jedoch konkretere Maßstäbe bieten. Dieser beruht noch auf Art. 30 Abs. 1 lit. b, Abs. 2 EUV a.F. und Art. 34 Abs. 2 lit. c EUV a.F. nach dem Europol sich ausschließlich mit schwerer Kriminalität befasst. Art. 4 Abs. 1 des Europol-Beschlusses statuiert eine Zuständigkeit der Behörde für Organisierte Kriminalität, Terrorismus und andere Formen schwerer Kriminalität gemäß dem Anhang zum Europol-Beschluss. Schwere Kriminalität umfasst nach diesem Beschluss 24 Straftaten (Art. 4 Abs. 1 i.V.m. Anhang des Europol-Beschlusses) und die allgemeinen Kriminalitätsbereiche der organisierten Kriminalität und des Terrorismus. Für die Zuständigkeit der Europäischen Staatsanwaltschaft müsste auch hier eine Ergänzung dahingehend vorgenommen werden, dass die sexuelle Ausbeutung von Frauen und Kindern grundsätzlich unter die schwere Kriminalität fällt.[188]

---

[187] Europol-Beschluss; ausführlich zu Europol vgl. oben Teil 2, II.C.3.

[188] Vgl. oben.

Da die im Europol-Beschluss genannten Straftatbestände in der Union nicht einheitlich definiert sind, könnte auch hier der Fall eintreten, dass ein Staat strafrechtliche Ermittlungen dulden muss, ohne dass nach seinem nationalen Recht eine entsprechende Straftat vorliegt. Der Rückgriff auf den Europol-Maßstab hätte jedoch den Vorteil, dass er in einem gewissen Zusammenhang mit der Europäischen Staatsanwaltschaft steht, da Europol zumindest in Art. 86 Abs. 2 AEUV erwähnt wird.

3. Zusammenfassung

Der Begriff der grenzüberschreitenden Dimension in Art. 86 Abs. 4 AEUV unterscheidet sich von dem des Art. 82 Abs. 2 AEUV und dem des Art. 83 Abs. 1 AEUV. Für das Vorliegen einer grenzüberschreitenden Dimension nach Art. 86 Abs. 4 AEUV müssen zwei oder mehr Mitgliedstaaten betroffen sein. Darüber hinausgehende Anforderungen, wie sie zum Teil an das Vorliegen dieser Dimension gestellt werden, sind abzulehnen.[189]

Unter den Begriff der schweren Kriminalität in Art. 86 Abs. 4 AEUV fallen zunächst alle Straftaten, die unter den Begriff der besonders schweren Kriminalität in Art. 83 AEUV zu fassen sind.[190] Die nähere Konkretisierung, welche weiteren Straftaten umfasst sein sollten, obliegt dem Beurteilungsspielraum des Gesetzgebers. Hinsichtlich der Beurteilung, ob eine schwere Straftat vorliegt, ist jedoch auch bei Vorliegen aller Tatbestandsmerkmale zu prüfen, ob die Tat im konkreten Einzelfall als *schwer* zu bewerten ist. Andernfalls würde eine Zuständigkeit statuiert, die dem Wortlaut des Gesetzes nicht entspricht.

Zudem sollten in einem weiteren Schritt unionsweit einheitlich geltende Straftatbestände[191] für die betreffenden Straftaten festgelegt werden.[192] Dies zum einen, um zu verhindern, dass Mitgliedstaaten strafrechtliche Ermittlungen auf ihrem Territorium dulden müssen, obwohl nach ihrem Verständnis keine Straftat vorliegt. Zum anderen wird die Europäische Staatsanwaltschaft dem Bürger als ein einziges Organ gegenübertreten. Das Tätigwerden dieses Organs in einem Mitgliedstaat und ein Absehen davon in einem anderen, bei Vorliegen ein und desselben Sachverhalts, könnte sich für den Bürger als nicht nachvollziehbar darstellen und somit den Rückhalt der Institution in der Bevölkerung schwächen. Darüber hinaus würden Rechtsunsicherheiten, die aufgrund der derzeit bestehenden unterschiedlichen Regelungen auftreten könnten, so vermieden.

---

189 Vgl. oben 1.b).

190 Vgl. oben 2.

191 Vgl. zur Kritik am Straftatenkatalog des EuHB ohne einheitliche unionsweite Definition der genannten Straftatbestände *Hefendehl,* in: Schünemann (Hrsg.), Alternativentwurf, S. 82.

192 Zur Festlegung einheitlicher Definitionen für den Bereich der Straftaten zum Nachteil der finanziellen Interessen der Union vgl. Teil 4, II.

Nach derzeitiger Rechtslage können nur für die in Art. 83 AEUV aufgezählten Fälle der besonders schweren Kriminalität Richtlinien erlassen werden, die Mindestvorschriften zur Festlegung von Straftaten und Strafen statuieren. Europäische Straftatbestände können nicht auf diese Norm gestützt werden. Für jene Straftaten, die nicht unter diesen Artikel fallen, ist weder eine gewisse Harmonisierung über Mindestvorschriften noch die Schaffung europaweit einheitlicher Straftatbestände möglich. Insbesondere könnte diese nicht auf Art. 325 Abs. 4 AEUV gestützt werden, da sich dieser ausschließlich auf Betrügereien zum Nachteil der finanziellen Interessen der Union bezieht. Es müsste somit der Weg über die gegenseitige Anerkennung gegangen werden, wenn eine Erweiterung der Zuständigkeit der Europäischen Staatsanwaltschaft auf schwere Kriminalität mit grenzüberschreitender Dimension erfolgen würde.

Eine solche Lösung wäre jedoch nicht wünschenswert, da nur europaweit einheitliche Straftatbestände Rechtsunsicherheiten und Ungerechtigkeiten vermeiden können.[193] Zur Schaffung solcher einheitlichen Straftatbestände ist die Union derzeit nicht berechtigt. Deshalb müsste ihr, für den Fall, dass die Kompetenzen der neuen Behörde auf die Verfolgung schwerer Kriminalität erweitert würden, im Wege der Vertragsänderung die Befugnis zur Festlegung solcher Straftatbestände erteilt werden.[194] Ob die Union überhaupt von der Möglichkeit Gebrauch macht, die Kompetenzen der Europäischen Staatsanwaltschaft zu erweitern, erscheint jedoch fraglich.[195]

IV. Ergebnis

Die bereits im Jahr 1997 im Rahmen des Corpus Juris formulierte Idee der Errichtung einer europäischen Strafverfolgungsbehörde wurde über die Jahre weiterentwickelt. Durch Art. 86 AEUV fand sie in Form der Europäischen Staatsanwalt schaft erstmals Eingang in das Recht der Union. Bei der Errichtung einer solchen Institution müssen die Vorgaben des Subsidiaritätsprinzips, die sich aus Art. 5 EUV ergeben, beachtet werden. Dies sind das Prinzip der begrenzten Einzelermächtigung, das Subsidiaritätsprinzip im engeren Sinne und das Verhältnismäßigkeitsprinzip, wobei die beiden Letzteren nicht immer klar voneinander zu trennen sind.[196]

---

193 Vgl. dazu auch Teil 4, II.

194 *Frenz,* Wirkungen und Rechtsschutz, Rn. 647.

195 Für unwahrscheinlich hält dies Geiger/Khan/Kotzur-*Kotzur,* Art. 86 Rn. 8; für eingeschränkt möglich hingegen Grabitz/Hilf/Nettesheim-*Vogel,* Art. 86 Rn. 61.

196 Vgl. oben II.A.2.c).

Hinsichtlich der formellen Vorgaben des Art. 86 AEUV konnte herausgearbeitet werden, dass die Formulierung „ausgehend von Eurojust" bedeutet, dass parallel zu Eurojust eine Einrichtung geschaffen werden sollte, die zunächst auf die Strukturen Eurojusts zurückgreifen kann. Im Lauf der Zeit sollte sie sich aber zu einer eigenständigen, von Eurojust unabhängigen Institution entwickeln.[197]

Die strafprozessuale Zuständigkeit für die strafrechtliche Untersuchung und Verfolgung von Straftaten zum Nachteil der finanziellen Interessen der Union beinhaltet, dass der Europäischen Staatsanwaltschaft die Leitung von strafrechtlichen Untersuchungen zusteht.[198] Die Anklageerhebung durch die Staatsanwaltschaft erfolgt vor den nationalen Gerichten.[199]

Wird eine Europäische Staatsanwaltschaft errichtet, sind aufgrund der Protokolle Nr. 21 und Nr. 22 das Vereinigte Königreich und Irland sowie Dänemark zunächst nicht beteiligt.[200] Ihnen steht jedoch die Möglichkeit offen, an der Errichtung teilzunehmen. Die Nichtteilnahme führt nicht zu einem unüberbrückbaren Hindernis bei der Errichtung einer Europäischen Staatsanwaltschaft, da die Stimmen dieser Mitgliedstaaten im Rat hierfür ausdrücklich nicht erforderlich sind.[201]

Nach Art. 86 Abs. 1 UAbs. 3 AEUV ist es auch möglich, die Europäische Staatsanwaltschaft unter Beteiligung von nur neun Mitgliedstaaten im Rahmen der verstärkten Zusammenarbeit zu errichten.[202] Während dieses Institut in der Vergangenheit keine Anwendung fand, wurde nun erstmals eine verstärkte Zusammenarbeit auf dem Gebiet des Zivilrechts begründet. Ob dies dazu führt, dass auch im strafrechtlichen Bereich von dieser Möglichkeit Gebrauch gemacht wird, ist unklar. Insbesondere ist ungewiss, ob die Mitgliedstaaten, die sich für die Europäische Staatsanwaltschaft ausgesprochen hatten, hieran auch festhalten würden, wenn sie nur im Rahmen der verstärkten Zusammenarbeit möglich wäre.

Darüber hinaus könnten sich aufgrund der *Opting-outs* bei dieser Lösung Probleme ergeben. So könnten die drei Staaten, die sich ein *Opting-out* ausbedungen haben, nicht an weiteren Entwicklungen Eurojusts teilnehmen und sich auch gegen die Errichtung einer Europäischen Staatsanwaltschaft entscheiden.

Würde die Behörde zudem tatsächlich im Rahmen einer verstärkten Zusammenarbeit errichtet, gälten für die drei Staaten die Regelungen zu Eurojust, die vor dem Vertrag von Lissabon in Kraft waren. In den anderen Staaten gälten die Regelungen für Eurojust, die nach dem Vertrag von Lissabon beschlossen wurden. Des

---

197 Vgl. oben II.C.3.

198 Vgl. oben II.D.2.a).

199 Vgl. oben II.D.2.b).

200 Vgl. oben III.A.

201 Art. 1 Satz 2 Protokoll Nr. 21 bzw. Art. 1 Satz 2 Protokoll Nr. 22.

202 Vgl. oben III.B.

Weiteren würde nur in einem Teil dieser Staaten eine Europäische Staatsanwaltschaft errichtet. Diese Situation wäre kein Schritt zu einem einheitlichen Raum der Freiheit, der Sicherheit und des Rechts. Dennoch erscheint dieses Szenario durchaus in nicht allzu weiter Ferne denkbar[203] und möglicherweise zunächst der einzige Weg, um eine Europäische Staatsanwaltschaft zu errichten.

Für den Fall, dass die Kompetenzen der Europäischen Staatsanwaltschaft über den Bereich der Finanzstraftaten zulasten der Union erweitert werden sollten, muss geklärt werden, welche Straftaten unter den Begriff der schweren Kriminalität zu fassen sind. Eine Erweiterung der Zuständigkeit auf *schwere Kriminalität,* ohne genau festzulegen, welche Straftaten hierunter fallen, wäre nicht sachgerecht. Zudem sollten unionsweit geltende einheitliche Definitionen für diese Straftatbestände festgelegt werden, was nach derzeitiger Rechtslage jedoch nicht möglich ist. Hinsichtlich der grenzüberschreitenden Dimension, die die schwere Kriminalität beinhalten muss, reicht es aus, dass zwei oder mehr Mitgliedstaaten betroffen sind. Weitere Anforderungen sind an das Vorliegen dieser Voraussetzung nicht zu stellen.[204]

---

[203] *Satzger,* Internationales und Europäisches, § 10 Rn. 21; anders: Vedder/Heintschel von Heinegg-Rosenau/*Petrus,* Art. 86 Rn. 1.

[204] Vgl. oben III.C.1.b).

Teil 4

Errichtung und Ausgestaltung einer Europäischen Staatsanwaltschaft

Damit eine Europäische Staatsanwaltschaft errichtet werden kann, müssten die Anforderungen des in Art. 5 EUV statuierten Subsidiaritätsprinzips erfüllt sein. Diese wurden in Teil 3, II.A. bereits näher erläutert. Bislang konnte jedoch nur festgestellt werden, dass der Union nach Art. 86 AEUV grundsätzlich die Kompetenz zukommt, eine gemeinsame Staatsanwaltschaft zu errichten, dass also die Voraussetzungen des Art. 5 Abs. 2 EUV (Prinzip der begrenzten Einzelermächtigung) vorliegen. Dies allein reicht jedoch nicht aus, um festzustellen, *ob* tatsächlich eine neue Strafverfolgungsbehörde errichtet werden sollte. Denn hierfür müssen auch die übrigen Voraussetzungen des Subsidiaritätsprinzips, das Subsidiaritätsprinzip im engeren Sinne (Art. 5 Abs. 3 EUV) und das Verhältnismäßigkeitsprinzip (Art. 5 Abs. 4 EUV) gewahrt sein. Die Vereinbarkeit mit diesen beiden Prinzipien hängt grundlegend von der konkreten Ausgestaltung, also dem „Wie" der Errichtung der Europäischen Staatsanwaltschaft ab.[1]

Nach Art. 86 AEUV muss zur Errichtung der Europäischen Staatsanwaltschaft eine Verordnung erlassen werden (Art. 86 Abs. 1 AEUV). In dieser müssten die Satzung der Staatsanwaltschaft, die Einzelheiten für die Erfüllung ihrer Aufgaben, die für ihre Tätigkeit geltenden Verfahrensvorschriften sowie die Regeln für die Zulässigkeit von Beweismitteln und für die gerichtliche Kontrolle der von ihr vorgenommenen Prozesshandlungen statuiert werden (Art. 86 Abs. 3 AEUV). Dazu macht Art. 86 AEUV jedoch nur ungenaue Vorgaben. Er schreibt zwar vor, welche Regelungen in der Verordnung zu treffen sind, überlässt deren konkrete Ausgestaltung jedoch dem Verordnungsgeber. Dadurch wurde diesem hinsichtlich der konkreten Modalitäten der Einrichtung der Staatsanwaltschaft und ihrer Befugnisse ein breiter Spielraum zugestanden.[2]

Es muss deshalb geklärt werden, welche Regeln statuiert werden müssten. Maßstab hierfür sind das Subsidiaritätsprinzip im engeren Sinne und der Grundsatz der Verhältnismäßigkeit sowie die Praktikabilität der Regelungen, die sich auch auf die Wahrung des Subsidiaritätsprinzips auswirken kann.

---

1 Vgl. Teil 3, II.A.2.c).

2 Streinz-*Dannecker*, Art. 86 Rn. 10.

Die Errichtung einer neuen europäischen Strafverfolgungsbehörde ist ein umfangreiches Projekt, für das sehr viele Regelungen zu treffen sind. Im Rahmen dieser Arbeit werden nur jene Bestimmungen näher erörtert, die die Verfasserin als besonders bedeutsam erachtet.

Zunächst muss geklärt werden, ob die Mitgliedstaaten in der Lage sind, das mit der Errichtung einer Europäischen Staatsanwaltschaft verfolgte Ziel zu erreichen. Im Anschluss daran soll geprüft werden, ob ein Unionshandeln einen Mehrwert darstellen könnte und wie die Staatsanwaltschaft dann gegebenenfalls errichtet werden sollte; es soll also die konkrete Ausgestaltung untersucht werden. Denn: Um festzustellen, ob die Errichtung im Einklang mit dem Subsidiaritätsprinzip nach Art. 5 Abs. 3 EUV und dem Verhältnismäßigkeitsprinzip nach Art. 4 Abs. 3 stünde, muss analysiert werden, wie weit die Regelungen gehen würden.[3] Es soll geklärt werden, welche Straftaten in den Zuständigkeitsbereich der neuen Behörde fallen würden. Zudem soll untersucht werden, welcher organisatorische Aufbau sinnvoll wäre. Besondere Bedeutung kommt der Ausgestaltung des Verfahrens zu. Denn hier entscheidet sich sowohl, wie effektiv die Arbeit der Europäischen Staatsanwaltschaft zur Bekämpfung von Straftaten zum Nachteil der finanziellen Interessen der Union beitragen kann, als auch, ob die Rechte der Betroffenen hierbei gewahrt werden. Da es sich um eine neue europäische Institution handeln würde, die zudem grundrechtsbeeinträchtigende Handlungen vornehmen könnte, stellt sich die Frage nach der Rechtskontrolle dieser Einrichtung. Durch die Errichtung einer Europäischen Staatsanwaltschaft würde auf europäischer Ebene ein neuer Akteur geschaffen, der sich mit der Bekämpfung von EU-Betrug befasst. Es muss deshalb untersucht werden, in welchem Verhältnis dieser Akteur zu bereits existierenden stünde.

I. Anforderungen von Subsidiaritäts- und Verhältnismäßigkeitsprinzip

Die Anforderungen, die das Subsidiaritäts- und das Verhältnismäßigkeitsprinzip an die Errichtung einer Europäischen Staatsanwaltschaft stellen, wurden in abstrakter Weise bereits hinreichend erläutert.[4] Im Folgenden soll, soweit möglich, auf die derzeit gegebene konkrete Situation eingegangen werden, um zu überprüfen, ob diese Anforderungen erfüllt wären.

---

[3] Vgl. Teil 3, II.A.2.c).

[4] Vgl. Teil 3, II.A.

A. Subsidiaritätsprinzip im engeren Sinne

1. Zielerreichung durch die Mitgliedstaaten

Das mit der Errichtung einer Europäischen Staatsanwaltschaft verfolgte Ziel ist die Verbesserung und Effektivierung der Bekämpfung von Straftaten zum Nachteil der finanziellen Interessen der Union durch eine effektive Strafverfolgung. Daher muss zunächst die aktuelle Sach- und Rechtslage in den Mitgliedstaaten daraufhin überprüft werden, ob sie geeignet ist, das Ziel zu erreichen[5] (Effizienztest).

Die Analyse[6] hat gezeigt, dass besonders die grenzüberschreitende Strafverfolgung von Straftaten derzeit schwierig ist. Aber auch ohne grenzüberschreitende Dimension bestehen mitunter Hemmnisse für eine angemessene Strafverfolgung durch die nationalen Strafverfolgungsbehörden. Die Möglichkeiten der EU-Institutionen Eurojust, EJN, Europol und OLAF sind aufgrund ihres beschränkten Auftrags begrenzt. Das bestehende System zur Bekämpfung von Straftaten zum Nachteil der finanziellen Interessen der Union hat sich als nicht ausreichend herausgestellt, um diese Taten angemessen zu verfolgen.

Bei der Prüfung, ob die Errichtung einer Europäischen Staatsanwaltschaft mit dem Subsidiaritätsprinzip zu vereinbaren wäre, muss eine hypothetische Abschätzung vorgenommen werden, ob die Mitgliedstaaten die existierenden Probleme durch den Erlass eigener Regelungen lösen könnten.[7] Hierbei muss mit einbezogen werden, ob den Mitgliedstaaten die strukturellen und finanziellen Mittel zur Verfügung stehen, um die Ziele zu erreichen.[8] Für die Prognose soll im Folgenden anhand einiger Probleme erörtert werden, ob die Mitgliedstaaten in der Lage wären, diese zu lösen.

Als Hindernis im Rahmen der grenzüberschreitenden Strafverfolgung hat sich die Notwendigkeit erwiesen, auf Rechtshilfeinstrumente zurückgreifen zu müssen. Probleme ergeben sich unter anderem aus den vielen verschiedenen existierenden Rechtshilferegelungen. Die Mitgliedstaaten könnten möglicherweise dadurch, dass sie existierende bi- oder multinationale Rechtshilferegeln abschaffen, für mehr Klarheit sorgen. Diese von den Mitgliedstaaten gesondert abgeschlossenen Vereinbarungen enthalten jedoch häufig weitergehende Regelungen als die europäischen. Der Preis dafür, dass weniger Rechtshilfebestimmungen existieren, wäre somit der, dass diese zusätzlichen Vereinfachungen der Rechtshilfe nicht mehr angewendet werden könnten. Es ist deshalb fraglich, ob dadurch eine Verbesserung der grenzüberschreitenden Strafverfolgung erreicht werden könnte. Außerdem gäbe es auf

---

5 Calliess/Ruffert-*Callies,* Art. 5 EUV Rn. 38.

6 Vgl. zu den Problemen bei der Strafverfolgung, Teil 2, III.

7 Vgl. Teil 3, II.A.2.a).

8 Vgl. EG-Kommission, Mitteilung der Kommission an den Rat und an das Europäische Parlament betreffend das Subsidiaritätsprinzip.

europäischer Ebene weiterhin mehrere Regeln hinsichtlich der Rechtshilfe bzw. der gegenseitigen Anerkennung, sodass die „Rechtsverwirrung“ [9] nicht abgestellt würde.

Das Fehlen fester Fristen kann zu Verzögerungen in der Bearbeitung eines Rechtshilfeersuchens führen. Die Mitgliedstaaten könnten hier im nationalen Recht Fristen festlegen, um eine Beschleunigung zu erreichen. Einheitliche Fristen könnten aber ohne Absprache unter den Mitgliedstaaten nicht erreicht werden. Solche wären jedoch erforderlich, um die Bearbeitung der Ersuchen in allen Mitgliedstaaten innerhalb eines angemessenen Zeitrahmens zu gewährleisten. Doch selbst wenn die Mitgliedstaaten Fristen festlegen würden, wäre noch nicht sichergestellt, dass diese tatsächlich eingehalten werden, denn Rechtshilfeersuchen wird nicht immer die notwendige Priorität eingeräumt. Dies kann zum einem daraus resultieren, dass die mitgliedstaatlichen Ressourcen für die Strafverfolgung teilweise sehr knapp bemessen und die Justizsysteme deshalb häufig überlastet sind. Zudem fehlt deshalb zum Teil die notwendige Kenntnis der Rechtsvorschriften. Zum anderen kann dies aber auch darin begründet liegen, dass nationale Interessen einer angemessenen Strafverfolgung entgegenstehen. Allein durch eine Fristenregelung in den Mitgliedstaaten könnte deshalb nicht gewährleistet werden, dass Rechtshilfeersuchen in angemessener Zeit erledigt werden.

Ob eine Lösung für die Verzögerungen, die sich aufgrund überlasteter Justizsysteme ergeben, durch Erlass nationaler Bestimmungen erreicht werden kann, erscheint fragwürdig. Um die Strafverfolgung zu verbessern, müssten die Mitgliedstaaten mehr Geld zur Verfügung stellen, dies zum einen, um mit mehr Personal der Überlastung der Justizsysteme entgegenzuwirken, zum anderen, um das Personal besser zu schulen und so die bestehenden Hemmnisse, einen Fall mit grenzüberschreitender Dimension zu bearbeiten, abzubauen. Zudem müssten auch Staatsanwälte ausgebildet werden, die auf EU-Betrug spezialisiert sind. Denn diese Delikte sind nicht nur aufgrund der grenzüberschreitenden Dimension sehr komplex, sondern auch wegen der Materie selbst.

Viele Mitgliedstaaten haben derzeit große finanzielle Probleme und müssen deshalb Einschnitte in erheblichem Umfang machen. Dass sie in diesen Zeiten mehr Geld aus ihrem nationalen Haushalt für die Verbesserung der Verfolgung von Straftaten zum Nachteil der finanziellen Interessen der Union zur Verfügung stellen können, ist unwahrscheinlich. Doch selbst wenn dies rein theoretisch möglich wäre, scheint es in einigen Ländern politisch kaum durchsetzbar, dass Geld in diesen Bereich investiert wird, während in anderen drastische Kürzungen hingenommen werden müssen. Dies insbesondere auch deshalb, da die Investition dem Schutz des EU-Haushalts und nicht dem des nationalen dienen würde. Eine Verbesserung der

---

[9] *Dannecker/Reinel,* in: Leitner (Hrsg.), Finanzstrafrecht 2006, S. 55; vgl. zu den unterschiedlichen, auf europäischer Ebene geltenden Rechtshilfevorschriften auch das Schaubild von *Lagodny,* EuropStrafRecht § 31 Rn. 4.

Strafverfolgung nur in denjenigen Mitgliedstaaten, die sich das leisten können und wollen, würde jedoch die Ausübung der Kompetenz durch die Union nicht blockieren.[10]

Schwer vorstellbar ist auch, wie die Mitgliedstaaten durch Erlass einer Regelung dem Problem entgegentreten sollen, dass ihre eigenen Interessen einer Strafverfolgung entgegenstehen können.

Ein weiteres Problem der transnationalen Strafverfolgung stellt die Verwertbarkeit von Beweismitteln dar. Diese kann daran scheitern, dass die Beweiserhebung nicht nach dem Recht des Gerichtsstaates erfolgt ist und die Rechtsordnungen der Mitgliedstaaten unterschiedliche Anforderungen an ein Beweismittel stellen. Aufgrund der Unterschiedlichkeit der Strafprozessordnungen ist es unwahrscheinlich, dass die Mitgliedstaaten ohne Absprache untereinander Regelungen erlassen können, die eine grundsätzliche Verwertbarkeit der Beweismittel aus allen Mitgliedstaaten garantieren.

Sowohl positive als auch negative Kompetenzkonflikte können eine erfolgreiche Strafverfolgung verhindern. Durch mitgliedstaatliche Regelungen allein kann dieses Problem nicht gelöst werden, da es ja gerade darauf beruht, dass es keine unionsweite Abstimmung gibt. Nationale Regelungen könnten eine solche jedoch nicht erreichen. Eine stärkere Nutzung Eurojusts könnte hier zu einer Verbesserung der Situation führen. Doch obwohl die Behörde bereits seit einiger Zeit existiert, greifen die Mitgliedstaaten nicht immer auf sie zurück, wenn es angebracht wäre. Zudem hat Eurojust nicht die Befugnis, Kompetenzkonflikte verbindlich zu entscheiden.

Die Prognose ist mithin, dass die Mitgliedstaaten nicht in der Läge wären, das Ziel der Bekämpfung von Straftaten zum Nachteil der finanziellen Interessen der Union durch eine Verbesserung der Strafverfolgung zufriedenstellend zu erreichen. Selbst wenn es möglich wäre, auf einigen Gebieten Verbesserungen zu erzielen, blieben, wie gezeigt, gravierende Probleme bestehen, die die Strafverfolgung auch weiterhin so hindern würden, dass sie nicht als effizient betrachtet werden kann. Für die Annahme, dass die Mitgliedstaaten das Ziel nicht ausreichend verwirklichen können, spricht im Übrigen auch, dass der Schutz der finanziellen Interessen der Union bereits seit 20 Jahren laut Primärrecht Aufgabe der Mitgliedstaaten ist, diese bis heute aber nicht in der Lage sind, eine angemessene Strafverfolgung zu gewährleisten.[11]

---

10 *Hirsch,* in: Ress/Stein (Hrsg.) Vorträge, S. 9.

11 Vgl. dazu Lenz/Borchardt-*Langguth,* Art. 5 EUV Rn. 31.

2. Mehrwert durch ein Handeln der Union

Zur Feststellung, ob die Union unter Wahrung des Subsidiaritätsprinzips von ihrer Kompetenz nach Art. 86 AEUV Gebrauch machen darf, muss untersucht werden, ob ein Regelungsbedürfnis durch die Union besteht (Mehrwerttest).[12] Um einen Mehrwert durch ein Handeln der Union bejahen zu können, müsste die Union besser als die Mitgliedstaaten in der Lage sein, die Bekämpfung von Straftaten zum Nachteil der finanziellen Interessen der Union zu optimieren. Um dies zu prüfen, ist aufgrund des Wortlauts von Art. 5 Abs. 3 EUV („Umfang“) auf die Art, Größe und Schwere des zu lösenden Problems abzustellen. Ebenfalls zu berücksichtigen ist, ob mehrere oder alle Mitgliedstaaten spürbar von dem Problem betroffen sind.[13] Handelt es sich um ein staatenübergreifendes Ziel, das erreicht werden soll, ist es naheliegend, dass dieses auf Unionsebene besser erreicht werden kann.[14] Genau wie bei der Prüfung, ob die Mitgliedstaaten das Ziel ausreichend verwirklichen können, ist auch hier nur eine Beurteilung unter prognostischen Gesichtspunkten möglich.

Das infrage stehende Problem ist die nicht zufriedenstellende Strafverfolgung von Straftaten zum Nachteil der finanziellen Interessen der Union. Dieses besteht nicht nur in einem oder wenigen Mitgliedstaaten. Es resultiert zu einem großen Teil daraus, dass bei diesen Straftaten häufig grenzüberschreitende Ermittlungen notwendig sind. Durch die Errichtung einer Europäischen Staatsanwaltschaft könnten viele Probleme, die sich aus der Notwendigkeit, grenzüberschreitend zu ermitteln, ergeben, beseitigt werden. So wäre die Staatsanwaltschaft nicht auf das Instrument der Rechtshilfe angewiesen. Sie könnte eigenständig Ermittlungen in den Mitgliedstaaten durchführen. Dadurch wäre sie auch nicht auf die überlasteten Justizsysteme angewiesen. Durch ihre Zuständigkeit für EU-Finanzdelikte ließe sich auch das Problem konkurrierender Ermittlungen lösen. Zudem könnte im Rahmen der Errichtung einer Europäischen Staatsanwaltschaft nach Art. 86 AEUV eine Regelung zur Zulässigkeit der Beweismittel getroffen werden. Dadurch könnte das Problem, dass Beweise in grenzüberschreitenden Verfahren häufig nicht verwertbar sind, behoben werden. Darüber hinaus könnte eine die Strafverfolgungsbehörde so gestaltet werden, dass sie unabhängig von den Mitgliedstaaten handelt. Dann wären auch nationale Interessen kein Hindernis für die Strafverfolgung mehr.

Aufgrund der obigen Darstellung kann somit die Prognose erstellt werden, dass das Ziel, die Bekämpfung von Straftaten zum Nachteil der finanziellen Interessen Union durch eine effektive Strafverfolgung zu verbessern, auf europäischer Ebene eher erreicht werden kann als auf mitgliedstaatlicher.

---

12 Lenz/Borchardt-*Langguth,* Art. 5 EUV Rn. 31.

13 Calliess/Ruffert-*Calliess,* Art. 5 EUV Rn. 42.

14 *Frenz*, S. 78.

Allein durch diese allgemeine Feststellung ist dem Subsidiaritätsprinzip nach Art. 5 Abs. 3 EUV jedoch noch nicht Genüge getan. Ob die Ausübung der Kompetenz tatsächlich mit dem Subsidiaritätsprinzip vereinbar ist, lässt sich letztlich nur anhand der konkreten Ausgestaltung festmachen. Denn die von Art. 5 Abs. 3 EUV geforderte Effizienz der Ziel- und Aufgabenverwirklichung hängt maßgeblich von der Art und Intensität, also dem „Wie" des Unionsrechtsaktes ab.[15] Zudem darf die Union nur tätig werden, „soweit" die Ziele der in Betracht gezogenen Maßnahmen von den Mitgliedstaaten nicht ausreichend verwirklicht werden können. Somit muss im Rahmen des Subsidiaritätsprinzips auch geklärt werden, in welchem Umfang die Union tätig wird.[16]

Damit die Errichtung einer Europäischen Staatsanwaltschaft mit dem Subsidiaritätsprinzip vereinbar wäre, müsste eine Ausgestaltung gewählt werden, bei der nur insoweit Regelungen durch die Union getroffen werden, als mitgliedstaatliche Maßnahmen nicht ausreichen. Gleichzeitig muss gewährleistet sein, dass durch die konkrete Ausgestaltung der Staatsanwaltschaft eine schlagkräftige Behörde geschaffen wird, die auf dem Gebiet der Strafverfolgung einen Mehrwert darstellt. Welche Regelungen getroffen werden müssten und ob die Errichtung einer Europäischen Staatsanwaltschaft mit dem Subsidiaritätsprinzip zu vereinbaren wäre, kann deshalb nur durch eine Betrachtung der konkreten Ausgestaltung geklärt werden.[17]

B. Verhältnismäßigkeitsprinzip

Aufgrund des weiten Prüfungsumfangs im Rahmen des Subsidiaritätsprinzips im engeren Sinne[18] kommt dem Verhältnismäßigkeitsprinzip als eigenem Prüfungspunkt nur noch eine relativ geringe eigenständige Relevanz zu. Vielmehr kommt es zu starken Überschneidungen mit der Prüfung des Subsidiaritätsprinzips im engeren Sinne. Denn, wie vorstehend erläutert, ist dort bereits auf das „Wie" des Tätigwerdens der Union einzugehen. Auch der Verhältnismäßigkeitsgrundsatz bezieht sich auf das „Wie" des Tätigwerdens, indem er auf das „erforderliche Maß" abstellt.[19] Somit sind zwar prinzipiell die Anforderungen des Verhältnismäßigkeitsgrundsatzes zu wahren und zu prüfen, eine klare Trennung hinsichtlich der Anforderungen des Subsidiaritätsprinzips wird jedoch zumeist nicht möglich sein.

---

[15] *Koenig/Lorz,* JZ 2003, 168.

[16] Grabitz/Hilf/Nettesheim-*Bast/von Bogdandy,* Art. 5 EUV Rn. 55; a.A. Calliess/Ruffert-*Calliess,* Art. 5 Rn. 24; vgl. auch Teil 3, II.A.2.c).

[17] Vgl. Teil 4 ab II.

[18] Vgl. Teil 3, II.A.2.c).

[19] Grabitz/Hilf/Nettesheim-*Bast/von Bogdandy,* Art. 5 EUV Rn. 55; *Koenig/Lorz,* JZ 2003, 168.

C. Ergebnis

Es hat sich gezeigt, dass die Prüfung, ob die Errichtung der Europäischen Staatsanwaltschaft mit dem Subsidiaritätsprinzip im engeren Sinne und dem Verhältnismäßigkeitsprinzip zu vereinen wäre, nur anhand der konkreten Regelungen zur Ausgestaltung der Staatsanwaltschaft vorgenommen werden kann.

Im folgenden Teil der Arbeit soll untersucht werden, ob ein Konzept zur Errichtung der Europäischen Staatsanwaltschaft möglich wäre, das mit diesen Prinzipien zu vereinbaren wäre. Dafür muss insbesondere auch berücksichtigt werden, dass praktikable Regeln geschaffen werden. Denn nur die Schaffung einer Institution, die effizient arbeiten kann, stellt einen Mehrwert für die Strafverfolgung dar.

II. Zuständigkeit für Straftaten zum Nachteil der finanziellen Interessen

Nach Art. 86 Abs. 1 AEUV kann eine Europäische Staatsanwaltschaft zur Bekämpfung von „Straftaten zum Nachteil der finanziellen Interessen der Union“ eingesetzt werden. Welche Straftaten unter diesen Begriff fallen, ist nicht geregelt. Dies soll deshalb im Folgenden geklärt werden. Darüber hinaus werden weitere Fragen erörtert, die sich nicht notwendigerweise direkt aus Art. 86 AEUV, aber dennoch im Zusammenhang mit der Zuständigkeit für Straftaten zum Nachteil der finanziellen Interessen der Union ergeben. Untersucht wird z.B. die Frage nach einer einheitlichen Definition der Tatbestände oder nach einheitlichen Verjährungsregelungen. Es wird nur auf die Straftatbestände eingegangen, für die die neue Behörde nach der Grundkonzeption zuständig sein soll. Eine mögliche Erweiterung der Zuständigkeit auf schwere Kriminalität mit grenzüberschreitender Dimension soll hier außer Acht bleiben.[20]

A. Einheitliche Definitionen

Nach Art. 86 Abs. 2 AEUV ist die Europäische Staatsanwaltschaft zuständig für die Bekämpfung jener Straftaten, die in der Verordnung nach Art. 86 Abs. 1 AEUV *festgelegt* sind. In der Errichtungsverordnung müssen diese Taten also explizit benannt werden.[21] Eine so generelle Beschreibung wie die der „Straftaten zum Nachteil der finanziellen Interessen der Union“ verstieße gegen den Wortlaut der Norm.

---

[20] Zur Möglichkeit der Erweiterung der Kompetenzen vgl. Teil 3, III.C.

[21] *Haratsch/Koenig/Pechstein,* Rn. 1058.

Nicht von Art. 86 Abs. 2 AEUV gefordert ist eine einheitliche Definition der in der Verordnung genannten Straftaten.[22] Dies könnte möglicherweise jedoch sinnvoll sein. Bereits jetzt bereiten unterschiedliche Straftatbestände der Mitgliedstaaten Probleme bei der Strafverfolgung.[23] Aufgrund des häufig grenzüberschreitenden Charakters der Taten würde das Fehlen einheitlicher Bestimmungen innerhalb der Union zu Unsicherheiten sowohl für die Tätigkeit der Staatsanwaltschaft als auch für die Betroffenen führen. Die Verfolgungsbehörde müsste die Strafbarkeit für sämtliche Länder, in denen sie tätig werden will oder der Beschuldigte tätig wurde, prüfen.[24] Dies könnte zu Reibungsverlusten wegen Unterschieden in den nationalen Straftatbeständen führen[25] und die Strafverfolgung verlangsamen.

Darüber hinaus sind durch die unterschiedliche Rechtslage in den Mitgliedstaaten Gesetzeslücken möglich, die (von kriminellen Organisationen) gezielt ausgenutzt werden könnten. Ein Fortbestehen dieser Möglichkeit würde die Effektivität der Arbeit der neuen Strafverfolgungsbehörde mindern und das Vertrauen der Bürger in diese Institution schmälern. Im Hinblick darauf würde eine einheitliche Strafverfolgung ohne einheitliches materielles Strafrecht mehr Probleme schaffen als lösen. Um einen einheitlichen Rechtsrahmen gewährleisten zu können, innerhalb dessen die Europäische Staatsanwaltschaft tätig wird, erscheint eine einheitliche Definition[26] der Straftatbestände unerlässlich.[27] Außerdem ist nur, wenn eindeutig definiert ist, bei welchen Delikten sie tätig wird, sichergestellt, dass die Einrichtung durch ihr Handeln nicht in mitgliedstaatliche Zuständigkeiten eingreift.[28]

Art. 86 AEUV kann hierfür jedoch keine Rechtsgrundlage bieten.[29] Vielmehr müsste der Erlass dieser Definitionen auf Art. 325 Abs. 4 AEUV gestützt werden.[30] Nach Art. 4 Abs. 1 i.V.m. Art. 325 AEUV handelt es sich beim Erlass von Maßnahmen zum Schutz der finanziellen Interessen der Union um eine geteilte Zuständigkeit. Dies bedeutet, dass das enge Subsidiaritätsprinzip nach Art. 5 Abs. 3 EUV

---

22 So auch Schwarze-*Böse,* Art. 86 Rn.6.

23 Vgl. Teil 2, III.B.

24 *Walter*, ZStW 117 (2005), S. 920.

25 Streinz-*Satzger,* Art. 325 Rn. 24.

26 Vgl. zur Kritik am Straftatenkatalog des EuHB ohne einheitliche unionsweite Definition der genannten Straftatbestände *Hefendehl,* in: Schünemann (Hrsg.), Alternativentwurf, S. 82.

27 Zur Notwendigkeit der Einführung einheitlicher Tatbestände *Van den Wyngaert,* in: Walker (Hrsg.) Europe's area, S. 222, die die Errichtung einer europäischen Staatsanwaltschaft jedoch grundsätzlich ablehnt; für einheitliche Straftatbestände auch der Vorschlag Bekämpfung EU-Betrug,1.1.

28 *Scheuermann*, S. 189.

29 So auch Schwarze-*Böse,* Art. 86 Rn. 6.

30 Vgl. Streinz-*Satzger,* Art. 325 Rn. 24; EU-Kommission, Vorschlag Bekämpfung EU-Betrug, 3.1.

Anwendung findet und die Ausübung der Kompetenz zum Erlass einheitlicher Definitionen mit diesem vereinbar sein müsste. Darüber hinaus muss, wie bei jedem Gesetzgebungsakt der Union, auch der Verhältnismäßigkeitsgrundsatz (Art. 5 Abs. 4 EUV) beachtet werden.

B. Straftatbestände

In Bezug auf die Straftatbestände, die in die Zuständigkeit der neuen Institution fallen sollen, gibt Art. 86 Abs. 1 AEUV lediglich vor, dass es sich um Straftaten zum Nachteil der finanziellen Interessen der Union handeln muss. Im Gegensatz zur möglichen Zuständigkeit für schwere Kriminalität wird hierfür keine grenzüberschreitende Dimension der Straftaten gefordert. Eine aufzählende Regelung der umfassten Kriminalitätsbereiche wie in Art. 83 Abs. 1 AEUV gibt es in Art. 86 AEUV nicht. Dem Unionsgesetzgeber kommt deshalb die Aufgabe zu, die Vertragskompetenz auszulegen. Hierbei muss er sich der grammatikalischen, systematischen und teleologischen Auslegung bedienen.[31] Letztlich obliegt es somit ihm, die Straftaten festzulegen, die vom Begriff der Straftaten zum Nachteil der finanziellen Interessen im Sinne der Norm umfasst werden. Die Auslegung des Begriffs kann allerdings durch den EuGH auf ihre Richtigkeit überprüft werden.[32]

Vorschläge dazu, welche Straftaten von einer Europäischen Staatsanwaltschaft verfolgt werden sollen, wurden in der Vergangenheit bereits gemacht. Die wohl bedeutendsten Entwürfe dahingehend wurden durch das Corpus Juris (CJ) bzw. Corpus Juris 2000 (CJ 2000) und das Grünbuch unterbreitet. Unabhängig von einer möglichen europäischen Strafverfolgungsbehörde wurden zudem in dem Vorschlag über eine Richtlinie über den strafrechtlichen Schutz der finanziellen Interessen der Gemeinschaft[33] vier Straftatbestände benannt, deren Harmonisierung von der Kommission als sinnvoll erachtet wurde. Bei den Straftaten Betrug zum Nachteil der finanziellen Interessen der Gemeinschaft, Bestechlichkeit und Bestechung sowie Geldwäsche handelt es sich um jene, die bereits im Zusammenhang mit dem PIF-Übereinkommen und seinen Protokollen[34] behandelt wurden. Ganz neu ist nun der Vorschlag der Kommission für eine Richtlinie des Europäischen Parlaments und des Rates über die strafrechtliche Bekämpfung von gegen die finanziellen Interessen der Europäischen Union gerichtetem Betrug vom 11. Juli 2012,[35] der sich ebenfalls mit der Definition einheitlicher Straftatbestände befasst. Um die Frage, für welche Straftatbestände die Europäische Staatsanwaltschaft zuständig sein soll-

---

31 Vgl. hierzu *Haratsch/Koenig/Pechstein,* Rn. 473.

32 *Haratsch/Koenig/Pechstein* Rn. 473.

33 Vgl. Teil 2, II.B.4.a).

34 Vgl. Teil 2, II.B.1.

35 Vgl. dazu auch Teil 2, II.B.4.c).

te, beantworten zu können, sollen hier nun die vorgeschlagenen Straftatbestände und Definitionen näher betrachtet werden.

1. Betrug

Bereits im Jahr 1995 wurde mit der Unterzeichnung des PIF-Übereinkommens versucht, einen besseren strafrechtlichen Schutz der finanziellen Interessen zu erreichen. Die zu diesem Zweck festgelegte einheitliche Betrugsdefinition unterscheidet zwischen Handlungen und Unterlassungen, die die Ausgaben, und Handlungen und Unterlassungen, die die Einnahmen betreffen. Umfasst ist grundsätzlich nur vorsätzliches Handeln oder Unterlassen, das sich auf die Einnahmen- oder Ausgabenseite des Gemeinschaftshaushalts schädigend auswirkt. Es muss tatsächlich ein Schaden entstanden sein. Die bloße Gefährdung der finanziellen Interessen reicht nicht aus. Als Verhaltensweisen, die unter den Betrugsbegriff fallen, sind die Verwendung oder Vorlage falscher, unrichtiger oder unvollständiger Erklärungen oder Unterlagen, das Verschweigen einer Information oder die missbräuchliche Verwendung von Mitteln benannt. An diese Verhaltensweisen muss sich eine unrechtmäßige Bereicherung zulasten der finanziellen Interessen der Gemeinschaft anschließen.

Anders als im PIF-Übereinkommen vereinbart, befürworten die Verfasser des Corpus Juris einen einheitlichen Betrugstatbestand für Einnahmen und Ausgaben, ohne dadurch inhaltliche Änderungen einzuführen. Sie plädieren darüber hinaus dafür, den Betrugstatbestand als Gefährdungsdelikt auszugestalten und leichtfertiges Verhalten unter Strafe zu stellen (Art. 1 CJ/CJ 2000). Besonders der Vorschlag, auch die Leichtfertigkeit unter Strafe zu stellen, war Kritik ausgesetzt. Es wurde argumentiert, dass dies zu einem überhöhten strafrechtlichen Schutz des Vermögens führe, der in einem eklatanten Wertungswiderspruch zum strafrechtlichen Schutz anderer individueller Rechtsgüter wie dem des Lebens stehe.[36] Dagegen wurde vorgebracht, es gehe im Rahmen der Regelungen lediglich um einen Schutz der Vermögensinteressen der Union. Da eine Harmonisierung der nationalen Rechtsordnungen in Bezug auf andere Rechtsgüter überhaupt nicht beabsichtigt sei, könne kein Wertungswiderspruch zum Stellenwert anderer Rechtsgüter vorliegen.[37]

Durch eine europäische Vereinheitlichung der Straftatbestände auf dem Gebiet der Vermögensinteressen entstünde auf europäischer Ebene tatsächlich kein Wertungswiderspruch. Allerdings würde sich die Vereinheitlichung auch in den nationalen Strafrechtsordnungen auswirken und könnte dadurch auf dieser Ebene einen Wertungswiderspruch verursachen. Dies ist ein wesentliches Argument dafür, die Leichtfertigkeit nicht in den Tatbestand des Betrugs aufzunehmen. Jedoch auch unabhängig davon, wie man sich in diesem Fall entscheidet, könnte die Einführung

---

[36] *Otto,* in: Huber (Hrsg.), Corpus Juris, S. 149.

[37] *Weber*, S. 84.

der Strafbarkeit der Leichtfertigkeit letztlich zu Problemen führen.[38] In vielen Mitgliedstaaten reicht leichtfertiges Handeln nicht zur Erfüllung der Betrugstatbestände aus.[39] Insofern könnte es sinnvoll sein, auf eine Strafbarkeit leichtfertigen Handelns zu verzichten,[40] damit die Einführung eines Betrugstatbestands in das Sekun-Sekundärrecht der Union nicht als Ganzes am Widerstand einiger Mitgliedstaaten scheitert.

Die Empfehlungen des CJ wurden im Richtlinienvorschlag über den strafrechtlichen Schutz der finanziellen Interessen der Gemeinschaft nicht berücksichtigt. Während das Grünbuch, das sich grundsätzlich auf die Betrugsdefinition des Richtlinienvorschlags stützt, zumindest die Möglichkeit in Betracht zieht, den Straftatbestand als Gefährdungsdelikt auszugestalten und leichtfertiges Verhalten unter Strafe zu stellen,[41] sieht der Richtlinienvorschlag hiervon ab. Er behält zudem die Begriffsbestimmung bei, die zwischen Straftaten zulasten der Ausgaben und der Einnahmen unterscheidet. Dies ist insbesondere darauf zurückzuführen, dass die Bestimmungen des PIF-Übereinkommens in eine Richtlinie überführt werden sollten. Eine Übernahme der Definitionen des PIF-Übereinkommens im Rahmen der Festlegung einheitlicher Definitionen würde sich anbieten, da die dortigen Definitionen bereits durch alle Mitgliedstaaten gebilligt wurden. Für diese Lösung hat sich auch die Kommission in ihrem neuesten Vorschlag zur einheitlichen Definition des Begriffs des Betruges entschieden.[42]

Dennoch sollte im Hinblick auf einen effektiven Schutz der finanziellen Interessen darüber nachgedacht werden, den Betrugstatbestand als Gefährdungsdelikt auszugestalten. Eine Formulierung dahingehend, dass das Verhalten die finanziellen Interessen der Union *gefährden kann*,[43] scheint hierbei jedoch zu weitgehend. Durch das Abstellen auf die bloße Geeignetheit der Handlung, die finanziellen Interessen zu gefährden, wird die Tat dem eigentlichen Gefährdungsdelikt noch vorgelagert.[44] Eine solche Vorverlagerung erscheint nicht sachgerecht und würde den Tatbestand des Betrugs zu weit werden lassen. Grundsätzlich könnte die Ausgestaltung des Betrugstatbestands als Gefährdungsdelikt zwar in Erwägung gezogen werden, dabei wäre jedoch darauf zu achten, dass ein adäquater Wortlaut gewählt

---

38 Vgl. insbesondere zur Situation in Frankreich *Delmas-Marty/Manacorda,* in: Delmas-Marty/Vervaele (Hrsg.), Implementation II, S. 289.

39 Z.B. Belgien, vgl. *Van den Wyngaert/Stessens,* in: Delmas-Marty/Vervaele (Hrsg.), Implementation II, S. 78; Finnland *Lahti/Pölönen,* in: Delmas-Marty/Vervaele (Hrsg.), Implementation II, S. 252; Spanien *Bacigalupo,* in: Delmas-Marty/Vervaele (Hrsg.), Implementation II.

40 Gegen die Einführung der Leichtfertigkeit: *Hefendehl,* in: Schünemann (Hrsg.), Alternativentwurf, S. 95f.

41 EU-Kommission, Grünbuch finanzielle Interessen, S. 39.

42 EU-Kommission, Vorschlag Bekämpfung EU-Betrug, Art. 3.

43 Art. 1 CJ/CJ 2000.

44 *Braum,* JZ 2000, 495f.

wird. Dieser darf nicht darauf abstellen, dass mit der Handlung in Zukunft eine Gefahr verbunden sein könnte, sondern muss auf die durch die Handlung begründete, möglicherweise auch nur abstrakte Gefahr abstellen.[45]

Bei der Zusammenfassung zu einem Tatbestand handelt es sich um eine reine Formalität, die aber zu einer Vereinfachung der Norm führen würde und somit zu begrüßen wäre.

Unabhängig davon, ob in der Betrugsdefinition eine Strafbarkeit für leichtfertiges Verhalten eingeführt, ein einheitlicher Betrugstatbestand geschaffen und dieser möglicherweise als Gefährdungsdelikt ausgestaltet wird, gehört der Betrug zulasten der finanziellen Interessen der Union zu den Straftaten, auf die sich die Zuständigkeit einer Europäischen Staatsanwaltschaft erstrecken muss. Eine Definition des Betrugsbegriffs sollte über Art. 325 AEUV in das Unionsrecht eingeführt werden.

2. Ausschreibungsbetrug

Die Verfasser des Corpus Juris schlagen vor, den sogenannten Ausschreibungsbetrug auf europäischer Ebene einheitlich zu definieren (Art. 2 CJ). Demnach soll eine Täuschung im Verfahren über die Vergabe öffentlicher Aufträge dann eine Straftat darstellen, wenn sie die finanziellen Interessen der Gemeinschaft gefährden kann (Art. 2 CJ). Als tatbestandsmäßige Handlung sieht das Corpus Juris die geheime Absprache unter den Wettbewerbern über Angebote und ein kollusives Zusammenwirken mit dem für die Auftragsvergaben zuständigen Amtsträger vor. Zusätzlich zu diesen auf Kooperation basierenden Handlungen soll auch eine Drohung, ein Versprechen oder die Täuschung eines Wettbewerbers gegenüber anderen Wettbewerbern erfasst sein. Der Vorschlag wird damit begründet, dass ein materieller Schaden, wie er für eine Betrugsstrafbarkeit notwendig ist, bei Unregelmäßigkeiten im Rahmen des Vergabeverfahrens oft schwer nachzuweisen ist.[46] Deshalb können die Täter, obwohl sich ihr Verhalten gegen den freien Wettbewerb und das Vermögen der Union richtet, häufig nicht zur Rechenschaft gezogen werden.

Im Corpus Juris 2000 umfasst der Ausschreibungsbetrug lediglich die Abgabe eines Angebots in einem Vergabeverfahren nach Gemeinschaftsrecht, das auf einer wettbewerbswidrigen Übereinkunft beruht und die zuständige Stelle veranlassen soll, ein bestimmtes Angebot anzunehmen.[47]

Mit der gleichen Begründung, wie im Corpus Juris angeführt, und dem Verweis auf die bestehenden Regelungslücken in den Mitgliedstaaten ist auch im Grünbuch

---

[45] Vgl. *Braum,* JZ 2000, 496; für die Notwendigkeit einer konkreten Gefahr: *Zuccala,* in: GS Schlüchter, S. 128.

[46] Erläuterungen zu Art. 2 CJ, *Delmas-Marty* (Hrsg.), Corpus Juris, S. 34.

[47] Art. 2 CJ 2000.

eine gemeinsame Definition für den Ausschreibungsbetrug vorgesehen.[48] Darüber hinaus wird dort auf die hohen Geldbeträge, die in einem Ausschreibungsverfahren auf dem Spiel stehen, verwiesen. Unter Strafe gestellt werden soll nach dem Grünbuch, wenn gegen gemeinschaftsrechtliche Vergabevorschriften verstoßende Mittel angewendet werden, um die Vergabestelle zur Annahme eines bestimmten Angebots zu veranlassen und dieses Angebot die finanziellen Interessen der Gemeinschaften schädigt oder schädigen könnte. Ebenso strafbar soll der Versuch hierzu sein.[49] Während das Corpus Juris in seiner ursprünglichen Form auch kollusives Zusammenwirken mit Amtsträgern sowie die Täuschung, die Bedrohung oder das Versprechen gegenüber Mitbewerbern vorsah, sieht das Corpus Juris 2000 hiervon ab und beschränkt den Straftatbestand auf wettbewerbswidrige Übereinkünfte. Die weite Formulierung im Grünbuch ließe sowohl eine Strafbarkeit im Sinne des Corpus Juris als auch eine engere Tatbestandsformulierung im Sinne des Corpus Juris 2000 zu.

Bei der Kollusion mit Amtsträgern handelt es sich um Fälle der Bestechung und der Bestechlichkeit. Diese sind bereits im PIF-Protokoll eigenständige Tatbestände und es wäre sinnvoll, diese Kategorisierung bei der hier untersuchten Vereinheitlichung beizubehalten. Um eine Dopplung zu vermeiden, erscheint es zweckmäßig, von einer Strafbarkeit der Kollusion von Wettbewerbern mit Amtsträgern abzusehen und diese ausschließlich im Rahmen von Bestechung und Bestechlichkeit zu behandeln.[50]

Als Argument dafür, auch den Ausschluss von Wettbewerbern durch Drohung, Versprechen und Täuschung aus dem Tatbestand zu streichen, wurde angeführt, dies betreffe eher die privaten Interessen der Mitbewerber als die finanziellen Interessen der Union.[51] Geheime Absprachen könnten hingegen die finanziellen Interessen unmittelbar gefährden, da es ihr Ziel sei, einen Preis zu bestimmen, der höher ist als der Preis, der im Rahmen eines tatsächlich stattfindenden Wettbewerbs zustande gekommen wäre.[52]

Während der Argumentation hinsichtlich der geheimen Absprachen zugestimmt werden kann, überzeugt das im Ausschluss von Wettbewerbern angeführte Argument nicht. Den Zuschlag bekommt bei einer Ausschreibung derjenige, der das beste Angebot macht. Das bedeutet eben derjenige, der die geforderte Qualität zum günstigsten Preis anbieten kann. Die günstigsten Preise ergeben sich dann, wenn mehrere Wettbewerber denselben Auftrag erhalten wollen. Sinn und Zweck davon, Mitbewerber auszuschließen, ist, den Konkurrenzdruck zu senken und damit die

---

48 EU-Kommission, Grünbuch finanzielle Interessen, S. 41.

49 EU-Kommission, Grünbuch finanzielle Interessen, S. 41.

50 Vgl. *Delmas-Marty,* in: Delmas-Marty/Vervaele (Hrsg.), Implementation I, S. 64.

51 *Delmas-Marty*, in: Delmas-Marty/Vervaele (Hrsg.), Implementation I, S. 65.

52 *Delmas-Marty*, in: Delmas-Marty/Vervaele (Hrsg.), Implementation I, S. 65.

Anforderungen an das Preisniveau zu verändern. Durch den Ausschluss von Mitbewerbern und die Beeinflussung des Wettbewerbs zuungunsten der Union kann dieser somit ebenso ein finanzieller Schaden entstehen wie dadurch, dass geheime Absprachen erfolgen. Denn bei beiden Alternativen entstünden der Union durch Annahme des Angebots höhere Kosten als bei einem Angebot, das unter regulären Bedingungen zustande gekommen wäre.

Somit sollte der Ausschluss von Wettbewerbern durch Drohung, Versprechen und Täuschung in den Tatbestand aufgenommen werden.[53] Der Ausschreibungsbetrug wäre dann in der Verordnung nach Art. 86 Abs. 1 AEUV festzulegen. Eine einheitliche Definition sollte über Art. 325 AEUV eingeführt werden.

Ebenfalls unter den Begriff des Ausschreibungsbetrugs zu fassen wäre vermutlich die in Art. 4 Abs. 1 des Richtlinienvorschlags der Kommission[54] vorgesehene Regelung. Danach soll die Übermittlung oder die unterlassene Übermittlung von Informationen an eine Vergabestelle oder Vergabebehörde in einem öffentlichen Verfahren zur Vergabe von Aufträgen oder Finanzhilfen, mit denen finanzielle Interessen der Union verbunden sind, durch Bewerber oder Bieter oder durch Personen, die an der Vorbereitung der Angebote zu ausgeschriebenen Aufträgen oder der Vorschläge für Förderprojekte dieser Teilnehmer mitwirken oder dafür verantwortlich sind, dann strafbar sein, wenn diese Übermittlung beziehungsweise unterlassene Übermittlung vorsätzlich und mit dem Ziel erfolgt, die Zulassungs-, Ausschluss-, Auswahl- oder Zuschlagskriterien zu umgehen oder deren Anwendung zu verzerren. Auch durch diese Verhaltensweisen wird bewirkt, dass die finanziellen Interessen der Union einen Schaden erleiden, weil Gelder nicht bei denjenigen ankommen, die die gesetzlichen Vorgaben tatsächlich erfüllen. Vielmehr werden so Aufträge an Personen vergeben, die nicht geeignet oder berechtigt sind. Der Zweck der Vergabevorschriften, denjenigen herauszusuchen, der die vorgeschriebenen Voraussetzungen erfüllt und zugleich das beste Angebot macht, wird umgangen, wenn dieser nur scheinbar die Voraussetzungen erfüllt. Die Union bekommt dann einen Vertragspartner, der ihren Anforderungen nicht entspricht und damit sozusagen eine minderwertige Gegenleistung.

Mithin sollten auch diese Verhaltensweisen von einem zu formulierenden Straftatbestand des Ausschreibungsbetrugs umfasst sein.

3. Bestechlichkeit und Bestechung

Für die Begriffe der Bestechlichkeit und der Bestechung, die sich zulasten der finanziellen Interessen der Union auswirken, wurde schon im Jahr 1997 im ersten

53 A.A. *Otto,* in: Huber (Hrsg.), Corpus Juris, S. 155; *Delmas-Marty*, in: Delmas-Marty/Vervaele (Hrsg.), Implementation I, S. 65.

54 EU Kommission, Vorschlag Bekämpfung EU-Betrug.

PIF-Protokoll eine einheitliche Definition festgelegt. Darin setzen beide Straftatbestände vorsätzliches Handeln der Beteiligten voraus. Für das Vorliegen von Bestechlichkeit muss ein nationaler oder Gemeinschaftsbeamter für sich oder für einen Dritten Vorteile jedweder Art als Gegenleistung dafür fordern, annehmen oder sich versprechen lassen, dass er unter Verletzung seiner Dienstpflichten eine Diensthandlung oder eine Handlung bei der Ausübung seines Dienstes vornimmt oder unterlässt, durch die die finanziellen Interessen der Gemeinschaft geschädigt werden oder geschädigt werden könnten (Art. 2 Abs. 1 Erstes PIF-Protokoll). Als Bestechung wird das Verhalten einer Person definiert, die einem Beamten einen Vorteil als Gegenleistung dafür verspricht oder gewährt, dass der Beamte unter Verletzung seiner Dienstpflichten eine Diensthandlung oder eine Handlung bei der Ausübung seines Dienstes vornimmt oder unterlässt, durch die die finanziellen Interessen der Gemeinschaft geschädigt werden oder geschädigt werden können (Art. 3 Abs. 1 Erstes PIF-Protokoll). Der Vorschlag beider Fassungen des Corpus Juris lehnt sich an diese Definition an und unterscheidet sich nicht wesentlich von ihr.

Kritisiert wird an dieser Regelung, dass Handlungen nicht erfasst wären, die sich im Rahmen des Ermessens halten, gleichwohl aber durch einen Vorteil beeinflusst sind. Diese Taten würden deshalb nicht erfasst, weil eine Handlung in Verletzung der Dienstpflichten zur Erfüllung des Tatbestands erforderlich ist und dies keine solche Verletzung sei. Gerade die sachwidrig beeinflusste Vornahme von Ermessenshandlungen sei aber besonders geeignet, das geschützte Rechtsgut gravierend zu beeinträchtigen.[55]

Zwar erscheint es möglicherweise auf den ersten Blick ungerecht, den Beamten zu bestrafen, der sich bei seiner Entscheidung innerhalb des ihm zugestandenen Ermessens hält. Das Unrecht der Tat ergibt sich hier jedoch daraus, dass der Beamte aufgrund des versprochenen oder geleisteten Vorteils keine freie Ermessenentscheidung mehr trifft, die sich am Wohl der Union orientiert. Vielmehr lässt er sich durch seinen eigenen Vorteil leiten und verhält sich somit strafwürdig.

Die Aussage, durch das Erfordernis einer Dienstpflichtverletzung könne dieses Verhalten nicht vom Tatbestand erfasst werden, ist nicht zutreffend. Bei einer von einem Vorteil beeinflussten Ermessensentscheidung handelt es sich um einen Ermessensfehlgebrauch. Ein solcher liegt immer dann vor, wenn der entscheidende Beamte sich nicht ausschließlich vom Zweck der Vorschrift leiten lässt.[56] Fällt der Beamte somit eine Entscheidung, die er zwar grundsätzlich durch Ausübung seines Ermessens treffen kann, lässt sich aber von anderen Motiven als dem Zweck der Vorschrift leiten, handelt er nicht mehr im Rahmen seines Ermessens. Wird diese Entscheidung dadurch beeinflusst, dass der Beamte sich einen rechtswidrigen Vor-

---

[55] *Otto,* in: Huber (Hrsg.), Corpus Juris, S. 156.

[56] *Maurer,* § 7 Rn. 22.

teil verschaffen will, handelt es sich auch um eine Dienstpflichtverletzung. Die Voraussetzung des Vorliegens einer Dienstpflichtverletzung führt somit nicht dazu, dass eine solche Entscheidung nicht vom Tatbestand erfasst wäre.

Im Corpus Juris 2000 wurde davon abgesehen, die Verletzung einer Dienstpflicht zu streichen. Auch das Grünbuch und die Richtlinie setzen die Verletzung einer Dienstpflicht voraus. Anders aber wiederum der Vorschlag der Kommission vom 11. Juli 2012 zur Bekämpfung von EU-Betrug. Dieser schließt sich inhaltlich den Definitionen der PIF-Übereinkommen an, verzichtet allerdings auf das Vorliegen einer Dienstpflichtverletzung.[57] Wie gezeigt, würde allerdings das Erfordernis einer Dienstpflichtverletzung nicht zu Strafbarkeitslücken führen. Es wäre vielmehr sinnvoll, um zu verhindern, dass die Vorschrift weiter gerät als für den Schutz der finanziellen Interessen notwendig, sodass, entgegen der Ansicht der Kommission, eine Dienstpflichtverletzung Voraussetzung für eine Strafbarkeit sein sollte.[58]

Bei der Bestechung und der Bestechlichkeit, die die finanziellen Interessen der Union schädigen oder schädigen könnte, handelt es sich um Straftaten zum Nachteil der finanziellen Interessen der Union. Sie sollten deshalb in der Verordnung nach Art. 86 Abs. 1 AEUV festgelegt werden und dadurch der Zuständigkeit der Europäischen Staatsanwaltschaft unterfallen.

4. Missbrauch von Amtsbefugnissen

Als weiterer Straftatbestand kommt der Missbrauch von Amtsbefugnissen in Betracht. Art. 5 CJ[59] sieht vor, dass ein Fall des Amtsmissbrauch dann gegeben ist, wenn ein zur Verfügung über Gemeinschaftshaushaltsmittel oder zum Vertragsschluss im Namen der Gemeinschaften förmlich berechtigter europäischer Amtsträger seine Handlungsbefugnisse missbraucht und dadurch den ihm anvertrauten Interessen schadet. Mit dem Straftatbestand sollen diejenigen Fälle erfasst werden, die mangels Vorteils für den handelnden Beamten nicht unter die Tatbestände der Bestechung und der Bestechlichkeit fallen. Deshalb soll er auch nur subsidiär Anwendung finden.[60] Gewährleistet werden soll ein Schutz des Vermögens, das von Personen verwaltet wird, die durch ein bestimmtes Vertrauensverhältnis mit dem Inhaber des Vermögens, hier also der EU, verbunden sind.[61]

Das Corpus Juris 2000 verzichtet auf die Voraussetzung, dass es sich um einen europäischen Amtsträger handeln muss, und bezieht somit auch nationale Beamte

---

[57] EU-Kommission. Vorschlag Bekämpfung EU-Betrug, Art. 4 Abs. 3 a) und b).

[58] *Delmas-Marty*, in: Delmas-Marty/Vervaele (Hrsg.), Implementation I, S. 66.

[59] Inhaltlich ist der Amtsmissbrauch in Art. 5 CJ geregelt, wenngleich Art. 4 die Überschrift „Missbrauch von Amtsbefugnissen" trägt.

[60] EU-Kommission, Grünbuch finanzielle Interessen, S. 41.

[61] Erläuterungen zu Art. 5 CJ, *Delmas-Marty* (Hrsg.), Corpus Juris, S. 36.

in den Straftatbestand mit ein.[62] Darüber hinaus fasst es den Aufgabenbereich des tätig werdenden Beamten allgemeiner. Dieser muss generell mit der Verwaltung von Mitteln aus dem Gemeinschaftshaushalt beauftragt sein (Art. 7 CJ 2000). Das Grünbuch umschreibt den Amtsmissbrauch mit den Worten des Art. 7 CJ 2000. Hinzugefügt wird, dass die Schädigung der finanziellen Interessen vorsätzlich geschehen muss.[63]

Es ist denkbar, dass Beamte ihre Verwaltungsbefugnis missbrauchen, um die finanziellen Interessen der Union zu schädigen, ohne dabei alle Tatbestandsmerkmale der Bestechlichkeit zu erfüllen. So könnte ein Beamter beispielsweise deshalb eine Entscheidung zuungunsten der finanziellen Interessen der Union treffen, weil er einem Verwandten oder Freund damit einen Gefallen tun möchte, ohne dass dieser ihn darum gebeten hat. Ebenso möglich ist, dass er sich über kurz oder lang einen Vorteil aus seinem Handeln erhofft, ohne diesen jedoch zu fordern oder sich versprechen zu lassen. Ob sich dieser Vorteil für ihn je ergibt und er ihn dann annimmt, wäre in diesem Fall irrelevant.

Deshalb erscheint die Einführung eines solchen Tatbestands sinnvoll, um eine Regelungs- und eine daraus resultierende Strafbarkeitslücke zu vermeiden. Eine Ausweitung auch auf nationale Beamte ist in Anbetracht der Tatsache, dass 80 % der dem Unionshaushalt zur Verfügung stehenden Mittel von den Mitgliedstaaten verwaltet werden, notwendig. Eine Zusammenfassung der Aufgaben des Beamten in „Verwaltung von Mitteln aus dem Unionshaushalt“ würde die Norm vereinfachen und sicherstellen, dass tatsächlich alle mit der Verwaltung der Mittel beauftragten Beamten umfasst sind. Auch der Vorschlag, in Bezug auf die Schädigung der finanziellen Interessen Vorsatz zu verlangen, ist sachgerecht. Hierdurch wird eine Beschränkung des Straftatbestands vorgenommen. So kann verhindert werden, dass er zu weit gerät und auch solche Handlungen darunter fallen, die eine Schädigung der finanziellen Interessen der Union nur als (unter Umständen nicht einmal gewollte) Nebenfolge verursacht haben. Dies wäre weder von Art. 86 AEUV noch von Art. 325 Abs. 4 AEUV gedeckt.

Auch die EU-Kommission hat sich in ihrem Vorschlag aus dem Jahr 2012 für eine solche Regelung entschieden.[64] Die Formulierung des Straftatbestands wird hier allerdings weiter gefasst, als in den vorherigen Vorschlägen. Gleichzeitig ist jedoch Voraussetzung zur Erfüllung des Straftatbestands, dass der Täter mit der Absicht handelt, die finanziellen Interessen zu schädigen. Nach Art. 4 Abs. 4 soll durch die Mitgliedstaaten sichergestellt werden, dass das Verhalten eines öffentlichen Bediensteten,[65] der vorsätzlich und in der Absicht, die finanziellen Interes-

62 Vgl. Art. 7 i.V.m. Art. 5 Abs. 1 CJ 2000.

63 EU-Kommission, Grünbuch finanzielle Interessen, S. 41.

64 EU-Kommission, Vorschlag Bekämpfung EU-Betrug, Art. 4 Abs. 4.

65 Hierunter sollen auch nationale Bedienstete fallen, vgl. Art. 4 Abs. 5 des Vorschlags.

sen der Union zu schädigen, Mittel entgegen ihrer Zweckbestimmung bindet oder auszahlt oder sonstige Vermögenswert entgegen ihrer Zweckbestimmung zuweist oder verwendet, als Straftat geahndet wird.

Als Handlung zum Nachteil der finanziellen Interessen der Union sollte der Missbrauch von Amtsbefugnissen jedenfalls in die Aufzählung der Straftatbestände in der Verordnung nach Art. 86 Abs. 1 AEUV mit aufgenommen und nach Art. 325 AEUV eine einheitliche Definition festgelegt werden. Hier scheint die neue Definition der EU-Kommission die beste Variante, da sie zum einen das umfasste Handeln relativ weit definiert, den Tatbestand aber wiederum dadurch einschränkt, dass absichtliches Handeln zulasten der Union vorausgesetzt wird.

5. Veruntreuung

Im Corpus Juris war vorgesehen, dass die Handlung eines Beamten der EG strafbar sein solle, wenn er eine Subvention, Hilfe oder Abgabebefreiung einer Person zuspricht, die offensichtlich nicht berechtigt ist, eine solche zu erhalten, oder wenn er in die Gewährung von Subventionen, Hilfen oder Abgabenbefreiungen für Unternehmen oder bei Geschäftsvorgängen, an denen er ein persönliches Interesse hat, direkt oder indirekt eingreift (Art. 4 Abs. 1 CJ). Der Tatbestand soll auch für nationale Beamte anwendbar sein. Weder das CJ noch das CJ 2000 sehen vor, dass durch das Handeln des Beamten eine Beeinträchtigung der finanziellen Interessen der Gemeinschaft vorliegen muss.

Das Grünbuch übernimmt den vorgeschlagenen Tatbestand nicht. Dies ist vermutlich darauf zurückzuführen, dass, insofern überhaupt eine Beeinträchtigung der finanziellen Interessen durch das Handeln gegeben ist, dieses schon unter den Amtsmissbrauch fällt. Liegt keine Beeinträchtigung vor, fehlt die notwendige Verknüpfung der Tat zu den finanziellen Interessen. Mithin ist die Aufnahme eines eigenständigen Tatbestands der Veruntreuung von Mitteln durch einen Unionsbeamten mangels Notwendigkeit bzw. wegen des fehlenden Bezugs zum Zuständigkeitsbereich der Europäischen Staatsanwaltschaft in die Verordnung nach Art. 86 Abs. 1 AEUV abzulehnen.

6. Verletzung des Dienstgeheimnisses

Im Corpus Juris wurde die Einführung eines Tatbestands, nach dem die Verletzung des Dienstgeheimnisses strafbar sein soll, damit begründet, dass es notwendig sei, das Vertrauensverhältnis zwischen Amtsträger und Bürger zu schützen. Denn diejenigen, die Mittel beantragen, sind verpflichtet hierfür Tatsachen zu offenbaren und Kontrollen hinzunehmen. Die Offenbarung von Geheimnissen, die hierbei erlangt wurden, sei geeignet, das Vertrauensverhältnis zwischen Amtsträger und

Bürger zu zerstören, und zwar auch dann, wenn die Verletzung des Dienstgeheimnisses keine materiellen Schäden verursacht.[66] Deshalb solle die unbefugte Offenbarung von Dienstgeheimnissen durch einen Amtsträger der Europäischen Gemeinschaften eine Straftat darstellen, wenn der Amtsträger die Information in Ausübung oder aufgrund seiner dienstlichen Tätigkeit erlangt hat. Die Norm sollte nicht anwendbar sein, wenn die Offenbarung des Dienstgeheimnisses vorgeschrieben oder erlaubt ist oder wenn die Zustimmung des von der Offenbarung Betroffenen vorliegt (Art. 6 CJ). Im Corpus Juris 2000 wurde dieser Absatz entfernt. Dies ist darauf zurückzuführen, dass in einigen Mitgliedstaaten festgestellt wurde, dass eine gesetzlich erlaubte Offenbarung nicht von vornherein als illegal im Sinne des Art. 6 CJ betrachtet werden kann.[67] Darüber hinaus wurde das Wort „insbesondere" gestrichen.[68] Dadurch wurde der Straftatbestand auf die ausdrücklich genannten Bereiche, nämlich jene, die dem Amtsträger im Zusammenhang mit dem EU-Haushalt zugänglich werden, beschränkt.[69] So kann vermieden werden, dass der Tatbestand der Verletzung des Dienstgeheimnisses aufgrund eines sehr weiten Anwendungsbereichs mit den nationalen Straftatbeständen in Konflikt gerät.[70] Als Ergänzung zu Art. 6 Abs. 1 CJ wurde in Art. 8 CJ 2000, der Art. 6 Abs. 1 CJ entspricht, die Bedingung eingeführt, dass die Offenbarung geeignet sein muss, die finanziellen Interessen der Gemeinschaft zu beeinträchtigen. Die Interessen Dritter sollen hingegen nicht mehr geschützt sein.[71] Genau wie für die Tatbestände des Amtsmissbrauchs und der Veruntreuung beschränkt das CJ 2000 die Strafbarkeit nicht auf europäische Beamte, sondern schließt nationale Beamte mit ein.

Auch das Grünbuch zieht die einheitliche Definition eines Straftatbestands, der die Verletzung des Dienstgeheimnisses inkriminiert, in Betracht.[72] Eine Verletzung des Dienstgeheimnisses soll danach vorliegen, wenn ein Amtsträger eine in Ausübung oder aufgrund seiner dienstlichen Tätigkeit erlangte Information bekannt gibt und durch diese Offenbarung die finanziellen Interessen der Gemeinschaften geschädigt werden oder geschädigt werden könnten.[73] Damit sich der Straftatbestand im Rahmen des Art. 325 Abs. 4 AEUV hält, auf den die den Tatbestand definierende Norm gestützt werden soll, muss auch in diesem Zusammenhang eine solche Beschränkung auf jene Taten, durch die die finanziellen Interessen geschädigt werden können, vorgenommen werden. Zudem kann sich nach Art. 86 AEUV

---

66 Erläuterungen zu Art. 6 CJ, *Delmas-Marty* (Hrsg.), Corpus Juris, S. 37.

67 *Delmas-Marty*, in: Delmas-Marty/Vervaele (Hrsg.), Implementation I, S. 68.

68 Vgl. Art. 6 Abs. 1 CJ und Art. 8 CJ 2000.

69 *Delmas-Marty*, in: Delmas-Marty/Vervaele (Hrsg.), Implementation I, S. 68.

70 Vgl. zu Bedenken diesbezüglich den belgischen Bericht zur Umsetzung des Corpus Juris in den Mitgliedstaaten *Van den Wyngaert/Stessens,* in: Delmas-Marty/Vervaele (Hrsg.), Implementation II, S. 90.

71 *Delmas-Marty*, in: Delmas-Marty/Vervaele (Hrsg.), Implementation I, S. 68.

72 EU-Kommission, Grünbuch finanzielle Interessen, S. 42.

73 EU-Kommission, Grünbuch finanzielle Interessen, S. 42.

die Zuständigkeit der Europäischen Staatsanwaltschaft zunächst nur auf Straftaten zum Nachteil der finanziellen Interessen der Union beziehen. Das grundsätzlich an sich schützenswerte Vertrauen der Bürger in die Integrität und Verschwiegenheit der mit der Verwaltung der Mittel betrauten Beamten kann deshalb nicht von einem europäischen Tatbestand der Verletzung des Dienstgeheimnisses umfasst werden. Anders als im Corpus Juris vorgesehen, wäre Sinn und Zweck der Regelung damit allein der Schutz der finanziellen Interessen der Union.

Problematisch erscheint an einer solchen Regelung, dass nicht eindeutig ist, inwiefern die Verletzung des Dienstgeheimnisses die finanziellen Interessen der Union schädigt oder schädigen könnte. Nimmt man an, dass die Offenbarung unmittelbar zu einer Schädigung führen muss, wäre der Anwendungsbereich der Norm vermutlich relativ gering.[74] Meist wird erst die schädigende Handlung durch den Empfänger der Information unmittelbar zum Schadenseintritt führen.[75] Die Tatbestandsalternative der möglichen Schädigung der finanziellen Interessen der Union durch die Offenbarung sollte deshalb zumindest so weit ausgelegt werden, dass jene Äußerungen, die zwar nicht unmittelbar zum Schadenseintritt geführt, diesen aber erst ermöglicht haben, mit umfasst sind, und zwar unabhängig davon, ob dieser Schaden eingetreten ist.

Wie bei den oben bereits beschriebenen Tatbeständen erscheint eine Ausweitung der Strafbarkeit auf nationale Beamte geboten. Ebenso notwendig ist die Streichung des Wortes „insbesondere" und des Abs. 2 des im Corpus Juris vorgestellten Art. 6, um Konfusionen mit dem bereits bestehenden nationalen Recht zu vermeiden und eine klare Vorschrift zu schaffen. Dies müsste bei der Schaffung einer einheitlichen Definition nach Art. 325 AEUV berücksichtigt werden. Für Art. 86 AEUV ergibt sich, dass die Verletzung des Dienstgeheimnisses in die Aufzählung der Straftatbestände der Verordnung aufgenommen werden sollte.

7. EU-Amtsdelikte

Zusätzlich zu den soeben dargestellten generellen Amtsdelikten käme die Einführung einer besonderen Definition von Straftaten, die von europäischen Amtsträgern begangen werden, in Betracht.[76] Dies wird gefordert, da die Kontrolle jeglicher Machtausübung eine unverzichtbare Voraussetzung der Rechtsstaatlichkeit und damit der Legitimierbarkeit von Macht überhaupt sei.[77] Weiterhin wird ange-

---

74 *Weber*, S. 90.

75 *Weber*, S. 90.

76 Vgl. Deutscher Richterbund, DRB Stellungnahme Grünbuch, S. 6; so auch der Vorschlag der Verfasser des Alternativentwurfs europäische Strafverfolgung, Schünemann (Hrsg.), Alternativentwurf, S. 21.

77 *Schünemann,* in: ders. (Hrsg.), Alternativentwurf, S. 80.

führt angeführt, dass die Integrität der Verwaltung ein ebenso schützenswertes Gut sei, wie der Schutz der finanziellen Interessen.[78]

Wenngleich dies nicht bezweifelt werden soll, ist eine einheitliche Definition von EU-Amtsdelikten im hier besprochenen Kontext abzulehnen. Zur Diskussion steht ausschließlich die Frage danach, welche Straftatbestände notwendig sind, um den Schutz der finanziellen Interessen der Union zu gewährleisten. Die Definitionen von Bestechlichkeit und Betrug, Missbrauch von Amtsbefugnissen und Verletzung des Dienstgeheimnisses umfassen bereits auch Handlungen, die von Beamten der Union begangen werden. Diese Regelungen sind ausreichend, um die Delikte zu erfassen, die von europäischen Beamten zum Nachteil der finanziellen Interessen begangen werden. Einer darüber hinausgehenden besonderen Definition bedarf es nicht. Würde die Zuständigkeit der Europäischen Staatsanwaltschaft gemäß Art. 86 Abs. 4 AEUV auf die der schweren Kriminalität erweitert, könnte jedoch in Erwägung gezogen werden, einen besonderen Straftatbestand für EU-Amtsdelikte einzuführen.

8. Geldwäsche und Hehlerei

Eine einheitliche Definition für den Straftatbestand der Geldwäsche wurde auf europäischer Ebene bereits in der Richtlinie 91/308/EWG festgelegt.[79] Diese Richtlinie wurde 2005 durch die Richtlinie 2005/60/EG[80] ersetzt, wobei die Definition der Geldwäsche übernommen wurde. Nach Art. 1 Abs. 2 muss der Täter stets vorsätzlich handeln. Als Geldwäsche strafbar ist dann der Umtausch oder der Transfer von Vermögensgegenständen in Kenntnis der Tatsache, dass diese aus einer kriminellen Tätigkeit oder der Teilnahme an einer solchen Tätigkeit stammen. Zweck der Handlung muss dabei sein, entweder den illegalen Ursprung der Vermögensgegenstände zu verheimlichen oder zu verschleiern oder aber Personen, die an der Tätigkeit beteiligt waren, zu unterstützen, damit diese den Rechtsfolgen ihrer Tat entgehen.[81] Ebenso macht sich der Geldwäsche strafbar, wer die wahre Natur, Herkunft, Lage, Verfügung oder Bewegung von Vermögensgegenständen oder des tatsächlichen Eigentums an Vermögensgegenständen oder entsprechender Rechte verheimlicht und verschleiert. Der Täter muss dabei wissen, dass diese Gegenstände aus einer kriminellen Tätigkeit oder aus der Teilnahme an einer solchen stam-

---

78 Deutscher Richterbund, DRB Stellungnahme Grünbuch, S. 6.

79 Richtlinie 91/308/EWG des Rates vom 10. Juni 1991 zur Verhinderung der Nutzung des Finanzsystems zum Zwecke der Geldwäsche, ABl. 1991/L166/77; im Folgenden RL 91/308/EWG.

80 Richtlinie 2005/60/EG des Europäischen Parlaments und des Rates vom 26. Oktober 2005 zur Verhinderung der Nutzung des Finanzsystems zum Zwecke der Geldwäsche und der Terrorismusfinanzierung, ABl. 2005/L309/15; im Folgenden RL 2005/60/EG.

81 Art. 1, Abs. 2 a) RL 2005/60/EG.

men.[82] Die dritte in der Richtlinie definierte Tatbestandsalternative umfasst den Erwerb, den Besitz oder die Verwendung von Vermögensgegenständen, wenn der Betreffende bei der Übernahme darüber informiert war, dass diese Gegenstände aus einer kriminellen Tätigkeit oder aus der Teilnahme an einer solchen Tätigkeit stammen.[83] Darüber hinaus fallen auch die Beteiligung an einer der soeben beschriebenen Handlungen, Zusammenschlüsse zur Ausführung und Versuche, Beihilfe, Anstiftung oder Beratung zur Ausführung einer solchen Handlung oder Erleichterung ihrer Ausführung unter die Definition der Geldwäsche.[84]

Auf diese Definitionen bezieht sich auch der Vorschlag der Kommission vom 11. Juli 2012, der in Art. 4 Abs. 2 festlegt, dass die Mitgliedstaaten die erforderlichen Maßnahmen treffen, um sicherzustellen, dass Geldwäsche im Sinne der RL 2005/60/EG als Straftat geahndet werden kann.

Das Corpus Juris lehnt sich bei seiner Definition der Geldwäsche ausdrücklich an die der Richtlinie an. Es nimmt aber gleichzeitig Änderungen vor. So umfassen die Geldwäschedefinitionen nur Straftaten, die im Anschluss an eine der in Art. 1 bis 6 CJ genannten Taten begangen werden. Diese Einschränkung ist der Tatsache geschuldet, dass das Corpus Juris zum strafrechtlichen Schutz der finanziellen Interessen der Europäischen Union verfasst wurde und ein allgemeiner Geldwäschetatbestand nicht in den Regelungszusammenhang gepasst hätte. Zugleich wird jedoch in Vergleich zur Geldwäschedefinition der Richtlinie eine Erweiterung vorgenommen, indem nicht nur die Vermögensgegenstände, die direkt durch eine der Vortaten erlangt wurden, sondern auch die Erlöse hieraus mit einbezogen werden. Dadurch sollen auch jene Fälle erfasst werden, in denen die Geldwäsche Sachen betrifft, die nicht den unmittelbaren Ertrag der Straftat darstellen, sondern einen mittelbaren Ertrag, der durch eine erste wirtschaftliche Umwandlung des aus der Straftat erlangten Gegenstandes erzielt wurde.[85]

Des Weiteren schlagen die Verfasser des Corpus Juris vor, eine eigenständige Definition der Hehlerei zu formulieren. Demnach soll Hehlerei die Erlangung, der Besitz oder die Verwendung von Vermögenswerten sein, die durch Geldwäsche oder eine Beteiligung hieran erlangt wurden (Art. 7 Abs. 2 CJ). Problematisch an dieser Definition ist, dass es sich bei der Vortat nicht um eine für den Täter fremde Tat handeln muss. Deshalb könnte sich also derjenige, der selbst eine der Straftaten der Art. 1 bis 6 CJ begangen hat, der Hehlerei strafbar machen.[86] Dennoch übernimmt das Corpus Juris 2000 die Formulierung des CJ (vgl. Art. 3 CJ 2000). Um das soeben beschriebene Problem zu vermeiden, sieht es jedoch gleichzeitig als

---

[82] Art. 1, Abs. 2 b) RL 2005/60/EG.

[83] Art. 1, Abs. 2 c) RL 2005/60/EG.

[84] Art. 1, Abs. 2 d) RL 2005/60/EG.

[85] Erläuterungen zu Art. 7 CJ, *Delmas-Marty* (Hrsg.), Corpus Juris, S. 38

[86] *Braum,* JZ 2000, 496.

Umsetzungsmaßnahme[87] vor, dass der Straftatbestand keine Anwendung auf den Täter, Anstifter oder Gehilfen (der Vortat)[88] finden soll, wenn die Erträge oder das Produkt der (Vor-)Tat gewaschen oder gehehlt werden.

Das Grünbuch verweist auf Art. 6 des Richtlinienvorschlags zum Schutz der finanziellen Interessen,[89] der sich am zweiten PIF-Protokoll orientiert.[90] Das zweite PIF-Protokoll enthält jedoch keine eigene Definition, sondern bezieht sich in Art. 1 lit. e wiederum auf die Definition der RL 91/308/EWG. Es schränkt die Definition aber auf Handlungen zulasten der finanziellen Interessen der Union ein. Das Protokoll definiert nur solche Handlungen als tatbestandsmäßig, die sich auf Erträge aus Betrug sowie aus Bestechung und Bestechlichkeit, die auch im Rahmen der PIF-Übereinkommen definiert wurden, beziehen.[91] Die Vorschläge des Corpus Juris wurden somit von den Verfassern des Grünbuchs nicht übernommen.

Einer der wichtigsten Gründe für die Bekämpfung der Geldwäsche ist, zu verhindern, dass Solidität, Integrität und Stabilität der Kredit- und Finanzinstitute sowie das Vertrauen in das Finanzsystem ernsthaft dadurch geschädigt werden, dass Straftäter versuchen, die Herkunft von Erlösen aus Straftaten zu verschleiern. [92] Zudem wird im Waschen von Erlösen aus illegalen Tätigkeiten ein Grund für die Zunahme organisierter Verbrechen gesehen.[93] Der Schutz der Solidität, Integrität und Stabilität der Kredit- und Finanzinstitute und des Vertrauens der Bürger in das Finanzsystem könnte eine Zuständigkeit der Europäischen Staatsanwaltschaft nicht begründen. Eine direkte Auswirkung auf den Haushalt der Union durch auf diesem Gebiet mögliche Schädigungen lässt sich nicht feststellen. Allerdings könnte die Tatsache, dass die Geldwäsche mit einem Anstieg organisierter Verbrechen in Verbindung gebracht wird, eine Tätigkeit der europäischen Strafverfolgungsbehörde auf diesem Gebiet erforderlich machen. Jedoch ist deren Zuständigkeit zunächst auf Straftaten zum Nachteil der finanziellen Interessen der Union begrenzt. Inwiefern Geldwäsche einen Anstieg der von der organisierten Kriminalität begangenen Straftaten zum Nachteil der finanziellen Interessen bedingt, ist nicht geklärt.

Eine eindeutigere Begründung dafür, dass die neue Institution für Geldwäschedelikte zuständig sein müsste, könnten die mit dem Waschen des Geldes verfolgten Ziele geben. Durch die Verschleierung der Herkunft der Gelder soll verhindert

---

87 « Dispositif d'application » bzw. "Implementing provision".

88 Wörter in Klammern sind Ergänzungen durch die Verfasserin, um den Sinn der Formulierung eindeutiger herauszustellen.

89 Vorschlag für eine Richtlinie des Europäischen Parlaments und des Rates über den strafrechtlichen Schutz der finanziellen Interessen der Gemeinschaft, KOM(2001) 272 endgültig; vgl. dazu Teil 2, II.B.4.a).

90 Vgl. dazu Teil 2, II.B.1.b).

91 Art. 1 lit. e) Zweites PIF-Protokoll.

92 Vgl. 2. Erwägungsgrund, Richtlinie 2005/60/EG.

93 3. Erwägungsgrund RL 91/308/EWG.

werden, dass die Strafverfolgungsbehörde in der Lage ist, diese wieder zu entziehen.[94] Zudem dient die Geldwäsche dazu, eine strafrechtliche Verfolgung der Täter zu erschweren oder gar unmöglich zu machen.[95] Hehlerei führt durch einverständliches Zusammenwirken zwischen Hehler und Vortäter zu einer Perpetuierung der durch die Vortat geschaffenen rechtswidrigen Vermögenslage.[96] Die Vermögensinteressen des Vortatopfers werden dadurch beeinträchtigt, dass der Hehler die rechtswidrige Vermögenslage aufrechterhält. Unter Umständen verfestigt er sie sogar, indem er die rechtswidrig erlangte Sache in die Verfügungsgewalt einer weiteren Person gelangen lässt und dadurch die Wiederherstellung der früheren rechtmäßigen Vermögenslage erschwert.[97] Um einen effektiven Schutz der finanziellen Interessen der Union zu gewährleisten, muss es möglich sein, die zu Unrecht erhaltenen Gelder zu entziehen und die Täter strafrechtlich zu verfolgen. Wenngleich sich Geldwäsche und Hehlerei nicht unbedingt direkt auf die finanziellen Interessen der Union auswirken, erschweren sie doch die Ermittlungen, die bei Straftaten zum Nachteil der finanziellen Interessen Union durchgeführt werden. Sie können dazu führen, dass die Täter nicht belangt werden und die zu Unrecht erhaltenen Gelder letztlich behalten können.

Somit sollte eine Zuständigkeit der Europäischen Staatsanwaltschaft für Geldwäsche und Hehlerei in der Verordnung nach Art. 86 Abs. 1 AEUV festgelegt werden. Taugliche Vortaten dürfen jedoch nur solche sein, für die eine Zuständigkeit der Behörde besteht. Für eine Definition des Tatbestands sollte die bereits vorhandene Richtliniendefinition als Vorlage dienen, da die Definition des Corpus Juris gravierende Mängel aufweist. In Betracht käme jedoch, die Hehlerei, wie vom Corpus Juris vorgeschlagen, als eigenen Tatbestand auszugestalten, um eine stärkere Kohärenz mit den Straftatbeständen in den Mitgliedstaaten zu erhalten.[98] Darüber hinaus sollte eingefügt werden, dass der Täter der Vortat nicht als Täter der Geldwäsche bestraft wird, und nicht nur die Vermögensgegenstände selbst, die durch die Vortat erlangt wurden, sondern auch die Erlöse hieraus vom Tatbestand umfasst sind.

9. Kriminelle Vereinigung

Die Europäische Staatsanwaltschaft könnte zuständig sein für die Verfolgung von kriminellen Vereinigungen.[99] Das Corpus Juris versteht darunter einen Zusammenschluss von mindestens zwei Personen in einer geeigneten Organisationsstruktur, um eine oder mehrere Straftaten nach Art. 1 bis 7 CJ zu begehen

---

94 *Krämer,* S. 11f.

95 *Krämer,* S. 12.

96 Schönke/Schröder/Eser-*Stree/Hecker*, § 259 Rn. 1.

97 Vgl. MüKo-*Lauer,* § 259 Rn. 1.

98 Vgl. Erläuterungen zu Art. 6 CJ, *Delmas-Marty* (Hrsg.), Corpus Juris, S. 37.

99 Art. 8 CJ, Art. 4 CJ 2000; EU-Kommission, Grünbuch finanzielle Interessen, S. 41.

(Art. 8 Abs. 2 CJ). Grund für die Idee, einen solchen einheitlichen Straftatbestand einzuführen, ist die Erkenntnis, dass Straftaten zum Nachteil der finanziellen Interessen der Union häufig innerhalb sehr komplexer krimineller Strukturen begangen werden.[100]

Bereits im Jahr 1998 wurde im Rahmen einer gemeinsamen Maßnahme eine gemeinschaftliche Definition der kriminellen Vereinigung vorgenommen, die jedoch nicht auf Straftaten zulasten der finanziellen Interessen beschränkt ist.[101] Eine kriminelle Vereinigung setzt hiernach einen auf längere Dauer angelegten organisierten Zusammenschluss von mehr als zwei Personen voraus.[102] Die Personen müssen in der Verabredung handeln, Straftaten zu begehen, die mit Freiheitsstrafe oder einer freiheitsentziehenden Maßregel von im Höchstmaß mindestens vier Jahren bedroht sind. Keine Rolle spielt dabei, ob die Straftaten Hauptzweck oder Mittel sind, um geldwerte Vorteile zu erlangen und gegebenenfalls die Tätigkeit öffentlicher Stellen zu beeinflussen.[103] Dies muss aber zumindest in irgendeiner Form gewollt sein.

Das Corpus Juris 2000 übernimmt die Definition der GM-Vereinigung nicht, orientiert sich aber daran. So formuliert Art. 4 CJ 2000, dass eine kriminelle Vereinigung, anders als im CJ, aus drei oder mehr Personen bestehen muss. Zudem präzisiert das CJ 2000 die Formulierungen des CJ insofern, als es eine feste und hinreichende Organisation und nicht nur eine geeignete Organisationsform voraussetzt. Zweck des Zusammenschlusses muss die Begehung mehrerer Straftaten sein. Das Grünbuch versteht unter einer kriminellen Vereinigung einen auf längere Dauer angelegten Zusammenschluss von mindestens drei Personen. Diese müssen das Ziel haben, gemeinsam Straftaten zu begehen, die auf Gemeinschaftsebene definiert wurden.[104] Es zieht auch die Möglichkeit in Betracht, die Beteiligung an einer kriminellen Vereinigung nicht als Straftatbestand zu fassen, sondern als strafschärfenden Umstand in die übrigen vom Grünbuch vorgeschlagenen Straftatbestände einzuführen.

In Anbetracht der Tatsache, dass durch den Tatbestand der kriminellen Vereinigung bereits eine relativ weite Vorverlagerung der Strafbarkeit vorgenommen wird, sollte bei der Ausgestaltung des Straftatbestands nicht auf die Definition des Corpus Juris zurückgegriffen werden. Diese ist zu weit und ungenau. Im Tatbestand sollte festgelegt werden, dass innerhalb der Organisation mindestens drei Personen

---

100 Erläuterungen zu Art. 8 CJ, *Delmas-Marty* (Hrsg.), Corpus Juris, S. 39.

101 Gemeinsame Maßnahme vom 21. Dezember 1998 – vom Rat aufgrund von Artikel K.3 des Vertrags über die Europäische Union angenommen – betreffend die Strafbarkeit der Beteiligung an einer kriminellen Vereinigung in den Mitgliedstaaten der Europäischen Union, ABl. 1998/L351/1; im Folgenden: GM-Vereinigung.

102 Art. 1 GM-Vereinigung.

103 Art. 1 GM-Vereinigung.

104 EU-Kommission, Grünbuch finanzielle Interessen, S. 41.

tätig werden müssen. Denn bei nur zwei Personen kann sich keine feste Organisationsform verwirklichen.[105] Um zu vermeiden, dass der Tatbestand zu weit gerät, sollte Zweck des Zusammenschlusses die Begehung mehrerer Straftaten zum Nachteil der finanziellen Interessen der Union sein.[106] Nicht erforderlich sollte jedoch sein, dass tatsächlich bereits mehr als eine Tat begangen wurde. Ausreichen muss, dass die kriminelle Vereinigung gegründet wurde, um mehrere Straftaten zu begehen.[107]

Da es sich qua Definition bei der kriminellen Vereinigung somit um Personen handeln würde, die Straftaten zum Nachteil der finanziellen Interessen der Union begehen wollen, sollte die Europäische Staatsanwaltschaft für die Verfolgung dieser Straftäter zuständig sein. Denkbar wäre sowohl, dass hierfür ein eigener Tatbestand eingeführt wird, als auch, dass die Begehung durch eine kriminelle Vereinigung als strafschärfender Umstand festgelegt wird. Da der Straftatbestand der kriminellen Vereinigung eine weitere Straftat gegen die finanziellen Interessen der Union voraussetzt, würde es sich meines Erachtens anbieten, keinen eigenen Straftatbestand zu schaffen, sondern die Begehung im Rahmen einer kriminellen Vereinigung als strafschärfenden Umstand zu statuieren. In diesem Fall müsste der Straftatbestand der kriminellen Vereinigung nicht explizit in der VO nach Art. 86 Abs. 1 AEUV aufgeführt werden, sondern fiele bereits deshalb in die Zuständigkeit der Europäischen Staatsanwaltschaft, weil er ein strafschärfender Umstand bei Straftaten wäre, für die die Staatsanwaltschaft bereits zuständig wäre. Eine einheitliche Definition der kriminellen Vereinigung sollte bei der Festlegung der Straftatbestände, die sich zulasten der finanziellen Interessen der Union auswirken, über Art. 325 AEUV statuiert werden.

10. Angriff auf den Euro

Aufgrund der großen Probleme des Euro in den letzten Jahren wird auch in Betracht gezogen, der Europäischen Staatsanwaltschaft eine Zuständigkeit zum Schutz des Euro zu übertragen.[108] Sie soll demnach für die Verfolgung von Handlungen, die zur Destabilisierung des Euro führen, zuständig sein. Zweifelhaft erscheint jedoch, ob dies unter die Bezeichnung der Straftaten zum Nachteil der finanziellen Interessen der Union fallen kann.[109]

---

[105] *Otto,* in: Huber (Hrsg.), Corpus Juris, S. 162.

[106] Vgl. *Delmas-Marty*, in: Delmas-Marty/Vervaele (Hrsg.), Implementation I, S. 69.

[107] Vgl. dazu die Interpretation des Merkmals „Bande" im deutschen Strafrecht. Vgl. hierzu nur: MüKo-*Schmitz,* § 244 Rn. 41; Schönke/Schröder/Eser-*Eser/Bosch,* § 244 Rn. 25.

[108] European Public Prosecutor Working Group, S. 16; Vorschlag der spanischen Ratspräsidentschaft, abrufbar unter: http://www.eu2010.es/export/sites/presidencia/en/documentosynoticias/galeria_multimedia/videos/transcripcion.html_159695851.html [Stand: 20.10.2011].

[109] So aber wohl: European Public Prosecutor Working Group, S. 16.

Die Eurokrise wurde dadurch ausgelöst, dass einige Mitgliedstaaten hohe Schulden hatten und Investoren von Hedgefonds in großem Stil gegen diese Euro-Staaten und deren Anleihen wetteten. Um eine Zuständigkeit der neuen Institution begründen zu können, müsste die Destabilisierung des Euro eine Straftat zum Nachteil der Haushalte der Union sein. Die Haushalte der EU waren jedoch nicht direkt betroffen. Mittelbare Auswirkungen auf den EU-Haushalt (z.B. durch Minderung des an den EU-Haushalt abgeführten Mehrwertsteuer-Satzes infolge geschwundener Wirtschaftskraft) erscheinen nicht ausreichend, um das Vorliegen einer Straftat zum Nachteil der finanziellen Interessen der Union anzunehmen. Denn andernfalls geriete der Zuständigkeitsbereich der Europäischen Staatsanwaltschaft unübersehbar weit. Somit wäre eine Zuständigkeit für den Schutz des Euro gegen destabilisierende Handlungen nur für den Fall einer erweiterten Kompetenz nach Art. 86 Abs. 4 AEUV denkbar.

Ebenso als Angriff auf den Euro könnte die Fälschung des Euro gesehen werden. Der Wert echter Euromünzen und Euroscheine wird durch gefälschte gemindert. Bei massenhaftem Inverkehrbringen falscher Euros könnte dies der Wirtschaft in der Union erheblichen Schaden zufügen und zur Entwertung der gemeinsamen Währung führen. Dennoch ist auch hier eine Kompetenz der Behörde, die sich aus ihrer Zuständigkeit für Straftaten zum Nachteil der finanziellen Interessen der Union ergibt, abzulehnen.[110] Auch bei der Fälschung des Euro handelt es sich nicht um direkte Angriffe auf den EU-Haushalt. Eine Befugnis zur Verfolgung dieser Straftaten im Rahmen einer erweiterten Kompetenz nach Art. 86 Abs. 4 AEUV wäre aber möglich.[111]

C. Sanktionen

Es könnte zudem notwendig sein, einheitliche Sanktionen für die jeweiligen Straftaten festzulegen. Der Vorschlag der Kommission zur Bekämpfung von EU-Betrug, das Corpus Juris und das Corpus Juris 2000 sehen hierzu Höchststrafen von bis zu zehn Jahren Freiheitsstrafe oder eine Geldstrafe vor (Art. 8/Art. 9/ Art. 14 CJ 2000). Die Kommission schlägt im Grünbuch lediglich vor, das Höchstmaß der Freiheits- und der Geldstrafen auf europäischer Ebene zu regeln, ohne weitere Vorgaben zu machen.[112] Wie bereits die Verfasser des Corpus Juris (Art. 16 CJ/Art. 16 CJ 2000) erwägt auch sie, strafschärfende und -mildernde Umstände einheitlich festzulegen.[113] Ein weiterer Vorschlag, der auf Unionsebene zur

---

[110] So auch Schwarze-*Böse,* Art. 86 Rn. 5; anders aber Grabitz/Hilf/Nettesheim-*Vog*el, Art. 86 Rn.22.

[111] Gegen die Einführung eines solchen europarechtlichen Straftatbestands: *Hefendehl,* in: Schünemann (Hrsg.), Alternativentwurf, S. 84.

[112] EU-Kommission, Grünbuch finanzielle Interessen, S. 43.

[113] EU-Kommission, Grünbuch finanzielle Interessen, S. 43.

Vereinheitlichung von Sanktionen unterbreitet wurde, ist die Festlegung von Mindesthöchststrafen.[114]

Durch Letzteres würde jedoch kein einheitlicher Strafrahmen entstehen. Vielmehr stünde es den Mitgliedstaaten frei, sogar über das Mindesthöchstmaß hinauszugehen. Um abschreckende Strafen in allen Mitgliedstaaten zu gewährleisten, ist es zwar notwendig, ein gewisses Strafhöchstmaß festzulegen. Die Möglichkeit, darüber hinauszugehen, erscheint jedoch nicht erforderlich und wäre auch nicht sachgerecht, da es um den Schutz der finanziellen Interessen der Union geht. Sind entsprechende Regelungen getroffen, sollten die Mitgliedstaaten nicht darüber hinausgehen.

Die Festsetzung von Höchststrafen könnte deshalb besser geeignet sein, das Strafmaß zu regeln. Untergrenzen sind nach den oben beschriebenen Vorschlägen nicht vorgesehen. Eine solche Regelung würde einen vergleichsweise geringen Eingriff in die Souveränität der Mitgliedstaaten darstellen. In allen Mitgliedstaaten wäre dann die Verhängung eines bestimmten Strafmaßes möglich. Zugleich bliebe aber die Einzelfallentscheidung, wie hoch die Strafe auszufallen hat, den nationalen Richtern überlassen.

Um die Unabhängigkeit der Justiz in allen Mitgliedstaaten zu gewährleisten, muss die Entscheidung über das Strafmaß dem Richter überlassen bleiben. Fraglich ist jedoch, ob es nicht sinnvoller wäre, nicht nur eine Höchst-, sondern auch eine Untergrenze festzulegen. Nur durch eine solche Regelung wäre der Strafrahmen klar abgesteckt und in allen Mitgliedstaaten gleich. Allein die Festlegung eines Höchststrafmaßes könnte dies nicht erreichen. Unter Umständen könnte dies letztlich überhaupt keinen Effekt haben, wenn sich die Richter weiterhin am nationalen Strafmaß orientieren. Zwar könnte auch die Festlegung von Untergrenzen keine in allen Mitgliedstaaten einheitliche Rechtsprechung gewährleisten. In Kombination mit der Festlegung von Höchststrafen wäre so aber jedenfalls ein einheitlicher Strafrahmen festgelegt, innerhalb dessen der nationale Richter seine Entscheidung zu treffen hat. Es sollte deshalb sowohl die Untergrenze als auch die Obergrenze für jeden der europäischen Straftatbestände festgelegt werden.

Welcher Strafrahmen für die jeweiligen Straftaten sinnvoll wäre, soll hier nicht diskutiert werden. Es wäre jedoch wichtig, die pauschale Regelung des CJ nicht zu übernehmen. Vielmehr ist hinsichtlich jedes einzelnen Tatbestands das Strafmaß auf seine Angemessenheit zu überprüfen. Dies könnte dazu führen, dass letztlich unterschiedliche Strafmaße vorgesehen werden. Es muss auch in Betracht gezogen

---

114 S. 15, 2423. Tagung des Rates – Justiz, Inneres und Katastrophenschutz – am 25./26. April 2002 in Luxemburg, Dok. 7991/02.

werden, die Einziehung von Tatwerkzeugen und Erträgen aus Straftaten zu ermöglichen.[115]

Versteht man Art. 325 Abs. 4 AEUV so, dass die Union durch ihn eine Strafgesetzgebungskompetenz auf dem Gebiet der Straftaten zum Nachteil der finanziellen Interessen der Union erlangt, könnten darüber auch einheitliche Sanktionen für die Straftatbestände festgelegt werden. Da eine Tätigkeit nach Art. 325 AEUV nicht in die ausschließliche Zuständigkeit der Union fällt,[116] müsste das Subsidiaritätsprinzip im engeren Sinne (Art. 5 Abs. 3 EUV) ebenso beachtet werden wie der Verhältnismäßigkeitsgrundsatz (Art. 5 Abs. 4 EUV).

Die Notwendigkeit, auch einheitliche Strafen für die oben dargestellten Straftatbestände durch die Union festzulegen, ergibt sich aus der Tätigkeit der Europäischen Staatsanwaltschaft. Würden einheitliche Straftatbestände eingeführt, nähme die Staatsanwaltschaft die Verfolgung von Straftaten zum Nachteil der finanziellen Interessen der Union auf Grundlage dieser europäischen Straftatbestandsdefinitionen wahr und brächte sie vor den nationalen Gerichten zur Anklage. Zu manchen dieser Straftatbestände konnte bereits eine gewisse Harmonisierung der Sanktionen in den Mitgliedstaaten erreicht werden,[117] jedoch nicht zu allen. Deshalb würden, je nachdem, in welchem Mitgliedstaat die Behörde das Verhalten zur Anklage bringt, von vornherein unterschiedlich hohe Strafen drohen. Es wäre inkonsequent, zwar das strafbare Verhalten verbindlich zu regeln, die Strafzumessung jedoch komplett den Mitgliedstaaten zu überlassen. Zudem werden sich die oben definierten Straftatbestände nicht ohne weiteres in das nationale Recht übertragen lassen. Deshalb wäre nicht eindeutig, anhand welchen Maßstabs die Strafzumessung vorgenommen werden soll. Rechtsunsicherheiten wären die Folge. Es widerspräche daneben dem in der Union als allgemeiner Rechtsgrundsatz anerkannten[118] Bestimmtheitsgrundsatz, zwar das strafbare Verhalten festzulegen, jedoch offenzulassen, welche Strafe dem Täter droht. Träfe man keine Regelung hinsichtlich der Sanktionen, würde sich die Situation für den grenzüberschreitend agierenden potentiellen Täter jedoch so unklar darstellen. Im Zweifel könnte er nicht feststellen, in welchem Mitgliedstaat seine Taten zur Anklage gebracht werden könnten und somit wüsste er nicht, welche Strafe ihm für sein Handeln droht.

Eine Vereinheitlichung des Strafmaßes durch die Mitgliedstaaten ohne intergouvernementale Zusammenarbeit scheint nicht realistisch. Durch ein Handeln der Union könnte dies jedoch erreicht werden. Um Rechtssicherheit im Rahmen der Tätigkeit der Europäischen Staatsanwaltschaft zu gewährleisten, wäre eine Vereinheitlichung auch erforderlich. Somit wäre die Festlegung einheitlicher Sanktionen

---

[115] Vgl. EU-Kommission, Grünbuch finanzielle Interessen, S. 43; Art. 9 Abs. 1 lit. c CJ; Art. 14 Abs. 4 CJ 2000.

[116] Vgl. oben A.

[117] Vgl. Teil 2, II.B.1.

[118] *Hecker,* § 10 Rn. 51.

mit dem Subsidiaritäts- und dem Verhältnismäßigkeitsprinzip des Art. 5 EUV zu vereinbaren.

Um eine Rechtsverwirrung zu vermeiden und somit zu verhindern, dass die Lage hinsichtlich der europäischen Straftatbestände von Anfang an kompliziert gestaltet wird, sollte das Strafmaß in der gleichen Rechtsnorm wie die Straftatbestände festgelegt werden. Gleiches gilt sowohl für strafschärfende als auch für strafmildernde Umstände. Die Festlegung Letzterer wäre insbesondere zu begrüßen, weil man dadurch der Kritik, die Union würde immer nur zuungunsten der Täter höhere Strafen festlegen,[119] entgegenwirken könnte. Da die Sanktionen von den nationalen Gerichten verhängt würden, könnte die Festlegung des Strafrahmens nur in einem gewissen Umfang eine Vereinheitlichung der Strafzumessung bewirken.[120] Ohne eine einheitliche europäische Rechtsprechungsinstanz, die für diese Fälle zuständig ist, ist eine weitergehende und verbindliche Vereinheitlichung des Sanktionsniveaus nicht zu erreichen.[121] Dessen ungeachtet wäre es sinnvoll, den Strafrahmen sowie strafschärfende und strafmildernde Umstände unionsweit einheitlich festzulegen, um die Strafzumessung zumindest in gewissem Maß zu vereinheitlichen. Dabei müsste die Formel des EuGH, dass die Strafen für Delikte zum Nachteil der finanziellen Interessen der Union wirksam, verhältnismäßig und abschreckend sein müssen,[122] beachtet werden. Insbesondere muss dafür gesorgt werden, dass die Verhältnismäßigkeit von Straftat und Strafmaß, im Angesicht des Willens, wirksame und abschreckende Sanktionen zu ermöglichen (Art. 49 Abs. 3 GRC), gewahrt bleibt.

D. Verjährung

Um Rechtsunsicherheiten und Komplikationen zu vermeiden, sollten bei der Festlegung einheitlicher Straftatbestandsdefinition auch Verjährungsregelungen zu den jeweiligen Tatbeständen getroffen werden. Bislang ist die Verjährung in den Mitgliedstaaten sehr unterschiedlich geregelt.[123] Dies führt bereits heute zu Problemen[124] und könnte diese auch bei der Strafverfolgung durch die Europäische Staatsanwaltschaft verursachen.

Eine kurze Verjährungsregelung könnte im Fall von langwierigen grenzüberschreitenden Ermittlungen und Untersuchungen dazu führen, dass die Verjährungs-

---

[119] *Schünemann,* in: ders. (Hrsg.), Alternativentwurf, S. 78.

[120] Vgl. *Hecker,* § 14 Rn. 40.

[121] *Weigend*, in: Zieschang/Hilgendorf/Laubenthal (Hrsg.), Strafrecht, S. 62.

[122] EuGH Sammlung der Rechtsprechung 1989, S. 2965.

[123] Vgl. die Darstellungen der Verjährungsregelungen einiger Mitgliedstaaten in: Sieber/Cornils (Hrsg.).

[124] Vgl. Teil 2, III.B.

frist bereits vor Beginn des Prozesses abgelaufen ist.[125] Zudem könnte sie zu Ungleichheiten bei der Verfolgung von Straftätern führen. In einigen Fällen wird die Europäische Staatsanwaltschaft Ermittlungen gegen mehrere Personen wegen derselben Straftat in mehreren Mitgliedstaaten führen. Befände sich dann ein Beschuldigter in einem Land, in dem die Tat bereits verjährt ist, könnte die Europäische Staatsanwaltschaft gegen ihn nicht weiter vorgehen. Hielte sich sein Komplize jedoch in einem anderen Mitgliedstaat auf, in dem die Tat noch nicht verjährt wäre, könnte er strafrechtlich verfolgt werden. Dies könnte gegen den in der Union geltenden allgemeinen Gleichheitssatz verstoßen.[126] Dass die unterschiedliche Rechtslage in den verschiedenen Mitgliedstaaten und daraus resultierende ungleiche Strafverfolgungsmöglichkeiten einen Rechtfertigungsgrund für eine Ungleichbehandlung darstellen könnten, erscheint zweifelhaft.

In den bereits vorhandenen Vereinbarungen über einheitliche Tatbestandsdefinitionen[127] finden sich keine Bestimmungen über die Verjährung. Allerdings gibt es sowohl im Vorschlag Bekämpfung EU-Betrug, als auch im Corpus Juris und im Grünbuch Vorschläge zur Regelung der Verjährung. So ist im Vorschlag Bekämpfung EU-Betrug und im Corpus Juris für alle Straftaten zum Nachteil der finanziellen Interessen der Gemeinschaft, für welche die europäische Strafverfolgungsbehörde zuständig sein soll, eine einheitliche Verjährungsfrist vorgesehen. Diese soll an dem Tag, an dem die Straftat begangen wurde, beginnen und fünf Jahre umfassen. Haben in dieser Zeit Ermittlungs- und Verfolgungsmaßnahmen begonnen, soll die Tat erst nach Ablauf von fünf Jahren nach der letzten Ermittlungs- und Verfolgungsmaßnahme verjähren (Art. 12/Art. 22 Abs. 2 lit. a CJ/CJ 2000). Nach dem Corpus Juris soll die Verjährung zudem durch die Mitteilung der Anklage an den Verdächtigen unterbrochen werden. Gegen Verjährungsfristen, die für alle Straftatbestände gleich sind, spricht jedoch, dass die Schwere der jeweiligen Delikte nicht berücksichtigt würde.[128] Darüber hinaus ist kein Grund dafür ersichtlich, warum die Verjährungsfrist für alle Straftatbestände gleich lang sein sollte.[129] Daher ist eine solche Regelung abzulehnen.

Als Maßstab für die Festlegung der Verjährungsfristen könnte, wie in Deutschland,[130] das jeweilige Höchststrafmaß der Straftaten dienen. Alternativ könnte man die Verjährungsfristen für die jeweiligen Straftatbestände in allen Mitgliedstaaten vergleichen. Anhand dieses Vergleichs könnte dann ein Kompromiss erarbeitet werden, der Fristen für jeden der Straftatbestände festlegt. Dies erscheint jedoch als die schlechtere Lösung, da für die europäischen Straftatbestände nicht in allen Mit-

---

125 Erläuterungen zu Art. 22 CJ, *Delmas-Marty* (Hrsg.), Corpus Juris, S. 57.

126 EU-Kommission, Grünbuch finanzielle Interessen, S. 44f.

127 PIF-Übereinkommen, RL 91/308/EWG, RL 2005/60/EG, GM-Vereinigung.

128 Vgl. *Weber*, S. 91.

129 EU-Kommission, Grünbuch finanzielle Interessen, S. 45.

130 Vgl. §§ 78, 79 StGB.

gliedstaaten ein exakt passendes Pendant existieren wird. Dadurch würde die Suche nach einem Kompromiss sehr schwierig. Eine Festlegung der Verjährungsfrist akzessorisch zum Höchststrafmaß erscheint deshalb sinnvoller.

Für alle weiteren Fragen, die im Zusammenhang mit der Verjährung stehen, z.B. Ruhen oder Unterbrechung der Verjährung,[131] schlägt die Kommission vor, eine Verweisung auf das innerstaatliche Recht zu prüfen.[132] Dagegen spricht jedoch, dass dies zu einem ähnlichen Problem führen könnte, wie uneinheitliche Verjährungsfristen. Während in dem einen Mitgliedstaat die Verjährung zwischenzeitlich unterbrochen war, kann sie in einem anderen Mitgliedstaat bereits abgelaufen sein. Die Europäische Staatsanwaltschaft könnte dann in einem Mitgliedstaat weitere Ermittlungen durchführen, in einem anderen Mitgliedstaat wäre dies aber aufgrund des Ablaufs der Verjährungsfrist nicht möglich.

Somit ist nicht nur die Festlegung einheitlicher Verjährungsregelungen, sondern auch die einheitliche Klärung aller im Zusammenhang mit der Verjährung stehenden Fragen zu befürworten.[133]

E. Rechtsetzungsakt zur Einführung einheitlicher Definitionen

Um ein effektives Arbeiten und eine einheitliche Strafverfolgung durch die Europäische Staatsanwaltschaft zu ermöglichen, muss diese ihre Ermittlungen in allen Mitgliedstaaten auf die gleichen Straftatbestände und Verjährungsregelungen stützen. Unterschiedliche Straftatbestände könnten bewirken, dass die Strafverfolgung derselben Handlung in einem Mitgliedstaat möglich wäre und in einem anderen nicht. Dies muss verhindert werden, damit ein einheitliches Strafverfolgungsniveau für Straftaten zum Nachteil der finanziellen Interessen sichergestellt werden kann. Dafür müssen unionsweit geltende Definitionen der Straftatbestände eingeführt werden. So ist es möglich, den „Idealfall" für die Verfolgung von Straftaten zum Nachteil der finanziellen Interessen zu erreichen, in dem die Täter im gesamten Rechtsraum der EU einem gleichen Strafbarkeits- und Strafverfolgungsrisiko unterliegen.[134]

Eine Gesetzgebung auf dem Gebiet der Betrugsbekämpfung fällt in den Bereich der geteilten Zuständigkeiten und müsste deshalb mit dem Subsidiaritätsprinzip im Einklang stehen (Art. 4 Abs. 1 AEUV i.V.m. Art. 325 AEUV). Einheitliche Definitionen und Verjährungsregelungen sollen eine gemeinsame Basis für die Verfolgung von Straftaten zulasten der finanziellen Interessen der Union bilden und

---

131 Vgl. §§ 78, 79 StGB.

132 EU-Kommission, Grünbuch finanzielle Interessen, S. 45.

133 So auch *Weber,* S. 92.

134 *Hecker,* § 14 Rn. 20.

dadurch einen effektiven Schutz dieser Interessen ermöglichen. Dieses Ziel ist auf rein mitgliedstaatlicher Ebene nicht zu erreichen. Eine intergouvernementale Zusammenarbeit, bei der die Staaten ihre Maßnahmen aufeinander abstimmen, um eine unionale Regelung zu verhindern, wäre jedoch nicht zulässig.[135] Darüber hinaus wäre das Ziel auf Unionsebene besser zu verwirklichen. Damit die Einführung einheitlicher Definitionen mit dem Subsidiaritäts- und dem Verhältnismäßigkeitsprinzip zu vereinbaren wären, dürften Regelungen nur getroffen werden, soweit sie erforderlich sind, um das Ziel zu erreichen.

1. Richtlinie

Denkbar wäre die Einführung einheitlicher Definitionen durch Erlass einer Richtlinie, wie es im neuesten Vorschlag der Kommission vorgesehen ist[136] und bereits 2001/2002 von der Kommission vorgeschlagen worden war.[137] Auch im Grünbuch geht die Kommission davon aus, dass eine Harmonisierung der Straftatbestände in den Mitgliedstaaten ausreichend ist.[138]

Eine Richtlinie, die sich auf Art. 325 AEUV stützt, könnte im Hinblick auf das Subsidiaritätsprinzip der richtige Weg sein. Denn so würden den Mitgliedstaaten Freiräume bei der Umsetzung belassen und den verschiedenen Strafrechtstraditionen der Mitgliedstaaten könnte Rechnung getragen werden.[139] Der Verhältnismäßigkeitsgrundsatz nach Art. 5 Abs. 4 EUV verpflichtet die Union unter anderem dazu, grundsätzlich auf die mildeste Form der Rechtsetzung zurückzugreifen, die eine Zielerreichung ermöglicht. Dies bedingt, dass prinzipiell Richtlinien Vorrang vor Verordnungen haben.[140]

Der Erlass einer Richtlinie zur Bekämpfung von Betrügereien, die sich gegen die finanziellen Interessen der Union richten, ist nach Art. 325 Abs. 4 AEUV grundsätzlich möglich. Fraglich ist, ob im vorliegenden Fall dadurch das Ziel tatsächlich erreicht werden kann. Gerade die bei einer Richtlinie den Mitgliedstaaten gelassenen Freiräume könnten sich als problematisch erweisen. So hat sich bei der Umsetzung der PIF-Vereinbarungen gezeigt, dass die Mitgliedstaaten dieselben Vorgaben unterschiedlich und oft lückenhaft umgesetzt haben. Deshalb konnte die Vereinheitlichung auch viele Jahre nach Unterzeichnung dieser Abkommen nicht erreicht werden.[141]

---

135 Vgl. Teil 3, II.A.2.a).

136 EU-Kommission, Vorschlag Bekämpfung EU-Betrug, 3.3.

137 Vgl. Teil 2, II.B.4.a).

138 EU-Kommission, Grünbuch finanzielle Interessen, S. 38.

139 EU-Kommission, Vorschlag RL Schutz der finanziellen Interessen, S. 8.

140 Vgl. Schwarze-*Lienbacher,* Art. 5 EUV Rn. 37.

141 Vgl. Teil 2, III.C.

2. Verordnung

Eine Verordnung könnte durch die Festlegung einheitlicher Straftatbestandsdefinitionen besser geeignet sein, einen effektiven und gleichwertigen Schutz zu gewährleisten.[142] Aufgrund ihrer Verbindlichkeit und ihrer unmittelbaren Geltung bedarf es bei einer Verordnung keiner nationalen Umsetzungsmaßnahmen. Unterschiede in den nationalen Gesetzen, die durch Umsetzungsmaßnahmen entstehen können und, wie bei der Umsetzung der PIF-Vereinbarung deutlich wurde, auch tatsächlich entstehen, können so vermieden werden.

Im Gegensatz zur Rechtslage vor Inkrafttreten des Lissabonner Vertrags gibt es mit Art. 325 Abs. 4 AEUV nun eine Rechtsgrundlage, auf die eine solche Verordnung gestützt werden könnte.[143] Zwar kann nicht stets mit dem Hinweis darauf, dass die Mitgliedstaaten eine Richtlinie möglicherweise unterschiedlich umsetzen, auf den Erlass einer Verordnung zurückgegriffen werden. Denn das ist gerade der Sinn einer Richtlinie: Es soll nur das Nötigste auf Ebene der Union geregelt werden, wobei die Mitgliedstaaten noch gewisse Freiräume bei der Umsetzung haben. Dennoch erscheint es im vorliegenden Fall sinnvoll, eine Verordnung zu erlassen. Denn im Bereich der gemeinsamen Definitionen kommt es gerade darauf an, dass diese in allen Mitgliedstaaten tatsächlich identisch sind. Nur so kann garantiert werden, dass eine einheitliche Basis für die Verfolgung von Straftaten zulasten der finanziellen Interessen der Union entsteht. Dies ist im Hinblick auf die Tätigkeit der Europäischen Staatsanwaltschaft von großer Bedeutung. Ohne eine Vereinheitlichung mittels Verordnung ist es möglich, dass die neue Einrichtung bei gleichem Sachverhalt nicht in allen Mitgliedstaaten tätig werden kann, weil die Vorgaben nicht einheitlich in das mitgliedstaatliche Recht umgesetzt wurden. Eine solche unterschiedliche Strafverfolgungslage würde zu Ungleichheiten und Unsicherheiten beim Schutz der finanziellen Interessen der Union führen.

3. Ergebnis

Wie oben dargelegt, wäre eine Richtlinie zur Zielerreichung nicht ausreichend und genügt mithin nicht den Ansprüchen des Verhältnismäßigkeitsgrundsatzes. Somit erfordert gerade der Verhältnismäßigkeitsgrundsatz als Ausprägung des Subsidiaritätsprinzips den Erlass einer Verordnung zur Festlegung einheitlicher Definitionen, Verjährungsregeln und des Strafmaßes. Eine Verordnung stünde somit mit dem Subsidiaritäts- und dem Verhältnismäßigkeitsprinzip im Einklang.

---

142 Vgl. Änderungsantrag Nr. 1 des Europäischen Parlaments, Bericht über den Vorschlag für eine Richtlinie des Europäischen Parlaments und des Rates über den strafrechtlichen Schutz der finanziellen Interessen der Gemeinschaft, A5-0390/2001.

143 Vgl. Teil 2, II.A.3.

F. Europäische Straftatbestände

Dadurch, dass neben den Straftatbestandsdefinitionen auch das Strafmaß per Verordnung festgelegt würde, entstünden letztlich supranationale, also genuin europarechtliche Straftatbestände. Die Schaffung europäischer Straftatbestände ist jedoch umstritten.

Die Ablehnung solcher Straftatbestände wurde bislang hauptsächlich auf die Regelung des Art. 280 Abs. 4 EGV gestützt, dessen Satz 2 die Unberührbarkeit des nationalen Strafrechts statuierte. Dies führte dazu, dass der EG damals keine originären Rechtsetzungsbefugnisse auf dem Gebiet des Kriminalstrafrechts zukamen. Sie konnte somit nicht durch den Erlass „europäischer Strafgesetze" in Form von Verordnungen selbst für den strafrechtlichen Schutz ihrer Rechtsgüter und Interessen sorgen.[144] Durch Art. 325 Abs. 4 AEUV ergibt sich jedoch eine völlig neue Situation, aufgrund derer die Union nun auf dem Gebiet des Finanzschutzes zur Strafrechtsetzung berechtigt ist.[145]

Kritik hinsichtlich der demokratischen Legimitation einer solchen Regelung[146] kann entgegengehalten werden, dass diese nach dem ordentlichen Gesetzgebungsverfahren erlassen werden müsste (Art. 325 Abs. 4 AEUV). Dadurch käme nicht allein dem Rat die Befugnis zum Erlass eines Strafrechtsgesetzes zu, sondern das Europäische Parlament und der Rat wären gleichberechtigt beteiligt. Gegen europäische Straftatbestände wurde angeführt, eine einheitliche materiell-rechtliche Kodifizierung sei nicht notwendig, da die Europäische Staatsanwaltschaft sich auf die einschlägigen nationalen Straftatbestände stützen könne, die den Schutz der finanziellen Interessen integriert haben. Die hinsichtlich der finanziellen Interessen bestehenden verpflichtenden Vorgaben müssten lediglich von den Mitgliedstaaten uneingeschränkt umgesetzt werden.[147] Hiergegen spricht jedoch, dass nicht für alle Bereiche, die für den Finanzschutz der Union von Interesse sind, solche Vorgaben bestehen.

Darüber hinaus hat sich gezeigt, dass die Umsetzung der bestehenden Instrumente ein langwieriger Prozess war, der nicht immer auch dazu geführt hat, dass die Vorgaben korrekt in nationales Recht umgesetzt wurden.[148] Für eine von Beginn an schlagkräftige Europäische Staatsanwaltschaft wäre es hinderlich, wenn sie darauf angewiesen wäre, dass die Mitgliedstaaten einheitliche Vorgaben umsetzen würden.

Weiter wurde vorgebracht, die Schaffung europäischer Straftatbestände verstoße insoweit gegen das Subsidiaritätsprinzip, als dadurch Durchbrechungen des natio-

---

[144] Vgl. *Hecker,* JA 2007, 562.

[145] Vgl. dazu näher Teil 4, II.A. und Teil 2, II.A.3.

[146] Ausführlich zu Fragen demokratischer Legitimation: *Deiters*, S. 236ff; *Sieber,* ZStW 121 (2009), 50ff.

[147] *Von Bubnoff,* ZEuS 2002, 218.

[148] Vgl. Teil 2, II.B.1.c).

nalen Strafrechtssystems erzwungen würden. Denn die konkrete Ausgestaltung könne auf nationaler Ebene effektiver gestaltet werden als durch eine detaillierte Vorgabe, die sich als Systembruch erweise und deshalb die Gefahr hervorrufe, dass die nationalen Strafverfolgungsorgane eine solche Regelung eher zögerlich anwenden würden.[149] Dem ist entgegenzuhalten, dass im vorliegenden Fall die Regelungen gerade nicht hauptsächlich von den nationalen Strafverfolgungsbehörden, sondern von der Europäischen Staatsanwaltschaft angewendet werden würden. Um ein einheitliches Vorgehen dieser Institution zu gewährleisten, wären europäische Straftatbestände notwendig. Zudem erscheint es naheliegend, dass strafwürdiges Verhalten, das die Finanzen der EU betrifft, nicht national, sondern direkt europäisch geregelt wird.[150]

Ebenso wäre es im Hinblick auf die Rechtssicherheit ein wichtiger Schritt. Für den Bürger muss aufgrund des Gesetzlichkeitsprinzips des materiellen Strafrechts vorhersehbar sein, welche Verhaltensweisen strafbar sind. Diese Vorhersehbarkeit ist aber gefährdet, wenn der europäische Bürger bei grenzüberschreitenden Aktivitäten mit den Strafrechtsordnungen aller 27 Mitgliedstaaten konfrontiert ist,[151] in denen die Richtlinie möglicherweise unterschiedlich umgesetzt wurde. Durch eine einheitliche europäische Regelung kann jeder Bürger innerhalb der Union wissen, welches Verhalten unter Strafe gestellt ist. Er muss sich nicht darauf einstellen, dass aufgrund der unterschiedlichen Umsetzung einer Richtlinie sein Verhalten in dem einen Mitgliedstaat straffrei, in dem anderen jedoch strafbar ist.

Als weiteres Argument kann angeführt werden, dass sich eine unterschiedliche Ausgestaltung des strafrechtlichen Schutzes in den Mitgliedstaaten zulasten der durch die supranationalen Organe geschaffenen gemeinsamen europäischen Identität auswirken könnte.[152] Folglich sollten europäische Finanzstraftatbestände geschaffen werden. Dies verstieße, wie gezeigt, auch nicht gegen das Subsidiaritäts- oder das Verhältnismäßigkeitsprinzip. Vielmehr erscheint es erforderlich, um einen angemessenen Schutz der finanziellen Interessen der Union zu gewährleisten und gleichzeitig Rechtssicherheit zu schaffen.

Art. 86 Abs. 2 AEUV sieht vor, dass die Europäische Staatanwaltschaft auch für die Verfolgung von Personen zuständig ist, die nicht Täter, sondern Teilnehmer eines EU-Betrugs sind. Um die Zuständigkeit der Europäischen Staatsanwaltschaft eindeutig bestimmen zu können, könnte es zweckmäßig sein, auch die möglichen Teilnahmeformen auf supranationaler Ebene zu regeln. Ebenso bietet es sich an, weitere Regelungen des Allgemeinen Teils zu treffen,[153] wie beispielsweise den

---

149 *Dannecker,* ZStW 117 (2005), 732.

150 *Hefendehl,* in: Schünemann (Hrsg.), Alternativentwurf, S. 84.

151 *Sieber,* ZStW 121 (2009), 14.

152 *Deiters*, S. 245.

153 So z.B. *Schünemann,* in: ders. (Hrsg.), Alternativentwurf, S. 79.

Versuchsbeginn.[154] Unabhängig davon, ob eine Regelung getroffen würde, die einen frühen oder einen späten Versuchsbeginn statuiert, wäre zumindest die einheitliche Festlegung ein wesentlicher Schritt in Richtung einer einheitlichen Strafverfolgung. Die Frage soll hier nicht weiter diskutiert werden, allerdings scheint einiges dafür zu sprechen, auch Bestimmungen über den Allgemeinen Teil des Strafrechts supranational zu treffen.

G. Ergebnis

Solange die Europäische Staatsanwaltschaft nur für Straftaten zum Nachteil der finanziellen Interessen der Union zuständig wäre, sollte sich ihr Kompetenzbereich nach Ansicht der Verfasserin auf die Verfolgung von Betrug, Ausschreibungsbetrug, Bestechlichkeit und Bestechung, Missbrauch von Amtsbefugnissen, Verletzung des Dienstgeheimnisses, Geldwäsche und Hehlerei beschränken. Diese Straftaten müssten stets einen Bezug zu den finanziellen Interessen der Union aufweisen.

Zusätzlich zur Verordnung nach Art. 86 AEUV über die Errichtung der Europäischen Staatsanwaltschaft sollte eine Verordnung zur Bestimmung einheitlicher europäischer Straftatbestände erlassen werden.[155] Diese wäre auf Art. 325 Abs. 4 AEUV zu stützen. Hinsichtlich der Straftatbestandsdefinitionen sollte sie idealiter die hier vertretenen Änderungsvorschläge bezüglich der bereits vorhandenen Definitionen übernehmen. Zudem sollten Definitionen der Straftatbestände, für die die Europäische Staatsanwaltschaft darüber hinaus zuständig sein soll, also Ausschreibungsbetrug, Missbrauch von Amtsbefugnissen, Verletzung des Dienstgeheimnisses, unter Berücksichtigung der in dieser Arbeit vorgeschlagenen Formulierungen in eine solche Verordnung eingefügt werden. In allen Straftatbeständen sollte der strafschärfende Umstand der Begehung als Teil einer kriminellen Vereinigung vorgesehen werden. Die Verordnung sollte neben den Straftatbestandsdefinitionen auch eine Regelung hinsichtlich des Strafmaßes der zu verhängenden Strafen enthalten. Darüber hinaus sollten einheitliche Verjährungsregelungen getroffen werden, und zwar sowohl hinsichtlich der Fristen als auch bezüglich anderer im Zusammenhang mit der Verjährung auftretenden Fragen, wie z.B. die der Hemmung oder Unterbrechung der Verjährung.

Auf diese Weise kann eine solide Basis für die Arbeit der Europäischen Staatsanwaltschaft gelegt werden. Darüber hinaus würden einheitliche Regelungen das Problem der Zersplitterung des europäischen Strafrechtsraums[156] lösen. Nicht nur

---

154 Anders der Vorschlag Bekämpfung EU-Betrug, der diese Regelung den Mitgliedstaaten überlässt, Art. 5.

155 Vgl. Streinz-*Satzger,* Art. 325 Rn. 24.

156 Vgl. Teil 2, III.B.

würden die oft zu Problemen führenden unterschiedlichen Straftatbestände und Verjährungsfristen vereinheitlicht. Es würden auch die Probleme des Territorialitätsprinzips gelöst. Denn es wäre eindeutig definiert, für welche Delikte die Europäische Staatsanwaltschaft zuständig ist, unabhängig davon, in welchem Mitgliedstaat sie begangen wurden.

Eine Vereinheitlichung der Straftatbestände wäre auf rein mitgliedstaatlicher Ebene nicht zu erreichen. Sie wäre aber notwendig, um einen angemessenen Finanzschutz in der Union zu gewährleisten. Die Union könnte durch den Erlass einer Verordnung eine solche Vereinheitlichung erreichen. Aufgrund des begrenzten Zuständigkeitsbereichs der Europäischen Staatsanwaltschaft für Straftaten zum Nachteil der finanziellen Interessen der Union würden sich die erreichten Verbesserungen nur auf diesen Bereich beziehen. Sie würden sich deshalb im Rahmen dessen halten, was für die Verbesserung der Bekämpfung von Straftaten zum Nachteil der finanziellen Interessen erforderlich ist, und wären, wie gezeigt, zugleich auch geeignet, eine Verbesserung der Situation zu erreichen. Sie wären deshalb sowohl mit dem Subsidiaritätsprinzip als auch mit dem Verhältnismäßigkeitsgrundsatz zu vereinbaren.

III. Rechtsstellung und Struktur

Zur Funktionsweise und zum Aufbau der Strafverfolgungsbehörde findet sich in Art. 86 AEUV keine Regelung. Vielmehr verweist Abs. 3 des Art. 86 AEUV auf die nach Abs. 1 zu erlassende Verordnung, die die Satzung der Europäischen Staatsanwaltschaft und die Einzelheiten für die Erfüllung ihrer Aufgaben festlegen soll. Mangels genauerer Vorgaben muss somit untersucht werden, welche Rechtsstellung und Struktur für die neue Einrichtung vorgesehen werden sollten.

A. Unabhängigkeit

Art. 86 AEUV trifft im Gegensatz zu dem im Grünbuch von der Kommission vorgeschlagenen Art. 280a EGV[157] keine ausdrückliche Regelung zur Unabhängigkeit der Europäischen Staatsanwaltschaft, schließt eine unabhängige Ausgestaltung jedoch nicht aus. Die Verfasser des Grünbuchs und die des Corpus Juris schlagen vor, der Behörde eine von den Mitgliedstaaten und den Unionsorganen unabhängige Stellung zu geben.[158] Nach beiden Konzepten ist darüber hinaus für die Schaf-

---

[157] Vgl. Teil 3, I.B.

[158] EU-Kommission, Grünbuch finanzielle Interessen, S. 30; Art. 18 Abs. 2 CJ; ebenso der Vorschlag Europäische Staatsanwaltschaft, Art. 5.

fung einer europäischen Strafverfolgungsbehörde vorgesehen, dass diese unparteiisch ist. Sie soll sowohl be- als auch entlastende Umstände ermitteln. Auch dies ist eine Form der Unabhängigkeit. Die Staatsanwaltschaft wäre unabhängig von den beteiligten Parteien. Die Verfasser dieser Vorschläge haben sich also für eine nach dem inquisitorischen System arbeitende Europäische Staatsanwaltschaft entschieden.[159]

Dies erscheint auch für die Errichtung einer Staatsanwaltschaft nach Art. 86 AEUV die einzig richtige Lösung.[160] Würde die Staatsanwaltschaft nur belastende Umstände ermitteln, sähe sich der Verdächtige einer Behörde gegenüber, die in allen Mitgliedstaaten belastende Tatsachen gegen ihn ermitteln könnte. Für ihn wäre es jedoch sehr schwierig und kostenaufwändig, ebenso in verschiedenen Mitgliedstaaten entlastende Umstände zu ermitteln.[161] Er sähe sich somit einer übermächtigen europäischen Institution gegenüber. Die Garantie des fairen Verfahrens (Art. 47 Abs. 2 GRC/Art. 6 Abs. 1 EMRK) beinhaltet jedoch auch den sogenannten Grundsatz der Waffengleichheit.[162] Die hiernach erforderliche Machtbalance zwischen den Prozessbeteiligten könnte so nicht gewahrt werden.

Hinsichtlich der Festschreibung einer solchen Form der Unparteilichkeit wurde kritisiert, dass aufgrund des Aufgabenbereichs der Staatsanwaltschaft, die sich um die Wahrung der finanziellen Interessen der Union kümmern soll, eine unparteiische Position nicht möglich sei. Der durch die Ermittlungen Bedachte stünde in Form der Union bereits fest.[163] Dieses Argument überzeugt jedoch nicht. Auch in nationalen Fällen hat der Staat ein Interesse daran, dass Straftäter verfolgt und verurteilt werden. Dennoch ermitteln die Staatsanwälte in Staaten, die sich für das inquisitorische System entschieden haben, sowohl für als auch gegen den Verdächtigen. In Deutschland wird die Staatsanwaltschaft deshalb mitunter als die „objektivste Behörde der Welt“ bezeichnet.[164]

Für eine mögliche Rückerlangung zu Unrecht an den Verdächtigen gezahlter Förderungen bzw. für eine Erlangung zu Unrecht nicht gezahlter Beträge bedarf es nicht zwingend eines strafrechtlichen Urteils. Dies ist vielmehr bereits im verwaltungsrechtlichen Verfahren möglich. Somit kann nicht davon ausgegangen werden, dass es der neuen Einrichtung aufgrund ihrer Zuständigkeit für Straftaten zum Nachteil der finanziellen Interessen der Union an der notwendigen Neutralität mangeln würde.

---

159 Ebenso die Verfasser der „Conclusions“ der European Public Prosecutor Working Group, vgl. European Public Prosecutor Working Group, S. 6.

160 So auch Art. 11 Abs. 5 Vorschlag Europäische Staatsanwaltschaft.

161 Vgl. *Scheuermann*, S. 191.

162 Vgl. *Meyer-Ladewig*, Art. 6 Rn.112ff.

163 *Kempf*, StV 2003, 128.

164 *Döhring*, DRiZ 1958, 286; *Raschke*, ZJS 2011, 38.

Die Entscheidung für eine europäische Strafverfolgungsbehörde, die unabhängig von nationalen Behörden und Unionsorganen tätig wird, resultiert aus der Überlegung, die Staatsanwaltschaft vor politisch motivierter Einflussnahme zu schützen. Wie bereits dargestellt,[165] könnte es unter Umständen für die Mitgliedstaaten wichtig sein, Ermittlungen in ihrem Land zu verhindern, um Anlastungen zu vermeiden. Darüber hinaus ist es durchaus möglich, dass Mitgliedstaaten aus politischen Gründen versuchen, dahingehend Einfluss zu nehmen, dass ein bestimmtes Verfahren in ihrem Mitgliedstaat nicht durchgeführt oder aber gerade in ihrem Mitgliedstaat durchgeführt wird. Die Vorkommnisse, die dazu geführt haben, dass die Vorgängerorganisation des OLAF, das UCLAF, aufgelöst wurde und die damalige Kommission zurücktreten musste, haben gezeigt, zu welchen Problemen die enge Verbindung einer Ermittlungsbehörde zu einem Unionsorgan (in dem Fall zur Kommission) führen kann.[166] Zudem ist es für die Akzeptanz einer Europäischen Staatsanwaltschaft als Ermittlungsbehörde wichtig, dass sie nicht nur als ausführender Arm einer anderen EU-Institution gesehen wird.[167] Deshalb sollte die Unabhängigkeit von Mitgliedstaaten und Unionsorganen statuiert werden.

Fraglich erscheint jedoch, ob nicht gerade aufgrund dieser Unabhängigkeit eine Kontrolle anderer Art notwendig ist. An einer unabhängigen, weisungsfreien Ausgestaltung der Staatsanwaltschaft wurde kritisiert, dass ihr kein demokratisch legitimierter Minister hierarchisch übergeordnet wäre, der die politische Verantwortung für ihr Handeln trägt und gegebenenfalls zur Verantwortung gezogen werden kann.[168] Durch die Einsetzung eines Ministers als oberste Aufsichtsbehörde über die Strafverfolgung besteht jedoch wieder die Möglichkeit, dass aufgrund politischer Erwägungen auf die Ermittlungen in irgendeiner Weise eingewirkt wird.[169] Zudem stellt sich auf europäischer Ebene die Frage, wie die Einsetzung eines solchen Ministers überhaupt funktionieren könnte.

Besser vorstellbar wäre, dem Europäischen Parlament eine gewisse Kontrollfunktion zu übertragen, wobei diesem jedoch keine der eines Ministers vergleichbare Weisungsbefugnis zukommen sollte. Zwar ist das Parlament demokratisch legitimiert, ihm jedoch eine Weisungsbefugnis zuzusprechen, entspräche nicht dem derzeitigen System, nach dem das Europäische Parlament funktioniert. Eine so explizit auf den Einzelfall ausgestaltete Weisungsbefugnis wäre vermutlich zudem nicht durchsetzbar. Außerdem stellt sich die Frage der Praktikabilität einer solchen

---

165 Vgl. Teil 2, III.G.

166 Vgl. dazu den ersten Bericht über „Anschuldigungen betreffend Betrug, Mißmanagement und Nepotismus in der Kommission" vom Ausschuss unabhängiger Sachverständiger, abrufbar unter: http://www.europarl.europa.eu/experts/1_de.htm#1.2 [Stand: 20.10.2011]; Rechnungshof, Sonderbericht Nr. 8/98, S. 2f.

167 Vgl. European Public Prosecutor Working Group, S. 6.

168 *Schünemann,* StV 2003, 118; *Weertz*, S. 133f; vgl. auch *Nelles,* ZStW 109 (1997), 137.

169 *Spencer,* in: Huber (Hrsg.), Corpus Juris, S. 254f.

Lösung. Zwar wäre die Einberufung eines Untersuchungsausschusses nach Art. 226 AEUV denkbar, ob dies aber eine sinnvolle Lösung sein kann, erscheint in Anbetracht der Tatsache, dass es sich um einen nichtständigen Ausschuss handeln würde und der daraufhin fehlenden Kontinuität der Entscheidungen, zweifelhaft. Zudem würde dies aufgrund des nicht regelmäßigen Zusammentreffens des Parlaments zu Zeitverzögerungen führen und vermutlich in vielen Fällen dazu, dass es für eine Ausübung des Weisungsrechts bereits zu spät ist. Eine gewisse Kontrolle der Europäischen Staatsanwaltschaft durch das Europäische Parlament könnte jedoch durch die Verpflichtung, diesem jährlich Berichte vorzulegen, erreicht werden.[170] Hierbei sollten konkrete Berichtspflichten vorgesehen werden, um Probleme, wie sie im Rahmen von Europol bestanden,[171] von Anfang an zu vermeiden. Des Weiteren könnte eine verstärkte Kontrolle erreicht werden, wenn der Etat der Staatsanwaltschaft aus dem Gesamthaushalt der Union finanziert würde.[172] Dem Parlament kämen so Kontrollmöglichkeiten zu, ohne dass durch eine Weisungsbefugnis die Unabhängigkeit der Ermittlungen gefährdet wäre. Von einem Weisungsrecht jeglicher Art sollte abgesehen werden.[173]

B. Organisation

In Art. 86 AEUV lassen sich für den Aufbau der Europäischen Staatsanwaltschaft keine Anhaltspunkte finden.

1. Leitung

Zunächst ist zu klären, wem die Leitung der neuen europäischen Institution übertragen werden sollte. Denkbar wäre, dass die Führung der Staatsanwaltschaft durch ein Kollegium wahrgenommen wird.[174] Dieses könnte sich, ähnlich wie bei Eurojust,[175] aus je einem Mitglied pro Mitgliedstaat zusammensetzen, das mit den Kompetenzen eines Staatsanwalts in seinem jeweiligen Heimatstaat ausgestattet ist. Dadurch könnte gewährleistet werden, dass das Handeln der Behörde stets zumindest mit Vertretern aller Mitgliedstaaten abgestimmt ist. Dies könnte zu einer besseren Akzeptanz ihrer Tätigkeit führen, insbesondere bei den nationalen Behörden.

---

170 *Biehler/Gleß/Parra/Zeitler,* S. 53.

171 Vgl. dazu Von der Groeben/Schwarze-*Jour-Schröder*, Art. 30 EUV Rn. 46.

172 *Spencer,* in: Huber (Hrsg.), Corpus Juris, S. 255; vgl. Teil 4, III.B.6.

173 A.A. *Nelles,* ZStW 109 (1997), 275, die sich für eine Dienstaufsicht durch das Parlament ausspricht.

174 Vgl. European Public Prosecutor Working Group, S. 6.

175 Vgl. Teil 2, II.C.1.b).

Gegen eine solche Regelung spricht, dass sich 27 Vertreter miteinander abstimmen müssten. Die gewünschte und erhoffte Beschleunigung der Strafverfolgung könnte so nicht erreicht werden.[176] Darüber hinaus wäre es nicht sachgerecht, wenn stets alle 27 Vertreter entscheiden müssten, obwohl möglicherweise nur zwei oder drei Mitgliedstaaten direkt betroffen sind. Auch die Möglichkeit, die Leitung der Staatsanwaltschaft einem Ausschuss zu übertragen, wäre nicht angemessen, denn das Gremium müsste sich, wenngleich die Anzahl derjenigen, die sich abstimmen müssen, verringert würde, immer einig werden. Im Hinblick darauf, dass im Einzelfall schnelle Entscheidungen getroffen werden müssen, erscheint auch diese Lösung nicht zweckmäßig.

Das Corpus Juris und das Grünbuch sehen vor, dass der Institution ein einzelner leitender Europäischer Staatsanwalt vorstehen soll.[177] In Anbetracht der Tatsache, dass die Leitung durch mehr als eine verantwortliche Person stets zu den oben beschriebenen Schwierigkeiten führen kann, wäre es sinnvoll, sich für diese Option zu entscheiden.[178]

2. Aufbau und Funktionen

Ebenso muss geregelt werden, wie die Institution aufgebaut werden sollte. Dies gilt hinsichtlich der Frage, wer Teil der Europäischen Staatsanwaltschaft sein sollte, sowie der Frage danach, ob sie auf einer zentralen oder dezentralen Organisationsstruktur basieren sollte.

a) Der Europäische Staatsanwalt

Der Europäische Staatsanwalt wird an der Spitze der Behörde stehen und deren Leitung übernehmen. Vor allem sollte ihm die Leitung und Koordinierung der Strafverfolgung zukommen.[179] Durch eine zentrale Leitung kann vermieden werden, dass innerhalb der Institution doppelte Ermittlungen und Strafverfolgungen durchgeführt werden. Zudem können durch eine zentrale Koordinierung Zusammenhänge schneller erkannt und es kann dementsprechend gehandelt werden. Eine europäische Strafverfolgungsbehörde, die die Ermittlungen nicht koordinieren dürfte, wäre ineffizient und könnte keine gleichmäßige Rechtsanwendung erreichen.[180] Hinsichtlich der Befugnisse des Europäischen Staatsanwalts im Rahmen der Strafverfolgung sollten genaue Regelungen getroffen werden. Darüber hinaus sollte er

---

176 So auch European Public Prosecutor Working Group, S. 6.

177 Art. 18 Abs. 3 CJ, EU-Kommission, Grünbuch finanzielle Interessen, S. 30f.

178 So auch Art. 6 Abs. 2 und 4, Vorschlag Europäische Staatsanwaltschaft.

179 Vgl. EU-Kommission, Grünbuch finanzielle Interessen, S. 31; so jetzt auch der Vorschlag Europäische Staatsanwaltschaft Art. 18 Abs. 4.

180 *Nelles,* in: Huber (Hrsg.), Corpus Juris, S. 270.

die Handlungsdirektiven für die Ermittlungen und die Strafverfolgung vorgeben können.[181] Um ein einheitliches Auftreten und Handeln der Europäischen Staatsanwaltschaft gewährleisten zu können, sind klare Leitlinien erforderlich. Es erscheint sinnvoll, die Vorgabe dieser Leitlinien dem Europäischen Staatsanwalt zu überlassen, da dieser als Leiter der Institution die Bedürfnisse der europäischen Strafverfolgung am besten kennt.

Um seiner Position gerecht zu werden und seine Unabhängigkeit zu gewährleisten, sollte der Europäische Staatsanwalt in einem besonderen Verfahren ausgewählt und ernannt werden.[182] Ebenso sollte ein stellvertretender Europäischer Staatsanwalt ernannt werden, der ihn im Fall seiner Abwesenheit oder Verhinderung vertreten kann.

b) Beigeordnete Europäische Staatsanwälte

Die Europäische Staatsanwaltschaft könnte mit Fällen in 27 Mitgliedstaaten befasst werden.[183] Es erscheint deshalb angebracht, dem Europäischen Staatsanwalt zusätzlich zu dem notwendigen Verwaltungspersonal Staatsanwälte zur Seite zu stellen, die ihn in seiner Arbeit unterstützen können.[184] Sie könnten in Vertretung für den Europäischen Staatsanwalt Untersuchungen in verschiedenen Mitgliedstaaten koordinieren und leiten. Dieser würde ihre Tätigkeit überwachen und ihnen verbindliche Weisungen erteilen. Er könnte so seiner Leitungsfunktion gerecht werden und wäre in alle Untersuchungen involviert. Dies wäre nicht möglich, wenn er jede Untersuchung als alleiniger Leiter führen müsste.

Um keine unnötig komplizierte Struktur zu schaffen, sollte sich die Anzahl der beigeordneten Staatsanwälte nicht an der Zahl der Mitgliedstaaten bemessen.[185] Es sollte vielmehr nur ein kleiner Kreis ausgewählter Staatsanwälte mit der Unterstützung des Europäischen Staatsanwalts beauftragt werden.[186] Um zu verhindern, dass eine Überlastung dieser Staatsanwälte zu Verzögerungen in der europäischen Strafverfolgung führt, sollte jedoch die Möglichkeit vorgesehen werden, die Anzahl der Staatsanwälte zu erweitern, wenn sich dies als erforderlich erweist.

---

181 EU-Kommission, Grünbuch finanzielle Interessen, S. 31f.

182 Vgl. unten C.1.a).

183 Im Fall der Errichtung einer Europäischen Staatsanwaltschaft im Rahmen der verstärkten Zusammenarbeit wären es mindestens neun Mitgliedstaaten.

184 So wohl auch European Public Prosecutor Working Group, S. 6.

185 Nach Art. 6 Abs. 3 Vorschlag Europäische Staatsanwaltschaft, soll der Europäische Staatsanwalt von vier „Stellvertretern“ unterstützt werden.

186 Vgl. auch European Public Prosecutor Working Group, S. 6: “limited number of deputies”.

c) Abgeordnete Europäische Staatsanwälte

Unterhalb der Ebene des Europäischen Staatsanwalts und der beigeordneten Staatsanwälte könnten von den Mitgliedstaaten zur Europäischen Staatsanwaltschaft abgeordnete Staatsanwälte deren Aufgaben wahrnehmen.[187] Während der Europäische Staatsanwalt und die beigeordneten Staatsanwälte vornehmlich die Aufgabe hätten, die Ermittlungen zentral zu leiten und zu koordinieren, obläge den abgeordneten Europäischen Staatsanwälten die Durchführung der konkreten Ermittlungen vor Ort.[188] Diese Aufteilung wäre deshalb sinnvoll, weil damit eine Verzahnung zwischen der Unionsebene und den Gerichtssystemen der Mitgliedstaaten gewährleistet wäre.[189]

Es würde sichergestellt, dass die Einrichtung auf Fachpersonal zurückgreifen kann, das sich mit dem jeweiligen nationalen Rechtssystem auskennt und überdies weiß, welchen Behörden welche Zuständigkeiten im betreffenden Mitgliedstaat zukommen.

Um die Vorteile dieser Integration in das nationale Recht voll auszunutzen, sollte nicht das im Corpus Juris vorgesehene Konzept der Wanderstaatsanwälte[190] umgesetzt werden. Dieses sieht vor, dass die Staatsanwälte ihre Ermittlungen unabhängig von ihrem Herkunftsmitgliedstaat in allen betroffenen Mitgliedstaaten durchführen. Sie könnten also europaweit geltende Entscheidungen treffen und diese auch vor Ort umsetzen. Dadurch, dass die abgeordneten Europäischen Staatsanwälte völlig unabhängig von ihrer Herkunft in allen Mitgliedstaaten ermitteln würden, gingen die Vorteile, die bei einem Sitz in ihrem jeweiligen Heimatstaat bestehen (Kenntnis der Sprache, des Rechts und der Behörden), verloren.

Die Lösung, welche die Kommission im Grünbuch vorschlägt, ist deshalb zu bevorzugen. Danach erstreckt sich der Einsatzbereich der abgeordneten Europäischen Staatsanwälte auf ihren Herkunftsmitgliedstaat.[191] In Einzelfällen sollen sie jedoch im Hoheitsgebiet eines anderen Mitgliedstaates in Zusammenarbeit mit dem dortigen abgeordneten Europäischen Staatsanwalt tätig werden können, um Amtshilfe zu leisten.[192] Durch diese Regelung können die Vorteile, die sich aus der dezentralen Ansiedlung der abgeordneten Europäischen Staatsanwälte ergeben, optimal genutzt werden. Trotz dieses grundsätzlich an das Territorium des Heimatstaates gebundenen Handelns könnten den Ermittlungshandlungen der Staatsanwälte unter

---

187 So auch die Vorschläge des CJ (Art. 18 Abs. 3) und der EU-Kommission, Grünbuch finanzielle Interessen, S. 32.

188 Vgl. zur Weisungsgebundenheit der abgeordneten Staatsanwälte unten, Punkt 4.

189 EU-Kommission, Mitteilung Ergänzender Beitrag, S. 6.

190 Erläuterungen zu Art. 18 CJ, *Delmas-Marty* (Hrsg.), Corpus Juris, S. 51.

191 EU-Kommission, Grünbuch finanzielle Interessen, S. 33; so jetzt auch der Vorschlag Europäische Staatsanwaltschaft, Art. 18 Abs. 2.

192 EU-Kommission, Grünbuch finanzielle Interessen, S. 33f.

Umständen grenzüberschreitende Bedeutung zukommen. Dies wäre dann der Fall, wenn bei einer Ermittlung getroffene Entscheidungen auch außerhalb des eigenen Mitgliedstaates Wirkung entfalten würden.[193]

Die Anzahl der Staatsanwälte pro Mitgliedstaat sollte sich nach dem Arbeitsanfall und entsprechend dem Aufbau der innerstaatlichen Gerichtsbarkeit bemessen.[194] Um der Verschiedenheit der Strafverfolgung in den Mitgliedstaaten gerecht zu werden, sollten in das Amt des abgeordneten Europäischen Staatsanwalts je nach Mitgliedstaat nationale Staatsanwälte oder, falls es in dem Mitgliedstaat keine Staatsanwaltschaft gibt, Beamte, die dort die Aufgaben der Strafverfolgung wahrnehmen, berufen werden können.[195]

d) Struktur

Die Europäische Staatsanwaltschaft könnte sowohl zentral als auch dezentral organisiert werden. Eine Entscheidung für eine gewisse Zentralisierung wurde in dieser Arbeit bereits dadurch getroffen, dass dem Europäischen Staatsanwalt die Leitung der Institution sowie die Leitung und Koordination der Strafverfolgung übertragen werden soll. Um eine optimale Unterstützung des Europäischen Staatsanwalts zu gewährleisten, sollten die beigeordneten Staatsanwälte ihren Sitz am gleichen Ort wie der Europäische Staatsanwalt haben. Für die abgeordneten Staatsanwälte stellt sich dies anders dar. Es käme zwar in Betracht, sie am Ort des Staatsanwalts anzusiedeln (zentrale Struktur), möglich wäre aber auch, sie in ihren jeweiligen Mitgliedstaaten zu belassen (dezentrale Struktur).

Für letztere Lösung sprechen sich sowohl die Verfasser des Corpus Juris (Art. 18 Abs. 3 CJ/CJ 2000) als auch die Kommission im Grünbuch[196] aus. Eine dezentrale Struktur sei notwendig, um zu vermeiden, dass eine bürokratische, zentralisierte und teure Institution geschaffen wird.[197] Die Strafverfolgungsbehörde könne so ohne Reibungsverluste in die innerstaatlichen Rechtsordnungen integriert werden.[198] Zudem begründet die Kommission diese Lösung mit der Wahrung des Subsidiaritätsprinzips.[199]

---

193 Vgl. dazu näher unten C.2.d)cc).

194 EU-Kommission, Grünbuch finanzielle Interessen, S. 32; der Vorschlag Europäische Staatsanwaltschaft sieht vor, dass es pro Mitgliedstaat mindestens einen abgeordneten Staatsanwalt geben muss, Art. 6 Abs. 5

195 EU-Kommission, Grünbuch finanzielle Interessen, S. 32.

196 EU-Kommission, Grünbuch finanzielle Interessen, S. 32. Jetzt auch Art. 3 Abs. 1 Vorschlag Europäische Staatsanwaltschaft.

197 Erläuterungen zu Art. 18 CJ, *Delmas-Marty* (Hrsg.), Corpus Juris, S. 50.

198 EU-Kommission, Grünbuch finanzielle Interessen, S. 32.

199 EU-Kommission, Grünbuch finanzielle Interessen, S. 32.

Gegen den Vorschlag der Kommission wird vorgebracht, dass durch diese Struktur die Notwendigkeit einer praktikablen Lösung, die sich an den Besonderheiten des Zusammenspiels von supranationalen Kompetenzen auf nationaler Ebene orientiere, verkannt werde. Nur ein zentrales Organ mit Weisungsmöglichkeiten gegenüber den abgeordneten Staatsanwälten könne eine klare Kompetenz- und Entscheidungslinie festlegen.[200] Hiergegen lässt sich anführen, dass auch nach dem Konzept der dezentralen Struktur vorgesehen ist, das Büro des Europäischen Staatsanwalts zentral anzusiedeln. Da diesem darüber hinaus die Befugnis zukommen soll, die Handlungsdirektiven für die Ermittlung und Strafverfolgung zu bestimmen, könnte er eine klare Kompetenz- und Entscheidungslinie festlegen. Ob dem Europäischen Staatsanwalt eine Weisungsbefugnis gegenüber den abgeordneten Staatsanwälten zusteht, ist keine Frage des Aufbaus der Institution und kann unabhängig hiervon geklärt werden.[201] Der Argumentation, dass ein solches Weisungsrecht nur innerhalb einer zentralen Organisation realisierbar sei,[202] kann nicht gefolgt werden. Durch klare Vorgaben kann sichergestellt werden, dass ein Weisungsrecht auch durchsetzbar wäre, wenn die abgeordneten Staatsanwälte ihren Sitz in ihrem jeweiligen Mitgliedstaat hätten.

Nachvollziehbar ist hingegen das Argument, dass die Arbeit der Europäischen Staatsanwaltschaft durch einen zentralen Aufbau deshalb effektiver sein könnte, weil die Koordinierung und Durchführung der Arbeit zunächst mit allen Beteiligten vor Ort besprochen werden könnte.[203] Wird in diesem Zusammenhang darauf verwiesen, ein Versenden oder Faxen sämtlicher Aktenstücke quer durch Europa oder eine mündliche Kommunikation ohne Einblick in die schriftlichen Dokumente sei weder praktikabel noch könne dadurch den erhöhten Anforderungen an Geheimhaltung und Datenschutz Rechnung getragen werden,[204] erscheint dies zunächst überzeugend. Jedoch ist zu bedenken, dass es mittlerweile die Möglichkeit gibt, Dokumente aller Art einzuscannen oder Beweisstücke zu fotografieren. So wäre ein Versenden oder Faxen nicht notwendig. Darüber hinaus wären diese Scans und Fotos dann als solche vorhanden und müssten nicht erneut kopiert oder gefaxt werden. Zudem werden heutzutage sehr viele Dokumente, wie beispielsweise Protokolle und Berichte, bereits elektronisch verfasst. Anhand dieser Daten könnten Dossiers erstellt und in eine extra dafür errichtete Datenbank eingestellt werden. Um die Datensicherheit zu gewährleisten, könnte ein Datenschutzbeauftragter eingesetzt werden. Dieser würde dann, eventuell zusammen mit dem Europäischen Staatsanwalt, anhand konkreter Richtlinien von Fall zu Fall entscheiden, ob ein abgeordneter Staatsanwalt Zugang zu einem bestimmten Dossier enthält. Darüber

---

200 *Weber,* S. 63.

201 Vgl. hierzu unten III.B.4.

202 *Weber,* S. 64.

203 *Weber,* S. 64.

204 *Weber,* S. 64.

hinaus könnte eine Indexfunktion eingerichtet werden, durch die die abgeordneten Staatsanwälte herausfinden können, ob eine bestimmte Information in den Dossiers gespeichert ist, ohne aber direkten Zugriff auf die Information zu erhalten.[205] Um Zugriff zu erlangen, müsste dann eine Genehmigung eingeholt werden. Ein solches Genehmigungsverfahren scheint erforderlich, um den Datenschutz der betroffenen Personen zu gewährleisten. Insbesondere in Zeiten von Wikileaks,[206] in denen Daten relativ leicht einer breiten Öffentlichkeit zugänglich gemacht werden können, ist eine strikte Zugangsbeschränkung für Ermittlungsdaten notwendig. Damit die Vorteile und die Beschleunigung, die durch diese „papierlosen Akten" erreicht werden können, nicht zunichte gemacht werden, muss ein möglichst schnelles und einfaches Verfahren gewählt werden. Wenn konkrete Leitlinien vorgegeben würden, könnten eventuell auch mehrere Datenschutzbeauftragte für die Prüfung der Genehmigungen eingesetzt werden.

Durch eine digitale Datensammlung könnte die Versendung von Dokumenten auf diejenigen Fälle beschränkt werden, in denen das Vorliegen des Originals unentbehrlich ist. Wird der jeweilige Fall zur Anklage vor einem nationalen Gericht gebracht, würden die Originale an den abgeordneten Europäischen Staatsanwalt versendet, der die Anklage vertritt. Nach den obigen Ausführungen ist nicht einzusehen, warum alle Dokumente zunächst zentral gesammelt werden sollten, zumal sie hierfür auch versendet werden müssten. Mangels Notwendigkeit einer zentralen Beweissammlung kann diese nicht als Argument für eine Zentralisierung der Einrichtung verwendet werden.

Der ebenso vorgebrachte Vorwurf, bei einer dezentral organsierten Staatsanwaltschaft sei kein konkreter Ansprechpartner erkennbar,[207] ist unbegründet. In den Mitgliedstaaten wären die jeweiligen Büros der abgeordneten Staatsanwälte Ansprechpartner für Bürger und Behörden. Darüber hinaus gäbe es, da das Büro des Europäischen Staatsanwalts zentral angesiedelt wäre, auch hier einen Ansprechpartner.

Um die Homogenität des Anklageverhaltens sicherzustellen, die die Rechtssicherheit der Bürger gewährleisten soll, können klare Leitlinien und Vorgaben erstellt werden. Eine zentral organisierte Behörde, bei der auch die abgeordneten Staatsanwälte am Sitz des Europäischen Staatsanwalts angesiedelt sind, ist dafür nicht erforderlich.[208]

Die vorgebrachten Einwände gegen eine dezentrale Organisation konnten nicht überzeugen. Vielmehr erscheint diese Organisationsform sinnvoll, um zu vermei-

---

205 Vgl. zur Indexfunktion Art. 15 Europol-Beschluss.

206 Vgl. dazu z.B. http://www.sueddeutsche.de/thema/Wikileaks [Stand: 20.10.2011].

207 *Weber,* S. 64.

208 A.A. *Weber,* S. 65.

den, dass die Europäische Staatsanwaltschaft eine bürokratische und unflexible Institution wird.[209]

Der Verweis der Kommission auf das Subsidiaritätsprinzip, mit dem diese Lösung im Einklang stünde,[210] ist jedoch zu pauschal. Entscheidend für die Wahrung des Subsidiaritätsprinzips ist, dass nur das auf Unionsebene geregelt und organisiert wird, was die Mitgliedstaaten nicht und die Union gleichzeitig besser regeln oder organisieren kann. Allein dadurch, dass eine dezentrale Organisation beschlossen wird, in der die abgeordneten Staatsanwälte ihren Sitz in den jeweiligen Mitgliedstaaten haben, ist noch nicht gesagt, welche Regelungsbefugnisse bei den Mitgliedstaaten verbleiben, die ihnen bei einer zentralen Struktur verwehrt wären. So könnte den abgeordneten Staatsanwälten beispielsweise ein ausschließlich europäisches Mandat übertragen werden. Gleichzeitig könnte ein eigenes Statut für die abgeordneten Europäischen Staatsanwälte festgelegt werden. Den Mitgliedstaaten verblieben dann, im Vergleich zu einer Lösung, bei der die abgeordneten Staatsanwälte am Sitz des Europäischen Staatsanwalts angesiedelt werden, nicht mehr Regelungsbefugnisse. Eine Prüfung, ob die Struktur der Europäischen Staatsanwaltschaft mit dem Subsidiaritätsprinzip vereinbar ist, hat somit anhand der konkreten Regelungen, die neben der dezentralen Ansiedlung der abgeordneten Staatsanwälte getroffen werden, zu erfolgen. Entgegen der Argumentation der Kommission kann die Vereinbarkeit nicht pauschal mit einem Verweis auf einen dezentralen Aufbau[211] der Europäischen Staatsanwaltschaft angenommen werden.[212]

3. Mandat und Statut

Mangels konkreter Vorgaben im Primärrecht muss geklärt werden, wie das Mandat der Mitglieder der Europäischen Staatsanwaltschaft ausgestaltet werden sollte. Hierfür gibt es zwei Möglichkeiten. Sie könnten ein rein europäisches Mandat übernehmen oder ein Mandat, bei dem ein nationales Mandat gleichzeitig mit einem europäischen Mandat ausgeübt wird.[213] Ob die Mitglieder ein europäisches oder ein gemischtes Mandat innehaben, könnte wiederum einheitlich für alle Angehörigen der Staatsanwaltschaft oder, je nach Funktion innerhalb der Institution, unterschiedlich geregelt werden.[214] Zudem ist zu überlegen, wie das Statut der Europäischen Staatsanwaltschaft ausgestaltet werden sollte. Auch hier gibt es mehrere mögliche Wege. So könnte ein Statut für alle Mitglieder gelten. Vorstellbar

---

[209] So auch: *Biehler/Gleß/Parra/Zeitler,* S. 10f.

[210] EU-Kommission, Grünbuch finanzielle Interessen, S. 32.

[211] EU-Kommission, Grünbuch finanzielle Interessen, S. 32.

[212] Vgl. dazu auch Teil 3, II.A.2.c).

[213] Vgl. EU-Kommission, Grünbuch finanzielle Interessen, S. 33.

[214] Auf die Konsequenzen für das Verhältnis zu den nationalen Strafverfolgungsbehörden, die sich beispielsweise bei konkurrierenden nationalen Delikten aus der getroffenen Regelung ergeben, wird unten, unter IV.A.1. näher eingegangen.

wäre aber auch, dass sich das Statut des Europäischen Staatsanwalts von dem der abgeordneten Staatsanwälte unterscheidet. Für die abgeordneten Staatsanwälte käme eine Regelung in Betracht, die auf das jeweilige nationale Recht verweist, während für den Europäischen Staatsanwalt eine europäische Regelung vorgesehen werden könnte.

a) Der Europäische Staatsanwalt

Für den Europäischen Staatsanwalt stellt sich die Situation bezüglich des Mandats eindeutig dar. Er soll die Institution leiten und seinen Sitz zentral, beispielsweise in Brüssel oder Den Haag[215] haben. Aufgrund seiner besonderen Position sollte der Europäische Staatsanwalt in einem besonderen Verfahren ernannt werden.[216] Seine Position hätte somit keinerlei Bezug zu einem bestimmten Mitgliedstaat. Folglich ist kein Grund ersichtlich, warum er zusätzlich zu seinem europäischen Mandat ein nationales ausüben sollte. Gleiches gilt für die Vergütung des Europäischen Staatsanwalts. Diese muss auf europäischer Ebene erfolgen.

Trotz dieser „europäischen Ausgestaltung" kann hinsichtlich des Statuts des Europäischen Staatsanwalts nicht ohne Weiteres auf das Personalstatut der Beamten der Europäischen Union[217] zurückgegriffen werden.[218] Aufgrund seiner besonderen Position müssen beispielsweise hinsichtlich der Ernennung, der Amtsenthebung, aber auch in Bezug auf die Dauer des Dienstverhältnisses gesonderte Regelungen für den Europäischen Staatsanwalt getroffen werden.[219] Ebenso kann die Immunitätenregelung, die das Protokoll über die Vorrechte und Befreiungen der Europäischen Union[220] für Beamte und Bedienstete der Union trifft, nicht für den Europäischen Staatsanwalt gelten. Denn innerhalb der Union ist es ein allgemeiner Grundsatz, dass Bedienstete von Strafverfolgungsbehörden persönlich nach dem allgemeinen Strafrecht für Fehlverhalten bei der Ausübung ihrer Tätigkeit haften.[221] Etwas anderes kann somit auch nicht für einen innerhalb der Union tätigen, supranational agierenden Europäischen Staatsanwalt gelten. Nicht ausgeschlossen

---

215 Vgl. die Vorschläge: Art. 18 Abs. 3 CJ/CJ 2000; *Biehler/Gleß/Parra/Zeitler,* S. 11.

216 Vgl. unten C.1.

217 Verordnung Nr. 31 (EWG) 11 (EAG) über das Statut der Beamten und über die Beschäftigungsbedingungen für die sonstigen Bediensteten der Europäischen Wirtschaftsgemeinschaft und der Europäischen Atomgemeinschaft, ABl. 1962/45/1385, zuletzt geändert durch Verordnung (EU, Euratom) Nr. 1296/2009 des Rates vom 23. Dezember 2009, ABl. 2009/L348/10.

218 EU-Kommission, Grünbuch finanzielle Interessen, S. 31, lässt diese Frage offen.

219 Vgl. dazu näher unten C.1.

220 Art. 11 Protokoll über die Vorrechte und Befreiungen der Europäischen Union, ABl. 1967/152/13, zuletzt geändert durch Art. 1 Abs. 7 lit. b), Abs. 8 lit. d), Abs. 14 Protokoll Nr. 1 zum Lissabonner Vertrag, ABl. 2007/C306/165.

221 *Biehler/Gleß/Parra/Zeitler,* S. 13; *Gleß/Grote/Heine,* Kontrolle von Europol Band 1, S. 669.

ist jedoch, dass die europäischen Regeln partiell für anwendbar erklärt werden. So könnten beispielsweise die Art. 12 bis 15 des Protokolls über die Vorrechte und Befreiungen der Europäischen Union Anwendung finden.[222] Auch die Übernahme weiterer Regelungen aus dem Beamtenstatut wäre möglich, soweit die besondere Position des Europäischen Staatsanwalts keine eigene Regelung erfordert.

b) Beigeordnete Europäische Staatsanwälte

Aufgabe der beigeordneten Europäischen Staatsanwälte wäre die Unterstützung des Europäischen Staatsanwalts. Auch bei ihnen sollte es sich in Anbetracht ihrer Position nicht um abgeordnete Staatsanwälte der Mitgliedstaaten handeln, sondern um unabhängig von einem Vorschlag der Mitgliedstaaten ausgewähltes Personal des Europäischen Staatsanwalts. Die beigeordneten Europäischen Staatsanwälte hätten ihren Sitz zentral beim Europäischen Staatsanwalt. Somit sollten sie ebenso wie dieser ein ausschließlich europäisches Mandat erhalten und von der Europäischen Union vergütet werden. Da ihnen aufgrund ihrer Unterstützungsfunktion eine geringere Machtposition als dem Europäischen Staatsanwalt zukäme, könnten sich die weiteren Regelungen des Statuts von denen des Europäischen Staatsanwalts unterscheiden. So könnten insbesondere hinsichtlich der Ernennung und der Amtsenthebung weniger strenge Bestimmungen vorgesehen werden. Immunität darf ihnen jedoch aufgrund der oben gemachten Ausführungen ebenso wenig zugestanden werden wie dem Europäischen Staatsanwalt.

c) Abgeordnete Europäische Staatsanwälte

Die abgeordneten Europäischen Staatsanwälte sollen in den Mitgliedstaaten die Strafverfolgungs- und Ermittlungskompetenzen der Europäischen Staatsanwaltschaft ausüben. Dafür könnte ihnen sowohl ein exklusiv europäisches als auch ein Mandat, bei dem das europäische gleichzeitig mit dem nationalen ausgeübt wird, übertragen werden. Im Gegensatz zum Europäischen Staatsanwalt und den beigeordneten Europäischen Staatsanwälten hätten die abgeordneten Europäischen Staatsanwälte ihren Sitz in ihrem jeweiligen Herkunftsmitgliedstaat und würden von diesem für ihre Aufgabe abgeordnet. Somit läge hier ein Konnex zum Mitgliedstaat vor, der die Beibehaltung des nationalen Mandats begründen könnte. Auch für das Statut könnte deshalb darüber nachgedacht werden, auf nationale Regelungen zurückzugreifen.

---

[222] Vgl. die Regelung hinsichtlich des Europäischen Datenschutzbeauftragten: Art. 42 Abs. 7, Verordnung (EG) Nr. 45/2001 des Europäischen Parlaments und des Rates vom 18. Dezember 2000 zum Schutz natürlicher Personen bei der Verarbeitung personenbezogender Daten durch die Organe und Einrichtungen der Gemeinschaft und zum freien Datenverkehr, ABl. 2001/L8/1.

aa) Mandat

Möglicherweise wäre es sinnvoll, den abgeordneten Europäischen Staatsanwälten kein rein europäisches Mandat zu übertragen, sondern eines, nach dem sie primär für die Verfolgung von Straftaten zum Nachteil der finanziellen Interessen der Union zuständig sind, jedoch subsidiär weiterhin ihr nationales Mandat wahrnehmen.[223] In Fällen, in denen sowohl ein Verstoß gegen die unionsrechtlichen Bestimmungen als auch gegen innerstaatliches Recht vorliegt, könnte sich diese Variante als die einfachere und bessere erweisen.[224] Zudem könnte sich dieses System deshalb als das passendere erweisen, weil so die Vorzüge einer zentralisierten Entscheidungsfällungsstruktur mit der Möglichkeit, sofort zu handeln, kombiniert werden könnten. Diese Möglichkeit ergäbe sich daraus, dass die abgeordneten Staatsanwälte in die nationalen Strafverfolgungssysteme eingebunden wären.[225] Für diese Lösung spricht auch, dass einige Staaten sehr zögerlich sind, wenn es darum geht, dass eine „nicht-nationale" Behörde Aufgaben ausführen soll, die traditionell so eng mit der Souveränität der Mitgliedstaaten verbunden sind wie die Strafverfolgung.[226] Dieser Widerstand könnte möglicherweise dadurch, dass die Handlungen von einem nationalen Staatsanwalt ausgeführt werden, zumindest partiell überwunden werden.[227] Auch würde der abgeordnete Europäische Staatsanwalt dann möglicherweise weniger als „Eindringling"[228] gesehen als bei einem rein europäischen Mandat.[229]

Wenngleich diese Vorteile nicht zu leugnen sind, könnten sich durch diese Lösung auch Nachteile ergeben. So wären bei einer Kumulierung der Mandate Interessen-, Loyalitäts- und Prioritätskonflikte kaum auszuschließen.[230] Es stellt sich z.B. die Frage, wie ein abgeordneter Europäischer Staatsanwalt, der sich mit einem nationalen Fall beschäftigt, reagieren soll, wenn er mit einem anderen, europäischen Fall befasst wird. Soll er nun die Ermittlungen im nationalen Fall hintanstellen und sich nur noch dem europäischen Fall widmen? Oder kann er zunächst seinen Fall beenden und sich danach dem europäischen zuwenden? Dies widerspräche dann aber dem Vorrang, der den europäischen Fällen eingeräumt werden soll. Eine Lösung, die dazu führen kann, dass nationale Fälle nicht weiter bearbeitet werden, weil ein europäischer Fall verfolgt werden muss, würde zu Prozessverzögerungen

---

223 EU-Kommission, Grünbuch finanzielle Interessen, S. 33.

224 EU-Kommission, Grünbuch finanzielle Interessen, S. 33.

225 European Public Prosecutor Working Group, S. 7.

226 European Public Prosecutor Working Group, S. 7.

227 European Public Prosecutor Working Group, S. 7.

228 So die Befürchtung von *Klip,* in: Vervaele (Hrsg.), Transnational Enforcement, S. 101.

229 Für ein gemischtes Mandat jetzt auch der Vorschlag Europäische Staatsanwaltschaft, vgl. Art. 6 Abs. 6.

230 *Biehler/Gleß/Parra/Zeitler,* S. 16f.

und je nach Dauer der Unterbrechungen möglicherweise sogar zur Verjährung der Fälle führen.

Zwar gibt es bereits dadurch, dass nationale Richter sowohl europäisches als auch nationales Recht anwenden, ein Beispiel dafür, dass eine solche Aufgabenverteilung funktionieren kann. Jedoch ist diese Situation nicht mit der vorliegenden vergleichbar. Den Richtern kommt grundsätzlich Unabhängigkeit bei der Entscheidungsfindung zu und sie sind keinen Weisungen verpflichtet. Sie befinden sich also in einer ganz anderen Situation als Staatsanwälte, die weisungsgebunden handeln. Bei einem gemischten Mandat wären die abgeordneten Europäischen Staatsanwälte zugleich zwei Vorgesetzten unterstellt, dem Europäischen Staatsanwalt und dem nationalen Vorgesetzten. Die beiden Vorgesetzten könnten widersprüchliche Weisungen erteilen. Obschon das europäische Mandat vorginge und somit auch die Weisungen des Europäischen Staatsanwalts, könnten Loyalitätskonflikte entstehen, da der abgeordnete Europäische Staatsanwalt in der Regel eine engere Bindung an sein eigenes nationales Recht und seine nationalen Vorgesetzten haben wird.[231] Hinzu kommt, dass in Fällen, in denen sowohl nationale als auch europäische Interessen betroffen sind, eine Abgrenzung dahingehend, welche Ermittlungshandlung aufgrund des nationalen Mandats und welche aufgrund des europäischen Mandats veranlasst wird, schwierig wäre.[232] Somit wäre auch die Frage danach, welcher Vorgesetzte für welche Handlungen Weisungen erteilen darf, nicht zu klären. Aufgrund der mit diesem Problem verbundenen Unsicherheit wäre die so wichtige Unabhängigkeit von den Mitgliedstaaten bei den Ermittlungen nicht gewährleistet.[233]

Die hier aufgeführten Nachteile eines kumulierten Mandats können durch die Vorteile nicht aufgewogen werden. Die Unabhängigkeit der Ermittlungen muss zu jedem Zeitpunkt gewährleistet sein. Dies kann bei der Übertragung eines gemischten Mandats auf die abgeordneten Europäischen Staatsanwälte nicht sichergestellt werden. Durch ein europäisches Mandat wäre die Verfolgung von Straftaten zum Nachteil der finanziellen Interessen der Union, ohne dabei nationale Interessen zu berücksichtigen, alleinige Aufgabe der abgeordneten Europäischen Staatsanwälte. Eine Weisungsbefugnis käme nur für den Europäischen Staatsanwalt in Betracht. Dadurch würde gewährleistet, dass der abgeordnete Europäische Staatsanwalt seine Tätigkeit frei von nationalen Interessen wahrnehmen kann. Interessen- und Prioritätsprobleme könnten somit von vornherein ausgeschlossen werden.[234] Die Erteilung eines rein europäischen Mandats führt auch nicht zwingend dazu, dass die Kommunikation mit den mitgliedstaatlichen Behörden schlechter funktioniert, als wenn ein gemischtes Mandat erteilt würde. Man könnte beispielsweise festschrei-

---

231 *Biehler/Gleß/Parra/Zeitler,* S. 17.

232 *Biehler/Gleß/Parra/Zeitler,* S. 17.

233 Vgl. *Biehler/Gleß/Parra/Zeitler,* S. 17.

234 EU-Kommission, Grünbuch finanzielle Interessen, S. 33.

ben, dass nur nationale Staatsanwälte zum abgeordneten Europäischen Staatsanwalt ernannt werden können, die bereits einige Jahre Berufserfahrung haben,[235] idealerweise auf dem Gebiet der Betrugsbekämpfung. Durch seine Ausbildung als nationaler Staatsanwalt wüsste der abgeordnete Europäische Staatsanwalt, wer in welchem Fall der richtige nationale Ansprechpartner ist. Zudem hätte er schon Kontakte zu Behörden geknüpft und würde die nationalen Besonderheiten der Strafverfolgung kennen. Er wäre somit bereits in das nationale Strafverfolgungssystem integriert. Wenn darüber hinaus verpflichtende Regelungen dahingehend getroffen würden, dass die Fälle des abgeordneten Europäischen Staatsanwalts von den mitgliedstaatlichen Behörden so zu behandeln sind wie die eines nationalen Staatsanwalts, würde das europäische Mandat nicht zwingend zu Problemen führen. Dem Misstrauen der nationalen Behörden würde zudem dadurch entgegengewirkt, dass der abgeordnete Europäische Staatsanwalt zumindest der eigenen Rechtsordnung entstammt und in dieser bereits tätig war.

Fraglich ist, ob es der Union überhaupt gestattet ist, darüber zu entscheiden, welcher Art das Mandat sein soll. Möglicherweise wäre es im Hinblick auf die Wahrung von Subsidiaritäts- und Verhältnismäßigkeitsprinzip richtig, den Mitgliedstaaten die Wahl zu überlassen, welche Lösung für sie jeweils die beste ist.[236] Dadurch würde der Spielraum der Mitgliedstaaten, was Regelungsbreite bzw. -tiefe angeht, am wenigsten eingeschränkt[237] und die Belastung der Mitgliedstaaten in Form eines Eingriffs in ihre Souveränität würde gering gehalten.[238] Ziel der Errichtung der Europäischen Staatsanwaltschaft ist die Verbesserung der Strafverfolgung von Delikten zum Nachteil der finanziellen Interessen der Union. Überließe man den Mitgliedstaaten die Wahl, welches Mandat den abgeordneten Europäischen Staatsanwälten ihres Landes zuteilwerden soll, könnten sie sich dafür entscheiden, ein gemischtes Mandat einzuführen. Dies würde aber zu den oben genannten Problemen führen. Insbesondere wäre die Unabhängigkeit der Ermittlungen der Staatsanwaltschaft nicht gewährleistet. Gerade die Tatsache, dass nationale Interessen mit europäischen in Konflikt geraten können, hat sich als Hindernis bei der effektiven Strafverfolgung von EU-Betrug erwiesen.[239] Darüber hinaus hätten die abgeordneten Europäischen Staatsanwälte dann unterschiedliche Rechtsstellungen, je nachdem, ob sich ihr Mitgliedstaat für ein nationales oder ein gemischtes Mandat entscheidet.[240] Das würde sich sowohl nachteilig auf eine einheitliche Arbeitsweise der Staatsanwaltschaft als auch auf ein einheitliches Auftreten den Bürgern gegenüber auswirken. Träfe die Union keine Regelung zur Festlegung eines europäischen

---

[235] So auch EU-Kommission, Grünbuch finanzielle Interessen, S. 32.

[236] Vgl. EU-Kommission, Grünbuch finanzielle Interessen, S. 32.

[237] Vgl. Calliess/Ruffert-*Calliess,* Art. 5 EUV Rn. 47.

[238] Vgl. Lenz/Borchardt-*Langguth,* Art. 5 Rn. 38.

[239] Vgl. Teil 2, III.G.

[240] *Biehler/Gleß/Parra/Zeitler,* S. 17.

Mandats, ergäben sich immer dann Probleme, wenn ein Mitgliedstaat sich für ein gemischtes Mandat entscheidet. Das Ziel der Verbesserung der Strafverfolgung kann somit nicht erreicht werden, wenn den Mitgliedstaaten die Wahl hinsichtlich des Mandats überlassen wird. Gleichzeitig ist die Vorgabe zur Erteilung eines europäischen Mandats unerlässliche Voraussetzung dafür, dass die Strafverfolgung verbessert werden kann. Dadurch, dass den Mitgliedstaaten die Wahl des Mandats überlassen würde, könnte eine gehinderte Strafverfolgungsinstitution entstehen, deren Mehrwert zweifelhaft ist. So wäre es sogar denkbar, dass die Errichtung der Institution dann gegen das Subsidiaritätsprinzip verstoßen würde, da möglicherweise keine Verbesserung in der Strafverfolgung erreicht werden könnte. Es ist somit erforderlich, auf europäischer Ebene festzulegen, dass den abgeordneten Staatsanwälten ein rein europäisches Mandat zukommt. Gleichzeitig ist diese Maßnahme auch geeignet, gewisse Probleme von vornherein auszuschließen. Eine Bestimmung der Union dahingehend, dass den abgeordneten Europäischen Staatsanwälten ein europäisches Mandat erteilt werden muss, wäre mithin nicht nur mit dem Verhältnismäßigkeitsgrundsatz zu vereinbaren, sondern wird vom Subsidiaritätsprinzip darüber hinaus sogar gefordert.

Um Probleme bei den Fällen zu vermeiden, in denen ein Verstoß begangen wurde, der sowohl in die Zuständigkeit der Europäischen Staatsanwaltschaft als auch in die ausschließliche Zuständigkeit der nationalen Staatsanwaltschaft fällt, sollten klare Leitlinien für die Behandlung dieser sogenannten gemischten Fälle verfasst werden. Darüber hinaus ist eine enge Kooperation zwischen den abgeordneten Europäischen Staatsanwälten und den nationalen Staatsanwälten unerlässlich, um eine angemessene Strafverfolgung dieser Fälle zu gewährleisten.[241]

Auch bei einem rein europäischen Mandat kann nicht ausgeschlossen werden, dass der abgeordnete Europäische Staatsanwalt seine Fälle mit einer „nationalen Brille“ betrachtet und deshalb nicht immer alle erforderlichen Maßnahmen ergreift. Um dies zu verhindern, könnte in Betracht gezogen werden, jedem abgeordneten Europäischen Staatsanwalt einen Staatsanwalt aus einem anderen Mitgliedstaat zur Seite zu stellen, der ebenfalls an der Strafverfolgung beteiligt ist. Aber auch ohne die Bildung solcher Ermittlungsteams kann das europäische Mandat im Vergleich zu einem gemischten Mandat die größere Unabhängigkeit der Ermittlungen gewährleisten und sollte deshalb für die abgeordneten Europäischen Staatsanwälte vorgesehen werden.

bb) Statut

Hinsichtlich des Statuts der abgeordneten Europäischen Staatsanwälte schlägt die Kommission im Grünbuch vor, auf das jeweilige innerstaatliche Recht zurück-

---

[241] Vgl. unten IV.B.3.a)bb).

zugreifen.[242] So soll für Einstellung, Ernennung, Beförderung, Vergütung, soziale Sicherheit und für sonstige personelle Angelegenheiten das nationale Recht Anwendung finden. Hinsichtlich der Disziplinarordnung und der dienstrechtlichen Stellung soll hingegen eine eigene Regelung geschaffen werden.[243] Grundsätzlich spricht allein die Erteilung eines europäischen Mandats nicht dagegen, manche Regelung des innerstaatlichen Statuts anzuwenden. Es kann jedoch nicht ohne Weiteres auf alle Regelungen zurückgegriffen werden. Vielmehr muss genau geprüft werden, ob die Anwendung nationaler Regelungen sinnvoll ist oder ob europäische Bestimmungen verfasst werden sollten.

Die abgeordneten Europäischen Staatsanwälte könnten nach den nationalen Regeln vergütet werden. Dies liegt zunächst deshalb nahe, weil sie im Gegensatz zu dem Europäischen Staatsanwalt und den beigeordneten Staatsanwälten ihren Sitz in den Mitgliedstaaten hätten. Dagegen spricht, dass die Ressourcen der Mitgliedstaaten auf dem Gebiet der Strafverfolgung häufig schon jetzt knapp sind. Müssten die abgeordneten Europäischen Staatsanwälte zusätzlich aus dem nationalen Budget bezahlt werden, könnte dies dazu führen, dass im Zweifel eher an einer Stelle für einen Europäischen Staatsanwalt gespart wird als an einer für einen nationalen. So könnte beispielsweise, obwohl ein zweiter abgeordneter Europäischer Staatsanwalt notwendig wäre, um den Arbeitsanfall in angemessener Zeit zu erledigen, dessen Abordnung sehr lange hinausgezögert oder gar ganz unterlassen werden. Wenngleich zwingende Vorgaben für die Einsetzung eines abgeordneten Europäischen Staatsanwalts vorgesehen werden könnten, würde die Durchsetzung dieser Vorgaben durch die Union viel Zeit und Aufwand erfordern. Die Strafverfolgung wäre jedoch bis dahin in ihrer Effektivität gehindert. Um hier mögliche Differenzen zu vermeiden, sollte vorgesehen werden, dass auch die abgeordneten Europäischen Staatsanwälte durch die Union bezahlt werden. Dann erscheint es aber auch zweckmäßig, für die Regelungen der sozialen Sicherheit und sonstiger personeller Angelegenheiten ebenso wenig auf das nationale Recht zurückzugreifen.

Der Vorschlag, auch für die Disziplinarordnung und die dienstrechtliche Stellung nicht auf das nationale Recht zurückzugreifen,[244] ist sachgerecht. Um die volle Unabhängigkeit der Ermittlungen der Europäischen Staatsanwaltschaft zu gewährleisten, müssen die abgeordneten Europäischen Staatsanwälte dem Einfluss der Mitgliedstaaten entzogen sein. Deshalb dürften sie nicht den mitgliedstaatlichen Regelungen unterstellt werden. Zudem ist innerhalb der Strukturen der Einrichtung eine Beförderung in dem Sinne, dass dadurch ein höheres Amt erlangt werden könnte, nicht vorgesehen, sodass in diesem Fall das nationale Recht keine Anwendung finden könnte.

---

242 EU-Kommission, Grünbuch finanzielle Interessen, S. 32.

243 EU-Kommission, Grünbuch finanzielle Interessen, S. 32.

244 EU-Kommission, Grünbuch finanzielle Interessen, S. 32.

Aus der vorstehenden Erörterung ergibt sich, dass es sinnvoll wäre, ein eigenes Statut für die abgeordneten Europäischen Staatsanwälte vorzusehen. Die Vereinbarkeit einer solchen Regelung mit dem Subsidiaritäts- und dem Verhältnismäßigkeitsprinzip ergibt sich hier daraus, dass eine Regelung durch die nationalen Gesetzgeber zu Problemen führen würde. Zugleich wäre eine Regelung auf europäischer Ebene geeignet, das Statut der abgeordneten Europäischen Staatsanwälte zu regeln. Den Mitgliedstaaten sollte es aber überlassen bleiben, im Rahmen von auf europäischer Ebene festgelegten Regeln darüber zu entscheiden, welche nationalen Staatsanwälte für das Amt des abgeordneten Europäischen Staatsanwalts in Betracht kommen. Es erscheint nicht notwendig, auch dies bis ins Detail festzulegen. Eine Regelung durch die Union wäre deshalb mangels Erforderlichkeit nicht mit dem Subsidiaritätsprinzip und dem Verhältnismäßigkeitsgrundsatz zu vereinbaren. Einzig, dass die von den Mitgliedstaaten abgeordneten Staatanwälte über eine gewisse Berufserfahrung[245] verfügen müssen, sollte auf europäischer Ebene festgelegt werden. Darüber hinaus sollte der Union ein Prüfungsrecht hinsichtlich der Notwendigkeit der Ernennung eines zweiten oder dritten abgeordneten Europäischen Staatsanwalts durch einen Mitgliedstaat gesichert werden. Dieses sollte ihr zugestanden werden, da sie die Vergütung der abgeordneten Europäischen Staatsanwälte tragen muss.

4. Weisungsbefugnis

Da die Europäische Staatsanwaltschaft unabhängig von den Mitgliedstaaten ermitteln soll,[246] ist nicht nur für den Europäischen Staatsanwalt und die ihm zur Unterstützung unterstellten beigeordneten Staatsanwälte eine Weisungsbefugnis der Mitgliedstaaten abzulehnen, sondern auch für die abgeordneten Europäischen Staatsanwälte.[247]

Denkbar wäre es allerdings, dem Europäischen Staatsanwalt ein Weisungsrecht für die abgeordneten Europäischen Staatsanwälte zu übertragen, das sowohl die Rechtsaufsicht als auch die Fachaufsicht umfasst.[248] Der Europäische Staatsanwalt soll das Vorgehen der Behörde leiten und die Handlungsdirektiven vorgeben. Um ein einheitliches Auftreten und Vorgehen zu gewährleisten, ist es unabdingbar, dem Europäischen Staatsanwalt eine Weisungsbefugnis gegenüber den abgeordneten Europäischen Staatsanwälten zu übertragen. Dies gilt insbesondere dann, wenn man davon ausgeht, dass die Europäische Staatsanwaltschaft nach dem Grundsatz

---

245 Für Berufserfahrung als Voraussetzung für die Ernennung auch Vorschlag Europäische Staatsanwaltschaft, Art. 10 Abs. 2.

246 Vgl. oben III.A.

247 So jetzt auch der Vorschlag Europäische Staatsanwaltschaft, Art. 6 Abs. 6.

248 EU-Kommission, Grünbuch finanzielle Interessen, S. 34.

der Unteilbarkeit handelt,[249] also die Handlungen eines abgeordneten Staatsanwalts die gesamte Institution binden. Um die Rechtssicherheit der Bürger zu gewährleisten, denen nicht zugemutet werden sollte, dass die Behörde ihre Entscheidungen jederzeit wieder ändern kann,[250] müsste dieser Grundsatz der Unteilbarkeit für das Handeln der Strafverfolgungsbehörde festgeschrieben werden. Dann ist es aber auch nur konsequent, dem Europäischen Staatsanwalt eine Weisungsbefugnis[251] hinsichtlich der abgeordneten Staatsanwälte zuzusprechen und dadurch festzulegen, wer in Zweifelsfällen eine Entscheidung trifft.[252] Selbstverständlich sollte er auch in Bezug auf die beigeordneten Staatsanwälte, die ihn an seinem Sitz unterstützen, weisungsbefugt sein.

5. Dienstaufsicht

Zudem sollten die beigeordneten und abgeordneten Europäischen Staatsanwälte der Dienstaufsicht des Europäischen Staatsanwalts unterstellt werden. Disziplinarmaßnahmen, die der Europäische Staatsanwalt im Wege dieser Dienstaufsicht verhängt, sollten durch den EuGH kontrolliert werden können,[253] um die Unabhängigkeit der Behörde zu sichern und Rechtssicherheit zu gewährleisten.

6. Finanzierung

Die Vergütung des Europäischen Staatsanwalts, der beigeordneten Staatsanwälte und der abgeordneten Staatsanwälte würde über die Europäische Union erfolgen.[254] Hinsichtlich der Mittel, die diese benötigen, könnte jedoch zum Teil auf die Ressourcen der Mitgliedstaaten zurückgegriffen werden. So wäre es beispielsweise denkbar, dass diese das Büro des abgeordneten Europäischen Staatsanwalts und die finanziellen Mittel für PC, Internet und Ähnliches stellen. Diese Ausstattung sollte jener der nationalen Staatsanwälte entsprechen und ein effektives Arbeiten gewährleisten. Ebenso könnte das Verwaltungspersonal der abgeordneten Europäischen Staatsanwälte aus den Mitteln der Mitgliedstaaten finanziert werden. Hierfür könnte auch auf bereits vorhandene Strukturen zurückgegriffen und Synergien genutzt werden.[255] Dem Personal käme keine Position zu, die dem abgeordneten Europäischen Staatsanwalt vergleichbar wäre. Daher müsste eine Einbindung in nationale Strukturen nicht zwangsläufig zu Problemen führen. Klargestellt werden müsste

---

249 Art. 18 Abs. 4 CJ; EU-Kommission, Grünbuch finanzielle Interessen, S. 34.

250 *Biehler/Gleß/Parra/Zeitler*, S. 14.

251 Für eine Weisungsbefugnis auch der Vorschlag Europäische Staatsanwaltschaft Art. 18 Abs. 4

252 *Biehler/Gleß/Parra/Zeitler*, S. 14.

253 *Biehler/Gleß/Parra/Zeitler*, S. 15.

254 Vgl. Vorschlag Europäische Staatsanwaltschaft, Art. 48ff.

255 EU-Kommission, Grünbuch finanzielle Interessen, S. 34f.

jedoch, dass in den Fällen, in denen die Europäische Staatsanwaltschaft zuständig ist, ausschließlich deren Weisungen gefolgt werden darf.

Der Einrichtung könnte ein eigenes Budget zugeteilt werden, aus dem sie sich abgesehen von den oben beschriebenen Ausnahmen finanziert. Hieraus könnte auch der zusätzliche Aufwand, der den Mitgliedstaaten entsteht, teilweise erstattet werden.[256] Zudem könnten hierüber jene Mittel finanziert werden, die in einem Mitgliedstaat den nationalen Staatsanwälten nicht gewährt und deshalb auch den abgeordneten Europäischen Staatsanwälten nicht zur Verfügung gestellt werden, obgleich sie für eine Arbeit des abgeordneten Europäischen Staatsanwalts wesentlich sind.[257]

Es wäre somit sinnvoll, der Europäischen Staatsanwaltschaft einen eigenen Haushalt zuzuteilen. Dieser sollte, wie es nun bei Europol vorgesehen ist, in den Gesamthaushalt der Europäischen Union integriert werden.[258] Dadurch käme dem Europäischen Parlament eine gewisse Kontrollmöglichkeit zu,[259] in deren Rahmen es die Verabschiedung des Haushalts vollständig oder teilweise blockieren könnte. Darüber hinaus sollte der Rechnungshof für die Überprüfung des Haushalts zuständig sein.[260]

C. Ernennung und Amtsenthebung

Aufgrund ihres besonderen Status ist zu untersuchen, welche Regelungen für die Ernennung und die Amtsenthebung der Mitglieder der Europäischen Staatsanwaltschaft festgelegt werden müssten.

1. Der Europäische Staatsanwalt

Als Leiter hat der Europäische Staatsanwalt die wichtigste Position innerhalb der Institution inne. Aufgrund der ihm zukommenden Weisungsbefugnis kann er auf alle eingeleiteten Verfahren einwirken und diese lenken. Er kann darüber hinaus Handlungsdirektiven für die Tätigkeit aller Mitglieder der Europäischen Staatsanwaltschaft vorgeben.

Es muss deshalb in besonderem Maße gewährleistet werden können, dass dieses Amt von einer Person ausgeübt wird, die über die notwendige Integrität verfügt und die die Unabhängigkeit wahrt, die dem Amt zukommt. Zugleich muss sicher-

---

256 EU-Kommission, Grünbuch finanzielle Interessen, S. 35.

257 Z.B. Videotechnik, vgl. unten IV.C.3.f)aa).

258 Art. 42 Europol-Beschluss.

259 *Spencer,* in: Huber (Hrsg.), Corpus Juris, S. 255; vgl. oben 6.

260 *Weber,* S. 75.

gestellt werden, dass im Fall von Verfehlungen disziplinarische Maßnahmen gegen den Europäischen Staatsanwalt ergriffen werden können.

a) Ernennungsverfahren

Die Kommission schlägt im Grünbuch vor, dass der Europäische Staatsanwalt auf Vorschlag der Kommission mit qualifizierter Mehrheit und nach Zustimmung des Europäischen Parlaments vom Rat ernannt wird.[261] Da 2001 noch keine Rechtsgrundlage für die Schaffung einer Europäischen Staatsanwaltschaft vorhanden war, ist im Grünbuch vorgesehen, dass die Bestimmungen über das Ernennungsverfahren in Art. 280a EGV[262] verankert werden sollen. Durch Art. 86 AEUV ist eine Rechtsgrundlage für die Errichtung einer europäischen Strafverfolgungsbehörde geschaffen worden. In diesem findet sich jedoch keine Regelung hinsichtlich der Ernennung des Europäischen Staatsanwalts, sodass offen ist, welches Verfahren hierfür vorgesehen werden soll.

Der im Grünbuch gemachte Vorschlag lehnt sich an das im EGV für die Ernennung der Kommissionsmitglieder vorgesehene Verfahren (Art. 214 Abs. 2 EGV) an. Danach ernennt der Europäische Rat einen von ihm vorgeschlagenen Kandidaten mit qualifizierter Mehrheit nach Zustimmung des Europäischen Parlaments. Die Kommissionsmitglieder werden von den Mitgliedstaaten vorgeschlagen und ebenfalls mit qualifizierter Mehrheit des Europäischen Rates im Einvernehmen mit dem Präsidenten der Kommission ernannt. Eine Parallele zwischen Kommissionsmitgliedern und dem Europäischen Staatsanwalt kann zumindest insofern gezogen werden, als beide der Exekutive angehören. Ihre Positionen unterscheiden sich indes, insbesondere hinsichtlich der Möglichkeit, (Grund-)Rechtseingriffe bei EU-Bürgern vorzunehmen, wesentlich.[263] Während der Europäische Staatsanwalt unmittelbar in die Grundrechte der Bürger eingreifen können wird,[264] sind die durch die Kommission vorgenommenen Grundrechtseingriffe zumeist nur mittelbarer Natur.[265] Dies spricht dafür, den Europäischen Staatsanwalt einer stärkeren demokratischen Kontrolle zu unterwerfen als die Kommissionsmitglieder.[266] Eine stärkere demokratische Legitimation könnte dadurch erreicht werden, dass dem Europäischen Parlament im Ernennungsverfahren eine wichtigere Rolle zugedacht wird, beispielsweise, indem es eine Person für das Amt des Europäischen Staatsanwalts vorzuschlägt.[267]

---

[261] EU-Kommission, Grünbuch finanzielle Interessen, S. 30f.

[262] EU-Kommission, Grünbuch finanzielle Interessen, S. 92.

[263] *Biehler/Gleß/Parra/Zeitler*, S. 12.

[264] Vgl. unten, IV.

[265] *Weber*, S. 67.

[266] *Biehler/Gleß/Parra/Zeitler*, S. 12; *Weber*, S. 67.

[267] Vgl. *Biehler/Gleß/Parra/Zeitler*, S. 12.

Gegen diese Lösung könnte sprechen, dass die Kommission aufgrund ihrer besonderen Verantwortung für den Schutz der finanziellen Interessen stärker beteiligt werden und ihr das Vorschlagsrecht zustehen sollte.[268] Hiergegen lässt sich jedoch anführen, dass auch das Europäische Parlament wegen seines Haushaltsrechts eine besondere Verantwortung für den Schutz der finanziellen Interessen der Union trägt.[269] Allerdings spricht auch die Praktikabilität gegen ein Vorschlagsrecht des Europäischen Parlaments. Das Europäische Parlament müsste sich auf einen Kandidaten einigen. Die Kriterien, nach denen der Europäische Staatsanwalt ausgewählt werden muss, sind jedoch zu breitgefächert, um davon ausgehen zu können, dass es nur einen kleinen Kreis möglicher Kandidaten gibt. Kommen aber sehr viele Kandidaten in Betracht, scheint es schwer vorstellbar, wie das Europäische Parlament einen Kandidaten bestimmen und vorschlagen soll. Dies könnte ein Grund dafür sein, warum auch nach dem Vertrag von Lissabon im Primärrecht kein Vorschlagsrecht des Parlaments in vergleichbaren Fällen vorgesehen ist. Wegen der begrenzten Mitgliederzahl der Kommission scheint eine Einigung hier einfacher zu erzielen. Sie sollte deshalb berechtigt sein den Kandidaten vorzuschlagen.

Eine stärkere demokratische Legitimation könnte erreicht werden, indem für die Ernennung des Europäischen Staatsanwalts ein Verfahren eingeführt wird, das sich am Ernennungsverfahren für den Präsidenten der Kommission orientiert, wie es nun in Art. 17 Abs. 7 EUV statuiert ist. Danach wählt das Europäische Parlament nach Vorschlag des Europäischen Rats den Präsidenten. Die Stellung des Europäischen Parlaments wurde somit gestärkt. Für die Ernennung des Europäischen Staatsanwalts könnte in Anlehnung an dieses Verfahren vorgesehen werden, dass das Europäische Parlament ihn nach Vorschlag der Kommission wählt. Eine stärkere demokratische Legimitation würde dadurch erreicht, dass dem Europäischen Parlament das Letztentscheidungsrecht über den Kandidaten zukäme.

Die Ernennung des Europäischen Staatsanwalts sollte somit in einem Verfahren erfolgen, in dem die Kommission den Kandidaten vorschlägt und dieser durch das Europäische Parlament gewählt werden muss.[270] So kann gewährleistet werden, dass die fachliche Kompetenz der Kommission hinsichtlich der Straftaten zum Nachteil der finanziellen Interessen der Union berücksichtigt wird und zugleich die demokratische Kontrolle im Ernennungsverfahren sichergestellt ist. Die vorgeschlagene Person sollte, in Anlehnung an die Bestimmungen, die die Unabhängigkeit der Mitglieder des EuGH gewährleisten, unter Persönlichkeiten ausgewählt

---

268 Vgl. EU-Kommission, Grünbuch finanzielle Interessen, S. 31.

269 *Biehler/Gleß/Parra/Zeitler,* S. 13.

270 Anders der Vorschlag Europäische Staatsanwaltschaft, der vorsieht, dass der Europäische Staatsanwalt vom Rat mit einfacher Mehrheit unter Zustimmung des Europäischen Parlaments ernannt wird, vgl. Art. 8.

werden, die jede Gewähr für Unabhängigkeit bieten und in ihrem Staat die für die Ausübung höchster richterlicher Ämter erforderlichen Voraussetzungen erfüllen.[271]

b) Amtsdauer

Um die Unabhängigkeit der Entscheidungen des Europäischen Staatsanwalts zu stärken, könnte festgelegt werden, dass diesem nur ein Mandat für eine bestimmte Amtsdauer übertragen wird und er nach Ablauf dieser Amtsdauer nicht wiederernannt werden darf.[272] Der Vorteil dieser begrenzten Amtszeit ohne Möglichkeit der Wiederernennung wäre, dass die Entscheidungen des Staatsanwalts dann nicht der Gefahr ausgesetzt wären, danach gefällt zu werden, ob sie politisch opportun sind oder nicht.[273] Der Europäische Staatsanwalt könnte seine Entscheidungen frei und unabhängig davon treffen, ob sie auf Zustimmung oder Ablehnung stoßen. Der alleinige Fokus läge auf dem Ziel der effektiven Strafverfolgung.

Es könnte jedoch auch die Möglichkeit einer Wiederwahl des Europäischen Staatsanwalts vorgesehen werden. Begründen könnte man dies damit, dass die Stabilität der Behörde und die Effektivität der Strafverfolgung im Vordergrund stehen müssen. Diese Ziele könnten gefährdet sein, wenn ein die Behörde erfolgreich leitender Staatsanwalt nicht wiederernannt werden könnte.[274] Darüber hinaus wird angeführt, dass das Europäische Parlament dadurch, dass sich der Staatsanwalt erneut dem Ernennungsverfahren stellen müsste, über eine Wiederernennung entscheiden könnte. Diesem sei zuzutrauen, dass es nur einen Kandidaten erneut vorschlägt, der eine positive Arbeitsbilanz vorzuweisen hat.[275]

In dieser Arbeit ist vorgesehen, dem Europäischen Parlament nicht das Vorschlagsrecht, sondern das Wahlrecht hinsichtlich des Kandidaten zu übertragen. Dennoch soll auf die Argumentation, dass nur eine positive Arbeitsbilanz zu einer Amtszeitverlängerung führen könne, eingegangen werden. Gerade dieses Argument zeigt nämlich, dass auch hier die Unabhängigkeit der Ermittlungen gefährdet sein könnte. Denn es stellt sich die Frage, wie sich eine positive Arbeitsbilanz des Europäischen Staatsanwalts messen ließe. Zwar soll er die Effektivität der Strafverfolgung steigern, gleichzeitig jedoch unabhängig und unparteiisch ermitteln. Die Entscheidung, die Ermittlungen in einem spektakulären Fall einzustellen, könnte sich, je nachdem, woran man die Arbeit der Europäischen Staatsanwaltschaft bemisst, negativ auf die Arbeitsbilanz auswirken, obgleich sie sachgerecht war. Es wäre in diesem Fall somit denkbar, dass sich die Möglichkeit, wiederernannt zu werden, auf die Entscheidungen des Europäischen Staatsanwalts auswirkt.

---

[271] EU-Kommission, Grünbuch finanzielle Interessen, S. 30.

[272] Vgl. EU-Kommission, Grünbuch finanzielle Interessen, S. 31.

[273] *Biehler/Gleß/Parra/Zeitler,* S. 12.

[274] *Weber,* S. 76.

[275] *Weber,* S. 76.

Um eine absolute Unabhängigkeit des Europäischen Staatsanwalts zu gewährleisten, muss also festgelegt werden, dass er nach Ablauf seiner Amtszeit nicht wiederernannt werden darf. Eine Dauer von sechs Jahren wäre lang genug, um eine gute Behördenführung aufzubauen und klare Handlungsdirektiven zu entwickeln. Der Europäische Staatsanwalt sollte also für eine nicht verlängerbare Amtszeit von sechs Jahren ernannt werden.[276]

c) *Amtsenthebung*

Zwar müsste das Amt des Europäischen Staatsanwalts unabhängig ausgestaltet werden, dennoch müssten Möglichkeiten vorgesehen werden, für Verfehlungen des Staatsanwalts disziplinarische Maßnahmen zu ergreifen.

Um die Unabhängigkeit des Europäischen Staatsanwalts nicht zu gefährden, darf ein Amtsenthebungsverfahren nur für schwere Verfehlungen vorgesehen werden. Darüber hinaus muss die Entscheidung gerichtlich überprüfbar sein. Hierfür sollte ausdrücklich festgelegt werden, dass diese Streitigkeiten unter Art. 270 AEUV fallen und deshalb vom EuGH kontrolliert werden.[277] Aufgrund des hier befürworteten Konzepts, nach dem das Europäische Parlament den Kandidaten für das Amt des Europäischen Staatsanwalts wählt, sollte es in der Konsequenz auch das Verfahren für dessen Amtsenthebung einleiten können. Dies wäre ein weiterer Schritt zur demokratischen Verankerung des Amtes des Europäischen Staatsanwalts.[278]

Ein solches Recht zur Einleitung eines Amtsenthebungsverfahrens könnte darüber hinaus auch der Kommission zugestanden werden.[279] Die Kommission qualifiziert sich hierfür durch ihre Fachkenntnis auf dem Gebiet der Bekämpfung von EU-Betrug und durch ihr Recht, den Europäischen Staatsanwalt vorzuschlagen. Da die Entscheidung über die Amtsenthebung letzten Endes von einem Gericht getroffen wird, wäre die Unabhängigkeit des Europäischen Staatsanwalts auch nicht dadurch gefährdet, dass dem Europäischen Parlament und der Kommission ein Recht zur Einleitung eines Amtsenthebungsverfahrens zukommt.

Überlegenswert ist, ob andere weniger schwerwiegende disziplinarische Maßnahmen ermöglicht werden müssen. Die Notwendigkeit hierfür könnte sich daraus ergeben, dass die Schwelle eines Amtsenthebungsverfahrens für den Europäischen Staatsanwalt wegen der politischen Bedeutung seines Amtes sehr hoch sein wird.

---

[276] So auch: *Biehler/Gleß/Parra/Zeitler,* S. 12; *Buss,* S. 147; EU-Kommission, Grünbuch finanzielle Interessen, S. 31; der Vorschlag Europäische Staatsanwaltschaft sieht eine nicht verlängerbare Amtszeit von acht Jahren vor, vgl. Art. 8 Abs. 1 Satz 1.

[277] Vgl. zu der Möglichkeit, grundsätzlich den EuGH über die Amtsenthebung entscheiden zu lassen: *Biehler/Gleß/Parra/Zeitler,* S. 13; EU-Kommission, Grünbuch finanzielle Interessen, S. 31.

[278] *Biehler/Gleß/Parra/Zeitler,* S. 13.

[279] *Biehler/Gleß/Parra/Zeitler,* S. 13.

Um angemessen reagieren zu können, könnten mildere Disziplinar- oder Kontrollmaßnahmen, wie etwa offizielle Anfragen des Parlaments oder Abmahnungen, notwendig sein.[280] Offizielle Anfragen des Parlaments hätten keine direkten dienstrechtlichen Folgen und könnten somit ein effektives Mittel zur Kontrolle des Europäischen Staatsanwalts darstellen. Von einer Gefährdung der Unabhängigkeit der Ermittlungen durch eine offizielle Anfrage des Parlaments ist zudem nicht auszugehen. Eine solche Anfrage wäre somit ein sinnvolles Kontrollinstrument.

Problematischer stellt sich die Situation allerdings im Fall einer Abmahnung dar. Eine Abmahnung hätte dienstrechtliche Konsequenzen und wäre folglich geeignet, die Ermittlungen der Europäischen Staatsanwaltschaft zu beeinträchtigen. Darüber hinaus stellt sich die Frage, wer eine solche Abmahnung aussprechen könnte. Normalerweise wird sie vom Arbeitgeber ausgesprochen, wenn er mit der Arbeit oder dem Verhalten des Arbeitnehmers nicht zufrieden ist. Dafür ist jedoch erforderlich, dass dem Arbeitgeber zumindest ein gewisses Weisungsrecht zukommt. Um die Unabhängigkeit der Ermittlungen zu gewährleisten, soll der Europäische Staatsanwalt jedoch gerade keiner Weisungsbefugnis unterstellt sein. Aus den soeben erläuterten Gründen wäre es nicht sachgerecht, eine Abmahnung des Europäischen Staatsanwalts vorzusehen.

Vor Ernennung des ersten Europäischen Staatsanwalts müssen genaue Regelungen hinsichtlich der Voraussetzungen und des Ablaufs der Verfahren getroffen werden. Nur dadurch kann Rechtssicherheit im Rahmen eines Amtsenthebungsverfahrens gewährleistet werden.[281]

2. Beigeordnete Europäische Staatsanwälte

Die beigeordneten Europäischen Staatsanwälte hätten keine leitende Funktion. Für ihre Ernennung ist somit nicht der gleiche strenge Maßstab anzulegen wie bei der Ernennung des Europäischen Staatsanwalts,[282] und es könnte auf die allgemeinen Regelungen der Union zur Einstellung von Bediensteten zurückgegriffen werden. Hinsichtlich der Amtszeit sollte festgelegt werden, dass diese länger ist als die des Europäischen Staatsanwalts. So kann gewährleistet werden, dass der neu ernannte Europäische Staatsanwalt auf geschultes Fachpersonal zurückgreifen kann und bei seinem Amtsantritt die Behörde nicht wieder völlig neu aufbauen muss. Um von vornherein die Probleme, die sich durch einen Wechsel der beigeordneten Europäischen Staatsanwälte ergeben, auszuschließen, könnte eine Ernennung auf Lebenszeit sinnvoll sein. Dagegen spricht abermals die Unabhängigkeit der Europäischen Staatsanwaltschaft, die es unbedingt zu gewährleisten gilt. Ohne einen

---

280 *Biehler/Gleß/Parra/Zeitler,* S. 13.

281 *Biehler/Gleß/Parra/Zeitler,* S. 13.

282 Anders der Vorschlag Europäische Staatsanwaltschaft, der das gleiche Ernennungsverfahren vorsieht wie für den Europäischen Staatsanwalt, vgl. Art. 9 Abs. 1.

Wechsel der beigeordneten Staatsanwälte könnten sich innerhalb der Behörde Strukturen entwickeln, die die Unabhängigkeit gefährden könnten. Deshalb müsste auch die Amtszeit der beigeordneten Europäischen Staatsanwälte begrenzt werden. Wird für den Europäischen Staatsanwalt eine Amtszeit von sechs Jahren vorgesehen, erscheint für die beigeordneten Staatsanwälte eine Amtszeit von sieben bis acht Jahren sachgerecht.[283] Damit wäre eine Übergangszeit gewährleistet, in der der Europäische Staatsanwalt auf die Kenntnis und Erfahrung der beigeordneten Staatsanwälte zurückgreifen kann. Daneben sollte sichergestellt werden, dass nicht alle beigeordneten Europäischen Staatsanwälte zur gleichen Zeit aus dem Amt scheiden, sondern zeitlich versetzt. Andernfalls würde sich das Problem stellen, dass alle Mitarbeiter der Behörde gleichzeitig mit ihrer Tätigkeit beginnen würden und sich zurechtfinden müssten, ohne auf die Erfahrungen ihrer Vorgänger zurückgreifen zu können. Dies wäre der Funktionstüchtigkeit der Behörde abträglich. Im Gegensatz zum Europäischen Staatsanwalt könnte aber für die beigeordneten Europäischen Staatsanwälte die Möglichkeit vorgesehen werden, die Amtszeit zumindest einmal zu verlängern.

Für die Ergreifung von Disziplinarmaßnahmen sollte der Europäische Staatsanwalt als Dienstherr zuständig sein. Seine Entscheidungen müssten aber aus Gründen der Rechtssicherheit vor dem EuGH überprüfbar sein.[284] Die Regelungen hinsichtlich der möglichen Disziplinarstrafen und des Verfahrens hierzu müssten auf europäischer Ebene festgelegt werden.

3. Abgeordnete Europäische Staatsanwälte

Für die Ernennung der abgeordneten Europäischen Staatsanwälte wären die Mitgliedstaaten verantwortlich.[285] Die einzige europäische Vorgabe wäre, dass die Kandidaten bereits eine gewisse Berufserfahrung vorweisen können sollten, bestenfalls auf dem Gebiet der Betrugsbekämpfung.[286] Im Übrigen wären die Mitgliedstaaten hinsichtlich ihrer Entscheidung frei.

Der Zeitraum, der für die Amtszeit der abgeordneten Europäischen Staatsanwaltschaft vorgeschlagen wird, reicht von drei[287] bis zu zehn Jahren.[288] Während sich die Verfasser des Corpus Juris für eine einmal verlängerbare Dauer von fünf Jahren

---

[283] Für eine achtjährige Amtszeit auch der Vorschlag Europäische Staatsanwaltschaft, vgl. Art. 9 Abs. 1 i.V.m. Art. 8 Abs. 1.

[284] Vgl. *Biehler/Gleß/Parra/Zeitler,* S. 14.

[285] Anders der Vorschlag Europäische Staatsanwaltschaft, der die Ernennung dem Europäischen Staatsanwalt überlässt, Art. 10 Abs. 1 Satz 1.

[286] Vgl. oben B.3.c)bb).

[287] *Weber,* S. 78.

[288] *Biehler/Gleß/Parra/Zeitler,* S. 12.

aussprechen,[289] legt die Kommission in ihrem Grünbuch keine Amtsdauer fest. Sie äußert sich jedoch dahingehend, dass die Amtszeit verlängerbar sein müsse, um der Verfügbarkeit der in den Mitgliedstaaten für dieses Amt infrage kommenden Personen Rechnung zu tragen und eine fachliche Spezialisierung zu ermöglichen.[290]

Wie auch beim Europäischen Staatsanwalt stellt sich die Möglichkeit der Wiederernennung als potentielle Gefahr für die Unabhängigkeit der Ermittlungen der Behörde dar. Denn auch bei den abgeordneten Europäischen Staatsanwälten besteht die Gefahr, dass sie Entscheidungen danach fällen, ob sie auf politische Beliebtheit stoßen oder nicht, um sich die Chancen auf eine Wiederernennung offenzuhalten. Anders als beim Europäischen Staatsanwalt erfolgt die Ernennung der abgeordneten Europäischen Staatsanwälte direkt durch ihre jeweiligen Mitgliedstaaten. Im Hinblick auf nationale Interessen birgt dies sogar noch eine viel größere Gefahr, dass politisch motivierte Entscheidungen getroffen werden, um eine Wiederernennung durch den Mitgliedstaat zu begünstigen, als bei einer Ernennung des Europäischen Staatsanwalts durch das Europäische Parlament. Schließt man für den durch das Europäische Parlament gewählten Europäischen Staatsanwalt die Möglichkeit der Wiederernennung aus, muss dies zwangsläufig auch für die durch ihre Mitgliedstaaten ernannten abgeordneten Europäischen Staatsanwälte gelten.

Da durch eine relativ lange Amtsdauer auch eine Spezialisierung möglich ist, wäre es sinnvoll, für die abgeordneten Europäischen Staatsanwälte eine nicht verlängerbare Amtsdauer von acht bis zehn Jahren vorzusehen.[291]

Als Leiter der Institution sollte es dem Europäischen Staatsanwalt möglich sein, disziplinarische Maßnahmen gegen die abgeordneten Europäischen Staatsanwälte zu verhängen. Ein Rückgriff auf nationale Strukturen wäre angesichts des rein europäischen Mandats nicht angemessen.[292] Deshalb ist es auch erforderlich, dass auf europäischer Ebene festgelegt wird, wie ein Disziplinarverfahren zu führen ist und welche Konsequenzen möglich sind.

Die schwerste Disziplinarstrafe, die für einen abgeordneten Europäischen Staatsanwalt vorgesehen werden sollte, ist der Entzug seines Mandats.[293] Da eine solche Entscheidung unter Umständen sehr schnell getroffen werden muss, sollte sie der Europäische Staatsanwalt zunächst fällen können.[294] Weil es sich hierbei um eine

---

[289] Erläuterungen zu Art. 18 CJ, *Delmas-Marty* (Hrsg.), Corpus Juris, S. 50.

[290] EU-Kommission, Grünbuch finanzielle Interessen, S. 32.

[291] Vgl. *Biehler/Gleß/Parra/Zeitler,* S. 12. Anders der Vorschlag Europäische Staatsanwaltschaft, der eine fünfjährige verlängerbare Amtszeit vorsieht, vgl. Art. 10 Abs. 1 Satz 2.

[292] Vgl. oben B.3.c)aa).

[293] *Biehler/Gleß/Parra/Zeitler,* S. 14; EU-Kommission, Grünbuch finanzielle Interessen, S. 33.

[294] *Biehler/Gleß/Parra/Zeitler,* S. 15; diese Möglichkeit ist auch im Vorschlag Europäische Staatsanwaltschaft vorgesehen, Art. 10 Abs. 3 Satz 1.

sehr einschneidende Maßnahme handelt, sollte dem Entzug stets ein justizielles Verfahren folgen, in dem dieser gerichtlich bestätigt werden muss. Bis dahin wäre der Entzug des Mandats nur vorläufig. Ein Verfahren vor dem EuGH würde in diesem Fall Rechtssicherheit gewährleisten und den Europäischen Staatsanwalt selbst an Recht und Gesetz binden.[295] Davon abgesehen sollte grundsätzlich für alle Disziplinarmaßnahmen, die der Europäische Staatsanwalt gegen die abgeordneten Europäischen Staatsanwälte verhängen kann, eine gerichtliche Überprüfbarkeit vorgesehen werden. Dadurch kann die Unabhängigkeit der Behörde gestärkt und Rechtssicherheit gewährleistet werden. Auch hierfür würde es sich anbieten, ein Verfahren vor dem EuGH vorzusehen.[296]

IV. Verfahren

Nachdem die wichtigsten Fragen des institutionellen Aufbaus einer Europäischen Staatsanwaltschaft erörtert wurden, soll nun darauf eingegangen werden, wie diese Einrichtung ihre Aufgaben innerhalb der Union wahrnehmen würde. Mit der Europäischen Staatsanwaltschaft würde eine Institution errichtet, die mit keiner der bereits auf europäischer Ebene vorhandenen Einrichtungen vergleichbar wäre. Man könnte sich bei ihrer Ausstattung mit Befugnissen eventuell an den Behörden orientieren, die auf nationaler Ebene für die Strafverfolgung von Taten zum Nachteil der finanziellen Interessen zuständig sind. Ein Rekurs auf bereits existierende nationale Regelungen wurde im Grünbuch vor allem für das Ermittlungsverfahren vorgesehen. Diese Idee könnte sich als besonders geeignet erweisen, um die Wahrung von Subsidiaritäts- und Verhältnismäßigkeitsprinzip zu gewährleisten, da dann keine europäischen Regeln geschaffen werden müssten. Enthalten die existierenden Vorschriften jedoch keine geeigneten Bestimmungen, müssten supranationale Regelungen geschaffen werden. Es muss somit genau geprüft werden, in welchen Fällen ein Rückgriff auf nationale Regelungen in Betracht kommen könnte, und ob es tatsächlich sinnvoll wäre, mitgliedstaatliche Regelungen anzuwenden.

Das Ermittlungsverfahren der Europäischen Staatsanwaltschaft wird die Basis dafür liefern, dass eine Anklageerhebung vor einem nationalen Gericht sowie eine Verurteilung der Straftäter überhaupt möglich sind. Deshalb muss es so ausgestaltet werden, dass effektive Ermittlungen möglich sind, die in einer Anklageerhebung enden können. Dies bedeutet, dass die Staatsanwaltschaft in den Mitgliedstaaten Ermittlungsmaßnahmen ergreifen können muss und dass die Verwertbarkeit der von ihr gesammelten Beweismittel im Gerichtsverfahren sichergestellt sein muss. Zugleich müssen die Rechte derjenigen, die von einer Untersuchung betroffen sind,

---

[295] *Biehler/Gleß/Parra/Zeitler,* S. 15.

[296] *Biehler/Gleß/Parra/Zeitler,* S. 15.

gewahrt werden. Inwiefern bei der Festlegung dieser Bestimmungen auf bereits vorhandene nationale Normen zurückgegriffen werden kann, wird zu prüfen sein.[297] Neben diesen Bestimmungen sind weitere Regelungen zu treffen, damit die Europäische Staatsanwaltschaft tätig werden kann. Es muss geklärt werden, auf welchem Wege sie über Verdachtsfälle informiert wird und welche Folgen sich aus einer solchen Information ergeben. In diesem Zusammenhang muss auch geprüft werden, ob ihr Möglichkeiten zukommen sollen, ein Ermittlungsverfahren einzustellen.

Keine Regelungen können hingegen für das Hauptverfahren getroffen werden. Nach Art. 86 Abs. 2 Satz 2 AEUV nimmt die Europäische Staatsanwaltschaft vor den zuständigen Gerichten der Mitgliedstaaten die Aufgaben der Staatsanwaltschaft wahr. Darüber hinaus bietet Art. 86 AEUV keine Möglichkeiten, in das vor den mitgliedstaatlichen Gerichten stattfindende Hauptverfahren einzugreifen. Deshalb können in diesem Rahmen keine supranationalen Regelungen erlassen werden. Einzig dadurch, dass Regeln für die Zulässigkeit von Beweismitteln nach Art. 86 Abs. 3 AEUV in der Verordnung nach Art. 86 Abs. 1 AEUV festgelegt werden sollen, könnte eventuell indirekt in das Hauptverfahren eingegriffen werden.[298]

Ebenfalls zu klären ist, in welchem Verhältnis die Europäische Staatsanwaltschaft zu den nationalen Strafverfolgungs- und Ermittlungsbehörden stünde.[299] Zudem müssen Regelungen dazu getroffen werden, wie sie ein Ermittlungsverfahren abschließen würde.[300]

A. Information und Befassung

Die Strafverfolgungsbehörde wird bei ihrer Tätigkeit darauf angewiesen sein, Hinweise über Straftaten zulasten der finanziellen Interessen der Union zu erhalten. Es muss geklärt werden, wer diese geben könnte. Dabei stellt sich auch die Frage, ob bestimmte Personen und Einrichtungen verpflichtet sein sollten, sie zu informieren oder zu befassen und welche Konsequenzen sich dann daraus ergeben würden.

Zunächst könnte jeder natürlichen oder juristischen Person das Recht eingeräumt werden, die Europäische Staatsanwaltschaft über ihr bekannte Tatsachen zu informieren.[301] Unter einem Informationsrecht versteht man die Möglichkeit, einen Hinweis zu geben, ohne dass eine Handlungspflicht der Behörde daraus ent-

---

297 Vgl. unten C.

298 Vgl. unten E.1.

299 Vgl. unten B.3.

300 Vgl. unten D.

301 Art. 19 Abs. 1 CJ/CJ 2000; EU-Kommission, Grünbuch finanzielle Interessen, S. 47.

stünde.[302] Aufgrund der dadurch eingehenden Flut an Informationen könnte die Behörde allerdings schnell an die Grenzen ihrer Belastbarkeit stoßen. Es könnte deshalb sinnvoller sein, die Bürger an die nationalen Stellen zu verweisen, die den Hinweis überprüfen und gegebenenfalls an die europäische Institution weiterleiten.[303] Fraglich ist, ob die befürchtete Überlastung in diesem Fall tatsächlich wahrscheinlich wäre. Zunächst einmal ist genau zwischen dem Begriff der Information und dem der Befassung zu unterscheiden. Im Gegensatz zur reinen Information handelt es sich bei der Befassung um die offizielle Information einer Behörde durch eine andere. Sie verpflichtet die befasste Behörde, eine begründete Antwort auf den an sie gerichteten Antrag zu erstellen.[304] Wären aber die Bürger lediglich dazu berechtigt, die Europäische Staatsanwaltschaft zu informieren, ergäbe sich daraus für die Staatsanwaltschaft keine weitergehende Pflicht. Lediglich, wenn sich aus dieser Information tatsächlich Hinweise ergäben, die einen Anfangsverdacht bestätigen, könnte sie verpflichtet sein, ein Verfahren einzuleiten.[305] Dies wäre dann jedoch eine Frage der Anwendung des Legalitäts- oder Opportunitätsprinzips und der damit verbundenen Möglichkeit zur Einstellung von Verfahren. Allein weil jedermann sie informieren kann, ergibt sich somit nicht zwingend eine Überlastung der Einrichtung. Zudem ist der Vorschlag, die Bürger an die nationalen Behörden zu verweisen, nicht sachgerecht. Durch die Schaffung der Europäischen Staatsanwaltschaft soll ja gerade verhindert werden, dass nationale Interessen die Verfahren beeinträchtigen können. Diese Gefahr bestünde aber wieder, wenn die nationalen Behörden über die Weitergabe eines Hinweises entscheiden würden. Außerdem stellt sich die Frage, wie mit Hinweisen von Bürgern umgegangen würde, die direkt an die Europäische Stelle gerichtet wären, obwohl eigentlich eine nationale Behörde für die Entgegennahme der Hinweise zuständig ist. Streng genommen dürften diese überhaupt nicht beachtet werden oder müssten zumindest zunächst an die zuständige nationale Stelle gesendet werden, die diese dann bearbeiten müsste. Beide Lösungen wären aber nicht sachgerecht und würden ein schnelles und effektives Reagieren der Strafverfolgungsbehörde verhindern. Folglich sollte jeder natürlichen oder juristischen Person offenstehen sie zu informieren.[306]

Es könnte zudem vorgesehen werden, dass bestimmte nationale Behörden und Behörden der Union verpflichtet wären, die Europäische Staatsanwaltschaft zu befassen.[307] Prinzipiell könnte es sinnvoll sein, nationalen Behörden der Verwaltung und Justiz diese Möglichkeit zu eröffnen. Denn sie erfahren oft als Erste von Handlungen zulasten der finanziellen Interessen der Union. Aus demselben Grund soll-

---

302 EU-Kommission, Grünbuch finanzielle Interessen, S. 46.

303 *Weertz,* S. 143.

304 EU-Kommission, Grünbuch finanzielle Interessen, S. 46f.

305 Vgl. unten B.1.

306 Ähnlich auch der Vorschlag Europäische Staatsanwaltschaft, Art. 15 Abs. 3.

307 EU-Kommission, Grünbuch finanzielle Interessen, S. 47.

ten auch Unionsbedienstete den Europäischen Staatsanwalt befassen können.[308] Fraglich erscheint aber, ob dies auch als Verpflichtung der Behörden ausgestaltet werden sollte. Im Grünbuch wird dies so vorgeschlagen, da eine freiwillige Befassung dem Grundsatz zuwiderliefe, dass die Möglichkeit bestehen solle, Handlungen gegen ureigene Unionsinteressen auf europäischer Ebene zu verfolgen.[309] Die Stichhaltigkeit dieses Arguments erscheint indes fragwürdig. Durch eine Befassungspflicht müsste die Behörde eine Information an die Europäische Staatsanwaltschaft weitergeben. Für die Behörde macht es damit keinen Unterschied, ob sie die europäische Institution befasst oder informiert. Sie hat in beiden Fällen das Gleiche zu tun. Im Gegensatz zur reinen Information wäre die Europäische Staatsanwaltschaft, wenn sie befasst würde, verpflichtet eine begründete Antwort an die Behörde zu verfassen. Eine zwingende Befassung könnte deshalb zu einer Überlastung der Einrichtung führen.[310]

Um dies zu vermeiden, sollten die Behörden nicht verpflichtet werden, die Europäische Staatsanwaltschaft zu befassen. Vielmehr sollte ihnen bei der Entscheidung, ob sie dies tun, ein Ermessensspielraum zugestanden werden. Da hier jedoch wieder die Gefahr besteht, dass nationale Interessen eine Ermittlung und ein Verfahren verhindern könnten, müsste gleichzeitig eine Pflicht statuiert werden, die Behörde bei Vorliegen eines Verdachts auf eine Straftat zum Nachteil der finanziellen Interessen der Union zumindest zu informieren.[311] Dadurch wäre gewährleistet, dass die neue Institution von allen Verdachtsfällen erfährt und Zuwiderhandlungen verfolgen kann. Außerdem könnte sie so mögliche Zusammenhänge zwischen einzelnen Fällen erkennen. Gleichzeitig wäre die Gefahr gebannt, dass sie aufgrund einer zwingenden Befassung überlastet wird.

Es sollte mithin festgelegt werden, dass nationale Behörden wie Verwaltungsbedienstete und Justiz sowie Unionsbedienstete die Europäische Staatsanwaltschaft stets über Verdachtsfälle informieren müssen. Den Behörden und Unionsbediensteten sollte zudem die Möglichkeit zugestanden werden, sie zu befassen. Dazu sollten sie jedoch nicht verpflichtet sein. Darüber hinaus sollte die Strafverfolgungsbehörde auch von Amts wegen tätig werden können.[312] Denn Hinweise auf einschlägige Straftaten können sich beispielsweise auch aus bereits laufenden Ermittlungen der Staatsanwaltschaft ergeben. Wenn sie diesen Hinweisen nicht nachgehen dürfte, würde ihre Ermittlungstätigkeit ohne ersichtlichen Grund eingeschränkt und ihre Stellung geschwächt.

---

308 *Biehler/Gleß/Parra/Zeitler,* S. 20.

309 EU-Kommission, Grünbuch finanzielle Interessen, S. 47.

310 *Biehler/Gleß/Parra/Zeitler,* S. 21.

311 Vgl. *Biehler/Gleß/Parra/Zeitler,* S. 21ff; so jetzt auch der Vorschlag Europäische Staatsanwaltschaft, Art. 16 Abs. 1.

312 Art. 19 Abs. 3 CJ/CJ 2000; *Biehler/Gleß/Parra/Zeitler,* S. 20; EU-Kommission, Grünbuch finanzielle Interessen, S. 47; *Weber,* S. 100.

B. Eröffnung eines Ermittlungsverfahrens

Wann eine Strafverfolgungsbehörde tätig wird und ein Ermittlungsverfahren einleitet, ist in den Mitgliedstaaten unterschiedlich geregelt. Da hierüber somit innerhalb der Union keine Einigkeit besteht, muss eine Regelung getroffen werden, wann und ob die Europäische Staatsanwaltschaft zur Einleitung eines Ermittlungsverfahrens verpflichtet ist. Werden Ermittlungen durchgeführt, befindet sich der von einer Untersuchung Betroffene in einer besonderen Position, die sich für ihn belastend auswirken kann. Spätestens zu dem Zeitpunkt, zu dem er nicht mehr nur Betroffener von Ermittlungen, sondern Beschuldigter ist, müssen sich für ihn besondere Rechte ergeben, um dem Anspruch eines fairen Verfahrens (Art. 47 Abs. 2 GRC/Art. 6 Abs. 1 EMRK) gerecht zu werden. Somit müssen auch hierzu Bestimmungen statuiert werden. Bei Eröffnung eines Ermittlungsverfahrens könnte die Europäische Staatsanwaltschaft in Kompetenzkonflikte mit den nationalen Strafverfolgungsbehörden geraten. Um dem vorzubeugen, müssen Normen festgelegt werden, die eindeutig regeln, wann eine Zuständigkeit der europäischen Einrichtung die Zuständigkeit nationaler Strafverfolgungsbehörden ausschließt. Besteht eine Zuständigkeit der neuen Institution in einem bestimmten Fall, wird die Frage relevant, in welchem Verhältnis sie zu den nationalen Ermittlungsbehörden steht. Im Folgenden wird auf die soeben beschriebenen Aspekte eingegangen und untersucht, welche Regelungen auf den jeweiligen Gebieten zu treffen wären.

1. Legalitäts- oder Opportunitätsprinzip

Die Tätigkeit der Europäischen Staatsanwaltschaft könnte sowohl dem Legalitäts- als auch dem Opportunitätsprinzip unterliegen. Nach dem Legalitätsprinzip wäre sie von Amts wegen verpflichtet, bei einem Verdacht über das Vorliegen einer Straftat zum Nachteil der finanziellen Interessen der Union die Strafverfolgung einzuleiten. Bei Geltung des Opportunitätsprinzips stünde die Entscheidung darüber in ihrem Ermessen. In den Mitgliedstaaten gilt Unterschiedliches: In einem Teil gilt für die Strafverfolgungsbehörden das Legalitäts-, in einem anderen Teil das Opportunitätsprinzip. Es besteht innerhalb der Union also keine gemeinsame Grundlage dafür, wann ein Strafverfahren eingeleitet wird. Trotz dieser unterschiedlichen Grundeinstellungen sind mittlerweile in allen Mitgliedstaaten Elemente beider Prinzipien enthalten.[313]

Für die Europäische Staatsanwaltschaft könnte festgelegt werden, dass sie zunächst grundsätzlich dem Legalitätsprinzip unterworfen ist. Sinnvoll wäre dies deshalb, da sie nach der hier vorgeschlagenen Konzeption weisungsfrei handeln könnte.[314] Dürfte sie nach freiem Ermessen darüber entscheiden, wen sie verfolgt

[313] EU-Kommission, Grünbuch finanzielle Interessen, S. 49.

[314] Vgl. oben III.A.

und wen nicht, sähe sie sich vermutlich schnell dem Vorwurf der Willkür ausgesetzt.[315] Eine strikte Anwendung des Legalitätsprinzips ohne begründete Ausnahmen entspräche jedoch nicht mehr dem kriminologischen und kriminalpolitischen Stand der Erkenntnisse über Diversion.[316] Daneben sprechen auch praktische Gründe dafür, Ausnahmen vom Legalitätsprinzip vorzusehen. Die Pflicht, stets Anklage zu erheben, könnte die Einrichtung so sehr belasten, dass ihr Betrieb aufgehalten und ihr dadurch jede Glaubwürdigkeit genommen würde.[317] Ihr müsste deshalb die Befugnis erteilt werden, ein Verfahren auf andere Weise als durch Anklageerhebung zu beenden,[318] das Verfahren also einzustellen. Aufgrund von rechtsstaatlichen Erwägungen, aber auch um den Vorwurf der Willkür von vornherein auszuschließen, sollte die Europäische Staatsanwaltschaft bei einer Einstellung der Zustimmung eines Gerichts bedürfen. [319] Dadurch wird die Legitimität der Opportunitätseinstellung gestärkt.[320]

Neben der Statuierung des Legalitätsprinzips müsste zudem eindeutig festgelegt werden, unter welchen Voraussetzungen die Europäische Strafverfolgungsbehörde eine Strafverfolgung aufnehmen muss. Die Formulierung des Grünbuchs, dass Tatsachen auf eine Verletzung des Unionsrechts hinweisen oder eine solche zumindest vermuten lassen, ist zu vage, um die Einleitung von Ermittlungen und damit einhergehende Eingriffe in die Rechte des Betroffenen zu rechtfertigen.[321] Die Pflicht zur Verfolgung müsste von einem genauer definierten konkreten Anfangsverdacht abhängig gemacht werden.[322]

a) Einstellung bei Bagatelldelikten

Der Europäischen Staatsanwaltschaft sollte die Befugnis eingeräumt werden, von einer Strafverfolgung abzusehen, wenn es sich um einen Fall handelt, der mit Blick auf den Schutz der finanziellen Interessen der Union unbedeutend ist.[323] Müsste sie alle Fälle gleich behandeln und zur Anklage bringen, litte die Effizienz ihrer

---

315 *Buss,* S. 159.

316 *Nelles,* in: Huber (Hrsg.), Corpus Juris, S. 264.

317 *Picotti,* in: Huber (Hrsg.), Corpus Juris, S. 298.

318 *Nelles,* in: Huber (Hrsg.), Corpus Juris, S. 264.

319 Vgl. z.B. §§ 153, 153a StPO; so auch *Buss*, S. 159; EU-Kommission, Follow-up-Mitteilung, S. 17. Z.B. eine Zustimmung eines Europäischen Vorverfahrensgerichts, vgl. unten C.2.d)bb).

320 Bundesregierung und die Länder der Bundesrepublik Deutschland, Gemeinsame Stellungnahme Grünbuch, S. 11.

321 Bundesregierung und die Länder der Bundesrepublik Deutschland, Gemeinsame Stellungnahme Grünbuch, S. 10.

322 So auch: *Buss,* S. 157; Bundesregierung und die Länder der Bundesrepublik Deutschland, Gemeinsame Stellungnahme Grünbuch, S. 10.

323 EU-Kommission, Grünbuch finanzielle Interessen, S. 50; vgl. Vorschlag Europäische Staatanwaltschaft, Art. 28 Abs. 2 a).

Arbeit. Es sollte ihr deshalb möglich sein, sich auf die wichtigen Fälle zu konzentrieren, die die finanziellen Interessen in gravierender Weise belasten. Sogenannte Bagatelldelikte sollte die Staatsanwaltschaft einstellen können.

Um eindeutig bestimmen zu können, in welchem Fall es sich um ein Bagatelldelikt handelt, sollte eine finanzielle Schwelle festgelegt werden. Um hier Rechtssicherheit zu erhalten, sollte diese Schwelle in der Verordnung zur Errichtung der Europäischen Staatsanwaltschaft verbindlich festgelegt werden. Sie sollte nicht durch die Behörde selbst bestimmt werden können. Liegt der durch die Tat verursachte Schaden unter dieser Schwelle, sollte es der Europäischen Staatsanwaltschaft freistehen, die Tat zu verfolgen oder einzustellen.[324] In Anbetracht ihrer begrenzten Ressourcen sollte sie sich bei ihrer Ermessensausübung daran orientieren, ob zusätzliche besondere Umstände dafür sprechen, den Fall anzuklagen, obwohl der verursachte Schaden unter der festgelegten Grenze liegt. Dies könnte z.B. das Vorliegen eines besonderen öffentlichen Interesses sein.[325] Ein solches könnte etwa gegeben sein, wenn Bestechungsgelder gezahlt wurden. Hier wird der konkret entstandene Schaden für die finanziellen Interessen der Union häufig schwer zu bemessen sein, das Unrecht der Tat und das öffentliche Interesse an einer Strafverfolgung könnten aber dennoch eine Anklageerhebung rechtfertigen. Ebenso könnte die gewerbsmäßige Begehung zahlreicher Bagatelldelikte Ermittlungen durch die Europäische Staatsanwaltschaft rechtfertigen, da kriminelle Banden andernfalls die Schwelle bewusst dazu nutzen könnten, eine Strafverfolgung auf europäischer Ebene zu umgehen.

b) Teileinstellung

Ebenso könnte es sachgerecht sein, der Strafverfolgungsbehörde die Möglichkeit einzuräumen, eine Person nur hinsichtlich eines ausreichenden Teils an belastenden Umständen zu verfolgen.[326] Dies würde sich anbieten, wenn die bereits durchgeführten Ermittlungen ausreichen, um eine Sanktion zu erreichen und anzunehmen ist, dass die Verfolgung weiterer belastender Umstände für die zu erwartende Sanktion nicht beträchtlich ins Gewicht fällt (vgl. §§ 154, 154a StPO).

Es könnte vorgesehen werden, dass die Europäische Staatsanwaltschaft bei Vorliegen mehrerer Taten die Strafverfolgung auf nur einen Teil davon beschränken kann (vgl. § 154 StPO). Ohne die Möglichkeit, die Strafverfolgung auf einen Teil der begangenen Taten zu konzentrieren, ließen sich weder Großverfahren mit einer Fülle von prozessualen Taten noch die Verfolgung von Mehrfachtätern in der Pra-

---

324 EU-Kommission, Grünbuch finanzielle Interessen, S. 50.

325 Ähnlich, EU-Kommission, Grünbuch finanzielle Interessen, S. 50: geringe Bedeutung als Kriterium für eine mögliche Einstellung.

326 EU-Kommission, Grünbuch finanzielle Interessen, S. 50.

xis bewerkstelligen.[327] Gleichfalls wäre es denkbar, die Verfolgung einer einheitlichen prozessualen Tat auf einen Teil dieser zu beschränken (vgl. § 154a StPO). Auch eine derartige Beschränkung der Strafverfolgung dient der Verfahrensökonomie. Sie bedeutet letztlich jedoch keine Einschränkung des Legalitätsprinzips, denn die betroffene prozessuale Tat wird weiterverfolgt,[328] nur geht mit ihr eine Beschränkung der gerichtlichen Kognitionspflicht einher.[329]

Durch die mit einer Teileinstellung einhergehende Entlastung könnte eine Verfahrensbeschleunigung erreicht und die Strafrechtspflege vereinfacht werden.[330] In den hier zur Teileinstellung vorgeschlagenen Fällen würde die Ermittlung weiterer Umstände zusätzlich Zeit und Ressourcen kosten, das Strafmaß aber nicht mehr beeinflussen. Dem Unrecht der Tat würde also aufgrund der bereits vorhandenen Beweise Genüge getan. Den Beschuldigten wird eine Sanktion treffen, die für die Strafzwecke ausreicht.[331] Aufgrund der Vorteile, die sich in der Praxis daraus ergeben, sollte der Europäischen Staatsanwaltschaft die Befugnis eingeräumt werden, die Strafverfolgung partiell zu beschränken, insofern die oben statuierten Voraussetzungen vorliegen.

c) Verfahrensbeendende Verständigung

Ebenso könnte die Möglichkeit vorgesehen werden, eine verfahrensbeendende Verständigung zwischen der Staatsanwaltschaft und dem Beschuldigten zu treffen.[332] Beispielsweise könnte der Beschuldigte sich bereit erklären, den von ihm verursachten Schaden durch Rückzahlung der zu Unrecht erlangten Beträge oder durch Entrichtung der hinterzogenen Steuern und Zölle wiedergutzumachen.[333] Da nicht immer tatsächlich ein finanzieller Schaden entstanden sein muss, um eine Anklageerhebung zu rechtfertigen, könnten darüber hinaus weitere Leistungen vorgesehen werden, die der Beschuldigte als Wiedergutmachung erbringen kann.[334] Die Europäische Staatsanwaltschaft würde im Gegenzug das Verfahren gegen ihn einstellen. Dies sollte indes nur unter bestimmten Bedingungen möglich sein. So könnte eine verfahrensbeendende Verständigung beispielsweise dann ausgeschlossen sein, wenn es sich um einen Wiederholungstäter handelt.[335] Ebenso sollte eine finanzielle Schwelle festgelegt werden, die der verursachte Schaden nicht über-

---

327 Radtke/Hohmann-*Radtke,* § 154 Rn. 2.

328 Radtke/Hohmann-*Radtke,* § 154a Rn. 1.

329 SK-StPO-*Weßlau,* § 154a Rn. 1.

330 Vgl. Löwe/Rosenberg-*Beulke,* § 154 Rn. 1.

331 Vgl. Löwe/Rosenberg-*Beulke,* § 154 Rn. 2.

332 EU-Kommission, Grünbuch finanzielle Interessen, S. 50.

333 EU-Kommission, Grünbuch finanzielle Interessen, S. 50.

334 Vgl. z.B. § 153a StPO, insbesondere Abs. 1 Nr. 2 und 3.

335 Vgl. Art. 22 Abs. 2 lit. b CJ/CJ 2000.

schreiten darf,[336] weil das Unrecht der Tat sonst zu schwerwiegend erscheint, als dass ein Absehen von einer Verurteilung noch zu rechtfertigen wäre.[337]

Hinsichtlich des Zustandekommens der Verständigung müssten weitere Voraussetzungen erfüllt sein. Zunächst einmal muss die Behörde grundsätzlich genügend Anhaltspunkte für eine Anklageerhebung ermittelt haben.[338] Auf keinen Fall dürfte die verfahrensbeendende Verständigung, wie im Grünbuch vorgeschlagen, dann genutzt werden, wenn die Aussicht auf eine Verurteilung der betreffenden Person gering ist.[339] Denn dann ist aufgrund der Unschuldsvermutung (Art. 48 Abs. 1 GRC/Art. 6 Abs. 2 EMRK) davon auszugehen, dass die betroffene Person unschuldig ist.[340] Der Abschluss einer verfahrensbeendenden Verständigung, auf die sich der Beschuldigte aus Angst vor einer Falschverurteilung einlässt, stünde im eklatanten Widerspruch zum Rechtsstaatsprinzip.[341] Der Angeklagte sollte zudem geständig sein. Um Vorwürfen entgegenzuwirken, auf europäischer Ebene würden Verfahren in undurchsichtiger Weise eingestellt, und um eine Kontrolle durch die Öffentlichkeit zu bewirken, sollte eine verfahrensbeendende Verständigung stets öffentlich erfolgen.[342] Sie dürfte nur zustande kommen, wenn der Beschuldigte ihr ausdrücklich zustimmt, da er durch das Zustandekommen einer Verständigung auf die Möglichkeit verzichtet, dass in einem Gerichtsverfahren seine Unschuld festgestellt wird. Darüber hinaus sollte die Zustimmung eines Gerichts erforderlich sein (vgl. § 153a StPO). Eine entsprechende Prüfung könnte von einem Europäischen Vorverfahrensgericht vorgenommen werden.[343] Seine Zustimmung dürfte das Gericht nur erteilen, wenn die Staatsanwaltschaft ihm einen Sachverhalt präsentieren kann, der eine Anklageerhebung rechtfertigt.

Um den Vorwurf zu vermeiden, der Handel mit Gerechtigkeit diene nicht der Gerechtigkeit, sondern dem Handel,[344] müssten bestimmte Kriterien festgelegt werden, nach denen sich die Gegenleistung des Beschuldigten bemisst. Dabei muss

---

336 Vgl. Art. 22 Abs. 2 lit. b CJ/CJ 2000.

337 Vgl. auch den Vorschlag Europäische Staatsanwaltschaft, der keine derartigen Einschränkungen enthält und als Voraussetzung für einen Vergleich lediglich vorsieht, dass die Einstellung des Strafverfahrens einer geordneten Rechtspflege dient und der Schaden ersetzt wurde, Art. 29 Abs. 3.

338 Vgl. Art. 22 Abs. 2 lit. b, Satz 3 CJ/CJ 2000.

339 Vgl. EU-Kommission, Grünbuch finanzielle Interessen, S. 50.

340 Die Unschuldsvermutung gilt trotz des anderslautenden Wortlauts von Art. 48 Abs. 2 bereits im Ermittlungsverfahren, Meyer-*Eser,* Art. 48 Rn. 11a; vgl. zur Einstellung aufgrund des Mangels an Beweisen: unten D.1.

341 Vgl. *Schünemann,* StV 2003, 121; Bundesregierung und die Länder der Bundesrepublik Deutschland, Gemeinsame Stellungnahme Grünbuch, S. 11.

342 Vgl. Art. 22 Abs. 2 lit. b, Satz 3 CJ/CJ 2000.

343 Zum Europäischen Vorverfahrensgericht vgl. unten C.2.d)bb).

344 So *Kempf,* StV 2003, 130.

insbesondere das als allgemeiner Rechtsgrundsatz in der Union anerkannte Verhältnismäßigkeitsprinzip[345] beachtet werden.

Grundsätzliches Problem einer verfahrensbeendenden Verständigung ist, dass der Beschuldigte aufgrund des Drohpotentials einer strafgerichtlichen Verurteilung der Verständigung zustimmt, obwohl er möglicherweise unschuldig ist.[346] Der Vorteil für den Beschuldigten, der im Grünbuch angeführt wird, dass gegen ihn kein Urteil ergehe,[347] ist immer dann keiner, wenn der Beschuldigte unschuldig ist und dies nicht gerichtlich festgestellt wird. Dennoch ist die verfahrensbeendende Verständigung in den Mitgliedstaaten vorgesehen. Pragmatische Gründe sprechen dafür, dies auch für die Europäische Staatsanwaltschaft zu ermöglichen.[348] Denn diese würde dadurch, dass sie diese Fälle nicht zur Anklage bringen und vor Gericht vertreten muss, enorm entlastet. Sie könnte ihre Ressourcen dann auf andere Fälle konzentrieren.

d) Wirkung der Einstellung

Der in Art. 50 GRC/Art. 4 des 7. Zusatzprotokolls zur EMRK verankerte Ne-bis-in-idem-Grundsatz gewährleistet das Recht, innerhalb der Union nicht wegen derselben Straftat zweimal strafrechtlich verfolgt oder bestraft zu werden. Wurde eine Person wegen einer Straftat rechtskräftig verurteilt oder freigesprochen, darf sie nicht noch einmal wegen derselben Tat zur Rechenschaft gezogen werden.

Der Begriff der rechtskräftigen Verurteilung wurde zum ebenfalls den Ne-bis-in-idem-Grundsatz regelnden Art. 54 SDÜ konkretisierend ausgelegt. Danach fällt hierunter auch die nicht-gerichtliche Verfahrenserledigung, die von einer zur Mitwirkung an der Strafverfolgung berufenen Behörde getroffen wird, wenn der verfahrensbeendenden Entscheidung eine Sanktionswirkung zukommt.[349] Diese weite Auslegung des Begriffs lässt sich vor allem mit pragmatischen Erwägungen erklären. Es würden sich wohl nur wenige Betroffene auf eine Verfahrensbeendigung durch nichtrichterliche Organe einlassen, wenn sie befürchten müssten, in einem anderen Mitgliedstaat mangels Urteils oder richterlicher Entscheidung erneut zur Rechenschaft gezogen zu werden.[350] Aus diesem Grund sollte die weite Auslegung des Begriffs auch auf Art. 50 GRC übertragen werden.[351] Folglich müsste die Einstellung dazu führen, dass in keinem Mitgliedstaat der Union die Strafverfolgung

---

345 Vgl. Schwarze-*Schwarze,* Art. 19 EUV Rn. 25.

346 Vgl. *Nelles,* in: Huber (Hrsg.), Corpus Juris, S. 265.

347 EU-Kommission, Grünbuch finanzielle Interessen, S. 50.

348 Vgl. *Nelles,* in: Huber (Hrsg.), Corpus Juris, S. 265.

349 Meyer-*Eser,* Art. 50 Rn. 13.

350 *Plöckinger/Leidenmühler,* wistra 2003, 86.

351 Meyer-*Eser,* Art. 50 Rn. 13.

wegen derselben Tat gegen den Betroffenen erneut eingeleitet werden darf.[352] Während sich daraus für diejenigen Fälle, für die die europäische Behörde allein zuständig ist, keine Probleme ergeben, könnte die Einstellungswirkung bei sogenannten gemischten Fällen zu Schwierigkeiten führen. Bei diesen liegt zugleich ein Verstoß gegen Unionsrecht und innerstaatliches Recht vor.[353] Stellt die Europäische Staatsanwaltschaft einen solchen Fall ein, wäre es den nationalen Behörden, insofern es sich um ein und dieselbe Tat handelt, versagt, die Strafverfolgung bezüglich des Verstoßes gegen nationales Recht zu betreiben. Um hier eine eindeutige Rechtslage zu schaffen und damit Rechtssicherheit für den Betroffenen zu erreichen, wäre es deshalb zwingend notwendig, eine unionsrechtliche Definition des Begriffs der prozessualen Tat festzuschreiben.[354] Hinsichtlich anderer Taten wäre die nationale Strafverfolgungsbehörde natürlich weiterhin berechtigt Strafverfolgungsmaßnahmen zu ergreifen.

e) Ne-bis-in-idem-Grundsatz

Wie bereits erläutert, müsste die Einstellung nach den obigen Regelungen zur Folge haben, dass eine Strafverfolgung wegen desselben Falls von keinem Mitgliedstaat eingeleitet werden darf. Für die Ermittlungen der Europäischen Staatsanwaltschaft stellt sich die Frage nach der Geltung des Ne-bis-in-idem-Grundsatzes aber noch an anderer Stelle.

Es ist nämlich zu fragen, ab welchem Zeitpunkt im Lauf des Vorverfahrens dieser Grundsatz anzuwenden ist.[355] Gibt es Hinweise darauf, dass eine Straftat bereits abgeurteilt wurde, muss es der Staatsanwaltschaft möglich sein zu prüfen, ob dies tatsächlich der Fall ist. Deshalb sollte sie Vorerhebungen anordnen können, die jedoch nicht als Einleitung der Strafverfolgung zu sehen sind und somit nicht gegen den Ne-bis-in-idem-Grundsatz verstoßen. Ob dieser Grundsatz weiteren Ermittlungen entgegensteht, muss dann geprüft werden, wenn eine Person zum Beschuldigten wird. Dann richten sich die Maßnahmen gezielt gegen sie und können erhebliche Auswirkungen auf den Beschuldigten haben.[356] Stellt die Europäische Staatsanwaltschaft in diesem Rahmen fest, dass die Sache bereits entschieden worden ist, muss sie von einer weiteren Verfolgung des Falls absehen.[357]

---

352 So auch *Weber,* S. 122; vgl. dazu Vorschlag Europäische Staatsanwaltschaft, Art. 28 Abs. 1 e.

353 EU-Kommission, Grünbuch finanzielle Interessen, S. 52.

354 Vgl. hierzu *Radtke,* FS für Seebode, S. 297ff.

355 EU-Kommission, Grünbuch finanzielle Interessen, S. 49.

356 *Biehler/Gleß/Parra/Zeitler,* S. 62.

357 EU-Kommission, Grünbuch finanzielle Interessen, S. 49.

2. Beschuldigtenstellung

Jede Person hat innerhalb der Union ein Recht auf ein faires Verfahren (Art. 47 Abs. 2 GRC/Art. 6 Abs. 1 EMRK). Als Konkretisierung dieses Rechts[358] sind in Art. 48 Abs. 2 GRC/Art. 6 Abs. 3 EMRK Verteidigungsrechte enthalten, die jedem Angeklagten zustehen. Daneben gilt gemäß Art. 48 Abs. 1 GRC/Art. 6 Abs. 2 EMRK für jeden Angeklagten die Unschuldsvermutung. Es müssen somit Regeln getroffen werden, damit diese Rechte auch bei Ermittlungen durch die Europäische Staatsanwaltschaft gewährleistet werden. Zusätzlich könnte darüber nachgedacht werden, eine europäische Strafverteidigerinstitution zu schaffen.[359] Auf diese Thematik wird im Folgenden jedoch nicht eingegangen, da Art. 86 AEUV keine Rechtsgrundlage hierfür bietet.

a) Zeitpunkt

Nach der Rechtsprechung des Europäischen Gerichtshofs für Menschenrechte (EGMR) darf der Begriff der Anklage, und damit auch der des Angeklagten des Art. 48 GRC/Art. 6 EMRK nicht formell und nach dem Recht des jeweiligen Mitgliedstaates ausgelegt werden. Er muss autonom und materiell unter Berücksichtigung der tatsächlichen Gegebenheiten des zu beurteilenden Verfahrens interpretiert werden.[360] Eine strafrechtliche Anklage in diesem Sinne liegt deshalb bereits dann vor, wenn eine offizielle Mitteilung an eine Person ergangen ist, aus der sie ersehen kann, dass gegen sie der Verdacht besteht, sie habe eine strafbare Handlung begangen.[361] Eine offizielle Mitteilung ist aber nicht stets erforderlich. Vielmehr können auch andere Maßnahmen ausreichen, aus denen sich für den Betroffenen implizit ergibt, dass gegen ihn ermittelt wird. Dafür müssen die Maßnahmen die Situation des Betroffenen in ebenso erheblicher Weise beeinträchtigen wie eine offizielle Mitteilung (z.B. durch eine Festnahme).[362] Für die Rechte des Angeklagten ist somit nicht entscheidend, dass gegen ihn tatsächlich Anklage erhoben wurde. Bereits wenn eine Person sich in einer nach deutschem Verständnis dem Beschuldigten vergleichbaren Position[363] befindet, können die Verteidigungsrechte Anwendung finden.

---

[358] Frowein/Peukert-*Peukert,* Art. 6 Rn. 278; Meyer-*Eser,* Art. 48 Rn. 20.

[359] Vgl. hierzu beispielsweise *Schünemann,* StV 2003, 116ff; *Schünemann,* ZStW 2004, 376ff; sowie die Bestandsaufnahme von *Arnold*, HRRS 2008, 10ff.

[360] Vgl. *Ambos,* ZStW (2003) 115, 595f; *Esser,* S. 53; Frowein/Peukert-*Peukert,* Art. 6 Rn. 41.

[361] EGMR, Urt. v. 27.2.1980, Application no. 6903/75, Deweer ./. Belgien, Rn. 46; vgl. auch *Esser,* S. 53, Fn. 5 m.w.N.

[362] Frowein/Peukert-*Peukert,* Art. 6 Rn. 42; *Meyer-Ladewig,* Art. 6 Rn. 22.

[363] Vgl. Löwe/Rosenberg-*Esser,* Art. 6 Rn. 178.

Trotz dieser auf europäischer Ebene bereits vorhandenen Vorgaben[364] sollte genau festgelegt werden, wann der Betroffene im Rahmen der Ermittlungen der Europäischen Staatsanwaltschaft zum Beschuldigten wird,[365] denn: Die aufgrund der Rechtsprechung des EGMR vorhandenen Vorgaben zur Bestimmung dieses Zeitpunkts sind nicht sehr konkret. Darum könnte es im Einzelfall schwierig sein, zu bestimmen, ob eine Person als Beschuldigter zu behandeln ist oder nicht. Um Rechtsunsicherheiten zu vermeiden, bedarf es konkreter Regelungen.[366] Eine Möglichkeit, um einen möglichst frühen Schutz des Betroffenen zu gewährleisten, wäre festzulegen, dass eine Person von jeder Handlung an, die zu ihren Lasten schwerwiegende und schlüssige Anzeichen von Schuld feststellt, anzeigt oder aufdeckt, als Beschuldigter zu betrachten ist.[367] Als spätester Zeitpunkt, in dem der Betroffene als Beschuldigter zu behandeln ist, sollte die erste Befragung durch eine Stelle, die die Anzeichen von Schuld kennt, festgelegt werden.[368] Durch solch eine Regelung kann verhindert werden, dass ein Beschuldigter als Zeuge vernommen wird, um ihm seine Beschuldigtenrechte vorzuenthalten.

b) Rechte des Beschuldigten

Art. 6 EMRK (Art. 47 Abs. 2, Art. 48 Abs. 2 GRC) ist, wie erläutert, grundsätzlich nicht nur auf den förmlich Angeklagten, sondern auch auf den Beschuldigten anwendbar. Dies bedeutet jedoch nicht, dass ihm alle dort genannten Rechte bereits im Ermittlungsverfahren zukommen müssen. Unter Umständen kann es zur Gewährleistung eines fairen Verfahrens auch ausreichen, wenn ihm ein Teil der Rechte erst gewährt wird, wenn er tatsächlich in einem Mitgliedstaat förmlich angeklagt ist. Diese Rechte müssten dann von den Mitgliedstaaten im Hauptverfahren gewährleistet werden. Sie oblägen damit nicht dem Verantwortungsbereich der Europäischen Staatsanwaltschaft und müssten deshalb nicht extra geregelt werden.

Für Rechte, die dem Beschuldigten bereits im Ermittlungsverfahren gewährleistet werden müssen, sollte eine eigenständige Regelung geschaffen werden. Ein Verweis auf die EMRK oder die Grundrechtecharta reicht nicht.[369] Zwar kommt der Grundrechtecharta aufgrund von Art. 51 GRC i.V.m. Art. 6 Abs. 1 Satz 2 EUV für die Union bindende Wirkung zu. Allerdings statuiert Art. 48 Abs. 2 GRC ledig-

---

364 Vgl. auch EGMR, Urt. v. 27.2.1980, Application no. 6903/75, Deweer ./. Belgien; EGMR, Rn. 46, Urt. v. 17.12.2004, Application no. 49017/99, Pedersen u. Baadsgaard ./. Dänemark; vgl. *Esser*, S. 53 Fn. 5, und *Meyer-Ladewig,* Art. 6 Rn. 22. m.w.N.

365 Anders der Vorschlag Europäische Staatsanwaltschaft, der in Art. 32 Abs. 3 lediglich vorsieht, dass die Rechte zu dem Zeitpunkt bestehen, zu dem die Personen verdächtigt werden, eine Straftat begangen zu haben.

366 *Biehler/Gleß/Parra/Zeitler,* S. 58.

367 Art. 29 Abs. 2 CJ; Art. 29 Abs. 1 CJ 2000.

368 Art. 29 Abs. 2 CJ; Art. 29 Abs. 1 CJ 2000.

369 So aber für einen Großteil der Rechte der Vorschlag des CJ 2000 (Art. 29 Abs. 2).

lich, dass die Verteidigungsrechte gewährleistet werden müssen, ohne sie näher zu definieren. Über Art. 52 Abs. 3 GRC wird deshalb der Rückgriff auf die EMRK ermöglicht, sodass die Verteidigungsrechte in dieser Form gelten müssen. Hinsichtlich dieses Verweises ist jedoch umstritten, ob er nur für die in der EMRK ausdrücklich niedergelegten Rechte gilt, oder ob auch die Rechtsprechung des EGMR berücksichtigt werden muss.[370] Im Hinblick auf die Gewährleistung eines fairen Verfahrens muss für den Beschuldigten jedoch eindeutig zu erkennen sein, welche Rechte ihm zustehen. Bei OLAF-Ermittlungen hat sich gezeigt, dass eine unklare Lage hinsichtlich der geltenden Verfahrensrechte zu Unsicherheiten und Problemen bei den Ermittlungen führen kann.[371] Die Statuierung europäischer Regelungen zu Verfahrensrechten ist somit unumgänglich.

Die für die Ermittlungen der Europäischen Staatsanwaltschaft statuierten Regeln müssten auch von den nationalen Behörden beachtet werden, die die Staatsanwaltschaft bei ihren Ermittlungen unterstützen.[372] Es wäre Aufgabe des abgeordneten Europäischen Staatsanwalts, dies sicherzustellen. Er kennt das nationale Verfahren und weiß deshalb, in welchen Situationen die nationalen Behörden anders verfahren würden als für die europäische Institution festgeschrieben. Er hat grundsätzlich aktiv darauf hinzuwirken, dass die Bestimmungen eingehalten werden.

Wie oben bereits erläutert, kann es bei einem Teil der Rechte ausreichen, dass diese im Hauptverfahren in den Mitgliedstaaten gewährleistet werden. Gleichzeitig müssen die Rechte des Beschuldigten, die bereits im Ermittlungsverfahren gewährleistet wurden, selbstverständlich auch im Rahmen des Gerichtsverfahrens garantiert sein, insofern dies nach Sinn und Zweck notwendig ist. Die Gewährung eines Rechts durch die Europäische Staatsanwaltschaft schließt somit nicht aus, dass dieses Recht zusätzlich auch im Hauptverfahren garantiert werden muss.

Im Folgenden soll erörtert werden, welche Beschuldigtenrechte im Zusammenhang mit dem Ermittlungsverfahren geregelt werden müssen, damit ein faires Verfahren gegeben ist.

aa) Unschuldsvermutung

Nach der Unschuldsvermutung (Art. 48 Abs. 1 GRC/Art. 6 Abs. 2 EMRK) gilt jede Person bis zum gesetzlich erbrachten Erweis ihrer Schuld als unschuldig (Art. 48 Abs. 1 GRC/Art. 6 Abs. 2 EMRK). Sie ist von den Strafverfolgungsbehörden bereits im vorgerichtlichen Ermittlungsstadium zu beachten.[373] Nur so

---

370 Vgl. Teil 3, II.B.

371 Vgl. hierzu z.B. *Gleß/Zeitler,* ELJ 2001, 229; *Rabe,* NJW-Sonderheft 2001, 56; *Spitzer,* Europa-Blätter 2004, 212.

372 Zum Verhältnis der Europäischen Staatsanwaltschaft zu den nationalen Strafverfolgungsbehörden vgl. unten 3. und oben A.

373 *Esser,* StraFo 2003, 226.

kann die spätere Aufgeschlossenheit des Gerichts für die Verfahrensvorgänge und die Argumente der Verteidigung und ein neutrales Gesamtverhalten gegenüber dem Beschuldigten, also ein faires Verfahren überhaupt garantiert werden.[374]

Dies gilt auch für die Ermittlungen der Europäischen Staatsanwaltschaft.[375] Auch für ein Ermittlungsverfahren auf europäischer Ebene kann nichts anderes gelten, als für nationale Strafverfahren. Um ein faires Verfahren zu gewährleisten, muss der Grundsatz der Unschuldsvermutung bereits zu dem Zeitpunkt angewendet werden, zu dem der Betroffene zum Beschuldigten wird.

bb) Recht, zu schweigen und sich nicht selbst zu belasten

Als im engen Zusammenhang mit der Unschuldsvermutung stehend wird das Recht, zu schweigen und sich nicht selbst zu bezichtigen, verstanden.[376] Der Beschuldigte muss selbst darüber entscheiden dürfen, ob er zu den Beschuldigungen aussagen oder schweigen will. Dieser sogenannte Nemo-tenetur-Grundsatz entspricht allgemein anerkannten Standards.[377] Er beruht auf dem Leitgedanken der Achtung der Menschenwürde.[378] Der Einzelne soll nicht durch Zwang oder andere illegitime Formen der Überwindung seiner Autonomie dazu veranlasst werden, selbst dem Staat die Beweise seiner Schuld zu liefern.[379] Dennoch wird der Grundsatz weder in der EMRK noch in der GRC explizit erwähnt. Der EGMR rechnet ihn aber zum Kernbereich des fairen Verfahrens (Art. 47 Abs. 2 GRC/Art. 6 Abs. 1 EMRK).[380]

Auch dieses Recht ist nicht auf das Gerichtsverfahren beschränkt, sondern gilt im gesamten Ermittlungsverfahren. Seinem Sinn und Zweck nach muss es dem Beschuldigten bereits ab dem ersten Moment zukommen, in dem er zum Beschuldigten wird, da bereits einer ersten Befragung im Hinblick auf die spätere Weiterermittlung und Anklageerhebung sowie ihre Funktion, den Kreis möglicher Verdächtiger einzuengen, eine wesentliche Bedeutung zukommen kann.[381] Somit ist festzulegen, dass dem Beschuldigten bei Ermittlungen durch die Europäische Staatsanwaltschaft von Beginn an ein Recht, zu schweigen und sich nicht selbst zu belasten, zusteht.[382] Zudem sollte statuiert werden, dass die Staatsanwaltschaft aus

---

374 Löwe/Rosenberg-*Esser,* Art. 6 Rn. 445.

375 So auch der Vorschlag Europäische Staatsanwaltschaft, Art. 32 Abs. 2 d.

376 *Grabenwarter,* § 24 Rn. 119.

377 Vgl. Löwe/Rosenberg-*Esser,* Art. 6 Rn. 880; *Meyer-Ladewig,* Art. 6 Rn. 131.

378 BVerfGE 38, 105, 113; 56, 37, 43.

379 *Weigend,* ZStW 113 (2001), 293.

380 *Grabenwarter,* § 24 Rn. 119.

381 *Biehler/Gleß/Parra/Zeitler,* S. 59.

382 Vgl. auch Art. 29 Abs. 3 Satz 2 CJ; Art. 29 Abs. 2 Satz 2 CJ 2000; so auch der Vorschlag Europäische Staatsanwaltschaft, Art. 32 Abs. 2 d, Art. 33.

dem Schweigen des Beschuldigten keine negativen Schlussfolgerungen ziehen darf.[383]

cc) Recht auf Information

Nach Art. 6 Abs. 3 lit. a EMRK hat der Angeklagte ein Recht darauf, innerhalb kürzester Zeit über die gegen ihn erhobenen Beschuldigungen in einer für ihn verständlichen Sprache unterrichtet zu werden. Durch dieses Recht soll die den Beschuldigten belastende Ungewissheit über den Gegenstand des gegen ihn anhängigen Verfahrens frühzeitig ausgeräumt werden. Er soll zudem in die Lage versetzt werden, seine Verteidigung vorzubereiten.[384] Das kann er nur, wenn er weiß, weshalb gegen ihn ermittelt wird und auf welche Tatsachen sich dieser Verdacht gründet.[385] Nur so kann er entscheiden, ob er aufgrund der erhobenen Vorwürfe von seinem Recht, zu schweigen, Gebrauch macht oder wirksame Rechtsbehelfe gegen ihn belastende Ermittlungseingriffe einlegen.[386] Die Gewährleistung dieses Rechts wirkt sich somit bereits in dem Zeitpunkt aus, in dem der Betroffene zum Beschuldigten wird. Deshalb sollte in den Verfahrensregeln festgeschrieben werden, dass der Beschuldigte, sobald er als solcher betrachtet werden muss, unmittelbar über die gegen ihn erhobenen Vorwürfe unterrichtet wird.[387]

dd) Recht auf ausreichend Zeit und Gelegenheit zur Vorbereitung der Verteidigung

In engem Zusammenhang mit dem Recht auf Information aus Art. 6 Abs. 3 lit. a EMRK steht das Recht, genügend Zeit und Gelegenheit zur Vorbereitung der Verteidigung zu haben (Art. 6 Abs. 3 lit. b EMRK). Der Angeklagte muss sich ausreichend auf seine Verteidigung in der mündlichen Verhandlung vorbereiten können.[388] Dieses Recht ist auch schon im Vorverfahren anwendbar und dem Beschuldigten zu gewähren.[389] Es umfasst auch das Recht zur Akteneinsicht, weil nur so die effektive Ausübung der Einzelrechte des Art. 6 Abs. 3 EMRK gewährleistet werden kann.[390] Darum sollte eine Regelung getroffen werden, die die Einhaltung dieses Rechts garantiert. Es könnte beispielsweise statuiert werden, dass dem Beschuldigten und seinem Verteidiger die betreffende Akte spätestens

---

383 Vgl. auch Bundesrechtsanwaltskammer, S. 4.

384 Löwe/Rosenberg-*Esser,* Art. 6 EMRK Rn. 535.

385 Löwe/Rosenberg-*Esser,* Art. 6 Rn. 535; *Weigend*, StV 2000, 385.

386 Löwe/Rosenberg-*Esser,* Art. 6 Rn. 535.

387 Vgl. Art. 29 Abs. 3 CJ/CJ 2000; so auch der Vorschlag Europäische Staatsanwaltschaft, Art. 32 Abs. 2 b).

388 Frowein/Peukert-*Peukert,* Art. 6 Rn. 286.

389 *Ambos,* ZStW (2003) 115, 603.

390 *Ambos,* ZStW (2003) 115, 600.

48 Stunden vor einer Vernehmung übermittelt werden muss. Handelt es sich um einen besonders komplexen Fall, könnten gegebenenfalls auch längere Fristen Anwendung finden.

ee) Recht auf anwaltlichen Beistand

Art. 6 Abs. 3 lit. c EMRK statuiert, dass der Angeklagte das Recht auf einen Verteidiger hat.[391] Verfügt er nicht über die notwendigen Mittel zur Bezahlung des Rechtsbeistands, muss ihm dieser unentgeltlich zur Verfügung gestellt werden.[392] Dieses Recht ist grundsätzlich bereits im Vorverfahren zu beachten.[393] Für den Beschuldigten ist es von entscheidender Bedeutung, dass ihm ab dem Zeitpunkt, in dem er vom lediglich Betroffenen (evtl. Zeugen) zum Beschuldigten wird, ein Anwalt beisteht. Dies ergibt sich daraus, dass die Verteidigungsstrategie schon sehr früh wichtig sein kann. So ist beispielsweise die Frage, ob der Beschuldigte von seinem Recht zu schweigen Gebrauch macht, bereits eine bedeutende im Rahmen der Verteidigung zu klärende Frage. Darüber hinaus kann frühestmöglicher anwaltlicher Beistand im Ermittlungsverfahren deshalb wichtig sein, damit sich der von einer Untersuchung Betroffene von Beginn an gegen Grundrechtseingriffe wehren kann. Als ein weiteres Recht des Beschuldigten bei Ermittlungen der Europäischen Staatsanwaltschaft sollte somit festgelegt werden, dass ihm bereits mit Beginn seiner Beschuldigtenstellung ein Anwalt zusteht.[394] Grundsätzlich muss der Beschuldigte hiervon jedoch nicht Gebrauch machen. Er kann sich auch selbst verteidigen.[395] Wünscht er aber anwaltlichen Beistand, darf eine Vernehmung nur in Anwesenheit des Verteidigers fortgesetzt werden.[396]

Zu klären wäre noch, ob auch Fälle der sogenannten notwendigen Verteidigung für den Fall vorgesehen werden sollten, dass der Beschuldigte ausdrücklich keinen rechtlichen Beistand möchte. Die EMRK schreibt die Bestellung eines Verteidigers in diesem Fall nicht vor.[397]

In Deutschland wird diese „Verteidigungspflicht“ zum Teil mit dem Gebot des *fair trial* begründet. Dies fordere, dass der Beschuldigte im objektiven Interesse der Verfahrensgerechtigkeit ausreichend verteidigt ist, unabhängig davon, ob er dies wünscht oder nicht.[398] Teilweise wird aber auch darauf verwiesen, sie diene allein

391 Vgl. auch Vorschlag Europäische Staatsanwaltschaft, Art. 32 Abs. 2 c.

392 Vgl. auch Vorschlag Europäische Staatsanwaltschaft, Art. 32 Abs. 2 e, Art. 34 die allgemeiner von „Prozesskostenhilfe“ sprechen.

393 Frowein/Peukert-*Peukert,* Art. 6 Rn. 292; *Meyer-Ladewig,* Art. 6 Rn. 231.

394 Vgl. Art. 29 Abs. 3 CJ.

395 Vgl. Art. 6 Abs. 3 lit. c EMRK.

396 Bundesrechtsanwaltskammer, S. 4.

397 Löwe/Rosenberg-*Esser,* Art. 6 Rn. 735.

398 Radtke/Hohmann-*Reinhart,* § 140 Rn. 1.

dem staatlichen Interesse an der Gewährleistung eines rechtsstaatlichen Verfahrens und insbesondere der Verfahrenssicherung, indem sie die Durchführbarkeit der Hauptverhandlung sicherstelle.[399] Die Ableitung der Verteidigungspflicht aus dem Gebot des *fair trial* erscheint überaus fragwürdig, da Art. 6 Abs. 3 lit. c EMRK ausdrücklich die Möglichkeit statuiert, sich selbst zu verteidigen. Aber auch die Begründung, dass durch die notwendige Verteidigung die Durchführbarkeit der Hauptverhandlung sichergestellt werden könne, liefert kein Argument dafür, in der Verordnung zur Errichtung der Europäischen Staatsanwaltschaft eine Regelung zu treffen, da durch diese nicht in die Hauptverhandlung eingegriffen werden darf.[400] Eine „notwendige Verteidigung" könnte somit nur für das Ermittlungsverfahren vorgeschrieben werden. Zur Gewährleistung eines fairen Verfahrens ist dies jedoch nicht zwingend notwendig. Somit sollten keine Fälle vorgesehen werden, in denen der Beschuldigte sich auch gegen seinen Willen verteidigen lassen muss.

ff) Recht auf Befragung von Belastungszeugen

Weitere Ausprägung des fairen Verfahrens, die sich in Art. 6 Abs. 3 EMRK niedergeschlagen hat, ist das sogenannte Konfrontationsrecht (Art. 6 Abs. 3 lit. d EMRK). Hiernach ist der Angeklagte berechtigt, Fragen an Belastungszeugen zu stellen sowie die Ladung und Vernehmung von Entlastungszeugen unter denselben Bedingungen zu erwirken, wie sie für Belastungszeugen gelten. Art. 6 Abs. 3 lit. d EMRK bezieht sich seinem Zweck nach nur auf die Hauptverhandlung.[401] Er verbürgt für den Beschuldigten also kein Recht auf Beteiligung an der Vernehmung von Zeugen im Ermittlungsverfahren.[402] Deshalb muss das Konfrontationsrecht im Ermittlungsverfahren nicht festgeschrieben werden. Eine Ausnahmeregelung sollte allerdings für den Fall statuiert werden, dass absehbar ist, dass eine Befragung des Zeugen im Hauptverfahren nicht mehr möglich sein wird. Ohne einen solchen Ausnahmetatbestand würde das Recht des Betroffenen zur Befragung des Zeugen sehenden Auges unterlaufen.

gg) Recht auf einen Dolmetscher

Das letzte der ausdrücklich in Art. 6 Abs. 3 EMRK niedergelegten Verteidigungsrechte ist, die unentgeltliche Unterstützung durch einen Dolmetscher zu erhalten, wenn der Betroffene die Verhandlungssprache des Gerichts nicht spricht (Art. 6 Abs. 3 lit. e EMRK). Obgleich der Wortlaut dieser Regelung vermuten lässt, dass das Recht auf einen Dolmetscher nur während der Gerichtsverhandlung

---

399 SK-StPO-*Wohlers* § 140 Rn. 3.

400 Vgl. oben, direkt unter IV.

401 *Grabenwarter,* § 24 Rn. 117.

402 *Esser,* StraFo 2003, 340.

besteht, wird durch Art. 6 Abs. 3 lit. e EMRK ein umfassender Kommunikationsanspruch gewährt. Dieser Anspruch gilt sowohl im Vorverfahren als auch für vorbereitende Gespräche zwischen Beschuldigtem und Verteidiger.[403] Um eine effektive Verteidigung zu ermöglichen, hat der Beschuldigte ab dem Zeitpunkt, zu dem er zum Beschuldigten wird, ein Recht darauf, anwaltlichen Beistand zu erhalten. Dieses Recht wäre aber sinnentleert, wenn nicht gleichzeitig auch gewährleistet würde, dass sich der Beschuldigte mit seinem Anwalt verständigen kann.[404]

Das Recht auf Dolmetschleistungen ist für Verfahren in den Mitgliedstaaten bereits sekundärrechtlich geregelt. Die RL 2010/64/EU[405] legt fest, dass sie dem Beschuldigten zustehen, sobald er davon erfährt, dass er einer Straftat verdächtigt wird (Art. 1 Abs. 2 RL 2010/64/EU). Dieser Mindeststandard dürfte für Verfahren, die von der Europäischen Staatsanwaltschaft geführt werden, nicht unterschritten werden. Deshalb muss festgelegt werden, dass der Beschuldigte ein Recht darauf hat, dass ihm unverzüglich ein Dolmetscher zur Seite gestellt wird, wenn er ohne diesen nicht mit den Ermittlungsbehörden oder seinem Anwalt kommunizieren kann.[406] Um die Gewährleistung eines fairen Verfahrens sicherzustellen, dürfte das Recht nicht mit dem Verweis darauf verweigert werden, dass der Beschuldigte die betreffende Sprache zumindest eingeschränkt beherrscht. Nur dann, wenn der Beschuldigte in der Lage ist, die wesentlichen Punkte in vollem Umfang zu verstehen und sie mit seinem Verteidiger zu besprechen, sollte eine Verweigerung der Dolmetschleistung möglich sein.

hh) Recht auf Belehrung

Damit der Beschuldigte seine Rechte wahrnehmen kann, muss er sie kennen. Deshalb müsste für die Durchführung des Ermittlungsverfahrens festgeschrieben werden, dass der Beschuldigte über die ihm aufgrund seiner Beschuldigtenstellung zustehenden Rechte belehrt wird.[407] Spricht der Beschuldigte die Sprache des Mitgliedstaates, in dem er sich befindet, nicht, muss auch hier bereits ein Dolmetscher dafür sorgen, dass der Beschuldigte seine Rechte kennt. Vorher darf durch die Ermittlungspersonen nicht weiter auf den Beschuldigten eingewirkt werden.

Die Hinzuziehung eines Dolmetschers beansprucht Zeit. Um in möglichst vielen Fällen eine zügige Belehrung zu gewährleisten, könnte die Idee des *Letter of*

---

403 *Ambos,* ZStW (2003) 115, 611; Frowein/Peukert-*Peukert,* Art. 6 Rn. 317; *Meyer-Ladewig,* Art. 6 Rn. 249.

404 Vgl. Löwe/Rosenberg-*Esser,* Art. 6 Rn. 850.

405 Richtlinie 2010/64/EU des Europäischen Parlamentes und des Rates vom 20. Oktober 2010 über das Recht auf Dolmetschleistungen und Übersetzungen in Strafverfahren, ABl. 2010/L280/1.

406 So auch der Vorschlag Europäische Kommission, Art. 32 Abs. 2 a).

407 *Biehler/Gleß/Parra/Zeitler,* S. 59; vgl. hierzu auch EU-Kommission, Vorschlag Belehrung, S. 1ff.

Rights [408] aufgegriffen werden. In diesem Dokument müssten alle Rechte aufgelistet werden, die der Person infolge ihrer Beschuldigtenstellung zukommen.[409] Der Letter of Rights könnte in alle Sprachen, die innerhalb der Union vorkommen, übersetzt werden. Dadurch wäre das Problem eines nur türkischsprachigen Beschuldigten indes nicht gelöst.[410] Deshalb sollte der *Letter of Rights* auch in weitere Sprachen übersetzt werden, die von in der Union lebenden Bevölkerungsgruppen gesprochen werden.

In Fällen, in denen eine Übersetzung des *Letter of Rights* dann immer noch nicht vorliegt, kann durch Hinzuziehung eines Dolmetschers gewährleistet werden, dass der Beschuldigte, wenn auch etwas später als andere, von seinen Rechten erfährt. Ein gravierender Rechtsverlust ist für den Beschuldigten dann nicht zu fürchten, wenn klargestellt ist, dass die Strafverfolgungsbehörden so lange nicht auf ihn einwirken dürfen, bis er seine Rechte kennt.

Die Strafverfolgungsbehörden sollten einen solchen Fall an eine innerhalb der Union zuständige Stelle melden, die dann umgehend die Übersetzung veranlassen sollte, sodass er in Zukunft auch in dieser Sprache verfügbar ist. Der Einfachheit halber sollte er in einer zentralen Datenbank in den verschiedenen Sprachversionen online abrufbar sein, damit er in jeder Polizeistation ausgedruckt werden kann.[411]

Für die Ermittlungen der Europäischen Staatsanwaltschaft sollte festgelegt werden, dass der Beschuldigte über seine Rechte belehrt werden muss. Zudem sollte der *Letter of Rights* grundsätzlich allen Beschuldigten ausgehändigt werden, auch wenn sie die Sprache des jeweiligen Mitgliedstaates beherrschen. So kann der Beschuldigte jederzeit nachsehen, welche Rechte ihm zustehen. Auf keinen Fall darf der *Letter of Rights* die Belehrung ersetzen.[412] Um auch die Rechte von Analphabeten zu gewährleisten, müsste der Beschuldigte auch nach Aushändigung des *Letter of Rights*, gegebenenfalls mithilfe eines Dolmetschers, belehrt werden.

3. Verhältnis zu den nationalen Strafverfolgungs- und Ermittlungsbehörden

Die Europäische Staatsanwaltschaft würde als europäische Strafverfolgungsbehörde tätig. Eine solche gibt es bislang noch nicht. Ihre materielle Zuständigkeit ergibt sich, wenn eine der unter Teil 4, II. näher definierten Straftaten zum Nachteil der finanziellen Interessen der Union vorliegt, und zwar unabhängig davon, in welchem Mitgliedstaat sie begangen wurden. Grundsätzlich sind die Strafverfolgungs-

---

408 EU-Kommission, Grünbuch Verfahrensgarantien, S. 42f.

409 Vgl. auch Art. 4 Vorschlag Belehrung.

410 Vgl. *Schuster*, S. 273.

411 Vgl. *Schuster*, S. 273.

412 Vgl. auch Bundesrechtsanwaltskammer, S. 4.

behörden der Mitgliedstaaten für alle Straftaten, die im Hoheitsgebiet ihres Landes begangen wurden, zuständig. Es muss also geklärt werden, wie die Kompetenzverteilung zwischen der Europäischen Staatsanwaltschaft und den nationalen Strafverfolgungsbehörden aussehen soll. Zudem muss untersucht werden, in welchem Verhältnis die nationalen Ermittlungsbehörden, die die nationalen Staatsanwaltschaften unterstützen, zu der europäischen Behörde stehen.

a) Strafverfolgungsbehörden

Die Europäische Staatsanwaltschaft könnte allein zuständig sein für unionsrechtliche sowie gemischte Fälle. Denkbar wäre aber auch, dass sie diese Zuständigkeit zum Teil an die nationalen Strafverfolgungsbehörden abgeben kann oder dass sie sie in manchen Fällen mit ihnen teilt. Hinsichtlich von Fällen, die außerhalb der Union Ermittlungen erfordern, muss geklärt werden, in welchem Verhältnis die Europäische Staatsanwaltschaft zu Staatsanwaltschaften von Nichtmitgliedstaaten steht.

aa) Unionsrechtliche Fälle

Als unionsrechtliche Fälle können jene Fälle bezeichnet werden, bei denen der Verdacht besteht, dass gegen Unionsrecht verstoßen wurde.[413] Nach dem in dieser Arbeit vorgeschlagenen Konzept werden die Straftatbestände, für die die europäische Behörde zuständig sein soll, per Verordnung festgelegt.[414] Ergibt sich hiernach, dass der Verdacht einer Straftat gegeben ist, für deren Verfolgung sie zuständig ist, muss sie ermitteln. Aufgrund der unmittelbaren Geltung der Verordnung, die gewisse Verhaltensweisen als Straftaten definiert, könnten aber auch die nationalen Stellen eine Strafverfolgung einleiten. Insbesondere in Mitgliedstaaten, in denen die Staatsanwaltschaft wegen des geltenden Legalitätsprinzips zur Einleitung von Strafverfolgungen verpflichtet ist, könnten sich Kompetenzkonflikte ergeben. Deshalb muss von Anfang an klargestellt werden, dass die Europäische Staatsanwaltschaft allein befugt ist, diese Fälle zu verfolgen. Die nationalen Strafverfolgungsbehörden müssten deshalb etwaige Untersuchungen beenden, sobald die Europäische Staatsanwaltschaft Ermittlungen aufnimmt. Um eine Verschwendung von Ressourcen zu vermeiden, sollte diese zudem die Möglichkeit haben, auf die durch die nationale Behörde bereits erlangten Untersuchungsergebnisse zurückzugreifen.

Von dieser strikten Regelung könnten jedoch Ausnahmen notwendig sein, um dem Subsidiaritäts- und dem Verhältnismäßigkeitsprinzip[415] gerecht zu werden.

---

413 Vgl. EU-Kommission, Grünbuch finanzielle Interessen, S. 51ff.

414 Vgl. oben II., insb. E.3.

415 Vgl. EU-Kommission, Grünbuch finanzielle Interessen, S. 52.

Möglicherweise sollte deshalb vorgesehen werden, dass die Straftaten dann von den nationalen Strafverfolgungsbehörden verfolgt werden können, wenn der Schaden unterhalb einer zuvor durch Unionsrecht festgelegten Schwelle bleibt.[416] Fraglich ist, ob eine solche Zuständigkeitsverteilung sachgerecht wäre. Die Schadenssumme allein sagt noch nichts über die Komplexität eines Falls. Es könnte sein, dass ein Fall mit einer geringen Schadenssumme sehr kompliziert ist und in vielen Mitgliedstaaten Ermittlungen nötig sind. Dennoch blieben nach der dargestellten Regelung die nationalen Strafverfolgungsbehörden zuständig, die bei ihren Ermittlungen auch weiterhin auf die Instrumente der Rechtshilfe angewiesen wären und nicht immer hinreichende rechtliche Möglichkeiten oder geeignete Strukturen haben, um eine EU-Betrug angemessen verfolgen zu können.[417] In diesem Rahmen wäre es darüber hinaus sehr schwierig, etwaige Zusammenhänge zu erkennen. Dies könnten organisierte Verbrecherbanden ausnutzen und bewusst stets solche Straftaten begehen, die unterhalb der Schwelle liegen.

Grund für die Errichtung der Europäischen Staatsanwaltschaft ist, dass das System, nach dem die Mitgliedstaaten allein für die Strafverfolgung zuständig sind, sehr problembeladen ist. Schwierigkeiten resultieren nicht nur daraus, dass grenzüberschreitende Ermittlungen notwendig sind, sondern beispielsweise auch aus mangelnden Ressourcen und anderen Prioritäten der Mitgliedstaaten. Nur weil eine Straftat einen geringen Schaden verursacht, bedeutet dies nicht automatisch, dass die Mitgliedstaaten diesen Fall mit den ihnen zur Verfügung stehenden Mitteln befriedigend lösen können. Des Weiteren spricht auch die Wahrung einer einheitlichen Strafverfolgungspraxis dagegen, die Zuständigkeit der europäischen Behörde von einer bestimmten Schadenshöhe abhängig zu machen.[418] Da eine europäische Regelung, die die alleinige Zuständigkeit der Europäischen Staatsanwaltschaft für Straftaten zum Nachteil der finanziellen Interessen der EU unabhängig von der Schadenssumme festlegt, zudem sowohl geeignet als auch erforderlich wäre, entspräche sie dem Subsidiaritäts- und dem Verhältnismäßigkeitsprinzip.

Als weitere mögliche Ausnahmeregelung könnte der Europäischen Staatsanwaltschaft die Befugnis zugesprochen werden, einen Fall an die nationalen Strafverfolgungsbehörden zu verweisen.[419] Dies könnte beispielsweise für die Fälle ermöglicht werden, die sich auf das Hoheitsgebiet eines einzigen Mitgliedstaates beschränken.[420]

Viele der Probleme der Strafverfolgung von Delikten zum Nachteil der finanziellen Interessen der Union beruhen darauf, dass die Ermittlungen in solchen Fällen

[416] EU-Kommission, Grünbuch finanzielle Interessen, S. 52.

[417] EU-Kommission, Mitteilung Gesamtkonzept, S. 6.

[418] Deutscher Richterbund, DRB Stellungnahme Grünbuch, S. 8.

[419] Vgl. Art. 19 Abs. 4 lit. a) CJ/CJ 2000.

[420] EU-Kommission, Grünbuch finanzielle Interessen, S. 52.

grenzüberschreitend stattfinden, jedoch nicht alle. Es hat sich gezeigt, dass auch mangelnde Ressourcen in den Mitgliedstaaten und nationale Egoismen eine erfolgreiche Strafverfolgung verhindern können. Darum wäre es nicht sachgerecht, wenn die Europäische Einrichtung Fälle, die sich auf das Hoheitsgebiet eines Mitgliedstaates beschränken, an diesen verweisen könnte. Darüber hinaus wäre es auch im Sinne einer einheitlichen Strafverfolgungspraxis, die Zuständigkeit für diese Fälle bei der Europäischen Staatsanwaltschaft zu belassen.[421]

Wie gezeigt, sollten von der Regel, dass die europäische Behörde allein verantwortlich für rein unionsrechtliche Fälle ist, keine Ausnahmen gemacht werden. Andernfalls könnte die Effektivität der Ermittlungen nicht gewährleistet werden. Regelungen, nach denen die Strafverfolgung in bestimmten Fällen den Mitgliedstaaten überlassen bliebe, würden zu Problemen führen. Deshalb wäre eine Regelung, die die Zuständigkeit für die Strafverfolgung unionsrechtlicher Fälle bei der Europäischen Staatsanwaltschaft belässt, sowohl erforderlich als auch geeignet, um die Strafverfolgung sinnvoll zu gestalten. Sie stünde mit dem Subsidiaritäts- und dem Verhältnismäßigkeitsprinzip im Einklang.

bb) Gemischte Fälle

Problematischer sind die Fälle, in denen der Verdacht besteht, dass gegen die europäischen Straftatbestände und gegen Regelungen des nationalen Rechts verstoßen wurde. Dies kann einmal dadurch geschehen, dass eine Handlung zwei Straftatbestände erfüllt, einen auf nationaler und einen auf Unionsebene, die dasselbe Rechtsgut betreffen. Ebenso ist es möglich, dass zwei getrennte, aber eng miteinander verbundene Handlungen zwei Straftatbestände erfüllen. Gemischte Fälle kommen in der Praxis allein schon deshalb sehr häufig vor, weil ungefähr 80 % der Mittel der Union von den nationalen Behörden verwaltet werden. Prinzipiell bestünde dann eine Zuständigkeit der nationalen Behörden und der Europäischen Staatsanwaltschaft.

Zur Wahrung der Subsidiarität und der Verhältnismäßigkeit könnte eine Regelung erforderlich sein, die bestimmt, dass gemischte Fälle immer von den nationalen Strafverfolgungsbehörden untersucht werden müssen.[422] Dies wäre dann sinnvoll, wenn die nationalen Strafverfolgungsbehörden diese Fälle ausreichend bearbeiten könnten und mithin ein Aktivwerden der Europäischen Staatanwaltschaft nicht notwendig wäre.

Gemischte Fälle können jedoch auch dann vorliegen, wenn nur ein geringer Verstoß gegen nationales Recht vorliegt, aber ein gravierender gegen einen europäischen Straftatbestand. In diesen Fällen ist eine Strafverfolgungsbehörde, die extra

---

[421] Deutscher Richterbund, DRB Stellungnahme Grünbuch, S. 8.

[422] Republik Österreich Bundesministerium für Justiz, Stellungnahme Grünbuch, S. 15.

dafür geschaffen wurde, Straftaten zum Nachteil der finanziellen Interessen zu verfolgen, besser geeignet die Strafverfolgung wahrzunehmen. In Anbetracht der Häufigkeit, in der gemischte Fälle vorkommen, könnte eine Bestimmung, nach der stets die nationalen Strafverfolgungsbehörden zuständig sind, die neue Einrichtung ihres Sinnes berauben. Sie wäre nur noch in wenigen Fällen zuständig, die die Errichtung einer solchen europäischen Institution im Hinblick auf das Subsidiaritätsprinzip wohl kaum rechtfertigen könnten. Somit ist zur Wahrung des Subsidiaritäts- und des Verhältnismäßigkeitsprinzips eine Regelung, die die Zuständigkeit in gemischten Fällen stets den nationalen Strafverfolgungsbehörden zuweist, nicht erforderlich.

Ebenso untauglich wäre eine ausschließliche und vorrangige Zuständigkeit der Europäischen Staatsanwaltschaft, die auch jene Handlungen einer prozessualen Tat erfasst, die nur oder auch nach nationalem Recht verfolgt werden können.[423] Denn materiell-rechtlich kommt ihr nur die Kompetenz zu, Straftaten zum Nachteil der finanziellen Interessen der Union zu verfolgen. Selbst wenn man von einer Erweiterung dieses Zuständigkeitsbereichs auf schwere Straftaten ausginge,[424] käme ihr immer noch nicht die Kompetenz zu, *alle* in den Mitgliedstaaten existierenden Straftaten zu verfolgen. Diesem Dilemma könnte man entgegenwirken, indem man den abgeordneten Europäischen Staatsanwälten nicht nur die Verfolgung des europäischen Falls, sondern auch die des nationalen Falls und die Anklagevertretung überträgt.

Dies könnte zum einen dadurch ermöglicht werden, dass die abgeordneten Europäischen Staatsanwälte sowohl ein nationales als auch ein europäisches Mandat erhielten. In dieser Arbeit wird jedoch vorgeschlagen, den abgeordneten Europäischen Staatsanwälten lediglich ein europäisches Mandat zu übertragen. Ihnen würde damit die Kompetenz fehlen, neben den europäischen auch nationale Ermittlungen anzustellen.

Trotz des grundsätzlich rein europäischen Mandats wäre eine Übertragung des nationalen Falls auf die Europäische Staatsanwaltschaft denkbar. Dies könnte sich insbesondere dann als sinnvoll erweisen, wenn der nationale Teil des Falls keine schwerwiegenden Straftaten betrifft, keine umfangreichen Ermittlungen erfordert und in engem Zusammenhang mit der von der europäischen Institution verfolgten Tat steht. Es könnte beispielsweise vorgesehen werden, dass die nationale und die europäische Strafverfolgungsbehörde die Ermittlungen zunächst kooperativ durchführen und die Anklageerhebung durch die Letztere erfolgt. Alternativ könnten ihr die Ermittlungen auch von Beginn an oder, wenn es sich später als sinnvoll erweist, im Lauf des Verfahrens komplett übertragen werden. Dadurch könnten Doppel-

---

423 So aber Deutscher Richterbund, DRB Stellungnahme Grünbuch, S. 8.

424 Zur Möglichkeit der Kompetenzerweiterung vgl. Teil 3, III.C.

ermittlungen vermieden, Ressourcen geschont und Verzögerungen vermieden werden.[425]

Allerdings könnte eine solche Regelung weder im Rahmen des Art. 86 AEUV[426] noch über Art. 325 AEUV getroffen werden. Im Primärrecht der Union findet sich keine Norm, die eine derartige Kompetenzübertragung gestatten würde. Einzig die Mitgliedstaaten könnten durch nationale Vorschriften eine Übertragung nationaler Fälle auf eine europäische Einrichtung beschließen. Auf europäischer Ebene müsste dann eine Regelung getroffen werden, nach der die Europäische Staatsanwaltschaft dann auch tätig werden darf.

Ob eine solche Bestimmung aufgrund von Art. 86 AEUV getroffen werden könnte, scheint in Anbetracht der dort vorgenommenen Aufgabenzuweisung fraglich. Auch würde die Übertragung der nationalen Fälle dazu führen, dass Ressourcen der Europäischen Staatsanwaltschaft hierfür verbraucht würden, die somit nicht mehr für die Verfolgung von Straftaten zum Nachteil der finanziellen Interessen der Union zur Verfügung stünden. Hier stellt sich ebenfalls die Frage der rechtlichen Zulässigkeit, da der Haushalt der Staatsanwaltschaft letztlich außerhalb der von Art. 86 AEUV vorgesehenen Fälle zugunsten eines nationalen Haushalts belastet würde. Unabhängig hiervon scheint zudem zweifelhaft, ob eine solche Regelung in der Praxis überhaupt getroffen würde. Es hat sich gezeigt, dass die Mitgliedstaaten ihre Kontrolle und Interessen auf dem Gebiet des Strafrechts ungern aufgeben wollen.[427] Deshalb erscheint in Anbetracht des mit einer Übertragung verbundenen starken Eingriffs in die nationale Strafverfolgung und Souveränität zweifelhaft, ob eine solche Lösung überhaupt umsetzbar wäre. Eine weitere Lösungsmöglichkeit könnte darin liegen, der Europäischen Staatsanwaltschaft die Befugnis zuzusprechen, jene Straftaten, die im Wesentlichen nationale Interessen betreffen, an die nationalen Behörden abzutreten.[428] Zunächst einmal erscheint es aber schwierig, eine Definition des Begriffs „im Wesentlichen" festzulegen. Um Rechtsklarheit zu erlangen, wäre dies jedoch notwendig. Abgesehen von diesem rein „technischen" Problem ist kein Grund ersichtlich, warum die europäische Behörde allein darüber entscheiden sollte, wer in einem bestimmten Fall ermittelt. Sind grundsätzlich sowohl sie als auch eine nationale Strafverfolgungsbehörde zuständig, darf es nicht im Ermessen der Europäischen Staatsanwaltschaft stehen, wer die Ermittlungen durchführt. Deshalb kann der Europäischen Staatsanwaltschaft auch dann nicht das Recht zugestanden werden, einen Kompetenzkonflikt zu entscheiden, wenn ihre

---

425 Der Vorschlag Europäische Staatsanwaltschaft sieht eine Zuständigkeit der Europäischen Staatsanwaltschaft für nationale Fälle dann vor, wenn sie untrennbar mit Straftaten, die in ihre originäre Zuständigkeit fallen, verbunden sind und ihre gemeinsame Ermittlung und Verfolgung im Interesse einer geordneten Rechtspflege liegt, andernfalls sollen die nationalen Behörden zuständig sein, Art. 13 Abs. 1.

426 Anders wohl Schwarze-*Böse,* Art. 86 Rn. 7.

427 *Ligeti*, in: Karsai/Nagy/Szomora (Hrsg.), Freiheit – Sicherheit – (Straf)Recht, S. 170.

428 EU-Kommission, Grünbuch finanzielle Interessen, S. 53.

Entscheidung der Kontrolle durch ein europäisches Gericht unterstellt würde. Auch in diesem Fall würde ihr grundsätzlich ein Alleinentscheidungsrecht zukommen. Zu befürchten ist zudem, dass sich die Überprüfung durch ein Gericht langwierig gestaltet. Ebenfalls könnte vor dem Hintergrund begrenzter nationaler Ressourcen möglicherweise lieber ein Kompetenzverlust hingenommen werden, als dass ein umständliches Überprüfungsverfahren angestrengt wird. Einzig sinnvoller und sachgerechter Weg ist deshalb, solche Kompetenzkonflikte im Wege institutionalisierter Konsultationsmechanismen aufzulösen.[429] Die Staatsanwaltschaften sollten verpflichtet sein, einander zu informieren, sobald der Verdacht eines gemischten Falls aufkommt. Gemeinsam sollte dann darüber beraten werden, wer die Strafverfolgung übernimmt.[430] Hierfür müssten zumindest gewisse Kriterien festgelegt werden, anhand derer die Zuweisung an eine Strafverfolgungsbehörde erfolgen kann. Wegen des Ne-bis-in-idem-Grundsatzes muss sichergestellt werden, dass durch diejenige Strafverfolgungsbehörde, die die Strafverfolgung nicht durchführt, keine Einstellung des Falls erfolgt, die eine verfahrensbeendende Wirkung hat. Wenngleich die Europäische Staatsanwaltschaft grundsätzlich dem Legalitätsprinzip verpflichtet sein sollte,[431] müsste sie im Rahmen des Konsultationsverfahrens die Möglichkeit haben, von der Verfolgung einer Straftat abzusehen, ohne eine förmliche Einstellung vorzunehmen.

Durch die Pflicht zur gegenseitigen Information bereits im Ermittlungsverfahren kann verhindert werden, dass gleichzeitig unterschiedliche Gerichte mit einem gemischten Fall befasst werden, sodass hier eine Entscheidung durch den EuGH nicht nötig erscheint.[432] Bereits zuvor könnten aber Fälle auftreten, in denen keine der betroffenen Strafverfolgungsbehörden bereit ist, von der Strafverfolgung abzusehen oder die Strafverfolgung aufzunehmen. Um diese zu lösen, wäre es sinnvoll, dem Gerichtshof der Europäischen Union eine Letztentscheidungskompetenz zu übertragen.[433] Diese Kompetenz sollte dem Europäischen Gericht zugesprochen werden, um den EuGH nicht zusätzlich zu belasten. In Betracht käme ein Fachgericht nach Art. 257 AEUV zu errichten, das über Klagen der Strafverfolgungsbehörden bzw. deren Mitgliedstaaten hinsichtlich des Kompetenzkonflikts entscheiden kann.[434] Damit dieses Gericht überhaupt eine Entscheidung treffen kann, müssten Kriterien festgelegt werden, in deren Rahmen die Entscheidung über die Zustän-

---

429 *Deiters*, S. 286; Vgl. auch EU-Kommission, Grünbuch finanzielle Interessen, S. 53.

430 Für eine gemeinsame Entscheidung der Strafverfolgungsbehörden jetzt auch der Vorschlag Europäische Staatsanwaltschaft, Art. 13 Abs. 2; vgl. auch Rahmenbeschluss 2009/948/JI des Rates zur Vermeidung und Beilegung von Kompetenzkonflikten in Strafverfahren, ABl. 2009/L328/42.

431 Vgl. oben 1.

432 Vgl dazu EU-Kommission, Grünbuch finanzielle Interessen, S. 54.

433 Anders der Vorschlag Europäische Staatsanwaltschaft, der die Letztentscheidungskompetenz nationalen Strafverfolgungsbehörden übertragen will, Art. 13 Abs. 3.

434 Vgl. dazu ausführlich unten V.A.

digkeit getroffen werden müssen. Die gesetzliche Festschreibung zumindest einiger Kriterien scheint insbesondere auch deshalb erforderlich, weil die Entscheidung des Fachgerichts einen weitreichenden Eingriff in die Souveränität der Mitgliedstaaten darstellen würde.

cc) Fälle mit Bezug zu Drittstaaten

EU-Betrug wird nicht nur innerhalb der Union begangen.[435] Die Union kann der Europäischen Staatsanwaltschaft zwar die Kompetenz übertragen, die Strafverfolgung auch in jenen Fällen zu übernehmen, in denen ein Bezug zu Nicht-Mitgliedstaaten besteht, eine solche Kompetenzübertragung hätte aber rein EU-interne Wirkung. Ermittlungen in Drittstaaten könnte die Staatsanwaltschaft dadurch nicht übernehmen. Da Rechtshilfeübereinkommen zwischen Staaten geschlossen werden, könnten jene, die zwischen den Mitgliedstaaten und Nicht-Mitgliedstaaten bestehen, nicht auf die Union übertragen werden. Hierfür müssten neue Übereinkommen geschlossen werden, in denen die Union Vertragspartner ist. Ob sich dies grundsätzlich durchsetzen lässt, ist fraglich.

Solange solche Übereinkommen noch nicht geschlossen sind, müsste die europäische Behörde in den Fällen, in denen ein Auslandsbezug zu einem Nicht-Mitgliedstaat besteht, mit den mitgliedstaatlichen Strafverfolgungsbehörden eng zusammenarbeiten. Immer dann, wenn ein Rechtshilfeersuchen an einen Nicht-Mitgliedstaat erforderlich wird, müsste es über eine nationale Strafverfolgungsbehörde bzw. einen Mitgliedstaat gestellt werden. Innerhalb dieses Ersuchens wäre klarzustellen, dass das Ersuchen letztlich für die Ermittlungen der Europäischen Staatsanwaltschaft von Bedeutung ist. So könnten die Nicht-Mitgliedstaaten beispielsweise Verwendungsvorbehalte geltend machen. Zuständig für die Übermittlung eines solchen Ersuchens sollte, wenn dieser bereits feststeht, der Mitgliedstaat sein, in dem Anklage erhoben werden soll. Steht der Ort der Anklageerhebung noch nicht fest, müssten feste Kriterien bestimmt werden, nach denen der Mitgliedstaat ermittelt wird. Es könnte z.B. der Mitgliedstaat ausgewählt werden, in dem der Schwerpunkt der Ermittlungen zu dem Zeitpunkt liegt, zu dem ein Rechtshilfeersuchen notwendig wird. Ob die Nicht-Mitgliedstaaten Rechtshilfeersuchen beantworten, die zwar den Umweg über einen Mitgliedstaat nehmen, letztlich aber für die Europäische Staatsanwaltschaft bestimmt sind, ist ungewiss.

b) Nationale Ermittlungsbehörden

Die Ermittlungen würden abgeordnete Europäische Staatsanwälte vor Ort durchführen.[436] Aufgrund der begrenzten Anzahl der abgeordneten Europäischen Staats-

---

[435] Vgl. Teil 2, I.B.1.

[436] Vgl. oben B.2.

anwälte in den Mitgliedstaaten wären diese darauf angewiesen, dass die nationalen Ermittlungsbehörden sie bei der Durchführung der Untersuchungen unterstützen. Das Verhältnis zwischen Ermittlungs- und Strafverfolgungsbehörden ist in den Mitgliedstaaten unterschiedlich ausgestaltet.

In Deutschland ist die Staatsanwaltschaft „Herrin des Ermittlungsverfahrens". Polizeibeamte sind Ermittlungspersonen der Staatsanwaltschaft (§ 152 GVG[437] i.V.m. den jeweiligen Landesgesetzen). Die Staatsanwaltschaft kann der Polizei Weisungen erteilen (vgl. § 161 Abs. 1 Satz 2 StPO), die sich sowohl auf das „Ob" eines polizeilichen Handelns als auch auf das „Wie" beziehen können.[438] Dahingegen verfügt der englische *Crown Prosecution Service* (CPS) über keinerlei Ermittlungsbefugnisse. Er kann die Polizei lediglich um die Durchführung von Ermittlungen ersuchen.[439] Der CPS hat keine Befugnis dazu, der Polizei Anweisungen zu geben, etwas Bestimmtes zu tun.[440] In Frankreich beantragt der Staatsanwalt bei komplexen Fällen häufig, dass die Ermittlungen durch den Untersuchungsrichter durchgeführt werden.[441] Er gibt das Ermittlungsverfahren dadurch an den Untersuchungsrichter ab und nimmt erst wieder am Verfahren teil, wenn der komplette Sachverhalt ermittelt ist und Anklage erhoben werden soll.[442] Es muss also geklärt werden, welche Rolle den nationalen Ermittlungsbehörden in den Ermittlungsverfahren der Europäischen Staatsanwaltschaft zukommen würde.

Hierbei gibt es mehrere Möglichkeiten. Die europäische Einrichtung könnte gegenüber den nationalen Ermittlungsbehörden weisungsbefugt sein. Als weniger einschneidende Regelung könnte aber auch allgemein eine Pflicht der nationalen Ermittlungsbehörden festgelegt werden, die europäische Behörde bei ihren Ermittlungen zu unterstützen. Dann könnte die Europäische Staatsanwaltschaft beispielsweise die Polizei eines Mitgliedstaates damit beauftragen, eine Durchsuchung vorzunehmen. Die Polizei dürfte diesen Auftrag aufgrund der ihr obliegenden Pflicht, die europäische Institution zu unterstützen, nicht ablehnen.[443] Eine weitere Möglichkeit wäre, dass für das Verhältnis der Europäischen Staatsanwaltschaft zu den nationalen Ermittlungsbehörden immer diejenige Regelung anwendbar ist, die im jeweiligen Mitgliedstaat für die Beziehung zwischen den nationalen Strafverfolgungs- und Ermittlungsbehörden gilt.[444]

Vorteil der letztgenannten Lösung ist, dass sie sehr flexibel ist und deshalb vermutlich auf die geringsten Akzeptanzprobleme in den Mitgliedstaaten stoßen

---

437 Gerichtsverfassungsgesetz.

438 *Schenke,* § 8 Rn. 413.

439 *Zander*, S. 246.

440 *Spencer,* in: Delmas-Marty/Spencer (Hrsg.), Criminal Procedures, S. 175.

441 *Satzger,* in: Jung/Leblois-Happe/Witz (Hrsg.), 200 Jahre C.I.C., S. 100f.

442 *Pfützner*, S. 9.

443 EU-Kommission, Grünbuch finanzielle Interessen, S. 58.

444 EU-Kommission, Grünbuch finanzielle Interessen, S. 58.

würde.[445] Der Nachteil dieser Lösung ergibt sich aber, wenn man auf das Beispiel des CPS zurückgreift. Die Europäische Strafverfolgungsbehörde hätte in England keine Möglichkeit, eine Ermittlung zu forcieren. Sie könnte lediglich die Polizei um Ermittlungen ersuchen. Die Entscheidung darüber, ob sie diese dann ausführt, obläge der Polizei. Hier könnten wiederum nationale Egoismen dazu führen, dass die Ermittlungen in Fällen von EU-Betrug nicht mit dem erforderlichen Ehrgeiz durchgeführt werden. Dies muss nicht heißen, dass die englische Polizei die Ermittlungen blockiert, um die Aufdeckung zu verhindern. Es könnte aber beispielsweise sein, dass sie aufgrund knapper Ressourcen Prioritäten setzen muss und diese zulasten der EU-Betrugsbekämpfung ausfallen. Eine einheitliche Strafverfolgungspraxis ließe sich so nicht etablieren. Darüber hinaus spricht auch der Wortlaut des Art. 86 Abs. 2 AEUV gegen diese Lösung. Demnach ist die Europäische Staatsanwaltschaft nicht lediglich für die strafrechtliche Verfolgung von Delikten gegen die finanziellen Interessen der Union zuständig, sondern ebenso für die strafrechtliche Untersuchung dieser Fälle. Diese Untersuchungsbefugnis wäre aber stark eingeschränkt, wenn die europäische Behörde in manchen Mitgliedstaaten die Ermittlungsbehörden lediglich um die Durchführung von Ermittlungen ersuchen könnte. Der Rekurs auf die nationalen Regelungen zum Verhältnis der Strafverfolgungsbehörden zu den Ermittlungsbehörden wäre deshalb nicht geeignet, die Gesetzesvorgabe des Art. 86 Abs. 2 AEUV zu erfüllen.

Die Festlegung einer Unterstützungspflicht[446] könnte besser geeignet sein, das Verhältnis von Europäischer Staatsanwaltschaft und nationalen Ermittlungsbehörden zu regeln. Die Europäische Staatsanwaltschaft könnte die nationalen Ermittlungsbehörden dann mit Ermittlungen beauftragen und sie wären verpflichtet diese durchzuführen, ohne dass sie konkrete Weisungen hinsichtlich der Durchführung der Maßnahme entgegennehmen müssten. Eine solche Regelung wäre in Bezug auf die Souveränität der Mitgliedstaaten schonender als eine Regelung, nach der der Europäischen Staatsanwaltschaft eine Weisungsbefugnis zukommt. Fraglich erscheint aber, ob die Normierung einer solchen Unterstützungspflicht ausreichend wäre. Es könnte wichtig sein, dass die Staatsanwaltschaft auch auf das „Wie" der Durchführung einer Ermittlung einwirken kann. Die nationalen Ermittlungsbehörden gehen bei der Durchführung ein und derselben Ermittlungsmaßnahme unterschiedlich vor. Hat sich eine bestimmte Methode als besonders geeignet herausgestellt, sollte diese auch bei weiteren Ermittlungen in anderen Mitgliedstaaten angewendet werden, um die bestmögliche Beweissicherung zu gewährleisten. Würde den nationalen Ermittlungsbehörden lediglich eine Unterstützungspflicht auferlegt, könnte die Europäische Staatsanwaltschaft dies jedoch nicht forcieren. Das spricht dafür, ihr die Möglichkeit zu geben, die nationalen Ermittlungsbehörden anzuweisen. Denn so könnte erreicht werden, dass die besonders geeignete

---

[445] *Buss,* S. 155.

[446] Art. 18 Abs. 5 CJ/CJ 2000; EU-Kommission, Grünbuch finanzielle Interessen, S. 58.

Methode bei der Durchführung einer bestimmten Ermittlungsmaßnahme angewendet wird.

Ein weiterer Grund, der für eine Weisungsbefugnis gegenüber den nationalen Ermittlungsbehörden angeführt werden kann, ist, dass die Dokumentation der Durchführung einer Ermittlungsmaßnahme in den Mitgliedstaaten sehr unterschiedlich ist.[447] Deshalb kann ein Gericht mangels ausreichender Dokumentation einer Ermittlungsmaßnahme im Ausland einen Beweis als nicht verwertbar betrachten. Um die Effizienz ihrer Ermittlungen zu sichern, müsste es der Europäischen Staatsanwaltschaft möglich sein, derart auf die Dokumentation der Ermittlungsmaßnahmen einzuwirken, dass diese in allen Mitgliedstaaten als ausreichend anerkannt wird. Hierbei könnte sie sich an Leitlinien orientieren, die auf Unionsebene ausgearbeitet werden müssten, und sie müsste die Möglichkeit haben, die Einhaltung dieser Leitlinien durchzusetzen. Darüber hinaus sind andere Fälle denkbar, in denen eine Weisungsbefugnis notwendig sein könnte, um eine bestmögliche Durchführung der Ermittlungen zu gewährleisten.[448]

Die nationalen Ermittlungsbehörden sollten demzufolge der Weisungsbefugnis der Europäischen Staatsanwaltschaft unterstellt werden.[449] Dies wäre auch mit dem Subsidiaritäts- und dem Verhältnismäßigkeitsprinzip (Art. 5 Abs. 4 AEUV) vereinbar, da eine reine Unterstützungspflicht, bei der die Durchführung der Maßnahme den nationalen Ermittlungsbehörden obläge, nicht gewährleisten könnte, dass beispielsweise die Beweissicherung bestmöglich funktioniert. Durch eine Weisungsbefugnis könnte die Behörde wichtige Synergien nutzen, die sich daraus ergeben, dass Ermittlungen in verschiedenen Mitgliedstaaten durchgeführt und dabei nicht grundsätzlich dieselben Methoden angewendet werden. Möglicherweise könnte es zur Wahrung des Verhältnismäßigkeitsgrundsatzes jedoch erforderlich sein, die Gebiete, auf denen eine Weisungsbefugnis unerlässlich erscheint, ausdrücklich festzulegen und somit einen möglichst geringen Eingriff in die nationale Souveränität vorzunehmen. Ob eine solche Regelung praktikabel wäre, müsste jedoch noch genauer untersucht werden.

Die Festlegung einer Weisungsbefugnis könnte, insbesondere in den Mitgliedstaaten, in denen die Ermittlungsbehörden keinerlei Weisungsbefugnis unterworfen sind, zu Problemen führen. So scheint es z.B. schwer durchsetzbar, die englische Polizei den Weisungen einer Europäischen Staatsanwaltschaft zu unterwerfen.[450] Aber auch in Mitgliedstaaten, in denen die nationalen Ermittlungsbehörden grundsätzlich der Weisung der Staatsanwaltschaft unterworfen sind,[451] könnte es schwie-

---

[447] Vgl. *Perron,* in: Militello/Arnold/Paoli (Hrsg.), Organisierte Kriminalität, S. 49.

[448] Vgl. z.B. oben 2.b).

[449] So auch der Vorschlag Europäische Staatsanwaltschaft, Art. 18 Abs. 1.

[450] *Buss*, S. 155.

[451] Z.B. Deutschland.

rig werden, die Weisungsbefugnis einer europäischen Behörde durchzusetzen. Dennoch scheint dies bei der Errichtung der Europäischen Staatsanwaltschaft der einzig richtige Weg. Gewisse Systemdurchbrechungen sind wegen der Unterschiedlichkeit der Strafprozesssysteme unvermeidbar und müssen in Kauf genommen werden.

c) Europäische Ermittlungsbehörde

Opportun könnte es aber auch sein, der Europäischen Staatsanwaltschaft eine eigene *europäische* Ermittlungsbehörde zu unterstellen. Diese würde in eigener Zuständigkeit tätig und ein Rückgriff auf nationale Behörden wäre nur insoweit notwendig, als ihr Kompetenzen auf bestimmten Gebieten nicht erteilt wurden. Dadurch könnte das Problem umgangen werden, dass sich eine Weisungsbefugnis gegenüber nationalen Polizeibehörden in der Praxis zum Teil nur schwer durchsetzen lassen wird. Auch entgegenstehende nationale Interessen (und sei es nur die Schonung von Ressourcen) könnten die Ermittlungen dann nicht verzögern oder verhindern.

Um die Schaffung einer solchen Behörde möglichst effektiv zu gestalten, sollte sich die Union die bereits zur Betrugsbekämpfung vorhandenen Strukturen zunutze machen. Deshalb sollten Mitarbeiter des OLAF mit der Durchführung strafrechtlicher Ermittlungen betraut werden.[452] Diese verfügen bereits über vertiefte Kenntnisse auf diesem Gebiet. Eine lange Einarbeitungszeit und die damit verbundene Notwendigkeit, Schulungen durchzuführen, wären so nicht zu erwarten. Inwieweit sich diese Idee einer aus OLAF hervorgehenden europäischen Ermittlungsbehörde nach der derzeitigen Rechtslage verwirklichen ließe, wird im Folgenden, unter E.1., näher untersucht. Dort wird ebenfalls darauf eingegangen, wie sich das Verhältnis zu den nationalen Ermittlungsbehörden gestalten könnte.

C. Ermittlungsverfahren

Das Ermittlungsverfahren spielt bei der Bekämpfung von Straftaten eine entscheidende Rolle. Erstens können in seinem Rahmen Straftäter entdeckt werden, zweitens liefert es die Basis dafür, dass diese Straftäter von den nationalen Gerichten verurteilt werden können. Damit die Europäische Staatsanwaltschaft ihren Zweck erfüllen und die Betrugsbekämpfung effizienter gestalten kann, müssen ihr entsprechende Ermittlungsbefugnisse übertragen werden.[453] Damit die Ermittlungsergebnisse zu einer Verurteilung vor einem nationalen Gericht führen kön-

---

452 Vgl. EuropStrafRecht-*Kuhl/Spitzer,* § 8 Rn. 56.

453 Vgl. unten 1. und 2.

nen,[454] müssen Bestimmungen getroffen werden, die sich mit der Zulässigkeit der von der Europäischen Staatsanwaltschaft gesammelten Beweise befassen. Art. 86 AEUV gibt die Ausgestaltung dieser Regelungen nicht vor, sodass verschiedene Möglichkeiten in Betracht kommen. Hierbei muss darauf geachtet werden, dass die Rechte der von einer Untersuchung Betroffenen gewahrt werden. Insbesondere müssen ihm ab dem Zeitpunkt, in dem er zum Beschuldigten wird, die oben unter III.B.2.b) näher erörterten Rechte zustehen.

1. Übertragung von Ermittlungsbefugnissen

Damit die Europäische Staatsanwaltschaft ihrem Auftrag nachkommen kann, müssen ihr Befugnisse zugestanden werden, die eine strafrechtliche Untersuchung ermöglichen. Als Rechtsgrundlage hierfür könnte Art. 86 Abs. 3 AEUV dienen. Demnach werden die Einzelheiten für die Erfüllung der Aufgaben der Europäischen Staatsanwaltschaft in einer Verordnung festgelegt. Die Regelung der Übertragung von Ermittlungsbefugnissen kann als eine solche „Einzelheit" im Sinne des Art. 86 Abs. 3 AEUV betrachtet werden. Unabhängig davon, welche Ermittlungsbefugnisse ihr hierzu konkret zukommen sollten,[455] muss zunächst geklärt werden, in welcher Form sie ihr übertragen werden sollten.

a) Ermittlungsbefugnisse der Mitgliedstaaten und Prinzip der gegenseitigen Anerkennung

Nach Vorschlag der Kommission sollen der Europäischen Staatsanwaltschaft alle Ermittlungsbefugnisse zukommen, die den nationalen Staatsanwälten zur Verfolgung ähnlicher Finanzdelikte zur Verfügung stehen. Sie sollen also davon abhängen, in welchem Mitgliedstaat die Staatsanwaltschaft tätig wird. Ermittlungsmaßnahmen würden einer richterlichen Genehmigung oder Verfügung bedürfen, die von der Europäischen Staatsanwaltschaft bei nationalen Richtern beantragt und nach nationalem Recht und nationalen Maßstäben beurteilt werden müsste. Mit der Begründung, dies sei für ein effizientes Arbeiten der Europäischen Staatsanwaltschaft notwendig, statuiert die Kommission darüber hinaus, dass auf alle richterlichen Genehmigungen oder Verfügungen das Prinzip der gegenseitigen Anerkennung Anwendung finden solle. Einzige Voraussetzung müsse sein, dass in allen Mitgliedstaaten dieselben Zwangsmaßnahmen vorgesehen sind.[456] Auf diese Regelungen greift die Kommission zurück, weil sie die Schaffung eines europäischen

---

454 Vgl. unten 3.

455 Vgl. dazu unten 2.

456 EU-Kommission, Grünbuch finanzielle Interessen, S. 54ff; vgl. zum Prinzip der gegenseitigen Anerkennung auch Teil 2, II.B.3.

Straf[verfolgungs]rechts für unverhältnismäßig hält.[457] Etwas anderes soll nur für einige wenige nicht mit Zwangsausübung verbundene Ermittlungsmaßnahmen gelten. Diese würden nach dem Konzept des Grünbuchs unionsweit festgelegt und stünden im Ermessen der Europäischen Staatsanwaltschaft.

Ein Rekurs auf nationale Ermittlungsbefugnisse erscheint zunächst sinnvoll. Es gibt keine Anhaltspunkte dafür, dass in den Mitgliedstaaten grundsätzlich keine effektiven Ermittlungen wegen Straftaten gegen die finanziellen Interessen möglich sind. Deshalb ist davon auszugehen, dass die in den Mitgliedstaaten vorgesehenen Ermittlungsmaßnahmen für die Verfolgung von Finanzdelikten ausreichend sind.[458] Durch den Rückgriff auf nationale Ermittlungsbefugnisse würde vermieden, dass auf europäischer Ebene eine Regelung geschaffen werden muss. Insbesondere im Hinblick auf Subsidiaritäts- und Verhältnismäßigkeitsprinzip scheint diese Lösung deshalb besonders geeignet zu sein. Einem zweiten Blick offenbaren sich jedoch Probleme, dies infrage stellen.

aa) „Forum shopping“

Im Grünbuch ist vorgesehen, dass jene Ermittlungsmaßnahmen, die nach richterlicher Genehmigung in Anwendung des Prinzips der gegenseitigen Anerkennung anerkannt werden müssen, in allen Mitgliedstaaten zumindest existieren müssen. Weitere Voraussetzungen, wie beispielsweise eine Vergleichbarkeit der Bedingungen, unter denen die jeweiligen Maßnahmen durchgeführt werden können, sind nicht vorgesehen. Innerhalb transnationaler Ermittlungen der Europäischen Staatsanwaltschaft wäre es nach dem Vorschlag der Kommission möglich, dass diese beispielsweise in Spanien eine Telekommunikationsüberwachung beantragt und die Genehmigung dieser Maßnahme dann nach Deutschland „mitnimmt“, obwohl in Spanien eine Telekommunikationsüberwachung für alle Straftaten möglich ist,[459] während sie in Deutschland nur bei Vorliegen einer der Katalogstraftaten des § 100a Abs. 2 StPO genehmigt werden kann. Die Gefahr, die folglich durch die Anwendung des Prinzips der gegenseitigen Anerkennung bestünde, ist, dass die Europäische Staatsanwaltschaft richterliche Genehmigungen stets in dem Mitgliedstaat beantragt, in dem die Anforderungen dafür am geringsten sind, also sogenanntes *forum shopping* betreibt.

Die Ermittlungsbefugnisse würden dadurch, dass sie beliebig miteinander kombiniert werden könnten, aus dem Gesamtgefüge der jeweiligen nationalen Strafprozessordnung gerissen. Mechanismen, die beispielsweise einen Ausgleich dazu

---

[457] EU-Kommission, Grünbuch finanzielle Interessen, S. 54f.

[458] *Biehler/Gleß/Parra/Zeitler,* S. 29.

[459] Art. 579 Nr. 2 Ley de Enjuiciamiento Criminal, vgl. zu unterschiedlichen Voraussetzungen für eine Telekommunikationsüberwachung innerhalb der Union *Perron,* in: Militello/Arnold/Paoli (Hrsg.), Organisierte Kriminalität, S. 219.

bieten können, dass eine Telefonüberwachung für jede Straftat genehmigt werden kann, würden ausgehebelt. Dies könnte letztlich dazu führen, dass die Eingriffsmöglichkeiten der verschiedenen Strafrechtsordnungen so kombiniert werden, dass eine radikal punitive Strafrechtspflege entsteht, die es in dieser Form in keinem einzigen Mitgliedstaat gibt.[460] Durch die Prüfung der Genehmigung von Ermittlungsmaßnahmen auf dem europaweit niedrigsten Niveau würden auch die im Rahmen der Genehmigung einer Ermittlungsmaßnahme relevanten Beschuldigtenrechte auf das europaweit niedrigste Niveau reduziert.[461]

bb) Verdeckte Erweiterung der Befugnisse

Eng im Zusammenhang mit dem Problem des *forum shopping* steht die Möglichkeit, dass durch die Anwendung des Prinzips der gegenseitigen Anerkennung die Befugnisse der Europäischen Staatsanwaltschaft verdeckt erweitert würden.[462] Stellt man der Behörde auf mitgliedstaatlicher Ebene all jene Ermittlungsbefugnisse zur Verfügung, die die nationalen Staatsanwälte in vergleichbaren Fällen ergreifen können, sind die Befugnisse der beiden Staatsanwaltschaften im Hinblick auf Finanzdelikte zunächst gleich. Muss jedoch eine richterlich genehmigte Ermittlungsmaßnahme in einem anderen Mitgliedstaat vollstreckt werden, obwohl sie dort nicht genehmigungsfähig gewesen wäre, stellt dies eine Erweiterung der Befugnisse der Europäischen Staatsanwaltschaft in diesem Mitgliedstaat dar. Sie dürfte dann eine Ermittlungsmaßnahme durchführen, die dem nationalen Staatsanwalt nicht zugestanden wird. Dadurch würde massiv in das nationale Strafrecht und die Souveränitätsrechte eingegriffen.[463] Die Ausweitung der Befugnisse würde dann nämlich nicht aufgrund einer europäischen Regelung erfolgen, an deren Entstehung alle Mitgliedstaaten mitgewirkt haben. Vielmehr müssten die Mitgliedstaaten in ihrem Hoheitsgebiet Ermittlungsmaßnahmen vollziehen, die nicht ihrem Recht entsprechen und auf welche sie keinen Einfluss ausüben konnten. Die Rechtstransparenz und die parlamentarische Kontrolle entfielen.[464]

cc) Rechtsschutz

Darüber hinaus ergäben sich aus der Anwendung der nationalen Ermittlungsbefugnisse in Verbindung mit dem Prinzip der gegenseitigen Anerkennung Rechtsschutzprobleme für denjenigen, zu dessen Lasten sich die richterliche Genehmigung auswirkt. Es stellt sich nämlich die Frage, wie sich z.B. der von einer

---

460 *Schünemann* (Hrsg.), Alternativentwurf, S. 5.

461 *Scheuermann*, S. 139.

462 Vgl. *Biehler/Gleß/Parra/Zeitler,* S. 32.

463 *Biehler/Gleß/Parra/Zeitler,* S. 32.

464 *Biehler/Gleß/Parra/Zeitler,* S. 32.

beispielsweise in Frankreich genehmigten und in Deutschland vollstreckten Hausdurchsuchung Betroffene gegen diese wehren kann. Im Grünbuch ist hierfür vorgesehen, dass, soweit vorhanden, innerstaatliche Rechtsbehelfe eingesetzt werden sollen.[465] Demnach hätte der Betroffene die Möglichkeit, sowohl in Frankreich gegen die Ermittlungshandlung vorzugehen als auch in Deutschland. Ihm stünden in Frankreich die dortigen nationalen Rechtsmittel zur Verfügung, um gegen die Genehmigung vorzugehen und in Deutschland diejenigen, um sich gegen die Vollstreckung zu wehren. Die Zuständigkeit der Gerichte würde sich wohl nach innerstaatlichem Recht richten.[466]

Auf den ersten Blick scheint so ausreichend Rechtsschutz gewährleistet. Bei näherer Betrachtung werden jedoch Probleme dieser Lösung erkennbar. So muss ein von einer Hausdurchsuchung Betroffener nicht gleichzeitig auch Beschuldigter sein.[467] Das bedeutet, dass ihm die oben erläuterten Beschuldigtenrechte,[468] wie beispielsweise die kostenlose Zurverfügungstellung eines Dolmetschers, nicht zustünden. Will der Betroffene sich in Frankreich gegen die Genehmigung wehren, muss er zunächst einen französischen Anwalt finden. Bereits hier können Sprachprobleme zu Schwierigkeiten führen, die sich im Lauf des weiteren Verfahrens gravierend auswirken können. Die Übersetzung jedes Dialogs mit dem Anwalt sowie aller Gerichtsdokumente wäre nicht nur sehr kostspielig, sondern auch zeitaufwändig und würde das Verfahren in die Länge ziehen. Der Betroffene könnte deshalb auf die Übersetzung verzichten und auf eigene Sprachkenntnisse zurückgreifen. Dadurch entstünde wiederum die Gefahr, dass es zu Missverständnissen kommt, die sich nachteilig für ihn auswirken könnten. Letztlich birgt die Anforderung, in dem Land der Anordnung einer Maßnahme gegen sie vorzugehen, stets die Gefahr, dass der Betroffene aus Kostengründen davon absieht, Rechtsschutz zu suchen, oder dass die Einlegung von Rechtsmitteln für den Betroffenen zu einer immensen finanziellen Belastung führt.[469]

Ebenfalls wird die gerichtliche Überprüfung der Durchführung einer Maßnahme im Vollstreckungsstaat zu Problemen führen, wenn der Grundsatz der gegenseitigen Anerkennung auf die Genehmigung angewendet würde. So müsste im Beispielsfall grundsätzlich der deutsche Richter die Rechtmäßigkeit der Anordnung überprüfen, um die Rechtmäßigkeit der Durchführung der Maßnahme überprüfen

---

465 EU-Kommission, Grünbuch finanzielle Interessen, S. 78.

466 Anders *Biehler/Gleß/Parra/Zeitler,* S. 32, die davon ausgehen, dass sich aus dem Vorschlag der Kommission keine Zuständigkeitsregelung ergibt.

467 Vgl. unten 2.b)aa).

468 Oben B.2.b).

469 Selbst wenn ein Anspruch auf Erstattung dieser Kosten für den Fall bestünde, dass die Rechtswidrigkeit der Durchführung der Maßnahme festgestellt würde, müsste der Betroffene sich gut überlegen, ob er das Kostenrisiko überhaupt eingeht. Denn es besteht stets die Gefahr, dass die Maßnahme doch als rechtmäßig anerkannt wird und er deshalb keine Kostenerstattung geltend machen kann.

zu können. Aufgrund des Prinzips der gegenseitigen Anerkennung müsste er jedoch die Genehmigungserteilung durch den französischen Richter als rechtmäßig voraussetzen.[470] Seine Prüfung könnte sich somit nur noch auf die konkrete Durchführung der Maßnahme beziehen. Dies könnte dazu führen, dass der deutsche Richter, die Rechtmäßigkeit der Genehmigung voraussetzend, zu dem Ergebnis kommt, dass auch die Durchführung der Maßnahme rechtmäßig war. Ein französisches Gericht, das sein Urteil später trifft, könnte zu dem Ergebnis kommen, dass die Erteilung der Genehmigung rechtswidrig war, was normalerweise dazu führt, dass auch die Durchführung als rechtswidrig eingestuft wird. Da der deutsche Richter dies nicht prüfen durfte, konnte er nicht zum „richtigen" Ergebnis kommen.[471] Die Gewährleistung von Rechtsschutz würde somit durch die Gewährleistung „doppelten" Rechtsschutzes, also dadurch, dass für die Beurteilung der Rechtmäßigkeit zwischen Anordnung und Durchführung getrennt und gleichzeitig das Prinzip der gegenseitigen Anerkennung angewendet wird, konterkariert. Stellt sich die Rechtsschutzsituation für den Betroffenen also schon als höchst kompliziert dar, wenn nur eine richterliche Genehmigung aus einem anderen Mitgliedstaat anerkannt wird, verschlechtert sich diese um ein Vielfaches, wenn richterliche Genehmigungen aus mehreren Mitgliedstaaten zulasten des Betroffenen vollstreckt werden. Bereits das Erfordernis, in verschiedenen Ländern gegen ein und dieselbe Ermittlungsmaßnahme vorgehen zu müssen, erscheint unzumutbar.[472] Handelt es sich zudem um mehrere Ermittlungsmaßnahmen und mehrere Mitgliedstaaten, kann es für den Betroffenen sogar fast unmöglich sein, effektiv dagegen vorzugehen.

In diesem Zusammenhang kann auch nicht darauf verwiesen werden, dass der Betroffene dies selbst verschuldet habe.[473] Dass nämlich ein Bürger von den innerhalb der Union geltenden Freiheiten Gebrauch macht und in verschiedenen Mitgliedstaaten tätig wird, darf nicht zu seinen Lasten ausgelegt werden. Insbesondere kann nicht von vornherein davon ausgegangen werden, dass er dies nur tut, um eine Straftat zu begehen. Zudem ist es stets auch möglich, dass sich im Rahmen der Ermittlungen herausstellt, dass der von diesen Betroffene unschuldig ist.[474] Durch die Aussage, der Betroffene habe diese Situation selbst verursacht und sei deshalb nicht schutzwürdig, würde die Unschuldsvermutung in eklatanter Weise verletzt.[475]

---

470 Vgl. *Biehler/Gleß/Parra/Zeitler,* S. 32.

471 Vgl. auch *Satzger,* StV 2003, 140.

472 *Biehler/Gleß/Parra/Zeitler,* S. 32.

473 Wenn auch in einem anderen Zusammenhang, gebraucht die Kommission dieses Argument im Grünbuch, vgl. EU-Kommission, Grünbuch finanzielle Interessen, S. 78.

474 *Biehler/Gleß/Parra/Zeitler,* S. 32.

475 *Satzger,* StV 2003, 140.

dd) Anforderungen des Gesetzesvorbehalts

Durch die Ermittlungsmaßnahmen der Europäischen Staatsanwaltschaft könnte in Rechte eingegriffen werden, die sich aus der GRC und der EMRK ergeben. So würde beispielsweise durch die Beantragung eines Haftbefehls in das in Art. 5 EMRK (Art. 6 GRC) festgelegte Recht auf Freiheit oder durch eine Durchsuchung in das durch Art. 8 EMRK (Art. 7 GRC) garantierte Recht auf Achtung des Privat- und Familienlebens und der Wohnung eingegriffen. Grundsätzlich kann in durch die EMRK garantierte Menschenrechte nur eingegriffen werden, wenn ein solcher Eingriff von dieser ausdrücklich erlaubt ist (Gleiches gilt für die EU-Grundrechtecharta, Art. 52 Abs. 1). Voraussetzung für einen solchen Eingriff ist stets, dass dieser auf einem Gesetz beruht. Nach dem Prinzip der gegenseitigen Anerkennung würde beispielsweise eine Durchsuchung nach dem Recht eines Mitgliedstaates genehmigt, aber in einem anderen Mitgliedstaat vollstreckt. Hier stellt sich dann die Frage, ob dadurch dem Gesetzesvorbehalt Genüge getan würde.

Der EGMR hat in seiner Rechtsprechung bestimmte Voraussetzungen herausgearbeitet, die ein nationales Gesetz erfüllen muss, um dem Gesetzesvorbehalt gerecht zu werden. Eine davon ist, dass das Recht dem Bürger ausreichend zugänglich sein muss. Der Bürger muss in hinreichender Weise erkennen können, welche rechtlichen Vorschriften auf einen gegebenen Fall anwendbar sind.[476] Prinzipiell genügen diesem Erfordernis alle in einem ordentlichen Gesetzgebungsverfahren zustande gekommenen sowie in einer amtlichen Gesetzessammlung aufgenommenen und publizierten Gesetze und Rechtsverordnungen.[477] Für sich gesehen kann davon ausgegangen werden, dass die Eingriffsgesetze der Mitgliedstaaten diese Anforderung erfüllen. Problematisch stellt sich die Situation allerdings dar, wenn nun das Prinzip der gegenseitigen Anerkennung Anwendung finden soll. Dann muss bezweifelt werden, dass für jeden europäischen Bürger hinreichend vorhersehbar ist, welche Vorschriften auf einen bestimmten Fall anwendbar sind.[478] Aufgrund der Möglichkeit, dass ein Eingriff in einem anderen Mitgliedstaat nach dessen Recht genehmigt wird, müsste der Bürger die Eingriffsgesetze aller Mitgliedstaaten kennen, obwohl er sich im Zweifel nie in diese Staaten begeben hat.

ee) Ergebnis

Aufgrund der soeben erläuterten Probleme darf das Prinzip der gegenseitigen Anerkennung bei der Regelung der Ermittlungsbefugnisse der Europäischen Staatsanwaltschaft keine Anwendung finden.

---

476 EGMR, Urt. v. 26.4.1979, *Sunday Times ./. Vereinigtes Königreich* (Application no. 6538/74), Rn. 49.

477 *Stieglitz,* S. 63.

478 *Gaede,* ZStW 115 (2003), 864.

b) Ermittlungsbefugnisse der Mitgliedstaaten

Möglicherweise könnte sich der Rückgriff auf nationale Ermittlungsbefugnisse dennoch als sinnvoll erweisen.

aa) Ermittlungsbefugnisse verschiedener Mitgliedstaaten

Die oben dargestellten Probleme beruhen vor allem auf der Anwendung des Prinzips der gegenseitigen Anerkennung. Mithin könnte in Betracht gezogen werden, der Europäischen Staatsanwaltschaft jene Ermittlungsbefugnisse zuzugestehen, die den nationalen Staatsanwälten für Finanzdelikte gegen den nationalen Haushalt zur Verfügung stehen, ohne gleichzeitig das Prinzip der gegenseitigen Anerkennung anzuwenden. Insofern spezielle Ermittlungsbefugnisse für Straftaten zum Nachteil der finanziellen Interessen der Union bestehen, müsste sich die Europäische Staatsanwaltschaft selbstverständlich auch dieser bedienen können.

Im Rahmen einer solchen Regelung bliebe es dabei, dass die Europäische Staatsanwaltschaft, je nachdem, in welchem Land sie tätig würde, innerhalb eines Ermittlungsverfahrens unterschiedliche Ermittlungsbefugnisse hätte. Anträge auf richterliche Genehmigung oder Anordnung würde sie jeweils in dem Mitgliedstaat stellen, in dem sie die Ermittlungsmaßnahme durchführen will. Die Beantragung und die richterliche Genehmigung würden sich somit nach dem Recht des Vollstreckungsstaates richten. Damit würde eine Rechtswegeaufspaltung vermieden.[479] Dennoch erscheint diese Lösung vor dem Hintergrund der Unterschiedlichkeit der Ermittlungsmaßnahmen, die der Europäischen Staatsanwaltschaft dann je nach Mitgliedstaat zur Verfügung stünden, nicht wünschenswert.

Die Rolle der Staatsanwaltschaften unterscheidet sich in den Mitgliedstaaten zum Teil erheblich.[480] Stünden der Europäischen Staatsanwaltschaft beispielsweise in England nur die Befugnisse des CPS zur Verfügung, würde dies der in Art. 86 Abs. 2 AEUV vorgegebenen Aufgabenbeschreibung „strafrechtliche Untersuchung und Verfolgung“ nicht gerecht, da die Ermittlungsarbeit nach dortigem Recht von der Polizei durchgeführt wird.[481] Würde die Europäische Staatsanwaltschaft aufgrund der Komplexität eines Falls von der in Frankreich bestehenden Möglichkeit Gebrauch machen, ausführliche Ermittlungen durch den Untersuchungsrichter durchführen zu lassen, wäre sie selbst nicht mehr die ermittelnde Institution. Diese Rolle soll ihr aber nach Art. 86 Abs. 2 AEUV zukommen. Sähe sie deshalb davon ab, den Untersuchungsrichter einzuschalten, wäre unter Umständen nicht gewährleistet, dass sie mit den ihr zur Verfügung stehenden Mitteln eine angemessene Untersuchung durchführen könnte.

---

479 *Hauer,* S. 126, 129.

480 Vgl. hierzu näher oben B.3.b).

481 *Roxin,* S. 543 § 73 Rn. 6.

Bereits diese kurze Darstellung zeigt auf, welche Probleme bei einem Rückgriff auf die mitgliedstaatlichen staatsanwaltlichen Befugnisse entstünden. Außerdem könnten weder eine einheitliche Arbeitsweise noch ein einheitliches Auftreten etabliert werden. Erstere wäre jedoch wichtig, um den Funktionsablauf innerhalb der Organisation zu gewährleisten, Letzteres ist gerade für eine supranationale Institution, die häufig Misstrauen bei den Bürgern hervorruft, von Bedeutung. Stünden der Europäischen Staatsanwaltschaft je nach Mitgliedstaat unterschiedliche Ermittlungsbefugnisse zur Verfügung, wäre für die Bürger nicht transparent geregelt, auf welche Ermittlungsbefugnisse sie in einem Fall zurückgreifen kann. Zudem ergäben sich auch für die Koordinierung und Leitung der Ermittlungen Schwierigkeiten. In den 27 Mitgliedstaaten existieren unterschiedliche Regelungen zu den Ermittlungsbefugnissen der nationalen Staatsanwälte. Bevor der Europäische Staatsanwalt eine Leitungs- und Koordinierungsstrategie ausarbeiten könnte, müsste er das Recht jedes Mitgliedstaates daraufhin überprüfen, ob ausreichend Ermittlungsbefugnisse zur Verfügung stehen, damit das jeweilige Konzept überhaupt funktionieren kann. Dies wäre umständlich und würde zu zeitlichen Verzögerungen führen.

bb) Schweizer Modell

Um die oben dargestellten Schwierigkeiten zu vermeiden, wäre es denkbar, für die Ermittlungen der Europäischen Staatsanwaltschaft nur *eine* mitgliedstaatliche Verfahrensordnung und die darin enthaltenen Ermittlungsbefugnisse anzuwenden. Unter der Prämisse, dass die europaweite Strafverfolgung auf der Grundlage des sachnächsten Straf- und Strafverfahrensrechts erfolgen soll,[482] könnte sich die zu wählende Verfahrensordnung danach richten, wo der Schwerpunkt des Delikts liegt.[483] Auch das Gerichtsverfahren würde dann in dem Staat des angewendeten Prozessrechts stattfinden. Die Wahl einer solchen Regelung liefe auf eine Anwendung des sogenannten Schweizer Modells hinaus. Nach diesem können die Strafverfolgungsbehörden auch überkantonal nach ihrem jeweiligen Strafverfahrensrecht tätig werden.[484] Im „Alternativentwurf Europäische Strafverfolgung"[485] wird vorgeschlagen, das Schweizer Modell im Rahmen von Ermittlungen auf dem Gebiet der Straftaten zum Nachteil der finanziellen Interessen der Union anzuwenden. Allerdings geht der Alternativentwurf generell von einer eingeschränkten primären Zuständigkeit der Europäischen Staatsanwaltschaft aus. Demnach soll sie zunächst hauptsächlich für EU-Amtsdelikte[486] zuständig sein. Anderweitige Ermittlungen

---

482 *Schünemann* (Hrsg.), Alternativentwurf, S. 5.

483 Vgl. *Wohlers,* in: Schünemann (Hrsg.), Alternativentwurf, S. 74.

484 Vgl. *Wohlers,* in: Schünemann (Hrsg.), Alternativentwurf, S. 64.

485 *Schünemann* (Hrsg.), Alternativentwurf.

486 Vgl. Teil 4, II.B.7.

sollen ihr nur bei Versagen der nationalen Strafverfolgungsbehörden von Eurojust übertragen werden.[487] Primär sollen also die nationalen Strafverfolgungsbehörden für die Verfolgung von Straftaten zum Nachteil der finanziellen Interessen der Union zuständig bleiben. Das Modell soll deshalb vor allem dann Anwendung finden, wenn nationale Strafverfolgungsbehörden bei ihren Ermittlungen grenzüberschreitend tätig werden. Es wird aber nicht ausgeschlossen, dass dieses Konzept für die Europäische Staatsanwaltschaft übernommen werden könnte.[488]

Ein Vorteil dieser Lösung wäre, dass aufgrund der Bindung an das festgelegte Strafverfahrensrecht eines Mitgliedstaates die Gefahr des *forum shoppings* gebannt wäre. Darüber hinaus würden Ermittlungs- und Hauptverfahren nach der gleichen Prozessordnung durchgeführt, was unter anderem Schwierigkeiten bei der Beweisverwertung im Gerichtsverfahren vorbeugen könnte. Zudem wären die Rechtsschutzmöglichkeiten des von der Untersuchung Betroffenen dadurch verbessert, dass er sich nicht in unterschiedlichen Ländern gegen die Anordnung und die Durchführung der Maßnahme wehren müsste. Doch auch diese Lösung könnte zu Schwierigkeiten führen.

Zunächst erscheint es gerade in den häufig sehr komplexen transnationalen Fällen schwierig, den Schwerpunkt der Straftat bereits zu Beginn der Ermittlungen zu bestimmen. Zwar wird darum vorgeschlagen, die Möglichkeit zu schaffen, unter bestimmten Umständen eine Änderung der einmal festgelegten Verfahrensordnung vorzunehmen.[489] In diesem Fall würden jedoch auch wieder das Ermittlungsverfahren, oder zumindest Teile davon, und das Hauptverfahren nach unterschiedlichen Verfahrensordnungen durchgeführt. Darüber hinaus hingen die Ermittlungsbefugnisse der Strafverfolgungsbehörde auch vom jeweiligen Mitgliedstaat ab, wären also von Fall zu Fall verschieden. Dies ist für eine als einheitlich auftretende Institution nicht erstrebenswert und könnte zur Verunsicherung der Bürger führen. Zudem stellt sich die Frage, wie diese Regelung in der Praxis funktionieren könnte. Müsste die Europäische Staatsanwaltschaft nicht dann auch das Personal, das ihr bei innerstaatlichen Ermittlungen zur Verfügung steht, also z.B. in Deutschland Polizeibeamte, mit in den anderen Mitgliedstaat nehmen? Dies würde vermutlich an Souveränitätsvorbehalten der Mitgliedstaaten scheitern. Wenngleich die sogenannte Nacheile mittlerweile in bestimmten Fällen gestattet ist,[490] würde die Durchführung von polizeilichen Ermittlungen durch Polizeibeamte aus einem anderem Mitgliedstaat, ohne Vorliegen der entsprechenden Voraussetzungen kaum geduldet werden. Außerdem wäre dies für die Mitgliedstaaten auch personell wohl

---

487 *Schünemann* (Hrsg.), Alternativentwurf, S. 21.

488 *Schünemann,* ZStW 116 (2004), 388.

489 *Wohlers,* in: Schünemann (Hrsg.), Alternativentwurf, S. 74.

490 Vgl. Art. 20 Übereinkommen aufgrund von Artikel K.3 über die Europäische Union über gegenseitige Amtshilfe und Zusammenarbeit der Zollverwaltungen, ABl. 1998/C24/2, sogenanntes Neapel-II-Übereinkommen.

nicht zu leisten. Zudem könnten die Ermittlungsbehörden innerhalb des fremden Landes nicht auf die Strukturen zurückgreifen (z.B. Verbindungen zu anderen Behörden), derer sie sich in ihrem Heimatstaat bedienen und die für die Ermittlungen sehr nützlich sein können.

Möglicherweise wäre deshalb eine Regelung zu treffen, nach der die Europäische Staatsanwaltschaft zwar die Ermittlungspersonen nicht „mitnehmen" darf, bei der aber die anwesenden nationalen Ermittlungsbehörden nicht nach ihrem nationalen Recht ermitteln, sondern nach dem Recht, das die Staatsanwaltschaft „mitgebracht" hat. Die Ermittlungsbehörden müssten sich also nach dem Recht des Mitgliedstaates richten, in dem die Europäische Staatsanwaltschaft hauptsächlich ermittelt. Gegen eine solche Lösung spricht, dass die Ermittlungspersonen in der Regel nur ihr nationales Recht kennen. Sie müssten sich somit in das fremde Recht zunächst einarbeiten. Dies erscheint bei einander ähnelnden Rechtssystemen noch einigermaßen zu bewältigen. Bei völlig unterschiedlichen Verfahrensordnungen wäre dies jedoch mit einem Aufwand verbunden, der die Ermittlungen extrem verzögern könnte, und die Gefahr, dass Fehler unterlaufen, wäre sehr hoch. Wenngleich der abgeordnete Europäische Staatsanwalt, der die Ermittlungen leiten würde, durchaus Anweisungen geben könnte, um die Wahrung der Strafprozessordnung sicherzustellen,[491] erscheint es nicht praktikabel, dass er das für jeden Schritt der Ermittlung tut. Denn hierbei ginge es nicht nur um einige Details, wie z.B. das Vorgehen bei der Beweiserhebung,[492] sondern um das komplette Ermittlungsverfahren.

cc) Ergebnis

Wie gezeigt, bietet sich eine Lösung, bei der allein auf die Ermittlungsbefugnisse der jeweiligen lex loci zurückgegriffen wird, nicht an. Dieser Weg würde zu viele Schwierigkeiten bei der Durchführung der Ermittlungen verursachen und könnte dadurch ihre Effektivität mindern. Wenngleich die Lösung des Schweizer Modells unbestritten einige Vorteile bietet, wäre sie letztlich aufgrund der dargestellten Probleme nicht umsetzbar und kommt somit ebenso wenig in Betracht.

c) Harmonisierung der Ermittlungsbefugnisse der Mitgliedstaaten

Möglicherweise könnte es sinnvoll sein, die Ermittlungsbefugnisse der Mitgliedstaaten auf dem Gebiet des Schutzes der finanziellen Interessen der Union zunächst zu harmonisieren. Im Anschluss daran könnte festgelegt werden, dass die Europäische Staatsanwaltschaft auf die nun harmonisierten nationalen Ermittlungsbefugnisse zurückgreifen kann. Zumindest solange sich ihre Zuständigkeit auf Finanz-

491 Vgl. oben B.3.b).

492 Vgl. unten 3.a).

straftaten beschränkt, könnte eine entsprechende Richtlinie auf Art. 325 AEUV gestützt werden.

Die Ermittlungsbefugnisse der Europäischen Staatsanwaltschaft würden sich bei Erlass einer solchen Richtlinie auch weiterhin nach nationalem Recht richten. Da dessen Regelungen aber in den Ländern der EU nicht mehr so verschieden wären, würden die Schwierigkeiten bei der Anwendung des Prinzips der gegenseitigen Anerkennung auf die Genehmigung von Ermittlungsmaßnahmen vermieden.[493] Durch eine Harmonisierung würde zudem darauf hingewirkt, dass gewisse Mindeststandards, auf die sich die Mitgliedstaaten zuvor geeinigt hätten, in allen Mitgliedstaaten eingehalten würden. Folglich wäre dann auch ein *forum shopping* weniger attraktiv.

Dennoch bliebe bei Anwendung des Prinzips der gegenseitigen Anerkennung das Problem des Rechtsschutzes bestehen, der sich auch hier als sehr schwierig gestalten würde. Zudem könnte der bei einer Richtlinie bewusst gelassene Spielraum dazu führen, dass die Ermittlungsbefugnisse der neuen Institution nicht in allen Mitgliedstaaten gleich wären. Würde man nun das Prinzip der gegenseitigen Anerkennung anwenden, könnte dies, wie oben beschrieben,[494] zu einer verdeckten Ausweitung der Ermittlungsbefugnisse führen, wenn der eine Mitgliedstaat bei der Umsetzung der Richtlinie weitere Befugnisse zugesteht, der andere jedoch engere. Darüber hinaus könnte dies dazu führen, dass ein *forum shopping* in manchen Fällen immer noch möglich wäre.

Doch auch ohne Anwendung des Prinzips der gegenseitigen Anerkennung könnten sich aus dem Rückgriff auf das Mittel der Richtlinie Schwierigkeiten ergeben. Bei Richtlinien besteht stets die Gefahr, dass diese durch die Mitgliedstaaten falsch oder nicht fristgerecht und sehr spät umgesetzt werden. Wie sich in der Vergangenheit gezeigt hat, ist dies keine rein theoretische Gefahr, sondern als solche durchaus ernst zu nehmen. Hinge das Tätigwerden der Europäischen Staatsanwaltschaft davon ab, dass die Ermittlungsbefugnisse in allen Mitgliedstaaten gemäß einer Richtlinie harmonisiert wurden, könnte es unter Umständen sehr lange dauern, bis die Staatsanwaltschaft ihre Aufgaben wahrnehmen kann. Selbst die Setzung einer Frist hat in der Vergangenheit nicht dazu geführt, dass Richtlinien rechtzeitig umgesetzt wurden. Die nicht fristgerechte Umsetzung der Richtlinie allein durch einen Mitgliedstaat könnte das Tätigwerden der Behörde verzögern. Träfe man eine Regelung, nach der sie zumindest in allen Mitgliedstaaten ihre Arbeit aufnehmen dürfte, in denen die Richtlinie bereits umgesetzt ist, könnte wiederum kein einheitlicher Schutz der Finanzinteressen gewährleistet werden. Darüber hinaus könnte so jeder Mitgliedstaat, beispielsweise aufgrund nationaler innenpolitischer Interessen, ein Tätigwerden der Europäischen Staatsanwaltschaft heraus-

---

493 So *Hauer,* S. 127.

494 Vgl. oben 1.a)bb).

zögern,[495] obwohl bereits eine Vereinbarung über deren Einsetzung in allen Mitgliedstaaten getroffen wurde. Aber auch ohne dass man einen Vorsatz unterstellen müsste, besteht bei Richtlinien immer die Möglichkeit, dass diese falsch umgesetzt werden. Je nach Fehler könnte dies die Ermittlungsmöglichkeiten der Einrichtung schmälern oder ihre Tätigkeit sogar ganz verhindern.

Die Übertragung der Ermittlungsbefugnisse der nationalen Staatsanwälte in Verbindung mit ihrer Harmonisierung durch eine Richtlinie wäre demnach nicht das richtige Mittel, um die Ermittlungsbefugnisse der Europäischen Staatsanwaltschaft festzulegen. Aufgrund der Probleme, die sich bei der Umsetzung einer Richtlinie ergeben können, wäre nicht gewährleistet, dass die neue Institution zum vorgesehenen Zeitpunkt als handlungsfähige Behörde auftreten kann.

d) Eigene Ermittlungsbefugnisse

In Betracht käme, der Europäischen Staatsanwaltschaft eigene supranationale Ermittlungsbefugnisse zu übertragen. Man könnte also auf europäischer Ebene für alle Mitgliedstaaten einheitlich festlegen, welche Ermittlungsbefugnisse ihr zukommen[496] Dadurch wären diese nicht von den jeweiligen mitgliedstaatlichen Befugnissen abhängig. Etwaige Gesetzesänderungen in den Mitgliedstaaten würden sich nicht auf sie auswirken. Die europäische Strafverfolgungsbehörde könnte in allen Mitgliedstaaten auf die gleichen Ermittlungsbefugnisse zurückgreifen, und es wäre eindeutig geregelt, welche das sind. Für die Fälle, in denen ein richterlicher Genehmigungs- oder Anordnungsvorbehalt vorgesehen ist, wäre das europäische Recht entscheidend.[497] Dadurch könnte das *forum shopping* vermieden werden.[498] Die Voraussetzungen für die Erteilung einer Genehmigung oder Anordnung wären in allen Mitgliedstaaten dieselben und somit gleich hoch. Eine Reduzierung der Beschuldigtenrechte auf das europaweit niedrigste Niveau stünde damit nicht mehr zu befürchten. Ebenso wäre durch diese Lösung die Gefahr der verdeckten Erweiterung der Befugnisse gebannt.[499] Darüber hinaus entspräche eine europäische Verordnung den Anforderungen, die nach der EMRK an ein Eingriffsgesetz zu stellen sind.[500]

Obwohl somit vielen Problemen, die sich aus der Anwendung des Prinzips der gegenseitigen Anerkennung ergeben, vorgebeugt wäre, sollte es auch hier keine

---

495 Dann würde allerdings die Einleitung eines Vertragsverletzungsverfahrens gemäß Art. 258 AEUV drohen.

496 So jetzt wohl auch der Vorschlag Europäische Staatsanwaltschaft, Art. 26.

497 Ob dieses jeweils vom nationalen Richter oder von einer eventuell einzurichtenden europäischen Institution geprüft werden sollte, wird unter C.2.d) untersucht.

498 Vgl. oben 1.a) aa).

499 Vgl. oben 1.a) bb).

500 Vgl. oben 1.a) dd).

Anwendung finden. Bei einem Antrag auf eine Ermittlungshandlung werden von den mitgliedstaatlichen Rechtsordnungen in aller Regel genaue Angaben darüber verlangt, wo genau und warum die Ermittlungsmaßnahme durchgeführt werden soll. Eine solche Regelung wird deshalb auch in die europäische Verordnung aufgenommen werden. Liegen diese Informationen aber bei Beantragung der Maßnahme bereits vor, gibt es keinen Grund, diese Maßnahme nicht gleich in dem Mitgliedstaat zu beantragen, in dem die Ermittlungsmaßnahme stattfinden soll.[501] Die Europäische Staatsanwaltschaft könnte auch befugt sein, die jeweiligen Ermittlungsmaßnahmen in allen Mitgliedstaaten zu beantragen. Dies unterscheidet ihre Situation von jener der nationalen Strafverfolgungsbehörden. Da diese grundsätzlich nicht befugt sind, in einem anderen Mitgliedstaat Anträge zu stellen, ist das Prinzip der gegenseitigen Anerkennung für sie so interessant. So kann beispielsweise die Europäische Beweisanordnung,[502] bei der das Prinzip der gegenseitigen Anerkennung Anwendung findet, für die nationalen Strafverfolgungsbehörden eine Vereinfachung darstellen. Für die Arbeit der Europäischen Staatsanwaltschaft aber ist das Prinzip der gegenseitigen Anerkennung von Genehmigungen wegen ihrer Befugnis, in allen Mitgliedstaaten Anträge zu stellen, nicht wichtig. Insbesondere im Hinblick darauf, dass auch bei der Übertragung von supranationalen Ermittlungsbefugnissen auf die Europäische Staatsanwaltschaft bei Anwendung des Prinzips der gegenseitigen Anerkennung das Problem des Rechtsschutzes[503] weiterhin bestehen bliebe, ist die Anwendung dieses Prinzips abzulehnen. Abgesehen davon käme, je nachdem, wie das Verfahrensrecht ausgestaltet würde, eine Anwendung des Prinzips von vornherein nicht in Betracht. Dies wäre dann der Fall, wenn einer Genehmigung bereits bei Erteilung europaweite Geltung zukäme. Diese Genehmigung könnte entweder von nationalen Richtern in den Mitgliedstaaten oder von einer europäischen Einrichtung erteilt werden.[504]

Problematisch an der Lösung, der Europäischen Staatsanwaltschaft eigene supranationale Ermittlungsbefugnisse zu übertragen, könnte sein, dass ihr unter Umständen Befugnisse zugesprochen werden, die den nationalen Staatsanwälten so nicht zur Verfügung stehen. Dies scheint insbesondere bei Ermittlungsmaßnahmen denkbar, die nach nationalem Recht nur bei Vorliegen von bestimmten Straftaten möglich sind und die für Finanzstraftaten nicht vorgesehen sind.

e) Ergebnis

Es gibt verschiedene Möglichkeiten, der Europäischen Staatsanwaltschaft Ermittlungsbefugnisse zukommen zu lassen. Die Kommission schlägt in ihrem Grün-

---

501 *Biehler/Gleß/Parra/Zeitler,* S. 33.

502 Vgl. Teil 2, II.B.3.c).

503 Vgl. oben 1.a)cc).

504 Vgl. unten 2.d).

buch vor, auf die Ermittlungsbefugnisse der Mitgliedstaaten zurückzugreifen und das Prinzip der gegenseitigen Anerkennung anzuwenden. Wie gezeigt,[505] ist diese Lösung nur auf den ersten Blick besonders geeignet. Tatsächlich birgt sie zu viele gravierende Probleme in sich.

Auch die Möglichkeit, nur auf die Ermittlungsbefugnisse der nationalen Behörden zurückzugreifen, ohne das Prinzip der gegenseitigen Anerkennung anzuwenden, hat sich als nicht gangbar erwiesen. Durch den Rekurs auf die unterschiedlichen Ermittlungsbefugnisse wäre nicht gewährleistet, dass die Europäische Staatsanwaltschaft in allen Mitgliedstaaten Ermittlungstätigkeiten durchführen kann. Zudem könnten eine einheitliche Arbeitsweise und ein einheitliches Auftreten der Institution nicht erreicht werden. Gerade für eine supranationale Organisation erscheint dies jedoch besonders wichtig.[506] Das zudem vorgestellte Schweizer Modell hat sich als nicht praktikabel herausgestellt.[507]

Der Rückgriff auf die Ermittlungsbefugnisse der Mitgliedstaaten bei gleichzeitiger Harmonisierung der Vorschriften[508] bietet sich insbesondere wegen der mit der Umsetzung einer Richtlinie verbundenen Unsicherheiten nicht an. Die Gefahr, dass die Europäische Staatsanwaltschaft durch falsche oder zu späte Umsetzungen bei ihren Ermittlungen nicht von Beginn an effektiv arbeiten kann, ist zu groß.

Als beste Lösung hat sich im Rahmen dieser Untersuchung herausgestellt, der Europäischen Staatsanwaltschaft supranationale Ermittlungsbefugnisse zu übertragen.[509] Durch diesen Weg würden die Probleme, die sich bei den anderen Möglichkeiten gezeigt haben, vermieden. Die Ermittlungsbefugnisse der europäischen Strafverfolgungsbehörde wären transparent geregelt. Es wäre klargestellt, dass sie tatsächlich in allen Mitgliedstaaten Untersuchungen durchführen kann. Dazu könnte sie auf die nationalen Ermittlungsbehörden zurückgreifen.[510] Es wäre immer eindeutig, unter welchen Voraussetzungen eine Ermittlungsmaßnahme möglich ist und nicht davon abhängig, in welchem Mitgliedstaat sie durchgeführt wird. Zudem wäre auch das „Verfolgungsrisiko" in allen Mitgliedstaaten gleich.

Das eventuell auftretende Problem, dass der Europäischen Staatsanwaltschaft in manchen Mitgliedstaaten zum Teil weitere Ermittlungsbefugnisse zukommen als der nationalen Staatsanwaltschaft, erscheint nicht als so schwerwiegend, dass es diese Lösungsmöglichkeit ausschließen würde. Vielmehr ist dies schlichtweg notwendig, wenn eine funktionierende, selbstständig Untersuchungen durchführende Strafverfolgungsbehörde geschaffen werden soll. Insbesondere, wenn man die

---

505 Vgl. oben 1.a).

506 Vgl. oben 1.b)aa).

507 Vgl. oben 1.b)bb).

508 Vgl. oben 1.c).

509 So auch *Ligeti*, EuCLR 2011, 147.

510 Vgl. oben B.3.b).

anderen Möglichkeiten betrachtet, die stets mit mehr Problemen verbunden sind, erweist sich die Übertragung supranationaler Ermittlungsbefugnisse damit als der beste Weg.

Fraglich ist, ob diese Lösung auch mit dem Subsidiaritäts- und Verhältnismäßigkeitsprinzip vereinbar ist. Wie gezeigt, sind die Lösungen, die möglichst viel auf mitgliedstaatlicher Ebene belassen, nicht geeignet, eine sachgerechte Regelung für die Übertragung der Ermittlungsbefugnisse auf die Europäische Staatsanwaltschaft zu bieten. Vielmehr erscheint die Übertragung supranationaler Ermittlungsbefugnisse die einzige Möglichkeit, eine angemessene Regelung für die europäische Strafverfolgungsbehörde zu finden. Darüber hinaus würde die Anwendung des Prinzips der gegenseitigen Anerkennung letztlich zu viel stärkeren Eingriffen in die Souveränität der Mitgliedstaaten führen als die Festlegung supranationaler Ermittlungsbefugnisse. Denn auf die Ermittlungsbefugnisse, die den Staatsanwälten in anderen Mitgliedstaaten zustehen, haben die Mitgliedstaaten keinerlei Einfluss, trotzdem müssten sie diese in ihrem Hoheitsgebiet anerkennen. Bei der Ausgestaltung eigener, originärer Ermittlungsbefugnisse für die Europäische Staatsanwaltschaft könnten die Mitgliedstaaten selbst aktiv mitwirken. Eine Übertragung dieser Befugnisse kann nur durch einstimmigen Ratsbeschluss vorgenommen werden (Art. 86 Abs. 1 Satz 2 AEUV). Das bedeutet, jeder Mitgliedstaat muss sich mit der gefundenen Regelung explizit einverstanden erklären.[511] Aufgrund der Notwendigkeit der Schaffung einer solchen Regelung und der Tatsache, dass sie sich ausschließlich auf die für Finanzermittlungen notwendigen Instrumente beschränken würde, wäre diese Regelung auch nicht unverhältnismäßig.[512] Folglich wäre die Übertragung supranationaler Ermittlungsbefugnisse sowohl mit dem engen Subsidiaritäts- als auch mit dem Verhältnismäßigkeitsprinzip vereinbar.

2. Ermittlungsbefugnisse der Europäischen Staatsanwaltschaft

Als Rechtsgrundlage für die Übertragung der Ermittlungsbefugnisse könnte Art. 86 AEUV dienen. Hinsichtlich der konkreten Befugnisse wurde der Union dadurch, dass die Verordnung hierzu keine Einzelheiten regelt, ein breiter Spielraum zugestanden.[513]

Wie oben bereits erläutert,[514] kann die Regelung der Ermittlungsbefugnisse der Europäischen Staatsanwaltschaft grundsätzlich als „Einzelheit" im Sinne des Art. 86 Abs. 3 AEUV verstanden werden. Eine Regelung hinsichtlich der Ermittlungsbefugnisse kann also aufgrund von Art. 86 Abs. 3 AEUV getroffen werden. In diesem Absatz wird offen gelassen, wie die Übertragung der Ermittlungsbefugnisse

511 Das gilt auch bei einer verstärkten Zusammenarbeit, vgl. Teil 3, III.B.1.

512 So aber *Fijnaut/Groenhuijsen,* (2002) 10 Eur. J. Crime Cr.L.Cr.J., 333.

513 Streinz-*Dannecker,* Art. 86 Rn. 10.

514 Vgl. oben C.1.

erfolgen soll. Des Weiteren gibt es auch keine Regelung, die der des Art. 86 Abs. 2 AEUV entspräche, der festschreibt, dass die Staatsanwaltschaft ihre Aufgaben vor den zuständigen Gerichten der Mitgliedstaaten wahrnimmt. Nach Art. 86 Abs. 3 AEUV könnte deshalb sowohl festgelegt werden, dass der Staatsanwaltschaft die jeweiligen nationalen Ermittlungsbefugnisse übertragen werden, als auch, dass ihr eigene supranationale Ermittlungsbefugnisse zugestanden werden. Die in dieser Arbeit für notwendig erachtete Übertragung supranationaler Ermittlungsbefugnisse könnte folglich nach Art. 86 Abs. 3 AEUV als Teil der in Art. 86 Abs. 1 AEUV genannten Verordnung erfolgen.

Grundsätzliche Voraussetzung für die Durchführung einer Ermittlungsmaßnahme müsste zunächst sein, dass diese im konkreten Fall erforderlich, geboten und verhältnismäßig ist,[515] um eine Straftat zu verfolgen. Darüber hinaus wären weitere Regelungen zu treffen, die im Folgenden näher untersucht werden sollen.

Es muss geklärt werden, ob der Europäischen Staatsanwaltschaft Ermittlungsbefugnisse zu übertragen sind, die in ihrem eigenen Ermessen stehen, und falls ja, welche dies sein sollten. Zudem müsste auch die Durchführung von Zwangsmaßnahmen geregelt werden. Ohne die Möglichkeit, selbstständig Zwangsmaßnahmen durchzuführen, wäre die europäische Behörde auf die Mithilfe der nationalen Staatsanwaltschaften angewiesen. Sie soll jedoch ohne deren Hilfe handlungsfähig sein. Deshalb müssten ihr auch gewisse Zwangsbefugnisse zugestanden werden. In welchem Rahmen dies geschehen sollte, ist zu prüfen. Da mit Zwangsmaßnahmen Grundrechtseingriffe verbunden sein können, stellt sich hier zudem die Frage nach einer richterlichen Beteiligung.[516]

Wichtiges Element der Europäischen Staatsanwaltschaft soll sein, dass sie selbstständig Untersuchungen leiten und die Strafverfolgung betreiben kann (vgl. Art. 86 Abs. 2 AEUV). Ihr müssen somit die Befugnisse übertragen werden, die sie benötigt, um einen Sachverhalt vollständig zu ermitteln und zur Anklage zu bringen. Da sich ihre Zuständigkeit auf Finanzstraftaten beschränkt, müsste ihr nicht die komplette Bandbreite strafprozessualer Ermittlungsbefugnisse übertragen werden. Insbesondere mit Blick auf das Subsidiaritäts- und das Verhältnismäßigkeitsprinzip dürften ihr nur jene Befugnisse übertragen werden, die für Finanzermittlungen nützlich und deswegen auch geeignet und erforderlich sind, um die Strafverfolgung von Straftaten zum Nachteil der finanziellen Interessen der Union zu verbessern. In diesem Zusammenhang ist auch zu prüfen, ob der Europäischen Staatsanwaltschaft Notkompetenzen übertragen werden sollten. Das würde bedeuten, dass sie in bestimmten Fällen eine Maßnahme eigenständig anordnen kann, obwohl dafür grundsätzlich die Mitwirkung eines Richters vorgesehen ist.[517]

---

515 *Weertz*, S. 360.

516 Vgl. unten 2.d).

517 Vgl. unten 2.e).

Im Folgenden sollen die oben beschriebenen Regelungspunkte erläutert werden. Die Untersuchung der konkreten Ermittlungsbefugnisse beschränkt sich auf den Bereich der Ermittlungsmaßnahmen, die für die Verfolgung von Finanzstraftaten unbedingt notwendig erscheinen, und orientiert sich dabei hauptsächlich an der deutschen Strafprozessordnung (StPO). Zusätzlich zu den hier untersuchten Ermittlungsmaßnahmen kämen insbesondere Befugnisse zur Telekommunikationsüberwachung unter Anwendung der modernen Informationstechnologien oder Befugnisse bei verdeckten Ermittlungen und kontrollierten Lieferungen in Betracht.[518] Für eine über den Kernbereich hinausgehende Untersuchung von möglichen Ermittlungsbefugnissen wäre jedoch eine Analyse der Strafprozessordnungen aller 27 Mitgliedstaaten notwendig. Dies würde den Umfang dieser Arbeit sprengen. Dennoch soll hier ein Vorschlag gemacht werden, wie die Ermittlungsbefugnisse ausgestaltet werden könnten.

Bei den ausgewählten Ermittlungsbefugnissen kann davon ausgegangen werden, dass diese in irgendeiner Form in allen Mitgliedstaaten vorhanden sind. Ob diese dort die Polizeibehörde oder die Staatsanwaltschaft durchführen darf, ist nicht relevant, da die Europäische Staatsanwaltschaft die Rolle des Ermittlers übernehmen soll, unabhängig davon, wie die Durchführung der Ermittlungen in den Mitgliedstaaten jeweils geregelt ist.

a) Ermittlungsmaßnahmen im Ermessen der Europäischen Staatsanwaltschaft

Im Grünbuch wird vorgeschlagen, bestimmte Maßnahmen in das Ermessen der Europäischen Staatsanwaltschaft zu stellen und eine richterliche Mitwirkung nicht vorauszusetzen. Hierfür vorgesehen sind das Sammeln von Informationen und die Befragung von Personen.[519] Im deutschen Recht wären diese Maßnahmen von der Ermächtigungsgeneralklausel des § 161 Abs. 1 Satz 1 StPO gedeckt. Diese gilt für alle Maßnahmen, die nicht „tiefer" in Grundrechte eingreifen und für die keine spezialgesetzliche Regelung vorgesehen ist.[520] Bei der Errichtung der Europäischen Staatsanwaltschaft sollte indes von einer solchen Generalklausel abgesehen werden. Durch die Übertragung von eigenen Ermittlungsbefugnissen auf die Staatsanwaltschaft wird stark in die Souveränität der Mitgliedstaaten eingegriffen. Die Reichweite eines solchen Eingriffs sollte zuvor genau festgelegt werden. Um dennoch flexibel auf die Entwicklung neuer Ermittlungsmethoden reagieren zu können, könnte ein vereinfachtes Verfahren festgelegt werden, durch das auch neue Ermittlungsmethoden in die Kompetenz der europäischen Strafverfolgungsbehörde gestellt werden können.

---

518 Vgl. EU-Kommission, Grünbuch finanzielle Interessen, S. 54.

519 EU-Kommission, Grünbuch finanzielle Interessen, S. 55f.

520 SK-StPO-*Wohlers,* § 161 Rn. 9.

Da keine Ermächtigungsgeneralklausel vorgesehen werden sollte, müssen die Befugnisse der Europäischen Staatsanwaltschaft explizit statuiert werden. Neben der Befugnis zur Sammlung von Informationen und zur Befragung von Personen sollte eine Kompetenz der Staatsanwaltschaft in Betracht gezogen werden, von mitgliedstaatlichen Behörden Auskunft zu verlangen.

aa) Sammlung von Informationen

Wie die Verfasser des Grünbuchs[521] schlagen auch die Verfasser des Corpus Juris vor, der Europäischen Staatsanwaltschaft die Befugnis zur Sammlung von Informationen zu übertragen (Art. 20 Abs. 3 lit. b CJ/CJ 2000). Nur insofern dadurch in Grundrechte eingegriffen würde, ist das Erfordernis einer richterlichen Genehmigung vorgesehen (Art. 25 Abs. 2 CJ, Art. 25*bis* Abs. 2 CJ 2000). Beide Vorschläge erlauben der Europäischen Staatsanwaltschaft die Sammlung von Informationen also nur, wenn sie nicht mit Zwangswirkung verbunden ist. Dies bedeutet, dass es sich um frei zugängliche Informationen handeln muss, da sonst entweder in das Recht auf Privatleben (Art. 7 GRC/Art. 8 EMRK) oder das Recht auf Eigentum (Art. 17 GRC/Art. 1 1. Zusatzprotokoll EMRK[522]) eingegriffen werden muss. Frei zugängliche Informationen können bei Ermittlungen wichtige Anhaltspunkte liefern, daher sollte die Behörde solche Informationen sammeln können. Da die Ausübung einer solchen Befugnis nicht mit tiefgreifenden Grundrechtseingriffen verbunden wäre, ist keine vorherige richterliche Kontrolle vorzusehen. Vielmehr sollte das Gebrauchmachen von dieser Befugnis ins Ermessen der Europäischen Staatsanwaltschaft gestellt werden.

bb) Befragung von Personen

Hinsichtlich der im Grünbuch vorgesehenen Befragung[523] muss zwischen Personen, die im Rahmen der Ermittlungen als Zeugen und Personen, die als Beschuldigte befragt werden sollen, unterschieden werden.

Der Europäischen Staatsanwaltschaft könnte die Befugnis zur Vernehmung von Zeugen übertragen werden, die entweder freiwillig mit ihr zusammenarbeiten oder verpflichtet sind, vor der Staatsanwaltschaft auszusagen (Art. 20 Abs. 3 lit. e CJ/CJ 2000). Die Zeugenvernehmung auf freiwilliger Basis ist hier unproblematisch, da damit keine Grundrechtseingriffe einhergehen.

Schwieriger gestaltet sich die Frage für die Befugnis zu einer verpflichtenden Vorladung des Zeugen und die damit verbundene Pflicht zur wahrheitsgemäßen

---

[521] EU-Kommission, Grünbuch finanzielle Interessen, S. 55f.

[522] Zusatzprotokoll zur Konvention zum Schutz der Menschenrechte und Grundfreiheiten vom 20. März 1952, BGBl. 1956 II S. 1880; im Folgenden: 1. ZP EMRK.

[523] EU-Kommission, Grünbuch finanzielle Interessen, S. 55f.

Aussage. Dem Zeugen würde dadurch eine Pflicht auferlegt, die zudem mit der Androhung einer zwangsweisen Vorführung oder von Ordnungshaft für den Fall des unberechtigten Nichterscheinens verbunden werden könnte.[524] In Deutschland wird die Aussagepflicht damit begründet, dass rasch und zuverlässig geklärt werden müsse, ob ein hinreichender Tatverdacht vorliegt.[525] Für die Europäische Staatsanwaltschaft erscheint eine solche Regelung ebenfalls sachgerecht. Ihr kommt die Aufgabe zu, Straftaten zum Nachteil der finanziellen Interessen der Union zu untersuchen und anzuklagen (Art. 86 Abs. 2 AEUV). Wäre sie darauf angewiesen, nur Zeugen zu verhören, die freiwillig mit ihr zusammenarbeiten, bestünde die Gefahr, dass langwierige Ermittlungen notwendig werden und sich am Ende herausstellt, dass der Tatverdacht nicht hinreichend ist. Dies würde nicht nur die personellen Ressourcen der Staatsanwaltschaft beanspruchen, sondern sich auch für den Beschuldigten nachteilig auswirken. Ein laufendes Ermittlungsverfahren wird vom Beschuldigten meist als belastend empfunden, zumal Auswirkungen auf sein Umfeld nicht ausgeschlossen werden können. Jede Verzögerung sollte deshalb vermieden werden. Hinzu kommt, dass die Garantie des gerechten Verfahrens in angemessener Frist (Art. 47 Abs. 2 GRC/Art. 6 Abs. 1 EMRK) bereits dann greift, wenn der Beschuldigte durch Maßnahmen der Strafverfolgung, die wegen eines Verdachts gegen ihn getroffen werden, ernsthaft betroffen ist.[526] Deshalb muss ein Ermittlungsverfahren zügig durchgeführt werden. Die Auswirkungen auf den betroffenen Zeugen durch die Verpflichtung zur Aussage sind vergleichsweise gering.

Es sollte mithin eine Pflicht für Zeugen statuiert werden, vor der Europäischen Staatsanwaltschaft wahrheitsgemäß auszusagen. Die neue Institution sollte eine verpflichtende Ladung an den Zeugen schicken können.[527] Aus Rechtsstaatlichkeitsgründen müsste jedoch auf jeden Fall für bestimmte Personengruppen ein Zeugnisverweigerungsrecht vorgesehen werden (vgl. § 52ff StPO). Der Staatsanwaltschaft sollte zudem erlaubt werden, etwaige Zwangsmaßnahmen anzudrohen.

Das deutsche Recht gesteht der Staatsanwaltschaft darüber hinaus das Recht zu, die zwangsweise Vorführung selbst anzuordnen (§ 161a Abs. 2 Satz 1 i.V.m. § 51 Abs. 2 Satz 2 StPO). Durch eine Zwangsvorführung wird in das Recht auf Freiheit (Art. 6 GRC/Art. 5 EMRK) eingegriffen. Fraglich erscheint, ob dies auch in das Ermessen der Europäischen Staatsanwaltschaft gestellt oder ob hierfür eine richterliche Genehmigung vorgesehen werden sollte. Die Anordnung der zwangsweisen Vorführung verfolgt den Zweck, die gesetzlich statuierte Pflicht zur Aussage des Zeugen durchzusetzen. Nach Art. 5 Abs. 1 lit. b 2. Alt. EMRK ist eine

524 Vgl. die Regelung der StPO: § 161a Abs. 1 und 2 i.V.m. § 51 StPO.

525 BT-Drs. 7/551 S. 40.

526 *Meyer-Ladewig,* Art. 6 Rn. 196.

527 So wohl auch Vorschlag Europäische Staatsanwaltschaft, Art. 26, 1 k).

Freiheitsentziehung zur Erzwingung der Erfüllung einer gesetzlichen Verpflichtung auch ohne richterliche Anordnung zulässig, wenn diese Pflicht im Gesetz konkret und eindeutig als besondere Pflicht festgelegt ist.[528] Dies wäre bei der Aussageverpflichtung der Fall. Somit widerspräche eine Freiheitsentziehung durch die Staatsanwaltschaft Art. 5 EMRK nicht. Bei einer zwangsweisen Vorführung handelt es sich nicht einmal um eine Freiheitsentziehung, sondern um eine Freiheitsbeschränkung,[529] also um einen vergleichsweise milden Eingriff. Muss für die Freiheitsentziehung kein Richtervorbehalt vorgesehen werden, gilt dies erst recht für eine Freiheitsbeschränkung. Wäre die Staatsanwaltschaft hierfür nicht auf die Genehmigung eines Richters angewiesen, könnte die Durchführung eines schnellen Verfahrens gefördert werden, weil so beispielsweise auf eine oft zeitraubende Aktenversendung verzichtet werden könnte.[530]

Da, wie gezeigt, keine Verletzung von Art. 5 EMRK vorläge, wenn die Entscheidung über die zwangsweise Vorführung ins Ermessen der Europäischen Staatsanwaltschaft gestellt würde, sollte ihr diese Kompetenz erteilt werden.

Die Vernehmung des Beschuldigten soll, nach Vorschlag des Grünbuchs, nur dann im Ermessen der europäischen Strafverfolgungsbehörde stehen, wenn der Beschuldigte freiwillig dazu bereit ist.[531] Im Corpus Juris wird der Staatsanwaltschaft das Recht zugestanden, den Beschuldigten zu befragen. Ein Freiwilligkeitserfordernis wird nicht ausdrücklich statuiert (Art. 20 Abs. 3 lit. a CJ/CJ2000). Ähnlich wie für den Zeugen könnte auch für den Beschuldigten eine Pflicht festgelegt werden, auf eine Ladung der Europäischen Staatsanwaltschaft zur Vernehmung zu erscheinen.

Im deutschen Recht basiert eine solche Pflicht auf § 163a Abs. 2 StPO. Diese Regelung dient vorrangig der Verteidigung, vornehmlich durch Gewähr rechtlichen Gehörs.[532] Eher sekundär ist dagegen die Ermittlung des Sachverhalts.[533] Das liegt insbesondere darin begründet, dass der Beschuldigte im Gegensatz zum Zeugen nicht zur Aussage verpflichtet werden kann.

Fraglich erscheint, ob sich eine Pflicht zum Erscheinen vor der Europäischen Staatsanwaltschaft mit andernfalls drohenden Zwangsmaßnahmen auch in diesem Falle rechtfertigen ließe. Durch das aus Art. 47 Abs. 2 GRC/Art. 6 Abs. 1 EMRK resultierende Recht auf Gehör wird dem Beschuldigten zugestanden, vor Gericht zu allen entscheidungserheblichen Tatsachen und Rechtsfragen hinreichend Stellung

---

528 Löwe/Rosenberg-*Esser,* Art. 5 EMRK Rn. 87.

529 SK-StPO-*Wohlers,* § 161a Rn.11.

530 Vgl. *Welp,* S. 47.

531 EU-Kommission, Grünbuch finanzielle Interessen, S. 56.

532 *Eisenberg,* Rn. 510f.

533 SK-StPO-*Wohlers,* § 163a Rn. 4.

zu nehmen.[534] Die Mitgliedstaaten sind mithin verpflichtet dem Beschuldigten im Gerichtsverfahren rechtliches Gehör zuteilwerden zu lassen. Aus dem Grundsatz des *fair trial* lässt sich jedoch nicht ableiten, dass dies bereits im staatsanwaltschaftlichen Ermittlungsverfahren gilt. Somit kann aus Art. 6 Abs. 1 EMRK für die Staatsanwaltschaft zumindest keine Pflicht zum Verhör des Beschuldigten abgeleitet werden.[535]

Sinn und Zweck einer Vorschrift, nach der der Beschuldigte verpflichtet wäre, vor der Staatsanwaltschaft zu erscheinen, wäre die Gewährung rechtlichen Gehörs vor der Anklageerhebung. Dem Beschuldigten wird dadurch also ein zusätzliches Recht zugestanden. Will er von diesem nicht Gebrauch machen, ist es für die Gewährung rechtlichen Gehörs nicht notwendig, ihn zu verpflichten, sich einer staatsanwaltschaftlichen Vernehmung zu stellen. Auch im Hinblick auf die Sachverhaltsaufklärung, die ja nur zweitrangiges Ziel der staatsanwaltschaftlichen Vernehmung ist, scheint eine Pflicht, einer staatsanwaltschaftlichen Ladung zur Vernehmung zu folgen, nicht sachgerecht. Der entscheidende Unterschied zum Zeugen liegt darin, dass der Beschuldigte sich auf sein Recht zu schweigen (Art. 47 Abs. 2 GRC/ Art. 6 Abs. 1 EMRK)[536] berufen kann. Somit würde auch die Pflicht des Beschuldigten, bei der Staatsanwaltschaft vorstellig zu werden, nicht unbedingt zur Sachverhaltsaufklärung beitragen.

Mithin lässt sich feststellen, dass für den Beschuldigten keine Pflicht festgeschrieben werden sollte, vor der Europäischen Staatsanwaltschaft zur Vernehmung zu erscheinen. Dieser sollten folglich auch keinerlei Möglichkeiten zustehen, ein Erscheinen des Beschuldigten zu erzwingen. Nicht ausgeschlossen ist jedoch eine Ladung auf freiwilliger Basis. Will der Beschuldigte also Angaben machen, könnte die Europäische Staatsanwaltschaft die Vernehmung durchführen.

cc) Auskunftsverlangen

Der Europäischen Staatsanwaltschaft könnte zudem die Kompetenz zugestanden werden, von mitgliedstaatlichen Behörden Auskunft zu verlangen (vgl. § 161 Abs. 1 StPO). Sie könnte dann bei den Behörden vorhandene Informationen verlangen, soweit diese für die Strafverfolgung von Bedeutung sind.

Ein Grund, eine solche behördliche Auskunftspflicht vorzusehen, ergibt sich bereits daraus, dass 80 % des Unionshaushalts von den Mitgliedstaaten verwaltet werden. Hinweise oder Beweise für eine Schädigung des Unionshaushalts werden sich also häufig in den Akten dieser Behörden finden lassen. Eine auf jene Behörden begrenzte Auskunftspflicht wäre jedoch zu eng, da sich für die Ermittlungen

534 SK-StPO-*Paeffgen,* Art. 6 EMRK Rn. 76.

535 Vgl. Jarass/Pieroth-*Pieroth,* Art. 103 Rn. 5.

536 Vgl. dazu unten b)bb).

wichtige Informationen auch bei anderen mitgliedstaatlichen Behörden befinden können. Um im Lauf ihrer Ermittlungen ein komplettes Bild von der verfolgten Straftat und deren Tätern zu bekommen, sollte der Europäischen Staatsanwaltschaft die Befugnis zugestanden werden, von allen mitgliedstaatlichen Behörden Auskünfte zu verlangen. Auch Staatsanwaltschaften sollten zu Auskünften verpflichtet werden.[537]

Im Rahmen einer Regelung zur Auskunftspflicht müssten jedoch auch Gründe vorgesehen werden, nach denen eine Auskunft verweigert werden kann. Dies sollte insbesondere dann möglich sein, wenn andernfalls Zeugnisverweigerungsrechte umgangen würden (vgl. § 97 StPO). Ebenso müssen die nationalen Behörden unter bestimmten Umständen durch eine sogenannte Sperrerklärung die Auskunft oder Vorlage von Akten verhindern können (vgl. § 96 StPO). Darüber hinaus müsste berücksichtigt werden, dass in den Mitgliedstaaten spezielle Geheimhaltungspflichten (etwa beim Steuergeheimnis § 30 AO[538] oder beim Sozialgeheimnis § 35 SGB I[539]) bestehen.

b) Ermittlungsmaßnahmen mit richterlicher Beteiligung

Die Notwendigkeit einer richterlichen Mitwirkung an einer grundrechtsbeeinträchtigenden Maßnahme ergibt sich daraus, dass nachträglicher Rechtsschutz bereits geschehene Grundrechtsbeeinträchtigungen in der Regel nicht mehr beheben kann. Durch eine richterliche Überprüfung vor Durchführung einer grundrechtsbeeinträchtigenden Maßnahme kann präventiver Rechtsschutz gewährleistet werden.[540] Innerhalb der Union gibt es zurzeit weder eine allgemeine Regelung noch ein gemeinsames Konzept dafür, wann eine vorherige richterliche Mitwirkung notwendig ist.[541] Da es sich bei den der Strafverfolgungsbehörde übertragenen Ermittlungsbefugnissen um neue, bislang noch nicht vorhandene Befugnisse handeln würde und kein europäisches Konzept existiert, muss explizit festgelegt werden, für welche Maßnahmen eine richterliche Beteiligung notwendig sein wird. Ebenso ist die gesetzliche Statuierung der Eingriffsbefugnisse aufgrund von Art. 52 Abs. 1 Satz 1 GRC für alle Eingriffe in Rechte, die sich aus der Charta der Grundrechte ergeben, erforderlich. Im Folgenden soll dargelegt werden, für welche Ermittlungs-

---

537 Für die Regelung des § 161 StPO ergibt sich das bereits aus dem Begriff der Behörde; vgl. Löwe/Rosenberg-*Rieß,* § 161 Rn. 11. Der Vorschlag Europäische Staatsanwaltschaft sieht eine Pflicht von Eurojust und Europol zur Übergabe aller sachdienlichen Informationen auf Antrag der Europäischen Staatsanwaltschaft vor, Art. 21 Abs. 2. Ebenfalls sollen alle Organe, Einrichtungen und sonstigen Stellen der Union und die Behörden der Mitgliedstaaten Hilfeleistungen und Informationen zur Verfügung stellen, Art. 21 Abs. 2.

538 Abgabenordnung.

539 Sozialgesetzbuch I.

540 Vgl. SK-StPO-*Wohlers,* § 98 Rn. 6.

541 European Public Prosecutor Working Group, S. 26.

befugnisse der Europäischen Staatsanwaltschaft eine richterliche Mitwirkung vorgesehen werden müsste. Wie diese umgesetzt werden sollte, wird unter Punkt d) untersucht.

aa) Durchsuchung

Die Institution muss bei ihren Ermittlungen auch Beweismittel finden können, die nicht aus frei zugänglichen Quellen oder Zeugenaussagen stammen. Deshalb müsste ihr die Kompetenz übertragen werden, eine Durchsuchung durchzuführen, um Beweismittel aufzufinden (vgl. Art. 20 Abs. 3 lit. d CJ/CJ 2000). Eine Durchsuchung stellt einen Eingriff in das Recht auf Achtung des Privat- und Familienlebens und der Wohnung (Art. 7 GRC/Art. 8 EMRK) dar. Sie muss darum auf einer gesetzlichen Grundlage beruhen (Art. 52 Abs. 1 Satz 1 GRC/Art. 8 Abs. 2 EMRK). Der Eingriff in diese Rechte macht darüber hinaus die Mitwirkung eines Richters erforderlich.

Die Durchsuchung bei einem Verdächtigen sollte sich auf dessen Wohnung sowie andere Räume in seinem Besitz, auf seine Person und die ihm gehörenden Sachen[542] beziehen und zulässig sein, wenn vermutet wird, dass Beweismittel gefunden werden könnten (vgl. § 102 StPO). Ebenso müsste aber auch eine Durchsuchung bei einer nichtverdächtigen Person möglich sein, wenn Tatsachen vorliegen, die die Annahme begründen, dass dort Beweismittel zu finden sind (vgl. § 103 StPO). Da es sich hierbei um eine Durchsuchung bei einer an der Straftat nicht beteiligten Person handelt, müssten die Voraussetzungen strenger sein. Denn von einem Tatverdächtigen können größere Opfer bei der Aufklärung des gegen ihn bestehenden Tatverdachts verlangt werden als von Personen, die nicht tatverdächtig sind.[543] Der Nichtverdächtige verdient einen besseren Schutz gegen Grundrechtseingriffe zur Aufklärung des Sachverhalts als derjenige, der tatverdächtig ist. Letzterer hat in der Regel entweder ein Interesse daran, dass aufgeklärt wird, dass er die Tat nicht begangen hat, oder aber er hat an der Tat mitgewirkt und deswegen die Ermittlungen gegen sich selbst verschuldet. Während für die Durchsuchung beim Tatverdächtigen bereits die auf kriminalistischer Erfahrung beruhende Vermutung ausreichen könnte, dass sie zur Auffindung von Beweismitteln führt,[544] sollte sich diese Vermutung bei der Durchsuchung bei einem Nichtverdächtigen auf Tatsachen stützen.[545] Zudem sollte sich die Ermittlungsdurchsuchung bei anderen Personen als dem Beschuldigten auf hinreichend individualisierte Beweismittel

---

[542] Vgl. auch die ähnliche, aber ausführlichere Auflistung im Vorschlag Europäische Staatsanwaltschaft, Art. 26 Abs. 1a).

[543] SK-StPO-*Wohlers,* § 103 Rn. 1.

[544] Vgl. *Roxin/Schünemann,* § 35 Rn. 5.

[545] Vgl. SK-StPO-*Wohlers,* § 103 Rn. 15.

beziehen.[546] Um das Vertrauensverhältnis zwischen den Angehörigen bestimmter Berufsgruppen und dem Beschuldigten zu schützen (z.B. Strafverteidiger, Geistliche), sollte eine Regelung geschaffen werden, die Durchsuchungen bei diesen Vertrauenspersonen für unzulässig erklärt (vgl. § 160a StPO).

Eine Durchsuchungsbefugnis für eine supranationale Institution wäre auf dem Gebiet der Finanzstraftaten zum Nachteil der Union nicht neu. Das Europäische Amt für Betrugsbekämpfung ist zwar nicht als Straf-, sondern als Verwaltungsbehörde tätig, seine Untersuchungsbefugnis für Unregelmäßigkeiten umfasst aber auch jene Handlungen, bei denen es sich um Straftaten zum Nachteil der finanziellen Interessen der Union handelt.[547] In diesem Rahmen ist OLAF in gewissem Maß zu Durchsuchungen berechtigt (Art. 7 VO 2185/96 i.V.m. Art. 3 VO 1073/99).

bb) Beschlagnahme

Anhand dieser bereits vorhandenen supranationalen Durchsuchungsbefugnis zeigt sich jedoch bereits ein praktisches Problem. Bei der Übertragung der Befugnis wurde von einer Sicherstellungs- und Beschlagnahmekompetenz abgesehen. OLAF kann daher bei seinen Vor-Ort-Kontrollen keine selbstständige Beweissicherung durchführen. Es ist dabei auf die mitgliedstaatlichen Strafverfolgungsbehörden angewiesen[548] und kann deshalb nicht so schnell und unabhängig reagieren, wie es von einem Ermittlungsorgan zu erwarten wäre.[549]

Eine ähnliche Situation sollte bei der neuen europäischen Strafverfolgungsbehörde vermieden werden. Die Europäische Staatsanwaltschaft soll Anklage vor den nationalen Gerichten erheben. Hierfür muss sie die Möglichkeit haben, stichhaltige Beweise für die Schuld eines Angeklagten vorzubringen. Sie muss deshalb Beweismittel sicherstellen und beschlagnahmen können.[550] Überließe man die Beschlagnahmebefugnisse allein den mitgliedstaatlichen Behörden, wäre sowohl die Unabhängigkeit der Ermittlungen als auch deren zügige Durchführung gefährdet. Die Europäische Staatsanwaltschaft sollte mithin dazu berechtigt sein, eigenständig Sicherstellungen und Beschlagnahmen vorzunehmen (vgl. Art. 20 Abs. 3 lit. d CJ/CJ 2000).

Die Befugnis zur Sicherstellung sollte jene Beweismittel umfassen, die freiwillig herausgegeben werden oder gewahrsamslos sind.[551] Aufgrund des Elements der Freiwilligkeit bedarf es hierfür keiner richterlichen Mitwirkung. Werden Beweis-

---

546 Vgl. Radtke/Hohmann-*Ladiges,* § 103 Rn. 7.

547 Zum Europäischen Amt für Betrugsbekämpfung (OLAF) vgl. Teil 2, II.C.4.

548 Vgl. Art. 7 Abs. 2 VO 2185/96.

549 *Wade,* eucrim 2008 (3/4), 129.

550 Vgl. auch Vorschlag Europäische Staatsanwaltschaft, Art. 26 Abs. 1 c, d, m.

551 Vgl. zum deutschen Begriff SK-StPO-*Wohlers,* § 94 Rn. 6.

mittel indes nicht freiwillig herausgegeben und sollen deshalb zwangsweise sichergestellt werden, müsste aufgrund des Eingriffs in Rechte des Betroffenen (insbesondere in Art. 17 GRC/Art. 1 1. ZP EMRK (Eigentum)) ein richterlicher Beschluss vorgesehen werden.[552] Mittlerweile werden sehr viele Informationen und Daten nicht mehr schriftlich fixiert und in Aktenordnern gesammelt, sondern auf dem Computer. Auch auf diese Daten müsste der Zugriff möglich sein. Elektronische Daten sind keine Gegenstände und werden deshalb von einer Beschlagnahme grundsätzlich nicht umfasst. Allerdings handelt es sich bei den Speichermedien für diese Daten um körperliche Gegenstände, sodass die Europäische Staatsanwaltschaft durch die Beschlagnahme oder Sicherstellung der Speichermedien auf deren Inhalt zugreifen könnte.

Beide Maßnahmen dürften nur dann zulässig sein, wenn das Beweismittel für die Untersuchung von Bedeutung ist (vgl. § 94 StPO). Dies trifft aufgrund der Verpflichtung, unparteiisch zu ermitteln, auch dann zu, wenn das Beweismittel zeigt, dass der Beschuldigte unschuldig ist. Grundsätzlich sollte eine Sicherstellung oder Beschlagnahme erlaubt sein, wenn die Möglichkeit besteht, dass der Gegenstand zu Untersuchungszwecken verwendet werden kann. Da die Entwicklung einer Untersuchung und des Verfahrens nicht vorhersehbar ist, sollte jedoch nicht erforderlich sein, dass der Gegenstand letztlich tatsächlich als Beweismittel relevant wird.[553]

Einschränkungen hinsichtlich der Beschlagnahmebefugnis müssten insofern gemacht werden, als dass im Zusammenhang mit Zeugnisverweigerungsrechten ein Beschlagnahmeverbot für bestimmte Schriftstücke (§ 97 StPO) festgelegt werden könnte. Zudem wäre es wichtig, eine Regelung zu treffen, inwiefern behördliche Akten durch eine Sperrerklärung von der Beschlagnahme ausgenommen werden können (vgl. § 96 StPO). Letztlich müssten diese Beschlagnahmeverbote aus einer Analyse der mitgliedstaatlichen Strafprozessordnungen erarbeitet werden. Sie können sich auch über das Notwendigkeitserfordernis des Art. 8 Abs. 2 und Art. 10 Abs. 2 EMRK (Art. 7 und 11 i.V.m. Art. 52 Abs. 1 GRC) hinsichtlich solcher Gegenstände ergeben, die zum Privatleben einer Person gehören.[554]

cc) Telekommunikationsüberwachung

Der Europäischen Staatsanwaltschaft könnte zudem die Befugnis zur Telekommunikationsüberwachung übertragen werden. Diese Maßnahme wird auch von nationalen Strafverfolgungsbehörden bei Straftaten mit rein nationalem Bezug eingesetzt. Für die europäische Einrichtung wäre diese Kompetenz sehr nützlich, weil die von ihr verfolgten Straftaten häufig ein grenzüberschreitendes Element aufwei-

---

552 Anders der EGMR, der eine richterliche Anordnung bei einer Beschlagnahme nicht für erforderlich hält; vgl. *Esser*, S. 130.

553 Vgl. *Meyer-Goßner,* § 94 Rn. 6.

554 *Esser,* StraFo 2003, 338.

sen. Um solche Straftaten zu koordinieren, sind die Täter, mehr als noch bei rein nationalen Straftaten, auf Mittel der Telekommunikation angewiesen. Somit könnten sich aus der Überwachung der Telekommunikation wichtige Informationen ergeben. Die Übertragung dieser Befugnis wäre deshalb sinnvoll und sachgerecht.[555] Da damit ein Eingriff in Grundrechte des Betroffenen erfolgt, insbesondere in die Achtung des Privat- und Familienlebens (Art. 7 GRC/Art. 8 EMRK), sollte diese Maßnahme somit nur nach vorheriger richterlicher Genehmigung erlaubt sein.

Um Missverständnisse aufgrund unterschiedlicher Auffassungen in den Mitgliedstaaten zu vermeiden, ist eine allgemeingültige Bestimmung des Begriffs der Telekommunikation notwendig. Hier könnte sich ein Rekurs auf eine bereits existierende europäische Definition anbieten. Eine solche findet sich im Glossar zur Entschließung des Rates über die rechtmäßige Überwachung des Fernmeldeverkehrs.[556] Danach umfasst Telekommunikation „die vollständige oder teilweise Übertragung von Zeichen, Signalen, schriftlichen Aufzeichnungen, Bildern, Tönen, Daten oder Informationen jeglicher Art über ein leitungsgebundenes, funkgestütztes, elektromagnetisches, photoelektronisches oder photooptisches System".[557] Eine Kommunikation zwischen mindestens zwei Personen wird in dieser Definition nicht vorausgesetzt. Vielmehr ist zumindest vom Wortlaut her auch der Datenaustausch zwischen elektronischen Maschinen umfasst. Eine Überwachung soll dann vorliegen, wenn durch die gesetzlich ermächtigte Behörde auf den Fernmeldeverkehr einer Person sowie auf verbindungsrelevante Daten zugegriffen werden kann oder diese Informationen an diese weitergeleitet werden.[558]

Nach dem Wortlaut dieser beiden Definitionen könnten dann über den Begriff der Telekommunikationsüberwachung auch sogenannte Verkehrsdaten, beispielsweise Standortdaten (vgl. § 100g StPO), erlangt werden. Ebenso denkbar wäre, dass die sogenannte Online-Durchsuchung im Rahmen einer Telekommunikationsüberwachung zulässig wäre.[559] Das deutsche Recht sieht für die Erhebung von Verkehrsdaten eine eigene Ermächtigungsgrundlage vor (§ 100g StPO). Im Rahmen der Regelungen zur Telekommunikationsüberwachung liefert es keine Rechtsgrundlage für die Online-Durchsuchung. Wie weit die Befugnisse der Europäischen Staatsanwaltschaft hier gehen sollten, müsste deshalb eindeutig definiert sein. Um Rechtsklarheit zu schaffen, könnte es sich anbieten, den Begriff der Telekommunikation auf jene Situationen zu beschränken, in denen tatsächlich ein Element

---

[555] So auch Vorschlag Europäische Staatsanwaltschaft, Art. 26 Abs. 1 e–g.

[556] Entschließung des Rates vom 17. Januar 1995 über die rechtmäßige Überwachung des Fernmeldeverkehrs, ABl. 1996/C329/1.

[557] Glossar zur Entschließung des Rates vom 17. Januar 1995 über die rechtmäßige Überwachung des Fernmeldeverkehrs, ABl. 1996/C329/6.

[558] Glossar zur Entschließung des Rates vom 17. Januar 1995 über die rechtmäßige Überwachung des Fernmeldeverkehrs, ABl. 1996/C329/5.

[559] Vgl. zur Online-Durchsuchung SK-StPO-*Wolter,* § 100a Rn. 31.

der Kommunikation, des Sich-Verständigens, vorliegt. Für Maßnahmen, die nicht direkt die Telekommunikation betreffen, müssten eigene Rechtsgrundlagen geschaffen werden.

Die Voraussetzungen für die Anordnung einer Telekommunikationsüberwachung sind in den Mitgliedstaaten sehr unterschiedlich. So muss in Spanien nur vermutet werden, dass damit der Nachweis einer für ein Verfahren wichtigen Tatsache erbracht wird.[560] Das Vorliegen einer bestimmten Straftat oder eines drohenden Strafmaßes wird nicht verlangt. In Frankreich muss es sich um eine Straftat handeln, bei der mindestens zwei Jahre Freiheitsstrafe zu erwarten sind[561] und in Deutschland darf eine Telekommunikationsüberwachung nur angeordnet werden, wenn der Verdacht einer Straftat aus dem Katalog des § 100a Abs. 2 StPO vorliegt. Unter welchen Voraussetzungen die europäische Einrichtung befugt sein soll eine Telekommunikationsüberwachung vorzunehmen, müsste klar geregelt werden. Denkbar wäre, dass sie nur für jene Straftaten zulässig ist, für die in den europäischen Straftatbeständen ein bestimmtes Strafmaß vorgesehen ist. Da der Zuständigkeitsbereich der Europäischen Staatsanwaltschaft auf dem Gebiet der Finanzstraftaten als abschließend zu sehen ist,[562] könnte auch direkt eine Festschreibung derjenigen Straftaten erfolgen, bei denen eine Telekommunikationsüberwachung zulässig ist, wobei auch dabei eine Orientierung am jeweiligen Strafmaß möglich wäre.

Eine eindeutige Regelung ist insbesondere auch deshalb erforderlich, weil durch eine Telekommunikationsüberwachung in das Recht des Betroffenen auf Achtung des Privat- und Familienlebens (Art. 7 GRC/Art. 8 EMRK) und auf die Freiheit der Meinungsäußerung (Art. 11 GRC/Art. 10 EMRK) eingegriffen werden könnte. Ein solcher Eingriff ist nur zulässig, wenn eine gesetzliche Grundlage hierfür existiert (Art. 8 Abs. 2 EMRK und Art. 10 Abs. 2 EMRK, Art. 52 Abs. 1 Satz 1 GRC). Diese muss in besonderem Maße konkret sein. Der Bürger muss daraus entnehmen können, unter welchen Voraussetzungen eine solche Maßnahme gegen ihn getroffen werden kann. Des Weiteren muss gesetzlich festgelegt sein, inwieweit den Behörden ein Ermessensspielraum zukommt.[563] In seiner Rechtsprechung stellt der EGMR konkrete Anforderung an ein die Rechte aus Art. 8 EMRK einschränkendes Gesetz zur Telekommunikationsüberwachung. Dieses Gesetz muss festlegen, gegen wen und unter welchen Voraussetzungen die Abhörmaßnahmen ergriffen werden können. Ebenso muss geregelt werden, zum Schutz welcher Rechtsgüter, bei welchen Straftaten, mit welchen Mitteln und nach welchem Verfahren die Maßnahme durchgeführt werden kann.[564] Zudem darf sich die Genehmigung einer Abhörmaß-

---

560 *Kühne,* § 75 Rn. 1400; vgl. Art. 579 Ley de Enjuiciamiento Criminal.

561 *Kühne,* § 72 Rn. 1246.

562 Vgl. Teil 4, II.G.

563 *Meyer-Ladewig,* Art. 8 Rn. 35.

564 *Meyer-Ladewig,* Art. 8 Rn. 36.

nahme nur über eine bestimmte Dauer erstrecken und es müssen Regelungen darüber getroffen werden, wann Abhörprotokolle zu vernichten sind.[565]

dd) Untersuchungshaft

Nach dem Konzept dieser Arbeit würden der Europäischen Staatsanwaltschaft Ermittlungsbefugnisse übertragen. Es wäre dann aber nicht konsequent, ihr das Recht zu versagen, Untersuchungshaft für eine Person zu beantragen, die sich im Rahmen ihrer Ermittlungen als tatverdächtig herausgestellt hat. Eine mögliche Flucht des Verdächtigen könnte die Arbeit der Staatsanwaltschaft zunichtemachen. Um die Durchführung eines geordneten Strafverfahrens zu gewährleisten und die spätere Strafvollstreckung sicherzustellen (§ 112 StPO),[566] sollte ihr die Kompetenz zur Beantragung der Untersuchungshaft zuteilwerden.

Wann eine solche durch den Richter angeordnet werden kann, sollte ebenfalls auf europäischer Ebene festgelegt werden. Vorgaben für diese Regelung ergeben sich direkt aus Art. 5 Abs. 1 lit. c, Abs. 3 und 4 EMRK (Art. 6 GRC). Demnach muss die Haft die Vorführung vor die zuständige Gerichtsbehörde bezwecken (Art. 5 Abs. 1 lit. c EMRK). Zusätzlich muss entweder ein hinreichender Verdacht bestehen, dass die betreffende Person eine Straftat begangen hat oder aber begründeter Anlass zu der Annahme bestehen, dass es notwendig ist, sie an der Begehung einer Straftat oder an der Flucht nach Begehung einer solchen zu hindern (Art. 5 Abs. 1 lit. c EMRK).

Nicht zwingend vorgesehen ist eine vorherige richterliche Anordnung. Nur eine unverzügliche Entscheidung über die Rechtmäßigkeit der Festnahme (Art. 5 Abs. 3, 4 EMRK) ist erforderlich. Allerdings bedeutet Untersuchungshaft für den Betroffenen einen massiven Eingriff in sein Recht auf Freiheit (Art. 6 GRC/Art. 5 EMRK). Darüber hinaus können durch die Untersuchungshaft weitere Grundrechte, wie beispielsweise das Recht auf Achtung des Familienlebens (Art. 7 GRC/Art. 8 EMRK) oder die Berufsausübungsfreiheit (Art. 15 GRC) tangiert werden. Mit dem „Absitzen" von Untersuchungshaft geht für den Betroffenen zudem häufig eine Stigmatisierung einher, die seine soziale Rehabilitierung, selbst für den Fall, dass er unschuldig ist, schwer bis unmöglich macht.[567] Aufgrund des massiven Grundrechtseingriffs und der möglichen Folgen, die sich für den Betroffenen ergeben können, sollte Untersuchungshaft grundsätzlich eine vorherige richterliche Anordnung voraussetzen.[568] Neben dieser richterlich angeordneten Freiheits-

---

565 *Meyer-Ladewig,* Art. 8 Rn. 35.

566 Radtke/Hohmann-*Tsambikakis,* § 112 Rn. 3.

567 Radtke/Hohmann-*Tsambikakis,* § 112 Rn. 2.

568 Ausnahmen hiervon sind im Rahmen der Notkompetenzen möglich. Vgl. oben 2.e).

beschränkung[569] könnte zudem in Erwägung gezogen werden, der Europäischen Staatsanwaltschaft explizit ein Recht zur vorläufigen Festnahme (vgl. § 127 Abs. 1 StPO) einzuräumen. Gleichzeitig sollte sie die Möglichkeit haben, um die Ausstellung eines Europäischen Haftbefehls zu ersuchen[570] und dadurch die Anerkennung und Vollstreckung der Entscheidung in den Mitgliedstaaten zu vereinfachen.

c) Ergebnis

Um die Effizienz der Arbeit der neuen Behörde zu gewährleisten, sollten die oben beschriebenen Kompetenzen durch Verordnung auf diese übertragen werden. Die vorliegende Darstellung beschränkt sich lediglich auf die Kernbefugnisse, die der Europäischen Staatsanwaltschaft zukommen sollten. Darüber hinaus könnte es möglicherweise sinnvoll sein, wenn sie auf besondere Maßnahmen wie verdeckte Ermittlungen oder kontrollierte Lieferungen oder zollspezifische Befugnisse zurückgreifen könnte.[571] Die genaue Ausgestaltung der Befugnisse kann letztlich nur auf einem Kompromiss zwischen allen Mitgliedstaaten beruhen, der eine detaillierte Analyse der jeweiligen Befugnisse und Voraussetzungen (beispielsweise das Vorliegen eines bestimmten Verdachtsgrads oder von Fluchtgefahr) in den Mitgliedstaaten voraussetzt. Darüber hinaus muss sichergestellt werden, dass die Anforderungen, die sich aus der EMRK und der Rechtsprechung des EGMR bzw. der GRC ergeben, ausdrücklich in die Verordnung aufgenommen werden.

d) Richterliche Mitwirkung

Nachträglicher Rechtsschutz kann bereits bewirkte Grundrechtsbeeinträchtigungen meist nicht oder nur unvollkommen beseitigen. Zwar sehen weder die EMRK noch die GRC für bestimmte Grundrechtseingriffe einen Richtervorbehalt vor, jedoch ergibt sich aus der Rechtsprechung des EGMR, dass strafprozessuale Ermittlungsmaßnahmen als Grundrechtseingriffe nur gerechtfertigt werden können, wenn die gesetzlichen Grundlagen effektive und angemessene verfahrensrechtliche Sicherungen gegen einen Missbrauch dieser Befugnisse vorsehen.[572] Eine solche Vorkehrung stellt der Richtervorbehalt dar.[573] Um präventiven Rechtsschutz zu gewährleisten, müsste für jene Ermittlungsbefugnisse, die in die Grundrechte des

---

[569] Vgl. auch Art. 20 Abs. 3 lit. g CJ/CJ 2000; so jetzt auch Vorschlag Europäische Staatsanwaltschaft, Art. 26 Abs. 7.

[570] Vgl. zum Europäischen Haftbefehl Teil 2, II.B.3.a).

[571] Vgl. EU-Kommission, Grünbuch finanzielle Interessen, S. 54.

[572] EGMR, Urt. v. 25.2.1993, Application no. 10828/84, *Funke ./.Frankreich*, Rn. 56; Urt. v. 16.4.2002, Application no. 37971/97, *Société Colas Est. u.a. ./. Frankreich*, Rn. 49; Urt. v. 28.4.2005, Application no. 41604/98, *Buck ./. Deutschland*, Rn. 45.

[573] *Böse,* RW 2012, 176 m.w.N.

Betroffenen eingreifen, eine vorherige richterliche Überprüfung der Maßnahme vorgesehen werden.[574]

Oben wurde bereits festgestellt, dass dies staatsanwaltschaftliche Durchsuchungen, Beschlagnahmen und Telekommunikationsüberwachungen betrifft. Ebenso sollte die Untersuchungshaft zwar von der europäischen Institution beantragt werden können, die Anordnungsbefugnis müsste jedoch allein dem Richter vorbehalten bleiben. Sollten die Ermittlungsbefugnisse der Europäischen Staatsanwaltschaft über die hier beschriebenen hinausgehen, müsste auch für diese überprüft und festgelegt werden, ob sie einer richterlichen Genehmigung bedürfen.

Art. 86 Abs. 3 AEUV bestimmt, dass in der Verordnung zur Errichtung der Europäischen Staatsanwaltschaft Regelungen zur gerichtlichen Kontrolle der von der Staatsanwaltschaft vorgenommenen Prozesshandlungen festgelegt werden müssen. Der Begriff „Prozesshandlungen" könnte dafür sprechen, eine gerichtliche Kontrolle erst für jene Handlungen vorzusehen, die die Behörde während eines Gerichtsprozesses vornimmt, da die einem Gerichtsverfahren vorgelagerten Ermittlungsmaßnahmen üblicherweise nicht als Prozesshandlungen verstanden werden.[575] Die Reichweite dieser Regelung wäre folglich sehr eingeschränkt. Dafür, den Begriff weiter auszulegen, spricht ein Vergleich mit anderen Sprachfassungen des AEUV. Denn sowohl in der englischen als auch in der französischen Version des AEUV wird der gleiche Begriff verwendet wie bereits im Grünbuch (*procedural measures* bzw. *actes de procédure*). Dieser Begriff wird in der deutschen Fassung des Grünbuchs mit „Verfahrenshandlungen", im AEUV mit „Prozesshandlungen" übersetzt. Im Gegensatz zu „Prozesshandlung" (AEUV) umfasst „Verfahrenshandlungen" alle Handlungen, die im Rahmen eines Verfahrens vorgenommen werden. Es ist nicht anzunehmen, dass die Mitgliedstaaten bei der Errichtung einer europäischen Behörde, deren Handlungen mit Eingriffen in ihre Souveränitätsrechte verbunden sein wird, eine weitgehende Unkontrollierbarkeit dieser Handlungen statuieren wollten. Zudem wäre eine rechtmäßige Errichtung der Europäischen Staatsanwaltschaft nach Art. 86 AEUV, insbesondere im Hinblick auf die Wahrung der Grundrechte des Betroffenen, von vornherein nur schwerlich möglich, wenn die gerichtliche Kontrolle auf „Prozesshandlungen" beschränkt wäre. Es ist deshalb davon auszugehen, dass der Begriff der *procedural measures* bzw. *actes de procédure* in diesem Zusammenhang im deutschen mit „Verfahrenshandlungen" zu übersetzen ist.[576] Damit wären von der Norm des Art. 86 Abs. 3 AEUV auch Ermittlungsmaßnahmen umfasst. In der Verordnung zur Errichtung der Europäischen Staatsanwaltschaft müsste deshalb eine Regelung dazu getroffen werden, wer die richterliche Kontrolle der Einrichtung, und zwar bereits vor Beginn des Haupt-

574 So auch *Böse,* RW 2012, 177.

575 *Diehm,* FS für Paulus, S. 48.

576 Vgl. auch *Böse*, RW 2012, 189.

verfahrens, wahrnehmen kann. Denkbar scheint sowohl eine Kontrolle durch nationale Richter[577] als auch durch einen europäischen Richter.[578]

aa) Nationaler Richter

Die richterliche Kontrolle der Maßnahmen im Ermittlungsverfahren könnte durch nationale Richter wahrgenommen werden.[579] Hier sind drei Varianten denkbar.[580] Zum einen könnte man immer eine Zuständigkeit des Richters annehmen, der nach den nationalen Regelungen örtlich zuständig ist für die Genehmigung einer Zwangsmaßnahme. Dies könnte dazu führen, dass auch bei Ermittlungen in ein und demselben Mitgliedstaat verschiedene nationale Richter zuständig wären. Eine andere Möglichkeit wäre, eine Konzentrationszuständigkeit eines einzigen nationalen Richters zu schaffen.[581] Es könnte statuiert werden, dass der Richter, der für die Genehmigung der ersten Zwangsmaßnahme örtlich zuständig war, auch für die Genehmigung aller weiteren zuständig sein soll. Als letzte Variante könnte ein sogenannter Freiheitsrichter eingesetzt werden, der grundsätzlich für die Genehmigung aller Zwangsmaßnahmen zuständig ist (Art. 25 CJ/Art. 25*bis* CJ 2000). Ähnlich der Regelung des § 162 Abs. 1 Satz 2 StPO könnte hier festgelegt werden, dass die Europäische Staatsanwaltschaft alle Zwangsmaßnahmen bei dem Gericht beantragt, an dem der abgeordnete Europäische Staatsanwalt seinen Sitz hat (Art. 25 CJ/ Art. 25*bis* CJ 2000).

Die erste vorgestellte Möglichkeit der Kontrolle durch den jeweils zuständigen nationalen Richter erscheint aus Gründen der Prozessökonomie nicht sinnvoll. Denn so müssten sich mehrere Ermittlungsrichter in ein und denselben Fall einarbeiten. Dies ist umständlich und zeitaufwändig. Ein Richter, der sich bereits mit der Sache befasst hat, kennt die Sachlage und kann daher schneller Entscheidungen fällen. Darüber hinaus bestünde die Gefahr, dass trotz gleich gelagerten Sachverhalts ein Ermittlungsrichter an einem Ort eine bestimmte Maßnahme genehmigt, ein anderer an einem anderen Ort sie aber ablehnt. Solche widersprüchlichen Entscheidungen wären der zügigen Durchführung eines Ermittlungsverfahrens und der Rechtssicherheit abträglich.

Die Vereinfachung und Beschleunigung von Verfahren, in denen mehrere Untersuchungshandlungen vorzunehmen sind, waren letztlich auch die Gründe, weshalb der deutsche Gesetzgeber durch die Neufassung des § 162 Abs. 1 StPO eine Kon-

---

[577] Vgl. Art. 25 CJ/Art. 25*bis* CJ 2000.

[578] Vgl. EU-Kommission, Grünbuch finanzielle Interessen, S. 67.

[579] So der Vorschlag Europäische Staatsanwaltschaft, Art. 36, der allerdings wohl davon ausgeht, dass ein Rückgriff auf nationale Ermittlungsmaßnahmen erfolgt.

[580] Vgl. zu verschiedenen Möglichkeiten auch EU-Kommission, Grünbuch finanzielle Interessen, S. 67.

[581] Deutscher Richterbund, DRB Stellungnahme Grünbuch, S. 13.

zentrationszuständigkeit des Ermittlungsrichters geschaffen hat.[582] Folglich könnte sich die Lösung, nach welcher der Richter, der für die Genehmigung der ersten Zwangsmaßnahme zuständig war, für das weitere Verfahren zuständig bleibt, als zweckmäßig erweisen. Die vorstehend genannten Schwierigkeiten könnten so vermieden werden. Dennoch wäre auch diese Lösung nicht ideal. Die Fälle, die die Europäische Staatsanwaltschaft verfolgen wird, werden häufig sehr komplex sein. Komplexität kann sich aus grenzüberschreitenden Elementen ebenso ergeben wie aus schwierigen wirtschaftlichen Fragen, die sich in den Ermittlungen stellen. Ein Richter, der sich noch nie mit solchen Fragestellungen befasst hat, könnte deswegen möglicherweise sehr lange für eine Entscheidung brauchen oder sogar wegen fehlenden Sachverständnisses falsche Entscheidungen treffen. Deshalb wäre auch diese Variante nicht geeignet eine angemessene richterliche Kontrolle zu gewährleisten.

Es böte sich deshalb an, die richterliche Kontrolle einem spezialisierten Richter zu übertragen. Dafür könnte in jedem Mitgliedstaat ein Freiheitsrichter (je nach Bedarf auch mehrere) benannt werden.[583] Allein diesem Richter würde es dann obliegen, die Verfahrenshandlungen der Europäischen Staatsanwaltschaft in seinem Mitgliedstaat zu kontrollieren. Durch diese Lösung könnten die Probleme, die sich aus der ersten und der zweiten Variante ergeben, vermieden werden.

Fraglich ist jedoch, ob es grundsätzlich überhaupt sinnvoll ist, die Kontrolle der europäischen Einrichtung einem nationalen Richter zu übertragen. Dagegen wurde angeführt, die Verhältnismäßigkeit einer Maßnahme könne sich auch daraus ergeben, ob das Ermittlungsergebnis durch eine mildere Maßnahme in einem anderen Land erreicht werden könnte.[584] Eine effektive Kontrolle könne nur erreicht werden, wenn der nationale Richter die Strafprozessordnungen aller Mitgliedstaaten kennen würde.[585] Wenn jedoch, wie hier vorgeschlagen, einheitliche Ermittlungsbefugnisse geschaffen würden, wüsste der nationale Richter, welche Befugnisse der Behörde unter welchen Voraussetzungen zukommen. Er könnte somit sehr wohl beurteilen, ob eine mildere Maßnahme in einem anderen Mitgliedstaat durchzuführen wäre.

Auch der Einwand, der nationale Richter sei auf das Material angewiesen, das die Europäische Staatsanwaltschaft ihm präsentiert,[586] vermag als Argument gegen die Ansiedlung der Kontrolle beim nationalen Richter und für die Ansiedlung bei einer europäischen Einrichtung nicht zu überzeugen. Denn auch eine europäische Institution wäre, insofern man ihr allein die Kontrolle der Handlungen der Europäi-

---

582 *Harms,* NStZ 2009, 465.

583 Vgl. Art. 25 CJ/Art. 25*bis* CJ 2000.

584 *Buss,* S. 168.

585 *Buss,* S. 168.

586 *Biehler/Gleß/Parra/Zeitler,* S. 49; *Buss,* S. 168.

schen Staatsanwaltschaft überträgt, ohne ihr eigenständige Ermittlungskompetenzen zuzugestehen, auf das Material angewiesen, das ihr von der Staatsanwaltschaft vorgelegt wird.

Gleichwohl könnten Argumente gegen die Einrichtung der Kontrolle beim nationalen Richter und für eine Kontrolle durch eine europäische Institution sprechen. Insoweit ist relevant, dass die Errichtung einer europäischen Strafverfolgungsbehörde unter anderem auf der Erwägung beruht, dass die nationale Justiz teilweise unfähig oder unwillig ist, Straftaten zum Nachteil der finanziellen Interessen effektiv zu verfolgen. Dadurch, dass ein nationaler Richter über die Handlungen der Europäischen Staatsanwaltschaft entscheiden müsste, könnte sich dieses Problem erneut stellen.[587]

Auch wären die Voraussetzungen für die Genehmigung einer Ermittlungsmaßnahme, ebenso wie die Ermittlungsbefugnisse selbst, zwar auf europäischer Ebene geregelt, die Wahrscheinlichkeit, dass die nationalen Richter diese Regelungen unterschiedlich auslegen und anwenden, ist jedoch sehr groß. Dies würde dazu führen, dass trotz einheitlicher Regelungen verschiedene Anforderungen an die Genehmigung einer solchen Maßnahme gestellt würden. Zwar könnte, um dem entgegenzuwirken und eine Vereinheitlichung zu erreichen, vorgesehen werden, dass der EuGH als letzte Instanz über strittige Fragen entscheidet, problematisch hierbei wäre jedoch, dass die durchschnittliche Verfahrensdauer vor dem EuGH über ein Jahr beträgt.[588] Während dies bei der Frage zur Auslegung einer Verordnung grundsätzlich noch akzeptabel erscheint, könnte dies bei Auslegungsfragen über die Verordnung zur Europäischen Staatsanwaltschaft zu großen Schwierigkeiten führen. Als operativ arbeitende Institution ist die Strafverfolgungsbehörde darauf angewiesen, dass ihre Ermittlungsbefugnisse und die Voraussetzungen zu deren Wahrnehmung klar abgesteckt sind. Eine über ein Jahr andauernde Unsicherheit darüber, welche Interpretation der Verordnung die richtige ist, könnte die Arbeit der Einrichtung erheblich beeinträchtigen.

Unterschiedliche Auslegungen der Verordnung könnten verhindert werden, wenn die Kontrolle der Tätigkeit der Europäischen Staatsanwaltschaft nicht durch einen nationalen Richter, sondern durch eine einzige europäische Instanz erfolgen würde. Zwar könnte auch dadurch nicht verhindert werden, dass die Interpretation und Anwendung der Verordnung eine Entscheidung durch den EuGH notwendig machen könnte, durch eine einheitliche Auslegung könnte aber zumindest erreicht werden, dass nicht viele verschiedene Entscheidungen der Mitgliedstaaten zur Befassung des EuGH führen und somit viele Einzelfragen anhängig wären. Denn es müsste jeweils nur die „Linie" der europäischen Instanz überprüft werden. Dadurch

---

[587] *Böse*, RW 2012, 180.

[588] Gerichtshof der Europäischen Union, Pressemitteilung Nr. 13/11, S. 1.

könnte die Zahl der Fälle, in denen Unsicherheiten hinsichtlich der Auslegung bestehen, bedeutend minimiert werden.

Für die Tätigkeit der Behörde ist eine einheitliche Auslegung der Verordnung sehr wichtig, da die Rechtmäßigkeit ihrer Handlungen durch unterschiedliche und möglicherweise falsche Auslegungen gefährdet wäre. Dies wäre zunächst nachteilig für den Betroffenen, der rechtswidrige Eingriffe in seine Rechtssphäre erleiden könnte. Es würde sich aber auch zulasten der Arbeit der Europäischen Staatsanwaltschaft auswirken, wenn aufgrund der Rechtswidrigkeit der Durchführung einer Maßnahme möglicherweise wichtige Beweismittel vor Gericht nicht verwertet werden könnten.[589]

Ein weiteres Argument, das gegen die Prüfung durch einen nationalen Richter spricht, ist der Rechtsschutz. Ermittelt die Strafverfolgungsbehörde in mehreren Mitgliedstaaten, kann sie aufgrund ihrer Ermittlungsbefugnisse in all diesen Mitgliedstaaten Maßnahmen beantragen und durchführen, die der richterlichen Genehmigung bedürfen. Um gegen die Durchführung vorzugehen, müsste der Betroffene, der nicht notwendigerweise auch Beschuldigter sein müsste,[590] in allen Mitgliedstaaten um Rechtsschutz ersuchen. Damit wären viele Schwierigkeiten verbunden und der Betroffene müsste in jedem Mitgliedstaat einen Anwalt suchen, was sehr kostenintensiv wäre.

Zudem könnten Sprachprobleme auftreten, die allein durch die Einschaltung eines Anwalts nicht gelöst wären. Denn dieser beherrscht unter Umständen die Sprache des Betroffenen nicht und würde die relevanten Dokumente nicht übersetzen. Durch notwendige Übersetzungen könnte das Verfahren zudem sehr langwierig werden.

Der Betroffene sähe sich dadurch einer europäischen Organisation gegenüber, gegen deren Handlungen er sich nur mit großen Schwierigkeiten wehren könnte. Das Prinzip der Waffengleichheit, das Teil des Rechts auf ein faires Verfahren (Art. 47 Abs. 3 GRC/Art. 6 Abs. 1 EMRK) ist,[591] könnte so schwerlich als gewahrt angesehen werden. Ein Verweis darauf, dass der Betroffene diese Situation selbst verschuldet habe, dadurch, dass er in unterschiedlichen Mitgliedstaaten tätig war, ist hier nicht angemessen. Zunächst muss der von einer Untersuchung Betroffene nicht zwingend auch Beschuldigter einer Straftat sein.[592] Zudem kann ihm nicht zum Nachteil gereichen, dass er von den innerhalb der Union geltenden Freiheiten Gebrauch gemacht hat. Schließlich besteht bei jedem Ermittlungsverfahren auch die Möglichkeit, dass der von der Ermittlung Betroffene unschuldig ist.[593]

---

589 Vgl. unten E.1.b).

590 Vgl. oben 1.a)cc) und 2.b)aa).

591 *Meyer-Ladewig,* Art. 6 Rn. 112ff.

592 Vgl. oben 2.b)aa).

593 Vgl. *Biehler/Gleß/Parra/Zeitler,* S. 32.

bb) Europäisches Vorverfahrensgericht

Aufgrund der obenstehenden Erwägungen sollte die Kontrolle der Handlungen der Europäischen Staatsanwaltschaft nicht nationalen Richtern, sondern einer europäischen Instanz übertragen werden.[594] Die Kontrolle durch einen nationalen Richter würde zu Schwierigkeiten und Nachteilen für den Betroffenen führen. Eine Lösung auf europäischer Ebene könnte diese Probleme vermeiden und wäre folglich besser geeignet. Nach dem Vorschlag dieser Arbeit werden für die Europäische Staatanwaltschaft europäische Ermittlungsbefugnisse statuiert.[595] Die europäische Einrichtung würde somit nicht nationale Regelungen, sondern europäische Regeln kontrollieren. Die Errichtung eines solchen Gerichts hätte auch deshalb ihre Berechtigung.

Keines der zurzeit bestehenden europäischen Gerichte wäre seiner Aufgabenzuweisung nach berechtigt, eine Genehmigung von Zwangsmaßnahmen auszusprechen. Denkbar wäre es allerdings, die Kontrolle europäischen Ermittlungsrichtern zu übertragen, die bei einem sogenannten Europäischen Vorverfahrensgericht angesiedelt wären.[596] Als Rechtsgrundlage hierfür könnte Art. 257 Abs. 1 AEUV dienen. Demnach ist die Errichtung von Fachgerichten möglich, die dann für Entscheidungen über Klagen im ersten Rechtszug zuständig sein sollen. Bereits diese Zuständigkeitszuweisung schließt die Errichtung einer europäischen Kontrollinstanz für das Ermittlungsverfahren der Europäischen Staatsanwaltschaft nach Art. 257 Abs. 1 AEUV aus. Denn Aufgabe des Europäischen Vorverfahrensgerichts soll die Überprüfung der Ermittlungshandlungen der Europäischen Staatsanwaltschaft sein. Diese finden jedoch notwendigerweise statt, bevor es zum Gerichtsverfahren in erster Instanz kommt.

Überdies kann ein Fachgericht nur geschaffen werden, wenn grundsätzlich die Zuständigkeit des Europäischen Gerichtshofs gegeben ist.[597] Dessen Auftrag ist es, das Recht bei der Auslegung und Anwendung der Verträge zu wahren (Art. 19 Abs. 1 Satz 2 EUV). Um dieser Aufgabe nachzukommen, kann er in den von den Verträgen vorgesehenen Fällen entscheiden (Art. 19 Abs. 3 EUV). Eine Kompetenz des EuGH zur Entscheidung in jenen Fällen, in denen das Vorverfahrensgericht tätig sein sollte, gewähren die Verträge nicht.

Zudem spricht die Tatsache, dass das Fachgericht für die Entscheidung über *Klagen* zuständig sein soll, gegen eine Errichtung aufgrund von Art. 257 Abs. 1 AEUV. Aufgabe des Europäischen Vorverfahrensgerichts wäre nicht die Entschei-

---

594 So auch Schwarze-*Böse,* Art. 86 Rn. 10.

595 Vgl. jetzt auch Vorschlag Europäische Staatsanwaltschaft, Art. 26.

596 EU-Kommission, Grünbuch finanzielle Interessen, S. 67.

597 *Böse,* RW 2012, 183.

dung über Klagen, sondern die richterliche Kontrolle der Ermittlungshandlungen der Europäischen Staatsanwaltschaft.[598]

Möglicherweise ließe sich die Schaffung eines solchen Gerichts auf Art. 86 Abs. 3 AEUV stützen. Danach sollen in der Verordnung zur Errichtung der Europäischen Staatsanwaltschaft Regelungen zur gerichtlichen Kontrolle der Verfahrenshandlungen[599] getroffen werden. Der Begriff der gerichtlichen Kontrolle wird nicht weiter konkretisiert. Jedoch wird anders als hinsichtlich der Frage der Anklageerhebung hier keine Beschränkung dahingehend getroffen, dass diese Kontrolle zwingend von mitgliedstaatlichen Richtern ausgeübt werden müsste. Somit lässt der Wortlaut auch eine europäisch geregelte gerichtliche Kontrolle zu.[600] Wie bereits dargelegt[601] wäre von Art. 86 Abs. 3 AEUV nicht nur die Kontrolle von Prozesshandlungen, die vor den nationalen Gerichten vorgenommen werden, umfasst. Vielmehr unterfielen auch Ermittlungsmaßnahmen, die nach dem Konzept dieser Arbeit auf europäischer Ebene genehmigt werden sollen, dieser Kontrolle.[602] Auch Sinn und Zweck der Norm, die eine angemessene Kontrolle der Europäischen Staatsanwaltschaft bezweckt, sprechen für eine solche Auslegung. Bei einer Kontrolle durch den nationalen Richter könnten die oben[603] erläuterten Probleme auftreten und die Schutzwirkung der richterlichen Kontrolle schmälern.

Die Errichtung einer europäischen Kontrollinstanz in Form eines Europäischen Vorverfahrensgerichts über Art. 86 Abs. 3 AEUV wäre jedoch dann ausgeschlossen, wenn die vertraglichen Grundlagen über die Unionsgerichte und ihre Zuständigkeiten als abschließende Regelungen zu verstehen wären, sodass sie die Gründung einer zusätzlichen Rechtsschutzinstanz ausschließen.[604] Hiergegen spricht jedoch die rechtstatsächliche Entwicklung im Bereich der Unionsagenturen, für die ebenfalls eigenständige Rechtsschutzmechanismen außerhalb der im Primärrecht vorgesehenen Bestimmungen geschaffen wurden.[605] Beispiele hierfür sind die innerhalb von Europol[606] und Eurojust[607] angesiedelten „gemeinsame[n] Kontrollinstanz[en]", die den Betroffenen Rechtsschutz gewähren, indem sie über die Beschwerden gegen die Verarbeitung personenbezogener Daten entscheiden. Allerdings wird dadurch kein einem gerichtlichen Rechtsschutz vergleichbarer Schutz gewährleistet. Anders stellt sich die Situation bei verwaltungsinternen Rechts-

598 Anders wohl Schwarze-*Böse,* Art. 86 Rn. 10.

599 Zu den Begriffen der Verfahrens- und Prozesshandlungen vgl. oben d).

600 So auch *Böse,* RW 2012, 190.

601 Vgl. oben d).

602 So wohl auch Schwarze-*Böse,* Art. 86 Rn. 10.

603 Oben aa).

604 *Böse,* RW 2012, 191, 193.

605 *Böse,* RW 2012, 193.

606 Art. 32 Europol-Beschluss.

607 Art. 23 Abs. 7 und 8 Eurojust-Beschluss.

schutzmechanismen anderer Agenturen dar, deren Beschwerde- bzw. Widerspruchskammern[608] in puncto Unabhängigkeit, Weisungsfreiheit und Unparteilichkeit den Anforderungen an ein Gericht genügen.[609] Diese Beispiele zeigen, dass durch den Unionsgesetzgeber bereits Rechtsschutzinstanzen außerhalb des Systems des Europäischen Gerichtshofs geschaffen wurden, und somit nicht von einer diesbezüglichen Monopolstellung des Gerichtshofs ausgegangen werden kann.[610]

Gemeinsam ist diesen Rechtsschutzinstanzen, dass sie nicht beim Europäischen Gerichtshof, sondern bei der jeweiligen Unionsagentur angesiedelt sind. Dies müsste auch für die Errichtung einer europäischen Rechtsschutzinstanz, die die Prozesshandlungen der Europäischen Staatsanwaltschaft kontrolliert, vorgesehen werden. Denn hinsichtlich der Schaffung von Rechtsschutzinstanzen beim Europäischen Gerichtshof sind die im Primärrecht vorgesehenen Regelungen abschließend. Sie lassen keinen Raum für die Ansiedlung einer Kontrollinstanz für eine europäische Strafverfolgungsbehörde. Da effektiver Rechtsschutz nur gewährleistet werden kann, wenn der Richter eine freie Entscheidung treffen kann, müsste jedoch zugleich garantiert sein, dass er gegenüber dem Europäischen Staatsanwalt ohne jedwede Einschränkung unabhängig und weisungsfrei entscheiden kann.[611]

Gegen die Errichtung eines Europäischen Vorverfahrensgerichts spricht auch nicht Art. 276 AEUV, nach dem der Europäische Gerichtshof nicht über die Verhältnismäßigkeit der Handlungen mitgliedstaatlicher Strafverfolgungsbehörden entscheidet. Zum einen würde es sich bei der Europäischen Staatsanwaltschaft gerade nicht um eine mitgliedstaatliche, sondern um eine europäische Strafverfolgungsbehörde handeln, zum anderen wäre das Europäische Vorverfahrensgericht nicht Teil des als Europäischer Gerichtshof bezeichneten Gerichtssystems, sodass diese Norm keine Anwendung finden würde.

Die Errichtung eines Europäischen Vorverfahrensgerichts widerspräche auch nicht der Tatsache, dass Art. 86 AEUV nicht zur Schaffung eines europäischen Strafgerichts ermächtigt.[612] Denn Aufgabe des Europäischen Vorverfahrensgerichts wäre nicht, über die Strafbarkeit eines Beschuldigten zu urteilen und strafrechtliche Sanktionen auszusprechen, vielmehr wäre es Aufgabe der dort angesiedelten europäischen Ermittlungsrichter, zu überprüfen, ob die supranational festgelegten Voraussetzungen zur Durchführung und Genehmigung einer Ermittlungsmaßnahme vorliegen. Die strafrechtliche Entscheidungskompetenz verbliebe weiterhin bei den nationalen Gerichten.

---

608 Beispielsweise die Widerspruchskammer der Europäischen Chemikalienagentur oder die Beschwerdekammern beim Harmonisierungsamt für den Binnenmarkt im Bereich des gemeinschaftlichen Markenrechts.

609 Vgl. *Siegel,* EuZW 2008, 141.

610 *Böse,* RW 2012, 193.

611 *Böse*, RW 2012, 194.

612 Calliess/Ruffert-*Suhr,* Art. 86 Rn. 27; Schwarze-*Böse,* Art. 86 Rn. 3.

Die Schaffung eines Europäischen Vorverfahrensgerichts könnte somit auf Art. 86 Abs. 3 AEUV gestützt werden. Da die Kontrolle durch nationale Richter, wie gezeigt, kein geeigneter Weg wäre und die Kontrolle zugleich durch eine europäische Instanz besser ausgeübt werden könnte, wäre eine Regelung zur Schaffung einer solchen Instanz sowohl geeignet eine angemessene Kontrolle zu gewährleisten als auch erforderlich. Sie stünde darum mit dem Subsidiaritäts- und dem Verhältnismäßigkeitsprinzip im Einklang.

Beim Gericht sollten mehrere *allein* entscheidungsbefugte europäische Ermittlungsrichter angesiedelt werden. Es erscheint nicht notwendig, eine Kammer einzurichten, die immer gemeinschaftlich über die Anträge der Europäischen Staatsanwaltschaft entscheidet. Denn im Rahmen der richterlichen Kontrolle ist nicht zu erwarten, dass so diffizile Entscheidungen zu treffen sind, wie beispielsweise in den Verfahren vor dem Europäischen Gerichtshof. Darüber hinaus wird es häufig darauf ankommen, dass eine Maßnahme zügig durchgeführt wird. Müsste zunächst eine mit mehreren Richtern besetzte Kammer über deren Genehmigung entscheiden, wäre das oft nicht möglich. Mithin sollte ein Einzelrichter über den Antrag der Europäischen Staatsanwaltschaft entscheiden. Hat er einmal in einem bestimmten Fall entschieden, müssten ihm auch alle weiteren Entscheidungen in diesem Fall überlassen bleiben. Dies hätte den Vorteil, dass er bereits in den Fall eingearbeitet ist und so eine schnellere und fundiertere Entscheidung treffen könnte, als seine Kollegen.

Um zu gewährleisten, dass alle Anfragen der Europäischen Staatsanwaltschaft unverzüglich bearbeitet werden können, sollte vorgesehen werden, dass mehrere Einzelrichter beim Europäischen Vorverfahrensgericht angesiedelt werden, die jeder für sich eine Genehmigung aussprechen können. Diese könnten in regelmäßigen Arbeitssitzungen ihre Entscheidungen miteinander besprechen und so eine einheitliche Rechtsprechung gewährleisten.

Für die Benennung und Amtsdauer dieser Richter könnte eine Art. 253 AEUV entsprechende Regelung getroffen werden. Neben der Prüfung der Anträge könnten dem Europäischen Vorverfahrensgericht möglicherweise weitere Aufgaben im Rahmen der Ermittlungen der Staatsanwaltschaft übertragen werden.[613]

cc) Reichweite der Genehmigung

Zu klären ist noch, welche Geltungswirkung einer von einem europäischen Ermittlungsrichter erteilten Genehmigung zukommen sollte. Nicht sachgerecht wäre, die Genehmigung nur auf den Mitgliedstaat des abgeordneten Staatsanwalts zu beziehen, der sie beantragt hat. Denn hierfür gäbe es keine Notwendigkeit. Die

---

[613] Beispielsweise die Kontrolle von Einstellungsentscheidungen als Prozesshandlung der Europäischen Staatsanwaltschaft, vgl. oben B.1.

Erteilung der Genehmigung würde anhand einheitlicher europäischer Vorgaben von einer europäischen Einrichtung überprüft, das jeweilige nationale Recht käme nicht zur Anwendung. Die erneute Beantragung einer Genehmigung bei Vorliegen desselben Sachverhalts in einem anderen Mitgliedstaat bei der gleichen europäischen Institution zu verlangen, die bereits über die Genehmigung entschieden hat, wäre reiner Formalismus.

Auch das Prinzip der gegenseitigen Anerkennung sollte vorliegend keine Anwendung finden. Zum einen hat sich gezeigt, dass sich die Mitgliedstaaten häufig Ausnahmen ausbedingen, die die Wirksamkeit dieses Prinzips infrage stellen können.[614] Zum anderen wurde das Prinzip nicht für einen solchen Fall geschaffen. Denn es würde sich nicht um eine ausländische Behörde handeln, die aufgrund ihres nationalen Rechts eine grundsätzlich nationale Genehmigung ausspricht, vielmehr wäre eine europäische Institution zuständig. Der europäische Ermittlungsrichter würde für eine Genehmigung in allen Mitgliedstaaten dieselben Voraussetzungen prüfen und wäre deshalb auch in dem Mitgliedstaat, der die Genehmigung „anerkennen" sollte, für die Entscheidung zuständig. Es würde sich also um eine europäische Entscheidung handeln. Wenn aber einheitliche europäische Maßstäbe gelten, gibt es keinen Grund, auf das Prinzip der gegenseitigen Anerkennung zurückzugreifen, das zwar grundsätzlich von einer vorbehaltlosen Vollstreckung ausgeht, aber dennoch Ausnahmen ermöglicht.

Aufgrund der obigen Erörterungen ergibt sich, dass allein eine europaweite Geltung der Genehmigung sachgerecht wäre. Danach würde sich eine von einem abgeordneten Staatsanwalt beantragte und vom europäischen Ermittlungsrichter erteilte Genehmigung auf alle anderen Mitgliedstaaten, die von den Ermittlungen betroffen sind, erstrecken. Durch eine solche Regelung könnten Verzögerungen vermieden und das Genehmigungsverfahren effizient gestaltet werden.

Auch eine Verkürzung des Rechtsschutzes wäre nicht zu befürchten. Die Genehmigung könnte sich nur auf andere Mitgliedstaaten erstrecken, wenn dort wegen der grundsätzlich gleichen Voraussetzungen und desselben Sachverhalts vorgegangen werden soll. Dies bedeutet, dass die Maßnahme grundsätzlich auch genehmigt würde, wenn sie vom dortigen abgeordneten Europäischen Staatsanwalt beantragt würde.

Ohne das Vorliegen dieser Voraussetzungen würde es sich nicht um eine *Erstreckung* der Genehmigung, sondern vielmehr um eine *Ersetzung* der erforderlichen Genehmigung handeln. Eine solche *Ersetzung* ist jedoch im Hinblick auf Rechtsschutzgesichtspunkte abzulehnen. Denn auf diese Weise könnten Ermittlungshandlungen durchgeführt werden, ohne dass die zur Genehmigung erforderlichen Voraussetzungen gegeben sein müssten. Deshalb müsste sobald und insoweit sich

---

[614] *Ligeti*, EuCLR 2011, 145; vgl. auch Teil 2, III.D.

wenn auch nur geringfügige Änderungen ergeben, eine neue Genehmigung für jeden weiteren Mitgliedstaat, in dem eine Maßnahme durchgeführt werden soll, beantragt werden. Dies wäre dann aber nicht dadurch begründet, dass es sich um einen anderen Mitgliedstaat handelt, sondern weil ein anderer Sachverhalt gegeben ist. Unter diesen Bedingungen müsste auch im selben Mitgliedstaat eine erneute Genehmigung beantragt werden.

So könnte beispielsweise eine Durchsuchungsgenehmigung, die für das Privathaus eines Beschuldigten im Mitgliedstaat X vom europäischen Ermittlungsrichter erteilt wurde, nicht auf eine Durchsuchung der Gebäude des Firmensitzes im Mitgliedstaat Y erstreckt werden. Andererseits würde sich eine von einem abgeordneten Staatsanwalt des Mitgliedstaates X beim europäischen Ermittlungsrichter beantragte und genehmigte Überwachung der Telekommunikation seines Privathandys auf die Überwachung in den Mitgliedstaaten Y und Z erstrecken.

dd) Prüfungskompetenz

Die Europäische Staatsanwaltschaft hätte als leitungsbefugte Behörde eine Stellung, die der Position der deutschen Staatsanwaltschaft vergleichbar wäre. Auch sie könnte als „Herrin" des Ermittlungsverfahrens bezeichnet werden. Hinsichtlich der von ihr beim europäischen Richter beantragten Ermittlungsmaßnahmen stellt sich die Frage, welche Konsequenzen sich daraus für die Prüfungskompetenz des europäischen Richters ergeben.

Da die europäische Einrichtung verantwortlich für die Untersuchungen zeichnet, sollte ihr auch die Beurteilung der Frage obliegen, ob eine von ihr vorgesehene Maßnahme zweckmäßig ist. Somit wäre die Prüfungskompetenz des Richters am Europäischen Vorverfahrensgericht auf die Prüfung der Rechtmäßigkeit beschränkt. Der Richter könnte mithin prüfen, ob die rechtlichen Voraussetzungen für die Durchführung einer Maßnahme vorliegen. Abgesehen von den in der jeweiligen Ermächtigungsnorm festgelegten Voraussetzungen gehört hierzu auch die Prüfung, ob die Durchführung der Maßnahme verhältnismäßig ist (Art. 25 Abs. 2 CJ/ Art. 25*bis* Abs. 2 CJ 2000), da das Verhältnismäßigkeitsprinzip in der Union als allgemeiner Rechtsgrundsatz anerkannt ist.[615] Deshalb dürften die strafprozessualen Zwangsmaßnahmen nur genehmigt werden, wenn sie den Anforderungen dieses Prinzips genügen. Die konkrete Maßnahme müsste geeignet und erforderlich sein, um das verfolgte Ziel zu erreichen. Darüber hinaus dürfte sie in ihren Auswirkungen nicht außer Verhältnis stehen.[616] Dadurch, dass die Maßnahme geeignet und erforderlich sein muss, wird keine Kompetenz des Richters zu einer eigenen Zweckmäßigkeitsprüfung geschaffen. Vielmehr dürfte die Prüfung der Erforder-

---

615 *Oppermann/Classen/Nettesheim,* § 9 Rn. 39.

616 Vgl. *Malek/Wohlers,* S. 13.

lichkeit nur insoweit erfolgen, als hiervon die Verhältnismäßigkeit einer Maßnahme abhängt.[617]

e) Notkompetenzen

Die richterliche Genehmigung der von der Europäischen Staatsanwaltschaft beantragten Maßnahmen würde prinzipiell durch einen europäischen Richter vorgenommen. Daneben könnte aber für bestimmte Fälle vorgesehen werden, dass diese Genehmigung durch die Entscheidung der Staatsanwaltschaft ersetzt werden kann. Eine solche Vorschrift könnte sich als notwendig erweisen, um den Erfolg einer Maßnahme zu gewährleisten. Um den Rechtsfrieden, der die Durchsetzung des materiellen Strafrechts verlangt, zu gewährleisten, muss der Gesetzgeber den Strafverfolgungsbehörden eine schnelle und erfolgreiche Aufgabenerfüllung ermöglichen.[618]

In manchen, vermutlich nur recht selten vorkommenden Fällen könnte der mit der Maßnahme verfolgte Zweck durch die mit der Anrufung des Richters verbundene zeitliche Verzögerung vereitelt werden. Deshalb sollte der Europäischen Staatsanwaltschaft die Befugnis übertragen werden, in einem solchen Fall eigenständig Maßnahmen anzuordnen. Da dadurch von der für den Grundrechtsschutz des Betroffenen wichtigen Kontrolle durch den Richter abgesehen wird, muss sichergestellt werden, dass dies nur unter engen Voraussetzungen möglich ist. Unbedingt zu vermeiden ist, dass dies, wie es lange Zeit in Deutschland war,[619] quasi zum Regelfall wird. Für eine ohne richterlichen Beschluss durchgeführte Zwangsmaßnahme müssen relevante und ausreichende Sicherheiten gegen Missbrauch und Willkür vorhanden sein. Die Notkompetenz sollte allein dazu dienen, zu verhindern, dass durch die zeitraubende Einholung einer richterlichen Entscheidung Beweismittel unwiederbringlich verloren gehen.[620] Ein Gebrauchmachen von der Notkompetenz außerhalb dieser Zwecksetzung dürfte nicht vorgesehen werden.

Als Voraussetzung für das Vorliegen der Notkompetenz müssten konkrete einzelfallbezogene Tatsachen vorliegen, die die Annahme rechtfertigen, dass ein Beweismittel, selbst bei auch nur telefonischer Einholung einer richterlichen Entscheidung, verloren geht.[621] Diese enge Auslegung der Notkompetenz wird im deutschen Recht für das Vorliegen von „Gefahr im Verzug" verwendet und bietet sich auch für die Regelung der Notkompetenz der Europäischen Staatsanwaltschaft an. Durch eine Eilkompetenz würde die gesetzlich vorgeschriebene Regelzuständigkeit des europäischen Richters durchbrochen. Deshalb dürfen nur enge Aus-

---

617 Vgl. SK-StPO-*Wohlers,* § 162 Rn. 44.

618 *Ostendorf/Brüning,* JuS 2001, 1066.

619 Vgl. SK-StPO-*Wohlers,* § 98 Rn. 33.

620 Vgl. SK-StPO-*Wohlers,* § 98 Rn. 33.

621 Vgl. Löwe/Rosenberg-*Schäfer,* § 98 Rn. 34.

nahmen vorgesehen werden und deren Vorliegen bedarf einer besonders sorgfältigen Prüfung.[622] Ob eine Notkompetenz vorliegt, sollte aufgrund einer objektiven Gefahrenprognose, die sich auf eine nachweisbar vorhandene konkrete Tatsachenbasis stützen muss, geprüft werden.[623] Es müsste ein Bereitschaftsdienst beim Europäischen Vorverfahrensgericht etabliert werden, der für die Strafverfolgungsbehörde immer erreichbar ist. So kann vermieden werden, dass der Richtervorbehalt außerhalb der regelmäßigen Dienstzeiten wirkungslos ist, weil dann kein Richter zu erreichen ist.

Für alle Maßnahmen, die im Rahmen einer Eilkompetenz ausgeführt wurden, sollte verpflichtend festgeschrieben werden, dass eine nachträgliche richterliche Genehmigung innerhalb einer bestimmten Frist eingeholt werden muss, um die Rechtmäßigkeit der Maßnahme zu gewährleisten.

f) Rechtsmittel

Die von der Europäischen Staatsanwaltschaft durchgeführten Maßnahmen können zu Grundrechtsbeeinträchtigungen führen. Deshalb ist in einigen Fällen eine richterliche Mitwirkung erforderlich. Darüber hinaus sollte auch der Betroffene eine Kontrolle der Maßnahme erwirken können, etwa indem er gegen die richterliche Entscheidung vorgehen kann. Denkbar wäre hier die Einführung eines Rechtsinstruments, das der im deutschen Recht vorgesehenen Beschwerde (§§ 304ff StPO) vergleichbar ist. Durch die Beschwerde kann gegen den Inhalt der richterlichen Entscheidung vorgegangen werden.[624] Sie ist ausdrücklich auf Entscheidungen des Richters im Vorverfahren anwendbar (§ 304 Abs. 1 StPO). Eingereicht werden muss die Beschwerde bei dem Gericht, das die angefochtene Entscheidung erlassen hat (§ 306 Abs. 1 StPO). Hilft dieses der Beschwerde nicht ab, entscheidet ein Beschwerdegericht (§ 306 Abs. 2 StPO).

Da vorliegend dafür plädiert wird, ein europäisches Vorverfahrensgericht zu schaffen, müsste sich der Betroffene zunächst an dieses Gericht wenden, um gegen die Genehmigung der Maßnahme vorzugehen. Am Gericht müsste zunächst der Richter, der die Maßnahme angeordnet hat, darüber entscheiden, ob er der Beschwerde abhilft. Für den Fall, dass er dies nicht tut, könnte eine gerichtliche Kammer im Europäischen Vorverfahrensgericht entscheiden. Diese könnte sich aus drei Einzelrichtern des Vorverfahrensgerichts zusammensetzen, wobei der Richter, der die ursprüngliche Entscheidung getroffen hat, nicht beteiligt werden dürfte. Diese Kammer könnte dann als Beschwerdegericht entscheiden. Entscheidet die Europäische Staatsanwaltschaft aufgrund ihrer Eilkompetenz, eine Maßnahme

---

[622] Vgl. Löwe/Rosenberg-*Schäfer,* § 105 Rn. 21.

[623] Vgl. SK-StPO-*Wohlers,* § 98 Rn. 35.

[624] SK-StPO-*Frisch,* Vor § 304 Rn. 2 [Stand: Mai 1997].

durchzuführen, könnte der Betroffene hiergegen vorgehen, indem er sich für die Überprüfung der Rechtmäßigkeit direkt an das Vorverfahrensgericht wendet.

Liegt keine direkte Belastung des Betroffenen durch die Anordnung einer Maßnahme mehr vor, könnten das Rechtsschutzinteresse und damit auch die Beschwerdebefugnis entfallen. Ein Rechtsschutzinteresse des Betroffenen ist aber auch dann anzunehmen, wenn ein tiefgreifender Eingriff in seine Grundrechte erfolgt und sich die direkte Belastung durch den angegriffenen Hoheitsakt nach typischem Verfahrensablauf auf eine Zeitspanne beschränkt, in der der Betroffene eine gerichtliche Entscheidung vom zuständigen Gericht kaum erlangen kann.[625] Auf europäischer Ebene müsste der Betroffene versuchen, über eine Nichtigkeitsklage nach Art. 263 Abs. 4 i.V.m. Abs. 1 Satz 2 AEUV gegen eine Maßnahme vorzugehen.[626] Verfahren vor dem Gerichtshof der Europäischen Union sind häufig langwierig und dauern in der Regel über ein Jahr.[627] Somit könnte der beispielsweise von einer Hausdurchsuchung Betroffene keinen rechtzeitigen Rechtsschutz erlangen. Deshalb sollte bei schwerwiegenden Grundrechtseingriffen eine nachträgliche Beschwerdemöglichkeit des Betroffenen eingeräumt werden.

Zudem könnte auch der Europäischen Staatsanwaltschaft die Möglichkeit zugestanden werden, gegen die Ablehnung eines Antrags auf Genehmigung einer Ermittlungsmaßnahme Beschwerde einzulegen (vgl. § 296 Abs. 1 StPO).[628] Es ist kein Grund dafür ersichtlich, der Behörde ein Rechtsmittel zu versagen. Mit diesem könnte sie geltend machen, dass die Entscheidung des Europäischen Vorverfahrensgerichts rechtswidrig war. Ist sie der Ansicht, der Antrag müsste aufgrund der gesetzlichen Regelungen genehmigt werden, sollte auch sie Beschwerde gegen die ablehnende Entscheidung erheben dürfen. Durch die Einräumung dieser Möglichkeit würde lediglich eine Regelung im Rahmen des europäischen Vorverfahrens getroffen. Es würde nicht in die nationalen Regelungen des Hauptverfahrens eingegriffen.[629]

3. Beweisvorschriften

Nachdem geklärt wurde, welche Ermittlungsbefugnisse der Europäischen Staatsanwaltschaft zukommen sollten, stellt sich nun die Frage, welche Regeln hinsichtlich der Beweise vorgesehen werden sollten. Die Europäische Staatsanwaltschaft wird häufig Beweise in mehreren Mitgliedstaaten sammeln. Anklage soll sie aber

---

625 Vgl. *Pfeiffer,* § 304 Rn. 1.

626 Vgl. dazu unten V.C.

627 Gerichtshof der Europäischen Union, Pressemitteilung Nr. 13/11, S. 1.

628 Vgl. zur Rolle der Europäischen Staatsanwaltschaft im Prozess unten E.

629 Vgl. zur Rechtsmittelbefugnis der Europäischen Staatsanwaltschaft im Anschluss an das Hauptverfahren: unten E.3.b).

vor einem nationalen Gericht erheben (Art. 86 Abs. 2 AEUV). Für die Durchführung der Hauptverfahren soll keine europäische Gerichtsbarkeit geschaffen werden. Das bedeutet, dass die Beweise, die die Behörde in unterschiedlichen Mitgliedstaaten erlangt hat, in ein einziges mitgliedstaatliches Verfahren transferiert werden müssen. Hinsichtlich der Verwertung dieser Beweise wird in Art. 86 AEUV keine Regelung getroffen. Zurzeit bleibt die Beweisrezeption von im Ausland gewonnenen Beweisen dem zuständigen Organ zumeist ohne klare Vorgaben überlassen.[630] Zum Teil entstehen hierbei Schwierigkeiten, die so weit gehen können, dass ein Beweismittel nicht verwertet wird.[631]

Bei Errichtung einer Europäischen Staatsanwaltschaft müssten Regelungen getroffen werden, die diese Probleme vermeiden können. Der durch die Errichtung einer europäischen Strafverfolgungsbehörde erreichte Gewinn würde erheblich gemindert, wenn die Beweise, die die Staatsanwaltschaft grenzüberschreitend gesammelt hat, in den mitgliedstaatlichen Verfahren nur schwer oder gar nicht verwertbar wären. Abgesehen davon sind Regeln über die Zulässigkeit der Beweismittel auch aufgrund von Art. 6 Abs. 2 EMRK (Art. 48 Abs. 1 GRC) erforderlich. Denn danach hat der Angeklagte so lange als unschuldig zu gelten, bis die Schuld durch das gesetzlich geregelte Verfahren nachgewiesen ist. Die strafprozessuale Sachverhaltsfeststellung wird folglich durch Art. 6 Abs. 2 EMRK an ein förmliches, gesetzlich geregeltes Verfahren gebunden. Die Beweisführung muss deshalb vorab festgelegten Regeln folgen.[632]

Art. 86 Abs. 3 AEUV statuiert, dass in der Errichtungsverordnung Regeln für die Zulässigkeit von Beweismitteln festgelegt werden sollen, nimmt jedoch keine weitere Konkretisierung vor. Dies eröffnet die Möglichkeit, verschiedene Varianten zur Regelung der Zulässigkeit in Betracht zu ziehen.

Eine große Rolle bei der Frage nach der Verwertbarkeit eines Beweismittels spielt die konkrete Beweiserhebung. Deshalb könnten im Rahmen der Verordnung nach Art. 86 Abs. 3 i.V.m. Abs. 1 AEUV Regelungen zur Beweiserhebung getroffen werden. Überlegenswert wäre ebenso eine Regelung, bei der für die Beweiserhebung auf die jeweilige lex loci, also auf das Recht des Ortes, an dem das Beweismittel belegen ist, zurückzugreifen und die Zulässigkeit der Beweismittel durch Anwendung des Prinzips der gegenseitigen Anerkennung in allen Mitgliedstaaten zu gewährleisten ist. Auch eine Lösung, bei der zur Beweiserhebung die jeweilige lex loci angewendet wird und zudem ein europäisches Beweiszulassungsverfahren geschaffen wird, das die Zulässigkeit der Beweismittel in den mitgliedstaatlichen Verfahren sicherstellen soll, erscheint möglich. Ebenso denkbar wäre es auf die Beweisverwertungssituation abzustellen und keine Beweiserhe-

---

630 *Gleß,* S. 417.

631 Vgl. Teil 2, III.F.

632 *Gleß,* S. 417.

bungsregelungen zu treffen, sondern festzulegen, wie ein Beweis beschaffen sein muss, damit er in allen mitgliedstaatlichen Gerichtsverfahren verwertet werden kann.[633]

a) Beweiserhebung nach lex fori

Eine andere Möglichkeit, eine Regelung zur Zulässigkeit der Beweismittel zu treffen, wäre, dass sich die Beweiserhebung stets nach dem am Gerichtsort geltenden Recht richtet, also eine Beweiserhebung nach lex fori durchgeführt werden muss.

Auf europäischer Ebene kann die Beweiserhebung im Rahmen von Rechtshilfeersuchen bereits nach der lex fori erfolgen. Benötigen nationale Strafverfolgungsbehörden ein Beweismittel, das in einem anderen Mitgliedstaat belegen ist, können sie diesen darum ersuchen, den Beweis für sie zu erheben. Nach Art. 4 Abs. 1 RhÜbk-EU[634] kann der ersuchende Staat darum bitten, dass die Beweiserhebung nach den Regeln seiner Rechtsordnung erfolgt. Der ersuchte Staat hat dieser Bitte grundsätzlich nachzukommen.

In Anlehnung an diese Regelung könnte statuiert werden, dass die Beweise immer nach dem Recht des Mitgliedstaates erhoben werden, in dem das Gerichtsverfahren gegen den Verdächtigen durchgeführt werden wird. Somit müssten keine Beweise in ein nationales Verfahren eingeführt werden, die nach ausländischem Recht erhoben wurden. Beweistransfer und -rezeption dürften dann für die mitgliedstaatlichen Verfahren kein Problem mehr darstellen. Es müssten nur Beweise in das Verfahren eingeführt werden, die zwar im Ausland erhoben, bei denen aber die eigenen Regeln eingehalten wurden. Nicht die Tatsache, dass Beweismittel aus dem Ausland stammen, führt bei der Beweisverwertung zu Problemen, sondern die Tatsache, dass sie dort nach Regeln erhoben wurden, die den eigenen nicht entsprechen. Die Beweiserhebung nach der jeweiligen lex fori würde die mit dem Beweistransfer einhergehenden Probleme lösen. Da für den Rechtshilfeverkehr bereits eine Regelung getroffen wurde, nach der die Mitgliedstaaten für die Beweiserhebung fremde Bestimmungen anwenden müssen, wäre diese Lösung auch keine Neuheit auf europäischer Ebene. Eine Einigung auf eine solche Bestimmung wäre deshalb vermutlich relativ leicht zu erreichen.

Gegen eine Beweiserhebung nach lex fori ließe sich anführen, dass die nationalen Hilfspersonen, derer sich die Europäische Staatsanwaltschaft im Rahmen ihrer Ermittlungen bedient,[635] dann Recht anwenden müssten, das für sie fremd ist. Dies müsste sich das jedoch nicht zwingend als Problem darstellen. Denn hier könnte

---

633 Vgl. unten 3.d).

634 Vgl. zu *Gleß,* S. 113ff.

635 Vgl. oben B.3.b).

ein abgeordneter Europäischer Staatsanwalt aus dem Mitgliedstaat, in dem das Gerichtsverfahren stattfinden soll, in Absprache mit dem ansässigen abgeordneten Europäischen Staatsanwalt genaue Anweisungen geben, die die Einhaltung des nationalen Rechts sichern. Deren Einhaltung würde dann vom ansässigen abgeordneten Europäischen Staatsanwalt überwacht.

Dennoch bietet sich eine solche Lösung für die Europäische Staatsanwaltschaft nicht an. Sie wird in mehreren Mitgliedstaaten gleichzeitig ermitteln und zu Beginn der Durchführung dieser Ermittlungen wird oft noch nicht feststehen, in welchem dieser Mitgliedstaaten Anklage erhoben wird.[636] Die für das Gerichtsverfahren maßgebende Rechtsordnung kann zu diesem Zeitpunkt noch nicht bestimmt werden. Eine Lösung, nach der die Europäische Staatsanwaltschaft auf die jeweilige lex fori zurückgreift, ist deshalb nicht praktikabel.

b) Beweiserhebung nach lex loci und Prinzip der gegenseitigen Anerkennung

Um die Zulässigkeit von Beweisen in Verfahren der Europäischen Staatsanwaltschaft zu regeln, wird im Grünbuch vorgeschlagen, auf das Prinzip der gegenseitigen Anerkennung zurückzugreifen.[637]

aa) Zulassung der Beweise

Nach dem Konzept des Grünbuchs soll die Beweiserhebung nach dem Recht des Ortes erfolgen, an dem sich das Beweismittel befindet. Im Anschluss soll, in Anwendung des Prinzips der gegenseitigen Anerkennung, jedes mitgliedstaatliche Gericht verpflichtet sein, jedes Beweismittel ohne weitere Prüfung zuzulassen, das nach dem nationalen Recht dieses Mitgliedstaates rechtmäßig erhoben wurde.[638] Es wird also fingiert, dass dieses Beweismittel auch nach der Verfahrensordnung des erkennenden Gerichts rechtmäßig erlangt wurde.[639] Für die Bestimmung von Beweisverboten, die sich aus der rechtswidrigen Erhebung ergeben könnten, soll auf das Recht des beweiserhebenden Mitgliedstaates zurückgegriffen werden.[640] Die Erhebung nach fremdem Recht stünde der Verwertbarkeit im Gerichtsverfahren damit nicht mehr entgegen. Beweisschwierigkeiten könnten vermieden werden.

---

[636] Zur Bestimmung des Mitgliedstaats, in dem die Anklage erhoben wird, vgl. unten D.2.a).

[637] EU-Kommission, Grünbuch finanzielle Interessen, S. 64.

[638] Ähnlich auch der Vorschlag Europäische Staatsanwaltschaft, der statuiert, dass Beweismittel vor den nationalen Gerichten, unabhängig davon, ob sie den nationalen Beweiserhebungsvorschriften folgend erhoben wurden, zugelassen werden. Voraussetzung hierfür soll lediglich sein, dass dies sich nicht negativ auf die Fairness des Verfahrens oder die Verteidigungsrechte auswirkt, Art. 30 Abs. 1.

[639] *Biehler/Gleß/Parra/Zeitler,* S. 38.

[640] EU-Kommission, Grünbuch finanzielle Interessen, S. 64.

Dieser Ansatz stünde mit dem innerhalb der Union vorhandenen Willen im Einklang, das Prinzip der gegenseitigen Anerkennung auch in Strafsachen zu forcieren.[641] Darüber hinaus könnte dies der Weg sein, der den geringsten Eingriff in das nationale Recht fordert und deshalb im Hinblick auf die Wahrung des Verhältnismäßigkeitsprinzips der geeignetste.

Dieses Konzept war als Fortführung der Annahme gedacht, dass die Ermittlungsmaßnahmen der Europäischen Staatsanwaltschaft in jedem Mitgliedstaat nach dessen Recht beantragt werden können und eine Genehmigung in allen Mitgliedstaaten anerkannt werden muss.[642] Man könnte diesen Weg aber auch wählen, wenn man, wie hier befürwortet,[643] die grundsätzlichen Eingriffsvoraussetzungen durch supranationale Ermittlungsbefugnisse auf europäischer Ebene festlegt. Statuiert würde dann, dass zwar das Vorliegen der Eingriffsvoraussetzungen nach supranationalem Recht beurteilt werden muss, die Frage danach, wie die Durchführung dann konkret erfolgt und nach welchem Verfahren Beweise in den Mitgliedstaaten erhoben werden, würde sich aber weiterhin nach nationalem Recht richten. Das Konzept des Grünbuchs, das Prinzip der gegenseitigen Anerkennung auf die durch die Europäische Staatsanwaltschaft gewonnenen Beweise anzuwenden, ist auf Kritik gestoßen, die sich zumindest teilweise auch auf diesen Fall übertragen lässt.

Ein Kritikpunkt knüpft an die Form des Beweismittels an. So ist beispielsweise im französischen Recht vorgesehen, dass das Protokoll einer durch ein offizielles Organ vorgenommenen Zeugenbefragung als *preuve littérale* in die Hauptverhandlung eingeführt werden kann. Eine nochmalige Vernehmung des Zeugen in der Hauptverhandlung ist nicht notwendig, um seine Aussage als Beweis zu verwerten.[644] Das englische Recht sieht für Zeugenaussagen die sogenannte *hearsay rule* vor. Danach dürfen Informationen über Tatsachen, die durch eine Person wahrgenommen wurden, nur in die Hauptverhandlung eingeführt werden, wenn diese Person selbst vor Gericht aussagt. Ohne Vorliegen eines der Ausnahmetatbestände[645] kann eine schriftlich fixierte Zeugenaussage nicht anerkannt werden. Diese Regelung ist auf den im englischen Recht stark ausgeprägten Unmittelbarkeits- und Mündlichkeitsgrundsatz zurückzuführen und soll gewährleisten, dass nur Aussagen verwertet werden, die durch Kreuzverhör und Eid abgesichert wurden.[646]

---

641 Vgl. EU-Kommission, Vorschlag Beweisanordnung, S. 2; Nr. 33, Tampere Europäischer Rat, Schlussfolgerungen des Vorsitzes, abrufbar unter: http://www.europarl.europa.eu/summits/tam_de.htm [Stand: 20.10.2011].

642 Vgl. oben 1.a).

643 Vgl. oben 1.e).

644 *Gleß,* S. 133f.

645 Vgl. dazu *Kühne,* § 71 Rn. 1182ff.

646 *Gleß,* ZStW 115 (2003), 140.

Nach dem Vorschlag des Grünbuchs, der die Anerkennung von Beweismitteln vorschreiben will,[647] müsste eine nach französischem Recht rechtmäßig erhobene *preuve littérale* im englischen Hauptverfahren verwertet werden. Der englische Richter dürfte nicht prüfen, ob die Verwertung der Informationen der *hearsay rule* unterfällt und deshalb aufgrund nationaler Regelungen nicht verwertet werden darf. Einer schriftlich protokollierten Zeugenaussage kommt im englischen Recht grundsätzlich keine Beweisfunktion hinsichtlich der vom Zeugen wahrgenommenen Tatsachen zu, da die Zuverlässigkeit dieses Beweismittels nicht durch Kreuzverhör und Eid sichergestellt werden kann. Handelt es sich um eine Zeugenaussage im Rahmen der Ermittlungen der Europäischen Staatsanwaltschaft, müssten die Informationen, die aus der schriftlichen Zeugenaussage zu entnehmen sind, dennoch im Gerichtsverfahren als Beweismittel verwendet werden. Es müsste somit ein Urteil gefällt werden, obwohl der Beweis im nationalen Recht nicht als zuverlässige Grundlage zum Beweis von Tatsachen angesehen werden kann.

Um diese Konsequenz in ihrer Wirkung abzumildern, ist im Grünbuch vorgesehen, dass die Bewertung der Beweiskraft von Beweismitteln, also ihre Eignung, das Gericht von einer Tatsache zu überzeugen, der freien Würdigung des Gerichts nach Maßgabe des anzuwendenden nationalen Rechts überlassen bleiben soll.[648] Dadurch könnten die nationalen Gerichte die Verwertung von aus ihrer Sicht mangelhaften Beweisen auf der Ebene der Beweiswürdigung „korrigieren". Sie könnten den Beweismitteln eine nur äußerst geringe Beweiskraft zusprechen. Auf diese Weise würde das Prinzip der gegenseitigen Anerkennung dann jedoch weitgehend ausgehebelt.[649]

Dies wäre indes nicht das einzige Problem, das sich aus diesem Vorschlag ergäbe. Die mitgliedstaatlichen Rechtsordnungen sind bei der Abwägung zwischen Strafverfolgungsinteresse und anderen schutzwürdigen Interessen zu unterschiedlichen Ergebnissen gekommen und haben deshalb beispielsweise unterschiedliche Regelungen zur Reichweite von Zeugnisverweigerungsrechten getroffen.[650] Durch Anwendung des Prinzips der gegenseitigen Anerkennung auf den Beweistransfer kann es dazu kommen, dass Wertungen, die der verwertende Staat dahingehend getroffen hat, in welchen Fällen übergeordnete Schutzgüter, wie etwa der Schutz der Privat- und Familiensphäre, zugunsten des Strafverfolgungsinteresses eingeschränkt werden sollen, nicht mehr beachtet werden. Dies würde dazu führen, dass die Fairness des Verfahrens (Art. 47 Abs. 2 GRC/Art. 6 Abs. 1 EMRK) aus Sicht

---

647 Wobei hier von der Anerkennung eines „fertigen Beweismittels", also des Beweismittels „Zeugenaussage" auszugehen ist, vgl. näher dazu *Gleß,* ZStW 115 (2003), 139ff.

648 EU-Kommission, Grünbuch finanzielle Interessen, S. 65.

649 *Satzger,* StV 2003, 141.

650 *Biehler/Gleß/Parra/Zeitler,* S. 40, 45.

der Rechtsordnung, in der die Beweismittel verwertet werden sollen, nicht gewährleistet werden kann.[651]

Verdeutlicht werden kann dies am Beispiel des Zeugnisverweigerungsrechts. Im englischen Recht gibt es keine dem deutschen Recht vergleichbaren Zeugnisverweigerungsrechte.[652] In England ist z.B. der Sohn eines Beschuldigten deshalb zur Aussage verpflichtet. Werden bei der Zeugenvernehmung die deutschen Vorschriften, nach denen dem Sohn ein Zeugnisverweigerungsrecht zusteht, nicht eingehalten (z.B. weil der Prozess ursprünglich in England stattfinden sollte), handelt es sich dennoch um einen nach englischem Recht rechtmäßig erhobenen Beweis. Nach dem Konzept des Grünbuchs müsste dieser Beweis, wenn das Verfahren nun in Deutschland stattfindet, vom nationalen Gericht verwertet werden. Die Tatsache, dass dem Sohn in Deutschland ein Zeugnisverweigerungsrecht zustünde, dürfte zunächst nicht beachtet werden. Inwiefern dem Sohn in der Hauptverhandlung dann wiederum die Möglichkeit zukommen könnte, von seinem Zeugnisverweigerungsrecht Gebrauch zu machen, ist unklar. Würde eine Regelung vorgesehen, die diese Möglichkeit eröffnet, würde abermals das Prinzip der gegenseitigen Anerkennung außer Kraft gesetzt. Andererseits wäre dies jedoch der einzige Weg, um der deutschen Wertung, die der Familie einen hohen Stellenwert einräumt, wieder Geltung zu verschaffen und ein nach deutschem Recht faires Verfahren zu ermöglichen.

bb) Ausschluss von Beweisen

Ein Beweismittel soll nach dem Vorschlag des Grünbuchs nur dann nicht verwertet werden können, wenn es nach dem Recht des Erhebungsstaates rechtswidrig erhoben wurde.[653] Es würden somit unselbstständige aus der Rechtswidrigkeit des Beweiserhebungsakts abzuleitende Beweisverwertungsverbote geprüft, die sich aus dem Recht des Erhebungsstaates ergeben könnten. Dies brächte zunächst einmal mit sich, dass das Gericht verpflichtet wäre, eine Prüfung der Rechtmäßigkeit der Erhebung nach dem Recht des Erhebungsstaates durchzuführen. Diese Fremdrechtsanwendung könnte speziell für Richter, die sich sonst nicht mit fremdem Recht befassen müssen, eine große Schwierigkeit darstellen – insbesondere, da sich die Beweisverbote auch allein aus diesem fremden Recht ergeben sollen. Das Gericht müsste sich also in die meist ungeschriebene Dogmatik der Beweisverbotslehre einer fremden Rechtsordnung einarbeiten, eventuell sogar mit gutachterlicher Unterstützung.[654] Dies könnte, vor allem in Fällen, in denen Beweise aus mehreren

---

651 *Biehler/Gleß/Parra/Zeitler,* S. 45.

652 Vgl. *Kühne,* § 71 Rn. 1195.1, 1204.

653 EU-Kommission, Grünbuch finanzielle Interessen, S. 65.

654 *Schuster*, S. 269.

Mitgliedstaaten in das Verfahren eingeführt werden sollen, zu Verzögerungen und zu einer sehr langen Prozessdauer führen.

Zudem lässt diese Regelung sogenannte selbstständige Beweisverwertungsverbote unbeachtet. Während sich unselbstständige Beweisverwertungsverbote aus der Rechtswidrigkeit des Beweiserhebungsakts ergeben, leiten sich selbstständige Beweisverwertungsverbote meist direkt aus der Verfassung ab.[655] Sie ergeben sich also unabhängig davon, ob die Beweiserhebung rechtmäßig oder rechtswidrig war, und stehen nicht in Beziehung zu einem Verfahrensverstoß im Vorverfahren. Sie können schon ihrem Sinn nach nur aus der Rechtsordnung folgen, die für die Hauptverhandlung maßgeblich ist.[656] Weil allein die Beweiserhebungssituation für die Verwertbarkeit eines Beweismittels entscheidend sein soll, könnten selbstständige Beweisverwertungsverbote nicht berücksichtigt werden.[657] Da sich diese oft direkt aus der Verfassung ergeben, würden wiederum wichtige Wertungen der nationalen Rechtsordnung nicht beachtet.

cc) Ergebnis

Eine Regelung, bei der die Beweise nach der jeweiligen lex loci erhoben und mittels Anwendung des Prinzips der gegenseitigen Anerkennung in die mitgliedstaatlichen Gerichtsverfahren transferiert werden, würde wichtige Wertungen, die die Mitgliedstaaten in unterschiedlicher Form vorgenommen haben, missachten. Aufgrund des Prinzips der gegenseitigen Anerkennung im Rahmen des grenzüberschreitenden Beweistransfers könnten die mitgliedstaatlichen Gerichte die nationalen Wertungen, die einer Beweisverwertung möglicherweise entgegenstehen, nicht geltend machen. Die Durchführung eines fairen Verfahrens wäre somit aus Sicht der Verwertungsrechtsordnung gefährdet. Darüber hinaus müssten Beweise verwertet werden, die im nationalen Recht nicht als zuverlässige Grundlage zum Beweis von Tatsachen angesehen werden können. Dies alles geschähe, ohne dass die Mitgliedstaaten hierauf Einfluss nehmen könnten. Es würde also nicht darauf beruhen, dass ein Kompromiss gefunden wurde, der möglicherweise Ausnahmen vom nationalen Recht rechtfertigen könnte. Vielmehr würden die fremden nationalen Regelungen dem Recht des Entscheidungsstaates aufoktroyiert. Deshalb stünde eine solche Regelung auch im Widerspruch zu Art. 67 Abs. 1 AEUV, nach dem die verschiedenen Rechtsordnungen und -traditionen der Mitgliedstaaten geachtet werden.

Zusätzlich zu den rechtlichen Problemen wären auch Probleme in der Praxis zu erwarten. Es hat sich gezeigt, dass die Mitgliedstaaten sehr zurückhaltend bei der Anwendung von Instrumenten der gegenseitigen Anerkennung sind. Daher er-

---

655 Vgl. zum deutschen Recht *Eisenberg*, Rn. 362, 385ff.

656 *Satzger,* StV 2003, 141.

657 Vgl. dazu auch: *Gleß,* ZStW 115 (2003), 143ff.

scheint zweifelhaft, dass die Mitgliedstaaten bereit wären, Beweise zuzulassen und zu verwerten, die in einem anderen Mitgliedstaat aufgrund der dort geltenden anderen Standards erhoben wurden.[658]

Die Anwendung der jeweiligen lex loci in Verbindung mit dem Prinzip der gegenseitigen Anerkennung ließe sich auch mit Blick auf das Subsidiaritäts- und das Verhältnismäßigkeitsprinzip nicht rechtfertigen. Zwar erscheint diese Lösung zunächst als diejenige, die am schonendsten mit dem Recht der Mitgliedstaaten umgeht. Wie gezeigt sind damit jedoch letztlich bedeutende Eingriffe in das Strafprozessrecht der Mitgliedstaaten verbunden. In Anbetracht des vorstehend Erläuterten ist eine Regelung dahingehend, dass die Europäische Staatsanwaltschaft bei der Beweiserhebung nach der jeweiligen lex loci vorgeht und der Transfer dieser Beweismittel in das Verfahren eines anderen Mitgliedstaates nach dem Prinzip der gegenseitigen Anerkennung vollzogen wird, abzulehnen.

c) Beweiserhebung nach lex loci und europäische Verwertungsregelungen

Als Alternative zum Prinzip der gegenseitigen Anerkennung könnte ein „europäisches Beweiszulassungsverfahren" geschaffen werden.[659] Die Beweiserhebung würde weiterhin nach der jeweiligen lex loci erfolgen, statt aber, wie beim Prinzip der gegenseitigen Anerkennung die Verwertbarkeit als Automatismus vorzusehen, könnten feste europäische Regeln festgelegt werden, anhand derer die Verwertbarkeit der Beweise überprüft würde. Mithilfe von unionsweit einheitlichen Kriterien soll die Zuverlässigkeit des Beweises als Grundlage einer rechtlich richtigen gerichtlichen Entscheidung gewährleistet werden. Für die Strafverfolgung durch die Europäische Staatsanwaltschaft würde dieser unionsrechtliche Standard die bisherigen mitgliedstaatlichen Zuverlässigkeitsstandards ersetzen.[660]

Einen Vorschlag für ein solches Beweiszulassungsverfahren hat *Gleß* in ihrer Habilitationsschrift erarbeitet.[661] Der Entwurf wurde nicht speziell für die Europäische Staatsanwaltschaft entwickelt, soll aber auch für die supranationale Beweissammlung Anwendung finden können.[662] Er soll die Verwertung von Wahrnehmungsobjekten, die unter Geltung einer anderen Rechtsordnung gewonnen wurden, als Beweismittel im Strafprozess einer anderen Rechtsordnung legitimieren.[663] Der

---

658 *Ligeti,* EuCLR 2011, 146.

659 *Biehler/Gleß/Parra/Zeitler,* S. 46; *Gleß,* ZStW 115 (2003), 148; *Radtke,* GA 2004, 19.

660 *Radtke,* GA 2004, 20.

661 *Gleß*, S. 435ff, Vorschlag für eine Rahmenrechtsetzung zum Beweistransfer in Strafsachen zwischen den Mitgliedstaaten der Europäischen Union sowie zwischen den Mitgliedstaaten der Europäischen Union und der Europäischen Gemeinschaft; im Folgenden: Vorschlag Beweistransfer.

662 Vgl. *Gleß,* S. 414.

663 Vgl. *Gleß,* S. 433.

Vorschlag sieht vor, dass durch eine Rahmenrechtsetzung bestimmte Regelungen für den Beweistransfer getroffen werden. Ansatzpunkt hierbei ist die Verwertbarkeit von Beweisen, die in einem anderen Mitgliedstaat nach der jeweiligen lex loci erlangt wurden.[664] Es soll also keine gemeinsame Regelung zur Beweiserhebung geschaffen werden, sondern eine zum Beweistransfer und der damit verbundenen Frage der Verwertbarkeit eines Beweismittels, das in einen anderen Mitgliedstaat transferiert wird. Danach sollen die Mitgliedstaaten verpflichtet werden, ein Beweismittel dann zu verwerten, wenn es den grundlegenden Eignungsanforderungen, die ihre Rechtsordnung an ein Beweismittel stellt, entspricht.[665] Dies bedeutet, dass keine einheitlichen europäischen Standards festgelegt würden. Jeder Mitgliedstaat würde auf seine eigenen grundlegenden Eignungsanforderungen zurückgreifen. Als weitere Bedingung dafür, dass die Verpflichtung der Mitgliedstaaten, ein Beweismittel zu verwerten, greift, müssten aber zusätzlich grundlegende europäische Grundanforderungen erfüllt sein (Art. 6 Abs. 2 Vorschlag Beweistransfer). Im Rahmen dieser europäischen Grundanforderungen soll sichergestellt werden, dass entweder durch die Art der Beweisgewinnung oder durch die Form der Beweisverwertung bestimmte Anforderungen erfüllt werden. Dabei handelt es sich beispielsweise um solche, die die unmittelbare Beweisführung aus Sicht der Verwertungsrechtsordnung gewährleisten und eine kontradiktorische Erörterung des Beweismittels sicherstellen sollen. Ebenso sollen andere wesentliche Rechte der Verfahrensbeteiligten gewahrt werden (Art. 6 Abs. 3 Vorschlag Beweistransfer).

Erfüllt ein Beweismittel sowohl die grundlegenden Eignungsanforderungen der eigenen Rechtsordnung als auch die grundlegenden europäischen Anforderungen, soll es grundsätzlich im jeweiligen Mitgliedstaat verwertbar sein.

Um sicherzustellen, dass unter allen Umständen ein faires Verfahren gewährleistet werden kann, sind jedoch einige Ausnahmen von dieser Pflicht in Form von Beweisverwertungsverboten vorgesehen. Eine Verwertung wird abgelehnt, wenn grundlegende Anforderungen der Erhebungsrechtsordnung oder der Verwertungsrechtsordnung an ein faires Verfahren bei der Beweisgewinnung verletzt wurden (Art. 7 Abs. 1 lit. b Vorschlag Beweistransfer). Dadurch finden Wertungen dieser beiden Rechtsordnungen Anwendung. Darüber hinaus soll die Verwertung eines Beweismittels trotz Erfüllung der Anforderungen dann abgelehnt werden, wenn sie nach den Vorgaben der Verwertungsrechtsordnung unter Berücksichtigung aller Umstände als unfair erschiene (Art. 7 Abs. 1 lit. e Vorschlag Beweistransfer). Wenngleich diese Mängel einen Ausschluss des Beweismittels ermöglichen sollen, ist zudem vorgesehen, dass, soweit dies grundsätzlich möglich ist, Maßnahmen geschaffen werden müssen, mit deren Hilfe ein Mangel nach Art. 7 Vorschlag Beweistransfer geheilt werden kann (Art. 8 Vorschlag Beweistransfer). Dies umfasst sowohl Verstöße gegen die grundlegenden Anforderungen der eigenen als auch

[664] Vgl. *Gleß,* S. 433.
[665] Vgl. *Gleß,* S. 433.

der europäischen Regelungen (vgl. Art. 7 lit. c, d Vorschlag Beweistransfer). Ein zwingender Ausschluss eines Beweismittels wäre immer dann nicht sinnvoll, wenn die versäumte Verfahrenshandlung ohne Nachteile für den Beschuldigten nachgeholt werden kann.

Der von *Gleß* ausgearbeitete Vorschlag könnte für den Transfer von Beweismitteln zwischen den Mitgliedstaaten wesentliche Verbesserungen bringen, ohne die Probleme zu schaffen, die bei der Anwendung des Prinzips der gegenseitigen Anerkennung entstünden. Die Gewährleistung eines fairen Verfahrens in jedem Mitgliedstaat wird dadurch sichergestellt, dass die grundlegenden Eignungsanforderungen, die ein Mitgliedstaat an ein Beweismittel stellt, sowie grundlegende europäische Anforderungen eingehalten werden müssen. Für den Fall, dass trotz des Vorliegens dieser Voraussetzungen die Verwertung des Beweismittels nach der Verwertungsrechtsordnung unter Berücksichtigung aller Umstände als unfair erschiene, ist als „Notbremse“ die Möglichkeit vorgesehen, ein Beweismittel auch dann auszuschließen (Art. 7 Abs. 1 lit. e Vorschlag Beweistransfer). Durch eine Annäherung der strafprozessualen Regelungen der Mitgliedstaaten, möglicherweise im Rahmen von Mindestvorschriften nach Art. 82 Abs. 2 lit. a AEUV, könnten die Ausschlussgründe für ein Beweismittel aus einer anderen Rechtsordnung zusätzlich minimiert werden.

Fraglich ist jedoch, ob dieser Weg auch für die Errichtung einer Europäischen Staatsanwaltschaft der richtige sein kann. Die Behörde wird während der Durchführung ihrer Ermittlungen häufig noch nicht wissen, in welchem Mitgliedstaat das Hauptverfahren stattfinden wird.[666] Sie kann also nicht prüfen, welche grundlegenden Eignungsanforderungen welchen Mitgliedstaates für die Anerkennung des Beweises letztlich entscheidend sind. Dadurch, dass jeder Mitgliedstaat seine eigenen grundlegenden Eignungsanforderungen festlegen würde, gäbe es unterschiedliche Voraussetzungen dafür, wann ein Beweismittel im Gerichtsverfahren anerkannt wird. Da die grundlegenden Anforderungen des Verwertungsrechtsstaates zwingend erfüllt sein müssten, um die Verwertbarkeit zu garantieren, könnte die Einhaltung der gemeinsamen europäischen Standards allein keine Gewähr dafür bieten, dass das Beweismittel verwertet werden kann. Ohne Kenntnis des Gerichtsorts hätte die Europäische Staatsanwaltschaft somit bei der Durchführung der Ermittlungen keine ausreichenden Vorgaben, nach denen sie sich richten könnte, um die Verwertbarkeit des Beweises sicherzustellen. Zudem erscheint die Beschreibung „grundlegende Eignungsanforderungen“ der mitgliedstaatlichen Rechtsordnung (Art. 6 Abs. 2 Vorschlag Beweistransfer) zu vage. Sie könnte von den Mitgliedstaaten sehr unterschiedlich ausgelegt werden, was eine einheitliche Ausgestaltung des Beweiszulassungsverfahrens verhindern würde.

---

666 Vgl. unten D.2.a).

Zwar soll der EuGH über die Auslegung und Anwendung des Verfahrens entscheiden können, womit eine einheitliche Auslegung erreicht werden könnte, allerdings dauert das erfahrungsgemäß einige Zeit und könnte bis dahin die Ermittlungen behindern, weil nicht sicher ist, welche Beweismittel zugelassen werden müssen. Darüber hinaus müsste nach dem Beweiszulassungsverfahren für jedes Beweismittel geprüft werden, ob bei der Beweiserhebung die grundlegenden Anforderungen der Erhebungsrechtsordnung an ein faires Verfahren eingehalten wurden (Art. 7 Abs. 1 lit. b Vorschlag Beweistransfer). Dies würde wiederum eine Fremdrechtsanwendung der Gerichte erfordern, bei der oft das Recht mehrerer Mitgliedstaaten überprüft werden müsste. Langwierige Verfahren wären die Folge. Aufgrund der hier dargestellten Schwierigkeiten bietet sich die Einführung eines Beweiszulassungsverfahrens im Rahmen der Errichtung einer Europäischen Staatsanwaltschaft nicht an.

d) Europäische Beweisvorschriften

Eine andere Möglichkeit wäre die Schaffung eigener Beweisvorschriften auf europäischer Ebene. Die Zulässigkeit von Beweismitteln könnte dadurch geregelt werden, dass Beweismittel, die zuvor festgesetzte Bedingungen erfüllen, in allen Mitgliedstaaten zugelassen werden müssen. Dafür könnte auf die Beweisverwertungssituation abgestellt werden, indem die Einhaltung bestimmter Anforderungen die Verwertbarkeit eines Beweismittels gewährleisten könnte. Dadurch müssten, abgesehen von den Regeln, die sich aus den Vorgaben für die Ausübung ihrer Ermittlungsbefugnisse für die Europäische Staatsanwaltschaft ergeben,[667] keine Beweiserhebungsregeln geschaffen werden. Es könnten somit europäische Standards festgelegt werden, die erfüllt sein müssen, damit ein von der europäischen Einrichtung im Rahmen eines grenzüberschreitenden Verfahrens gesammeltes Beweismittel von den mitgliedstaatlichen Gerichten verwertet werden muss.

Die Festlegung von Zulässigkeitsstandards für Beweismittel hätte den Vorteil, dass einheitliche Vorgaben für die Beweisrezeption in den Mitgliedstaaten geschaffen würden. Sind die europäischen Voraussetzungen erfüllt, müsste das Beweismittel grundsätzlich anerkannt werden. Ihm könnte nicht entgegengehalten werden, dass es nationalen Regeln nicht entspreche.[668] Es hinge also nicht von den unterschiedlichen Regelungen der Mitgliedstaaten ab, ob ein Beweismittel anerkannt würde. Bei ihren Ermittlungen könnte die Europäische Staatsanwaltschaft deshalb selbst die Bedingungen dafür schaffen, dass ein Beweismittel anerkannt wird, indem sie sich an die europäischen Regeln hält. Es wäre nicht vom „Glück" abhängig, ob die Regeln, die eingehalten wurden, auch im Gerichtsstaat genügen, um ein Beweismittel anzuerkennen.

---

667 Vgl. oben 2.

668 Vgl. dazu ausführlich unten E.1.

Durch die Schaffung gemeinsamer europäischer Regelungen würden die nationalen Wertungen, die in den Mitgliedstaaten im Rahmen der Beweisrezeption getroffen wurden, durch gemeinsam erarbeitete europäische Wertungen ersetzt. Dies wäre für die mitgliedstaatlichen Rechtssysteme leichter zu akzeptieren als das Oktroi nationaler Wertungen eines anderen Mitgliedstaates.

Die europäischen Regeln könnten anhand eines Vergleichs der Strafprozessordnungen und der Beweisverwertungsregeln aller Mitgliedstaaten erarbeitet werden. Als zusätzliches Referenzsystem könnte auf die EMRK und die Rechtsprechung des EGMR zurückgegriffen werden. Zwar gibt es in der EMRK keine ausdrücklichen Regelungen zum strafprozessualen Beweisrecht, sie bietet aber eine gute Basis dafür, die rechtsstaatlichen unverzichtbaren Voraussetzungen einer zuverlässigen Tatsachenfeststellung im Strafverfahren zu konkretisieren.[669] Auch die Rechtsprechung des EGMR kann bei der Bestimmung der erforderlichen Regelungen helfen.[670] Die Statuierung einheitlicher Standards würde zudem Rechtssicherheit schaffen und die Verfahren der Europäischen Staatsanwaltschaft übersichtlich gestalten.

Gegen die Festlegung einheitlicher europäischer Zulässigkeitsvoraussetzungen lässt sich anführen, dass die Beweisrechtsregelungen in den Mitgliedstaaten zum Teil sehr unterschiedlich sind. Einen Kompromiss zu finden, der in allen Mitgliedstaaten akzeptiert werden kann, könnte schwierig werden. Dies lässt sich am Beispiel des im Corpus Juris vorgeschlagenen „Europäischen Vernehmungsprotokolls“[671] gut erläutern.

Das Protokoll der Befragung eines Zeugen soll nach dem Vorschlag in jedes mitgliedstaatliche Verfahren eingeführt werden können, wenn bestimmte Voraussetzungen bei der Erstellung eingehalten wurden. In den Mitgliedstaaten, in denen das Unmittelbarkeitsprinzip in der Gerichtsverhandlung eine tragende Rolle spielt, scheint es schwierig, grundsätzlich die Zulässigkeit eines solchen Protokolls anzuerkennen.[672] Dennoch ist eine Lösung nicht unmöglich. Denn in den nationalen Rechtsordnungen sind auch Ausnahmen zu den geltenden Verfahrensregelungen vorgesehen (vgl. z.B. §§ 250ff StPO) und eine Ergänzung dieser Regelungen ist möglich, wenn sie erforderlich scheint. So war im deutschen Recht beispielsweise die Vernehmung per Videoübertragung aufgrund der Geltung des Unmittelbarkeits-

---

[669] *Radtke,* GA 2004, 21.

[670] Vgl. Löwe/Rosenberg-*Esser,* Art. 6 Rn. 294ff.

[671] Art. 32 Abs. 1 lit. a CJ/CJ 2000. Zu den unterschiedlichen Begrifflichkeiten „Europäisches Vernehmungsprotokoll“ und „Europäisches Befragungsprotokoll“ in den Übersetzungen von CJ und CJ 2000 vgl. Fn. ‡‡‡‡‡‡‡‡‡‡‡‡ in der deutschen Übersetzung des CJ 2000 von Prof. Dr. *Tonio Walter*, abrufbar unter: www.ec.europa.eu/anti_fraud/green_paper/corpus/de.doc [Stand: 20.10.2011].

[672] Vgl. *Tiedemann/Vogel,* in: Delmas-Marty/Vervaele (Hrsg.), Implementation II, S. 407.

prinzips zunächst nicht zulässig.[673] Mittlerweile gibt es einen Ausnahmetatbestand in der StPO (§ 247a), der die Zulässigkeit solcher Aufzeichnungen in bestimmten Fällen ausdrücklich normiert. Auch von der englischen *hearsay rule* werden Ausnahmen gemacht, um schriftliche Protokolle in das Gerichtsverfahren einführen zu können.[674] Es ist also nicht undenkbar, dass im nationalen Recht Ausnahmen zugelassen werden, um die Zulässigkeit eines europäischen Beweismittels zu ermöglichen.

Gegen die Einführung europäischer Regeln zu den Beweisen könnte aber sprechen, dass das Nebeneinander von nationalen Beweissystemen und dem europäischen zu Problemen führen könnte. So würde die nur begrenzte Verlagerung zu einer großen Komplexität führen.[675] Dem könnte dadurch entgegengewirkt werden, dass eindeutige Vorgaben für das europäische Beweissystem geschaffen und die Regeln möglichst einfach ausgestaltet werden. Wird eindeutig festgelegt, dass sich die Zulässigkeit von Beweismitteln, die die Europäische Staatsanwaltschaft gesammelt hat, allein nach den europäischen Standards bemisst, ist die Gefahr der Komplexität nicht sehr groß, da eine klare Trennung möglich ist.

Ein anderes Problem, das sich ergeben könnte, wenn die Zulässigkeit eines Beweismittels auf europäischer Ebene festgelegt wird, ist, dass durch die europäischen Regeln unter Umständen mehr Garantien gewährleistet werden als im nationalen Recht.[676] Dies würde also dazu führen, dass einem Beschuldigten allein deshalb, weil er eine Straftat begangen hat, für deren Verfolgung die Europäische Staatsanwaltschaft zuständig ist, mehr Rechte zustehen als einem Beschuldigten, gegen den die nationale Strafverfolgungsbehörde ermittelt. Da beide Fälle vor einem nationalen Gericht verhandelt würden, entstünde eine Ungleichheit im Verfahren. Ebenso denkbar ist, dass die europäischen Standards geringer sind als die, die in einem Mitgliedstaat gelten.

Die Festlegung der europäischen Standards wird einen Kompromiss zwischen allen Mitgliedstaaten erfordern. Es ist nicht auszuschließen, dass die europäischen Standards in Einzelfällen über die Regelungen der Mitgliedstaaten hinausgehen bzw. dahinter zurückbleiben. Durch die EMRK und die Rechtsprechung des EGMR dazu wurden jedoch gewisse europäische Standards geschaffen. Neben der Einhaltung dieser Standards müssten die europäischen Regeln so festgelegt werden, dass sie mit dem Recht in allen Mitgliedstaaten vereinbar sind. Zwar könnte sich dadurch eine Ungleichbehandlung auf nationaler Ebene ergeben, sichergestellt wäre jedoch eine Gleichbehandlung auf europäischer Ebene. Dies scheint in An-

---

673 *Tiedemann/Vogel,* in: Delmas-Marty/Vervaele (Hrsg.), Implementation II, S. 405.

674 *Spencer,* in: Delmas-Marty/Vervaele (Hrsg.), Implementation III, S. 934.

675 EU-Kommission, Grünbuch finanzielle Interessen, S. 64.

676 Vgl. dazu *Van den Wyngaert/Stessens,* in: Delmas-Marty/Vervaele (Hrsg.), Implementation II, S. 211.

betracht der Tatsache, dass es sich um ein europäisches Verfahren handeln würde, das auf nationaler Ebene ausgeführt wird, tolerierbar, solange keine gravierende Ungleichbehandlung auf nationaler Ebene hinzunehmen wäre. Trotz der angesprochenen Schwierigkeiten wäre also die Schaffung europäischer Beweisregeln bei der Errichtung der Europäischen Staatsanwaltschaft vorzusehen.

e) Ergebnis

Es hat sich gezeigt, dass die Schaffung europäischer Zulassungsvorschriften am geeignetsten ist, um die Zulässigkeit der Beweismittel zu regeln. Die Beweiserhebung nach lex fori hat sich als in der Praxis nicht handhabbar erwiesen. Die Umsetzung der Idee, Beweise nach der jeweiligen lex loci zu erheben und gleichzeitig das Prinzip der gegenseitigen Anerkennung anzuwenden, würde zu schwerwiegenden Nachteilen für den Beschuldigten führen und könnte ein faires Verfahren nicht gewährleisten. Die Einführung eines europäischen Beweiszulassungsverfahrens scheint ebenfalls ungeeignet, insbesondere weil sich daraus keine klaren Vorgaben ergeben, an die sich die Europäische Staatsanwaltschaft halten muss, um die Verwertbarkeit eines Beweismittels zu gewährleisten.

Wenngleich sich die Schaffung europäischer Beweisregeln nicht immer als unproblematisch darstellen wird, ist sie dennoch die beste Lösung zur Regelung der Zulässigkeit der Beweismittel. Es sollte also festgelegt werden, dass Beweismittel der europäischen Strafverfolgungsbehörde nur zulässig sind, wenn sie europäischen Anforderungen entsprechen.

Die Festlegung bestimmter Standards auf europäischer Ebene, nach denen sich die Zulässigkeit der Beweismittel bestimmt, ist notwendig, um die Effizienz der Arbeit der neuen Institution zu gewährleisten. Auch das Subsidiaritäts- und das Verhältnismäßigkeitsprinzip sprechen nicht gegen die Statuierung solcher Standards auf europäischer Ebene.

Wie gezeigt, sind die Möglichkeiten, bei denen sich die Beweiserhebung nach den nationalen Beweisregeln richtet, nicht geeignet, die Zulässigkeit von Beweismitteln der Europäischen Staatsanwaltschaft sinnvoll zu regeln. Durch europäische Regeln könnte die Zulässigkeit von Beweismitteln zudem besser geregelt werden als durch die Mitgliedstaaten. Europäische Standards wären geeignet die Zulässigkeit von Beweismitteln zu regeln und gleichzeitig – aufgrund der sonst bestehenden Probleme – auch erforderlich. Deshalb dürfte die Union innerhalb ihrer Kompetenz von Art. 86 AEUV eigene Regeln treffen.

Um europäische Standards schaffen zu können, werden die Mitgliedstaaten Kompromisse eingehen müssen. Da zum Erlass der Verordnung nach Art. 86 Abs. 1 i.V.m. Abs. 3 AEUV eine einstimmige Entscheidung erforderlich ist, können sie aber selbst entscheiden, inwieweit sie sich auf einen Kompromiss einlassen. Es besteht nicht die Gefahr, dass sie aufgrund eines Mehrheitsentschlusses europäische Standards akzeptieren müssen, die mit ihrem Recht nicht vereinbar sind. Zur Erreichung eines solchen Kompromisses kann es erforderlich sein, dass die Mitgliedstaaten Ausnahmen von den in ihrem Recht geltenden Regeln zulassen. Um grenzüberschreitenden Beweistransfer überhaupt zu ermöglichen, gibt es in den Mitgliedstaaten jedoch bereits heute Ausnahmetatbestände, aufgrund derer sie Beweismittel verwerten können, die nicht ihren Regeln entsprechen.

f) Vorschlag des Corpus Juris

Ein Entwurf für die Festlegung von zulässigen Beweismitteln findet sich in Art. 32 CJ/CJ 2000.

aa) Europäische Beweismittel

Demnach soll festgelegt werden, dass Zeugenaussagen vor Gericht nicht nur verwertet werden können, wenn der Zeuge unmittelbar aussagt, sondern auch bei audiovisueller Übertragung der Vernehmung in die Verhandlung oder durch die Verlesung eines Vernehmungsprotokolls, das unter bestimmten Voraussetzungen zustande gekommen sein muss (Art. 32 Abs. 1 lit. a CJ/CJ 2000). Bedingungen für die Verlesung sollen sein, dass die Vernehmung vor einem Richter stattgefunden hat, die Verteidigung anwesend war und dass ihr die Möglichkeit gegeben wurde, Fragen an den Zeugen zu stellen. Um die Richtigkeit des Protokolls zu gewährleisten, soll die Vernehmung darüber hinaus auf Video aufgezeichnet werden (Art. 32 Abs. 1 lit. a CJ/CJ 2000). Eine ähnliche Regelung ist für die Befragung des Beschuldigten vorgesehen, wobei hier zudem Voraussetzung sein soll, dass er den Beistand eines Verteidigers seiner Wahl hat und bei Bedarf den eines Dolmetschers. Dem Verteidiger muss die Akte rechtzeitig, spätestens 48 Stunden vor der Befragung, übermittelt werden (Art. 32 lit. b CJ/CJ 2000). Liegen diese Voraussetzungen vor, soll auch ein „Europäisches Befragungsprotokoll“[677] zulässiges Beweismittel sein.

Weiter wird vorgeschlagen, Erklärungen des Beschuldigten, die dieser unabhängig von einer Befragung vor einer zuständigen Stelle abgegeben hat, als zulässiges Beweismittel anzusehen. Bedingung hierfür soll sein, dass der Beschuldigte zuvor über sein Recht zu schweigen und anwaltlichen Beistand in Anspruch zu nehmen belehrt wurde und die Erklärungen gemäß den gesetzlichen Verfahren aufgezeichnet wurden (Art. 32 Abs. 1 lit. c CJ/CJ 2000). Dokumente eines Sachverständigen sollen zulässig sein, wenn dieser vom zuständigen Gericht bestellt wurde und auf einer europäischen Sachverständigenliste steht. Diese Liste soll von der Europäi-

---

[677] Art. 32 Abs. 1 lit. a CJ/CJ 2000.

schen Staatsanwaltschaft vorgeschlagen und von den Mitgliedstaaten genehmigt werden (Art. 32 Abs. 1 lit. d CJ/CJ 2000).[678]

Der Vorschlag des Corpus Juris 2000 sieht außerdem vor, dass Dokumente, die der Beschuldigte in einer verwaltungsrechtlichen Voruntersuchung oder während des Ermittlungsverfahrens vorzulegen verpflichtet war, und Dokumente, die ein Dritter vorlegt, zulässige Beweismittel bei Verfahren im Rahmen der Ermittlungen der Europäischen Staatsanwaltschaft sein sollen (Art. 32 Abs. 1 lit. e CJ 2000).

Für die Erarbeitung der Zulässigkeitsvoraussetzungen der Beweismittel kann Art. 32 des CJ/CJ 2000 zwar als Anhaltspunkt genommen werden. Die schlichte Übernahme dieser Regelung wäre aber nicht angebracht. Das ergibt sich schon allein daraus, dass das Corpus Juris erarbeitet wurde, als die Europäische Union nur 15 Mitgliedstaaten zählte. Darüber hinaus wurde es zwar von führenden europäischen Strafrechtswissenschaftlern erarbeitet, diese repräsentierten jedoch nur acht Mitgliedstaaten. Mittlerweile hat die Union 27 Mitgliedstaaten. Damit sind wesentlich mehr Strafprozessordnungen und Beweisverwertungsregelungen bei der Erarbeitung eines Vorschlags mit einzubeziehen.

Darüber hinaus müsste die Liste der zugelassenen Beweismittel erweitert werden. So findet sich im Corpus Juris keine Regelung dazu, unter welchen Umständen Beweismittel, die durch eine Telekommunikationsüberwachungsmaßnahme oder durch Beschlagnahme gewonnen wurden, als zulässig angesehen werden müssen. Nach dem CJ müsste dafür auf die subsidiär weiter geltenden Regeln des nationalen Rechts zurückgegriffen werden (Art. 35 CJ/CJ 2000). Das erschiene nach dem hier vorgeschlagenen Konzept jedoch nicht sachgerecht. Denn danach steht bereits fest, dass Beweismittel der Europäischen Staatsanwaltschaft auch über die Durchführung dieser Maßnahmen erlangt werden können.[679] Dann gibt es aber keinen Grund, für diese Beweismittel keine europäischen Standards festzulegen.

Von diesen grundsätzlichen Voraussetzungen abgesehen, lassen sich hinsichtlich des Art. 32 CJ/CJ2000 weitere Kritikpunkte anführen. Ein wesentlicher Punkt ist, dass das in einigen Mitgliedstaaten sehr bedeutende Unmittelbarkeitsprinzip zugunsten der effektiven Strafverfolgung relativ einfach übergangen wird, indem die Zulässigkeit von Protokollen festgelegt wird. In Anbetracht der wichtigen Rolle, die diesem Prinzip in manchen Mitgliedstaaten zukommt, ist dies nicht angemessen.

Zudem geht auch der EGMR davon aus, dass alle Beweismittel grundsätzlich in Gegenwart des Angeklagten vor Gericht vorzubringen sind. Dort müssen sie Gegenstand kontradiktorischer Verhandlung sein. Zwar ist auch nach dem EGMR die Verlesung von Niederschriften früherer, im Ermittlungsverfahren gemachter Aus-

---

678 Im CJ war nur der vereidigte Wirtschaftsprüfer als Sachverständiger vorgesehen.

679 Vgl. oben 2.

sagen in bestimmten Fällen mit Art. 6 Abs. 1 und Abs. 3 lit. d EMRK vereinbar. Voraussetzung hierfür ist jedoch, dass eine direkte kontradiktorische Vernehmung nach den Umständen des Falls aus vom Gericht nicht zu vertretenden Gründen unmöglich war. Darüber hinaus müssen weitere Beweise die fragliche Aussage bestätigen[680] und die in der Hauptverhandlung eingetretenen Beschränkungen der Verteidigungsrechte so weit wie möglich kompensiert werden.[681] Auch in den Mitgliedstaaten sind Ausnahmefälle vorgesehen, in denen Protokolle trotz grundsätzlicher Geltung des Unmittelbarkeitsprinzips verlesen werden dürfen. Deshalb müsste die Zulässigkeit der Verlesung eines Protokolls nicht vollständig ausgeschlossen werden. Es müssten aber strengere Voraussetzungen für die Verwertbarkeit eines Protokolls bestimmt werden, als im CJ/CJ 2000 vorgesehen.

Eine Lösungsmöglichkeit für dieses Problem könnte die Festlegung sein, dass die Verlesung in Ausnahmefällen zulässig sein muss, wenn bestimmte Voraussetzungen erfüllt sind. So könnte beispielsweise statuiert werden, dass ein europäisches Vernehmungsprotokoll nur verlesen werden darf, wenn der Zeuge verstorben ist oder aus einem anderen Grunde in absehbarer Zeit gerichtlich nicht vernommen werden kann (vgl. § 251 Nr. 2 StPO). Grundsätzlich müsste eine Vernehmung jedoch unmittelbar vor Gericht oder zumindest in Form einer Videoliveübertragung vorgenommen werden. Denn nur dadurch kann das Recht des Beschuldigten, Fragen an den Belastungszeugen zu stellen (Art. 47 Abs. 2 GRC/Art. 6 Abs. 1 lit. d EMRK), in vollem Umfang gewährleistet werden. Sonst ist es möglich, dass sich nach Aufnahme des Vernehmungsprotokolls neue Umstände ergeben, aufgrund derer die Verteidigung andere bzw. weitere Fragen stellen will. Könnte stets auf das schriftlich fixierte Protokoll zurückgegriffen werden, würde dieses Recht, allein um die Strafverfolgung zu vereinfachen, beschnitten. Zwar ist einleuchtend, dass sich ein Zeuge aufgrund der grenzüberschreitenden Ermittlungen, die die Europäische Staatsanwaltschaft führen wird, weit entfernt vom Ort der Verhandlung befinden könnte und ihm eine Anreise nicht möglich wäre oder unverhältnismäßig großen Aufwand erfordern würde. In diesen Fällen könnte aber auf die mittlerweile fortgeschrittene Übertragung durch Videotechnik zurückgegriffen werden und somit das volle Konfrontationsrecht des Beschuldigten gewährleistet werden.[682] Die abgeordneten Europäischen Staatsanwälte könnten diese Technik zur Verfügung stellen, sodass der Mangel an technischer Ausrüstung kein Grund dafür sein könnte, auf ein Protokoll zurückzugreifen. Ebenso sollte die Befragung des Beschuldigten nicht ohne Weiteres in das Gerichtsverfahren eingeführt werden können. Vielmehr sollte auch hier das Unmittelbarkeitsprinzip berücksichtigt und der direkten Befragung ein Vorrang eingeräumt werden.

---

680 Frowein/Peukert-*Peukert,* Art. 6 Rn. 308.

681 *Esser,* in: Marauhn (Hrsg.), Bausteine, S. 47.

682 Vgl. *Meyer-Ladewig,* Art. 6 Rn. 120.

Darüber hinaus gibt es aber noch weitere Punkte, die verbessert werden müssten, hier aber nur kurz angesprochen werden sollen, z.B. die Tatsache, dass Aussagen des Beschuldigten, die dieser vor einer Behörde oder der Europäischen Staatsanwaltschaft gemacht hat, verwertbar sein sollten. Denn weder eine Behörde noch die Europäische Staatsanwaltschaft kann die gleiche hohe Qualität eines Beweismittels sichern, wie dies durch eine neutrale richterliche Vernehmung möglich ist.[683]

Fraglich im Hinblick auf die Unabhängigkeit eines Gutachtens und damit auch im Hinblick auf die Gewährleistung eines fairen Verfahrens erscheint die vorgesehene Möglichkeit, dass die Europäische Staatsanwaltschaft den Sachverständigen selbst auswählt (Art. 32 Abs. 1 lit. d CJ/CJ 2000).

Ebenso zweifelhaft im Hinblick auf die Rechtsstaatlichkeit des Verfahrens erscheint die Änderung des Art. 32 lit. e CJ im Corpus Juris 2000. Während in Art. 32 lit. e CJ die Verwertung von Unterlagen, zu deren Beibringung der Beschuldigte verpflichtet war, ausdrücklich ausschloss, lässt Art. 32 lit. e CJ 2000 diese ausdrücklich zu. Hierin könnte ein Verstoß gegen den Nemo-tenetur-Grundsatz[684] liegen.

Die hier kritisierten Punkte müssten genau untersucht werden, bevor eine europäische Regelung getroffen werden könnte. Ob sie bei Erlass einer europäischen Regelung geändert werden müssten, ließe sich nur durch eine Analyse der Strafprozessordnungen und gegebenenfalls der Bestimmungen der EMRK feststellen.

bb) Berücksichtigung des nationalen Rechts

Der Vorschlag des Corpus Juris/Corpus Juris 2000 sieht vor, dass auch andere, nämlich nichteuropäische Beweismittel zulässig sein sollen, wenn das nationale Recht des Gerichtsstaates dies gestattet. Fraglich ist, ob eine solche Regelung getroffen werden sollte.

Bei der Errichtung der Europäischen Staatsanwaltschaft würden europäische Beweisregeln geschaffen, um die Verwertbarkeit der gesammelten Beweise sicherzustellen. Ein Handeln ohne Berücksichtigung dieser Standards wäre unverhältnismäßig und nicht zu rechtfertigen. Um ein solches Handeln von vornherein zu unterbinden, müssten die Beweismittel, die die Europäische Staatsanwaltschaft im Rahmen ihrer Ermittlungen erlangt, ausschließlich an den europäischen Anforderungen gemessen werden. Damit käme eine Regelung, wie sie im CJ/CJ 2000 vorgeschlagen wird, nicht in Betracht.

---

683 Vgl. *Biehler/Gleß/Parra/Zeitler,* S. 44.

684 Vgl. oben B.2.b)bb).

Es stellt sich weiter die Frage, ob für die Zulässigkeit von bereits gesammelten Beweismitteln, die die europäische Behörde von nationalen Behörden erhalten hat, eine Art. 32 Abs. 2 CJ/CJ 2000 entsprechende Regelung geschaffen werden sollte oder ob diese auch an den europäischen Standards zu messen wären.

Die Beweismittel müssten durch die Europäische Staatsanwaltschaft in das Verfahren eingeführt werden. Einigt man sich auf europäische Standards, die die Zulässigkeit eines Beweismittels festlegen, müssten Beweismittel, die von nationalen Behörden außerhalb eines europäischen Verfahrens gesammelt wurden und diesen Standards entsprechen, auch zulässig sein. Problematisch ist hingegen die Frage, inwiefern Beweismittel, die nicht diesen Standards entsprechen, in den nationalen Verfahren zulässig sein sollten. Hierfür könnte der Rückgriff auf nationale Regelungen sachgerecht sein. In diesem Fall existieren keine europäischen Regelungen, an die sich die nationalen Ermittlungsbehörden halten müssen. Es gibt darum keinen Grund dafür, Beweismittel, die bereits von nationalen Behörden erlangt wurden, allein deshalb auszuschließen, weil sie den europäischen Regelungen nicht entsprechen. Dadurch würde man unter Umständen strengere Voraussetzungen für die Einführung eines Beweises aus einem anderen Mitgliedstaat schaffen, als sie derzeit existieren, ohne dass es hierfür eine Begründung auf europäischer Ebene gäbe. Für die Zulässigkeit von Beweismitteln, die die Europäische Staatsanwaltschaft gesammelt hat, gibt es bislang keine Regelungen. Deshalb ist es angemessen, solche zu schaffen und hierbei auf einen Vergleich aller mitgliedstaatlichen Strafprozessordnungen und der EMRK zu rekurrieren. Anders verhält sich dies jedoch für Beweismittel, die von nationalen Behörden erhoben wurden. Da hier bereits Regeln existieren, sollte auf diese zurückgegriffen werden. Dabei sollten nur die nationalen Regelungen des Gerichtsorts Anwendung finden, da die Fairness des Verfahrens dann anhand einer Rechtsordnung überprüft werden könnte.

cc) Handeln im Rahmen der Ermittlungsbefugnisse

Nicht explizit als Zulässigkeitsvoraussetzung im CJ erwähnt ist, dass sich die Europäische Staatsanwaltschaft bei ihren Ermittlungen im Rahmen ihrer Befugnisse gehalten haben muss. Nach dem Konzept dieser Arbeit richten sich die Ermittlungsbefugnisse nach europäischem Recht.[685] Überschreitet die neue Institution ihre Kompetenzen, handelt sie rechtswidrig. Ein Beweis wäre in diesem Fall, unabhängig von der Erfüllung der zusätzlich statuierten europäischen Standards, nicht rechtmäßig erhoben. Darum sollte bei der Festlegung der europäischen Beweisregeln statuiert werden, dass die Staatsanwaltschaft innerhalb ihrer Ermittlungsbefugnisse gehandelt haben muss.

---

[685] Vgl. oben C.2.

dd) Ergebnis

Die Regelung des Art. 32 CJ/CJ 2000 bietet zumindest Anhaltspunkte dafür, welche Bedingungen für die Zulässigkeit eines europäischen Beweismittels festgelegt werden könnten. Sie kann aber als solche nicht ohne Weiteres übernommen werden. Auf die konkrete Ausgestaltung aller Zulässigkeitsvoraussetzungen soll hier nicht eingegangen werden, da die hierfür erforderliche Analyse der Strafprozessordnungen aller Mitgliedstaaten in diesem Rahmen nicht geleistet werden kann. Neben Regeln zur Zulässigkeit von Beweismitteln müssten auch solche dahingehend getroffen werden, welche Folgen ein Verstoß gegen diese Regeln hat. Da sich dies erst im Hauptverfahren auswirkt, werden die infrage stehenden Regelungen weiter unten näher erläutert.[686]

4. Ergebnis

Im Zusammenhang mit dem Ermittlungsverfahren der Europäischen Staatsanwaltschaft statuierte die Kommission im Grünbuch, die Schaffung eines europäischen Straf[verfahrens]rechts sei unverhältnismäßig.[687] Die vorstehende Untersuchung hat hingegen gezeigt, dass zur Regelung der Ausgestaltung des Ermittlungsverfahrens europäische Normen zumindest für EU-Finanzdelikte notwendig sind. Nur durch eigene supranationale Ermittlungsbefugnisse kann die Kompetenzübertragung auf die Europäische Staatsanwaltschaft befriedigend gelöst werden. Dies wird nicht nur daran deutlich, dass dadurch effiziente Ermittlungen erleichtert werden, sondern auch daran, dass durch diese Lösung die Rechte der von einer Untersuchung Betroffenen am besten gewahrt werden können. So sind sie beispielsweise nicht darauf verwiesen, in mehreren Mitgliedstaaten Rechtsschutz gegen die Anordnung einer Ermittlungsmaßnahme zu suchen. Sie können sich vielmehr stets an das Europäische Vorverfahrensgericht wenden.

Auch für die Mitgliedstaaten ist dieser Weg, im Vergleich zur Anwendung des Prinzips der gegenseitigen Anerkennung bei der Genehmigung von Ermittlungsmaßnahmen, bei genauerer Betrachtung derjenige, der den geringeren Eingriff darstellt. Denn sie müssen nicht die Genehmigung aus einem anderen Mitgliedstaat akzeptieren, die vielleicht unter ganz anderen Voraussetzungen erteilt wurde, als dies in ihrem Mitgliedstaat möglich gewesen wäre. Sie können, im Gegenteil, sogar selbst an den Normen und Voraussetzungen mitarbeiten. Jedem einzelnen von ihnen obliegt letztlich auch die Gewalt darüber, ob eine bestimmte Norm in der vorgesehenen Form zustande kommt. Denn aufgrund des Einstimmigkeitserfordernisses des Art. 86 Abs. 1 Satz 2 AEUV kann eine solche Vorschrift nur beschlossen werden, wenn die Vertreter aller Mitgliedstaaten im Rat zustimmen.

---

686 Vgl. unten E.1.b)bb).

687 EU-Kommission, Grünbuch finanzielle Interessen, S. 54.

Hinsichtlich der konkreten Ermittlungsbefugnisse, die der europäischen Strafverfolgungsbehörde übertragen werden sollten, können in dieser Arbeit nur Vorschläge unterbreitet werden. Zur Festlegung dieser Befugnisse ist eine Analyse der Strafprozessordnungen aller 27 Mitgliedstaaten und ein darauf basierender Kompromiss erforderlich. Bei der Ausgestaltung der Ermittlungsbefugnisse müssen die Anforderungen, die sich aus der GRC, der EMRK und der Rechtsprechung des EGMR hierzu ergeben, beachtet werden. Um effektiven Rechtsschutz zu gewährleisten, müssten die Ermittlungsbefugnisse, die mit Zwangsausübung verbunden sind, zunächst von einem europäischen Ermittlungsrichter, der an einem Europäischen Vorverfahrensgericht anzusiedeln wäre, genehmigt werden. Dessen Genehmigung würde europaweite Geltung zukommen, ohne dass weitere Zwischenschritte hierfür erforderlich wären.[688]

Ebenso auf europäischer Ebene geregelt werden sollten die Beweisvorschriften. Auch hier hat sich herausgestellt, dass nur eine europäische Regelung eine befriedigende Lösung darstellen kann. Die Schaffung europäischer Standards zur Zulässigkeit von Beweisen wird eines der schwierigsten Elemente bei der Errichtung einer Europäischen Staatsanwaltschaft sein. Wie gezeigt, ist sie jedoch unumgänglich.

Für die neue Einrichtung sollte somit ein europäisches Ermittlungsverfahren geschaffen werden, das eigenen Regeln folgt. Es muss ein Kompromiss gefunden werden, der in allen Mitgliedstaaten mit dem dort geltenden Recht vereinbar ist und dennoch ein möglichst effizientes Handeln der Europäischen Staatsanwaltschaft ermöglicht. Nicht zur Disposition stehen allerdings die Werte und Anforderungen aus GRC und EMRK. Durch die Schaffung europäischer Regelungen werden die nationalen Wertungen zum Teil durch europäische Wertungen ersetzt werden. Die Mitgliedstaaten können jedoch bei der Erarbeitung dieser europäischen Wertungen selbst mitarbeiten und müssen nicht, wie bei Anwendung des Prinzips der gegenseitigen Anerkennung, fremde Wertungen anderer Mitgliedstaaten in ihr nationales Recht übernehmen.

Die Schaffung europäischer Normen würde keinen Verstoß gegen Subsidiaritäts- und Verhältnismäßigkeitsprinzip darstellen. Wie gezeigt, bieten die Wege, die den Mitgliedstaaten die größtmögliche Regelungsbefugnis zugestehen, keine angemessene Lösung für die Ausgestaltung des Ermittlungsverfahrens der Europäischen Staatsanwaltschaft. Bestimmungen auf europäischer Ebene könnten die Ausgestaltung besser regeln. Die Verfassung europäischer Bestimmungen wäre geeignet, angemessene Regelungen zu treffen und zugleich erforderlich, um eine befriedigende Lösung zu erreichen.

---

688 Vgl. oben 2.d)cc).

D. Abschluss des Ermittlungsverfahrens

Die Europäische Staatsanwaltschaft wird am Ende ihrer Ermittlungen vor den nationalen Gerichten Anklage erheben. Ein Ermittlungsverfahren könnte aber auch auf andere Weise beendet werden. So könnten zwingende Gründe vorliegen, aufgrund derer sie das Verfahren einstellen muss. Anders als bei den bereits behandelten Möglichkeiten zur Einstellung[689] würde es sich hier nicht um eine Ermessensentscheidung handeln. Die Gründe, die die Behörde zur Einstellung eines Verfahrens zwingen, müssten zur Gewährleistung der Rechtssicherheit auf europäischer Ebene explizit normiert werden.

1. Einstellung

Um den Beschuldigten vor Willkür zu bewahren, müsste statuiert werden, dass die Europäische Staatsanwaltschaft Anklage nur dann erheben kann, wenn sie über ausreichend Beweise gegen ihn verfügt.[690] Ein Mangel an Beweisen für die Schuld des Beschuldigten müsste zwingend dazu führen, dass das Verfahren eingestellt wird[691] (vgl. § 170 Abs. 2 StPO). Ebenso zwingend wäre die Einstellung des Verfahrens, wenn die Verjährungsfrist für die verfolgte Straftat abgelaufen ist,[692] der Beschuldigte verstirbt oder wenn der Täter nicht ermittelt werden kann oder verschollen ist.[693]

Im Gegensatz zu Fällen, in denen die Europäische Staatsanwaltschaft das Verfahren aufgrund von Opportunitätserwägungen einstellt, müsste die zwingende Einstellung nicht auch automatisch zur Folge haben, dass wegen der Straftat gegen den Beschuldigten nicht noch einmal ermittelt werden kann (Ne-bis-in-idem-Grundsatz). Erfolgt eine Einstellung wegen Mangels an Beweisen, weil der Täter nicht ermittelt werden kann oder verschollen ist, müsste vorgesehen werden, dass bei Vorliegen neuer Tatsachen und Beweismittel eine Wiederaufnahme des Verfahrens durch die Europäische Staatsanwaltschaft möglich ist. In diesen Fällen ist der Täter nicht schutzwürdig.[694] Im Gegensatz zur Einstellung aufgrund von Opportunitätserwägungen wird mit dieser Einstellung keine endgültige Feststellung getroffen. Deshalb müsste in die Verordnung nach Art. 86 Abs. 1 i.V.m. Art. 86 Abs. 3 AEUV aufgenommen werden, unter welchen Bedingungen die Wiederaufnahme des Verfahrens möglich sein muss.

---

689 Vgl. oben B.1.

690 Näher dazu unten D.2.

691 Vgl. auch den deutschen Straftatbestand „Verfolgung Unschuldiger" § 344 StPO.

692 EU-Kommission, Grünbuch finanzielle Interessen, S. 59; vgl. zur Verjährung: oben II.D.

693 EU-Kommission, Grünbuch finanzielle Interessen, S. 59.

694 Vgl. *Weber,* S. 123.

2. Anklageerhebung

Um eine unnötige Belastung des Beschuldigten zu vermeiden, sollte die Europäische Staatsanwaltschaft nur Anklage erheben dürfen, wenn sie über ausreichend Beweise verfügt.[695] Als Maßstab hierfür könnte festgelegt werden, dass ein hinreichender Tatverdacht vorliegen muss. Da „hinreichender Tatverdacht" aber weder ein Begriff ist, der nur eine Interpretation zulässt, noch ein Begriff, dessen Bedeutung europarechtlich bereits in irgendeiner Form geklärt ist, müsste er näher bestimmt werden. In Betracht käme beispielsweise eine Definition, die sich an das deutsche Begriffsverständnis anlehnt. Ein die Anklageerhebung rechtfertigender hinreichender Tatverdacht würde demnach dann vorliegen, wenn eine nach Maßgabe des Akteninhalts vorzunehmende vorläufige Tatbewertung ergibt, dass eine Verurteilung des Beschuldigten wahrscheinlich ist.[696] Dies ist jedoch nur eine Möglichkeit. Bei der endgültigen Definition müssten auch die Bestimmungen der 26 anderen Mitgliedstaaten in Betracht gezogen werden. Unabhängig davon, welche Regelung getroffen wird, müssen jedenfalls eindeutige Kriterien dafür festgelegt werden, wann die Europäische Staatsanwaltschaft berechtigt ist, Anklage zu erheben.

Art. 86 AEUV bietet keine Rechtsgrundlage dafür, eine Regelung dahingehend zu erlassen, bei welchem nationalen Gericht Anklage erhoben werden muss. Die Zuständigkeit bestimmt sich somit nach den innerstaatlichen Regelungen zur Gerichtsbarkeit. Aufgrund der Komplexität der Fälle sollten diese nicht vor Laiengerichten,[697] eventuell sogar nur vor einem spezialisierten Gericht verhandelt werden. Ob die Mitgliedstaaten eine solche Regelung treffen, ist ihnen jedoch freigestellt. Da das Hauptverfahren vor den nationalen Gerichten stattfindet, muss sich die Europäische Staatsanwaltschaft auch hinsichtlich der Form der Anklageerhebung an die Vorschriften des nationalen Strafprozessrechts halten.[698]

a) Ort

Da die Europäische Staatsanwaltschaft häufig in mehreren Mitgliedstaaten ermitteln wird, muss geklärt werden, in welchem dieser Staaten sie Anklage erhebt. Aufgrund der Gefahr positiver und negativer Kompetenzkonflikte kann es nicht den Mitgliedstaaten überlassen bleiben, eine Regelung zu treffen, wann ihre Gerichte zuständig sind. Nur eine europäische Bestimmung könnte hier eine sinnvolle Lösung festlegen. Damit wäre eine im Rahmen der Errichtung der Europäischen

---

695 Vgl. EU-Kommission, Grünbuch finanzielle Interessen, S. 59.

696 Löwe/Rosenberg-*Graalmann-Scheerer,* § 170 Rn. 24.

697 EU-Kommission, Grünbuch finanzielle Interessen, S. 63; vgl. auch Art. 26 Abs. 1 CJ/CJ 2000.

698 Vgl. EU-Kommission, Grünbuch finanzielle Interessen, S. 59.

Staatsanwaltschaft getroffene europäische Regelung zur Bestimmung des Anklageorts mit dem Subsidiaritäts- und dem Verhältnismäßigkeitsprinzip zu vereinbaren.

Durch die Auswahl des Mitgliedstaates werden nicht nur die Verfahrensregeln bestimmt, nach denen die Hauptverhandlung durchgeführt wird, sondern auch, in welcher Sprache das Verfahren stattfinden wird. So könnten beispielsweise die Verfahrensregeln des einen Mitgliedstaates vorsehen, dass einem Zeugen ein Zeugnisverweigerungsrecht zusteht, die eines anderen, dass ihm kein solches Recht zusteht.[699] Zwar hat der Beschuldigte in der Hauptverhandlung ein Recht auf einen Dolmetscher (Art. 6 Abs. 3 lit. e EMRK), es müssen aber beispielsweise nicht alle Dokumente übersetzt werden. Es reicht, wenn das Schriftstück übersetzt wird, aus dem der Beschuldigte erfahren kann, was ihm vorgeworfen wird, und dass ihm die Möglichkeit gegeben wird, sich zu verteidigen.[700] Die Auswahl des Mitgliedstaates, in dem das Verfahren stattfindet, hat mithin für die Verteidigung des Beschuldigten entscheidende Bedeutung. Diese Relevanz begründet allein schon, dass die Entscheidung darüber, in welchem Mitgliedstaat die Anklage erhoben wird, nicht in das Ermessen der Europäischen Staatsanwaltschaft gestellt werden darf.[701] Zudem wäre zumindest eine unkontrollierte Ermessensentscheidung der Staatsanwaltschaft nicht mit dem Recht auf den gesetzlichen Richter (Art. 47 Abs. 2 GRC/ Art. 6 Abs. 1 EMRK)[702] zu vereinbaren.[703]

Es müssen also eindeutige Kriterien festgelegt werden, nach denen die europäische Strafverfolgungsbehörde entscheiden muss, in welchem Mitgliedstaat sie einen Fall zur Anklage bringt.[704] Dabei genügt es nicht, „Hauptkriterien" festzulegen, nach denen sie entscheiden kann, ohne diese Kriterien zwingend vorzuschreiben und eine Rangfolge festzulegen, nach der entschieden werden muss.[705] Insbesondere die in Art. 26 Abs. 2 CJ/CJ 2000 enthaltene Aussage, die Auswahl müsse danach erfolgen, welcher Mitgliedstaat im Interesse einer effizienten Rechtspflege am besten geeignet erscheint, ist bedenklich. Denn so könnte sich die Einrichtung, zumindest jenseits des offensichtlichen Rechtsmissbrauchs, die Verfahrensordnung aussuchen, in der ihr es am ehesten möglich erscheint, die Schuld des Beschuldigten nachzuweisen,[706] z.B. weil keine Zeugnisverweigerungsrechte bestehen.

---

699 Vgl. dazu unten E.1.b)cc).

700 *Meyer-Ladewig,* Art. 6 Rn. 251.

701 So aber ein Vorschlag des Grünbuchs, vgl. EU-Kommission, Grünbuch finanzielle Interessen, S. 61f.

702 Vgl. *Meyer-Ladewig,* Art. 6 Rn. 73; *Satzger,* StV 2003, 140.

703 *Satzger,* StV 2003, 140.

704 So auch *Deiters,* S. 265; European Public Prosecutor Working Group, S. 10; *Satzger,* StV 2003, 140.

705 So die Lösung des CJ/CJ 2000, Art. 26 Abs. 2 CJ/CJ 2000.

706 *Deiters,* S. 265.

Als Zuständigkeitsnorm könnte statuiert werden, dass das Gerichtsverfahren immer in dem Staat stattfinden muss, in dem der Angeklagte seinen Wohnsitz hat.[707] Durch diese Lösung könnte die Gefahr minimiert werden, dass der Angeklagte die Gerichtssprache nicht spricht und sich mit dem Rechtssystem nicht auskennt und dadurch bei seiner Verteidigung benachteiligt ist. Die Notwendigkeit, Untersuchungshaft anzuordnen, um ein Gerichtsverfahren zu ermöglichen, wird darüber hinaus geringer sein, wenn das Verfahren am Wohnsitz des Angeklagten durchgeführt wird.[708] Die sozialen Belastungen, die sich für den Angeklagten ergeben, wenn das Verfahren fernab seines Wohnsitzes durchgeführt wird, sind darüber hinaus immens. So kann er dadurch seinen Arbeitsplatz verlieren und familiäre und soziale Bindungen nur sehr schwer pflegen.[709] Dass die Durchführung eines Verfahrens an einem anderen Ort als dem Wohnsitz zu Brüchen in diesen Beziehungen führt, ist nicht unwahrscheinlich. Des Weiteren ist den Strafverfolgungsorganen grundsätzlich eher eine internationale Beweglichkeit zuzumuten als dem Angeklagten.[710] Dies gilt insbesondere dann, wenn es sich um eine europäische Behörde handelt, die aufgrund ihrer internen Organisation grenzüberschreitend aufgestellt ist. Die gegenteilige Behauptung, dass der Angeklagte sich aufgrund seines Verhaltens selbst zuzuschreiben habe, dass das Verfahren möglicherweise nicht an seinem Wohnsitz stattfindet, ist mit der Unschuldsvermutung nicht zu vereinbaren.[711]

Gegen eine Regelung, nach der das Verfahren grundsätzlich am Wohnort des Angeklagten stattfindet, könnte aber sprechen, dass dadurch viele Beweismittel in einen Mitgliedstaat befördert werden müssen. Zudem könnte sich die Wahrnehmung von Ortsterminen als schwierig erweisen. Es könnte deshalb sinnvoller sein, das Verfahren in dem Mitgliedstaat stattfinden zu lassen, in dem die Beweismittel belegen sind. Da die Verfahren der Europäischen Staatsanwaltschaft häufig grenzüberschreitend stattfinden werden, sind die Beweismittel jedoch nicht immer alle in demselben Mitgliedstaat. Deshalb könnte eine Regelung getroffen werden, die bestimmt, dass sich die Wahl des Mitgliedstaates danach richtet, in welchem Mitgliedstaat sich der überwiegende Teil der Beweismittel befindet.[712] Ist jedoch der überwiegende Teil der Beweismittel in einem anderen Staat als in jenem, in dem die Ortsbesichtigung stattfinden sollte, wäre das Problem durch diese Regelung

---

707 Art. 26 Abs. 2 lit. b CJ/CJ 2000; *Deiters*, S. 266f; auch der Vorschlag Europäische Staatsanwaltschaft nennt dies als Möglichkeit zur Zuständigkeitsbestimmung, Art. 27 Abs. 4 c).

708 Vgl. *Deiters,* S. 266.

709 *Deiters,* S. 266.

710 Zu grenzüberschreitenden, von nationalen Behörden geführten Strafverfahren vgl. *Fuchs,* ZStW (2004) 116, 370.

711 *Satzger,* StV 2003, 140.

712 Art. 26 Abs. 2 lit. a CJ/CJ 2000; ähnlich auch der Vorschlag Europäische Staatsanwaltschaft, der als Kriterium unter anderem den „Ort, an dem sich die Beweismittel befinden", nennt, ohne aber darauf einzugehen, dass diese möglicherweise in den Mitgliedstaaten verteilt sind, Art. 27 Abs. 4 c.

auch nicht gelöst. Darüber hinaus ist eine solche Lösung nicht geeignet, ein eindeutiges Kriterium für die Wahl des Anklageorts zu schaffen. Bei ungefähr gleicher Beweislage in mehreren Mitgliedstaaten könnte es schwierig sein zu bestimmen, in welchem Mitgliedstaat der überwiegende Teil der Beweismittel belegen ist. Eine Regelung, die sich nach dem Ort der Beweismittel richtet, wäre nur in den Fällen denkbar, in denen sich alle Beweismittel in demselben Land befinden. Dennoch sprechen die Nachteile, die sich für den Angeklagten dadurch ergeben, dass das Verfahren in einem anderen Mitgliedstaat als dem seines Wohnsitzes durchgeführt wird, auch in diesem Fall dagegen, eine solche Regelung zu statuieren.

Eine weitere Möglichkeit zur Regelung der Zuständigkeit wäre, den Gerichtsort danach zu bestimmen, wo die wirtschaftlichen Folgen der Straftat am schwerwiegendsten sind.[713] Zieht man die Tatsache in Betracht, dass die Europäische Staatsanwaltschaft Straftaten verfolgen wird, die sich zulasten des EU-Haushalts, also auf europäischer Ebene auswirken, erscheint eine solche Lösung indes nicht sachgerecht. Daneben führen abermals die gravierenden Auswirkungen, die sich für den Beschuldigten ergeben können, wenn das Gerichtsverfahren nicht an seinem Wohnsitz durchgeführt wird, dazu, dass diese Möglichkeit abgelehnt werden muss. Aufgrund dieser Nachteile wäre auch eine Regelung, nach der die Zuständigkeit des Gerichts nach dem Handlungs- oder Erfolgsort bestimmt wird, nicht angemessen.

Grundsätzlich sollte die europäische Behörde somit in dem Mitgliedstaat Anklage erheben, in dem der Beschuldigte seinen Wohnsitz hat. Es wird jedoch Fälle geben, in denen die Beurteilung des tatsächlichen Lebensmittelpunkts schwierig ist, der Beschuldigte keinen Wohnsitz innerhalb der Union hat[714] oder in denen die Beschuldigten eines Verfahrens ihren Wohnsitz in unterschiedlichen Mitgliedstaaten haben. Für diese Fälle müssten alternative Regelungen vorgesehen werden, die aber nur zur Anwendung kommen dürften, wenn sich kein Wohnsitz bestimmen lässt. Hat der Beschuldigte keinen Wohnsitz innerhalb der Union, könnte beispielsweise der Tatort als Gerichtsort normiert werden.[715] Auch für die Fälle, in denen es mehrere Beschuldigte gibt, die Wohnsitze in unterschiedlichen Staaten haben, müsste eine Regelung getroffen werden. Wichtig ist, dass diese Ausnahmetatbestände ausdrücklich normiert und nicht in das Ermessen der Europäischen Staatsanwaltschaft gestellt werden.

---

[713] Vgl. Art. 26 Abs. 2 lit. c CJ/CJ 2000.

[714] *Deiters,* S. 267.

[715] *Deiters,* S. 267.

b) Kontrolle der Anklageerhebung

Die Wahl des Mitgliedstaates, in dem die Anklage erhoben wird, könnte der richterlichen Kontrolle unterstellt werden.[716] Wenngleich, wie oben bereits erläutert, eindeutige Kriterien für die Wahl des Mitgliedstaates statuiert werden sollten, kann es in Einzelfällen zu Unklarheiten kommen, insbesondere in einem der Ausnahmefälle. Wegen der Folgen, die die Auswahl des Verhandlungsorts für den Angeklagten haben kann, ist eine richterliche Kontrolle dieser Wahl unerlässlich.

Vorgeschlagen wurde, diese Kontrolle von dem nationalen Richter durchführen zu lassen, der im Ermittlungsverfahren für die Genehmigung von Anträgen der Staatsanwaltschaft zuständig ist.[717] Das Konzept der vorliegenden Arbeit sieht jedoch vor, die Kontrolle dieser Anträge einem Richter an einem Europäischen Vorverfahrensgericht zu übertragen.[718] Dieser wäre bereits mit dem Fall bekannt. Es wäre deshalb sachgerecht, ihm auch die Kontrolle darüber zu übertragen, ob die Auswahl des Mitgliedstaates, in dem die Anklage erhoben werden soll, rechtmäßig erfolgt ist. Eine solche Regelung wäre auch mit dem Wortlaut des Art. 86 Abs. 3 AEUV zu vereinbaren, nach dem Regelungen zur gerichtlichen Kontrolle der Verfahrens- (bzw. Prozess)handlungen[719] der Europäischen Staatsanwaltschaft getroffen werden sollen.

Dem Europäischen Vorverfahrensgericht könnten weitere Kompetenzen zur Kontrolle der Anklageerhebung übertragen werden. In diesen Rahmen fiele auch die Prüfung, ob die vorliegenden Beweise den europäischen Vorschriften über Beweismittel entsprechen.[720] Nicht in jedem Mitgliedstaat findet in nationalen Verfahren eine vergleichbare Prüfung statt. Dennoch erscheint es sinnvoll, eine solche Kontrolle auf europäischer Ebene zu statuieren. Die europäischen Beweisvorschriften werden geschaffen, um sicherzustellen, dass die Beweismittel der neuen Institution in allen Mitgliedstaaten verwertet werden können. Dann ist es aber nur konsequent, die Beweismittel, die nach diesen Regeln nicht verwertbar sind, auch auf europäischer Ebene auszuschließen. Dadurch kann zudem eine Einheitlichkeit in der Bewertung eines Verstoßes gegen die Regeln sichergestellt werden, was zu mehr Rechtssicherheit und Rechtsklarheit beiträgt.

Das Europäische Vorverfahrensgericht sollte deshalb die Beweismittel daraufhin überprüfen, ob sie den europäischen Regeln entsprechen. Handelt es sich um einen Verstoß, der nach den europäischen Regeln den Ausschluss des Beweismittels zwingend zur Folge hat, muss das Europäische Vorverfahrensgericht dieses Be-

---

[716] Vgl. EU-Kommission, Grünbuch finanzielle Interessen, S. 69.

[717] Art. 25 Abs. 3 CJ; EU-Kommission, Grünbuch finanzielle Interessen, S. 69.

[718] Vgl. oben C.2.d)bb).

[719] Vgl. oben C.2.d).

[720] Art. 25 Abs. 3 CJ; zu den europäischen Beweisvorschriften vgl. oben C.3.d) und e) sowie unten E.1.b).

weismittel ausschließen, bevor eine Anklage erfolgen kann. Liegt ein anderer Verstoß vor, muss das Gericht auch diesen feststellen. Die Bewertung, ob er dazu führt, dass das Beweismittel nicht verwertet werden darf, weil andernfalls ein faires Verfahren nicht gewährleistet werden kann, obläge dem nationalen Gericht.[721] Das Europäische Vorverfahrensgericht könnte natürlich nur jene Beweismittel überprüfen, die als solche schon vorhanden sind. Eine Zeugenaussage, die erst vor Gericht gemacht wird, könnte es nicht überprüfen.

Eine Kontrolle der Anklageerhebung durch das Europäische Vorverfahrensgericht erscheint aufgrund der obigen Ausführungen sinnvoll. Damit diese Kontrolle von Anfang an zu mehr Rechtsklarheit und Rechtssicherheit führt, müsste sie stets vor jeder Anklageerhebung stattfinden.

E. Hauptverfahren

Das Hauptverfahren wird vor den nationalen Gerichten der Mitgliedstaaten stattfinden. Es richtet sich deshalb, abgesehen davon, dass europäische Straftatbestände statuiert wurden, nach dem nationalen Recht. Die Europäische Staatsanwaltschaft muss die Rolle der nationalen Staatsanwaltschaft übernehmen (Art. 86 Abs. 2 Satz 2 AEUV). Sie muss also die nationalen Staatsanwälte ersetzen und dem jeweiligen System entsprechend handeln.[722] Europäische Vorgaben, die die Rolle der Europäischen Staatsanwaltschaft im Gerichtsverfahren definieren, könnten nicht gemacht werden.[723]

Aufgrund des eindeutigen Wortlauts der Norm, nach dem „die Europäische Staatsanwaltschaft […] bei diesen Straftaten vor den zuständigen Gerichten der Mitgliedstaaten die Aufgaben der Staatsanwaltschaft wahr[nimmt]“, wäre auch eine Übertragung dieser Rolle auf nationale Staatsanwälte nicht zulässig. Dagegen sprechen zudem Sinn und Zweck der Norm. Denn durch die Übernahme der Strafverfolgung durch die europäische Einrichtung sollen die derzeit auf dem Gebiet der Betrugsbekämpfung bestehenden Schwierigkeiten beseitigt werden. Probleme hierbei sind unter anderem die Überlastung der nationalen Justizsysteme sowie nationale Interessen,[724] die der effektiven Bekämpfung möglicherweise entgegenstehen. Durch eine Übertragung auf nationale Staatsanwälte würden diese Punkte erneut relevant. Unabhängig davon, ob Art. 325 Abs. 4 AEUV grundsätzlich eine Übertragung auf nationale Staatsanwälte ermöglichen könnte, sprächen auch hier Sinn und Zweck der Norm aufgrund der obigen Argumentation gegen eine solche Regelung.

---

721 Vgl. dazu ausführlich unten E.1.b)ee).

722 Geiger/Khan/Kotzur-*Kotzur,* Art. 86 Rn. 6.

723 Schwarze-*Böse,* Art. 86 Rn. 11.

724 Vgl. Teil 2, III.G.

Hinsichtlich der Zulässigkeit der Beweismittel kann die Union aufgrund von Art. 86 Abs. 3 AEUV Regelungen treffen. Die Bestimmungen wirken sich insofern auf das Hauptverfahren in den Mitgliedstaaten aus, als dass bestimmte Beweismittel als solche zugelassen werden müssen. Bei der Durchführung des Hauptverfahrens auf nationaler Ebene ist das mitgliedstaatliche Gericht bis auf die Verwertbarkeit von Beweismitteln nicht an spezifisches europäisches, sondern an nationales Recht gebunden. In diesem Rahmen ist es selbstverständlich auch verpflichtet, ein faires Verfahren nach Art. 6 Abs. 1 EMRK sowie die weiteren in Art. 6 EMRK statuierten Rechte zu gewährleisten. Eng im Zusammenhang mit der Frage nach der Regelung des Hauptverfahrens stehen die Fragen nach der Vollstreckung des Urteils und nach möglichen Rechtsbehelfen. Im Folgenden soll untersucht werden, welche europäischen Bestimmungen im Zusammenhang mit dem Hauptverfahrens getroffen werden müssten.

1. Beweismittel

Europäische Regelungen, die das Hauptverfahren in den Mitgliedstaaten beeinflussen, würden sich insbesondere durch die europäische Ausgestaltung des Ermittlungsverfahrens ergeben. Die im Verfahren gesammelten Beweise müsste die Europäische Staatsanwaltschaft in das nationale Verfahren einbringen. Deshalb könnten sich sowohl die Regelung über die Ausgestaltung der Ermittlungsbefugnisse als auch die europäischen Beweisvorschriften auf das nationale Verfahren insofern auswirken, als sie für die Verwertbarkeit eines Beweismittels entscheidend sein können.

a) Zulassung der Beweise

Die in dieser Arbeit vorgeschlagenen europäischen Regeln über die Zulässigkeit der Beweise[725] sollen eine weitgehende Verwertbarkeit der Beweismittel gewährleisten. Entspricht ein Beweismittel diesen Standards, kann seine Verwertung nicht mit dem bloßen Verweis darauf, dass es nicht den nationalen Standards entspricht, abgelehnt werden. Insofern werden die nationalen Anforderungen, die an eine rechtmäßige Beweiserhebung und eine daraus resultierende grundsätzliche Verwertbarkeit gestellt werden, durch europäische Standards ersetzt. Die Prüfung, ob ein Beweismittel diesen Standards entspricht, obläge dem Europäischen Vorverfahrensgericht. Alle Beweismittel, für die das Europäische Vorverfahrensgericht feststellt, dass sie den europäischen Standards entsprechen, müssten somit zunächst grundsätzlich von den nationalen Gerichten zugelassen werden. Die Feststellung des Europäischen Vorverfahrensgerichts, dass es sich um zulässige Beweise handelt, wäre verbindlich.

---

[725] Vgl. oben C.3.e).

b) Ausschluss von Beweisen

Da europäische Standards für die Zulässigkeit eines Beweismittels geschaffen werden sollen, müsste auch auf europäischer Ebene festgelegt werden, wie sich ein Verstoß gegen diese Regeln auswirkt. Dies dient der Rechtsklarheit und gewährleistet eine gewisse Einheitlichkeit bei der Durchführung der Verfahren. Denn bislang gibt es keine in der Union allgemein anerkannte Lehre zu den Beweisverboten.[726]

aa) Handeln außerhalb der Kompetenzen

Zunächst stellt sich die Frage, wie es sich auswirkt, wenn die Europäische Staatsanwaltschaft bei der Beweiserhebung nicht innerhalb ihrer Kompetenzen gehandelt, sondern diese überschritten hat. Nach der EMRK gibt es keinen allgemeinen Grundsatz, dass rechtswidrig erhobene Beweise im gerichtlichen Verfahren nicht verwertet werden dürfen.[727] Der EGMR schließt die Verwertung solcher Beweise nicht aus, wenn das Strafverfahren trotz dieser rechtswidrigen Beweise insgesamt fair durchgeführt wird.[728]

Im Fall der Europäischen Staatsanwaltschaft wäre es jedoch so, dass sich eine Einrichtung der Union über die ihr vertraglich zustehenden Kompetenzen hinweggesetzt hätte. Aufgrund dieser besonderen Konstellation könnte für diesen Fall vorgesehen werden, dass ein Beweismittel im Hauptverfahren nicht verwendet werden darf. Dieses Beweisverwertungsverbot gründete damit auf dem Zweck, die europäische Einrichtung zu disziplinieren und unberechtigte Übergriffe der europäischen Institution zu vermeiden.

Wenngleich dieses Mittel beispielsweise in den USA angewendet wird,[729] ist es im Rahmen der Europäischen Staatsanwaltschaft abzulehnen. Denn ein auf diesen Gedanken gestütztes Beweisverwertungsverbot wäre ein systemfremdes Mittel zur Disziplinierung der mit der Strafverfolgung befassten Staatsanwaltschaft.[730] Bei Zugrundelegung dieses Ansatzes müsste man zugleich akzeptieren, dass mit der Ahndung des Fehlverhaltens eines Ermittlungsbeamten zur Überführung eines Täters wichtige Beweismittel verloren gingen.[731] Persönliche Konsequenzen für den Beamten ergäben sich jedoch hieraus nicht. Sie würden erst in einem im Anschluss eingeleiteten Disziplinarverfahren relevant. Damit trifft diese Sanktion unmittelbar

---

[726] *Gleß*, S. 425.

[727] *Meyer-Ladewig,* Art. 6 Rn. 143.

[728] *Esser,* StraFo 2003, 342.

[729] Vgl. zur sogenannten „Fruits of the poisonous tree doctrine“ beispielsweise *Trüg*, S. 451.

[730] Vgl. *Muthorst*, S. 55.

[731] *Brüning,* HRRS 2007, 253.

nicht den rechtswidrig handelnden Ermittlungsbeamten, sondern die Allgemeinheit,[732] deren Strafanspruch gegen einen überführten Straftäter nicht durchgesetzt werden könnte.[733]

Ein wichtiger Unterschied zum US-amerikanischen Strafprozessrecht ergäbe sich zudem daraus, dass die Europäische Staatsanwaltschaft sowohl belastende als auch entlastende Umstände ermitteln würde. Im US-amerikanischen Recht hingegen ist die Strafverfolgungsbehörde für die Belastung, der Angeklagte für seine Entlastung verantwortlich.[734] In diesem System, in dem wesentlich stärkere Ermittlungs- und Strafverfolgungsbehörden einem Bürger gegenüberstehen, erscheint ein disziplinierendes Beweisverwertungsverbot naheliegender als im Rahmen der Tätigkeit der Europäischen Staatsanwaltschaft.

Ein Überschreiten der Befugnisse sollte deshalb nicht zum Ausschluss des Beweismittels führen, sondern innerhalb des dafür geschaffenen Disziplinarrechts (und gegebenenfalls strafrechtlich) geahndet werden. Es muss überdies vom Europäischen Vorverfahrensgericht festgestellt werden. Einen automatischen Ausschluss des Beweismittels sollte dies aber nicht zur Folge haben.

bb) Verstoß gegen europäische Zulässigkeitsstandards

Eine Verletzung der anderen europäischen Zulässigkeitsstandards könnte zum Ausschluss eines Beweismittels für das Hauptverfahren führen. Zwingend ist dieser nach der Rechtsprechung des EGMR nur dann, wenn die Verfahrensfairness des Art. 6 EMRK nicht mehr gewährleistet werden kann.[735] Deshalb sollte auch die Verletzung anderer europäischer Standards nicht zu einem automatischen Ausschluss des Beweismittels führen.

Um zu prüfen, ob die Fairness des Verfahrens durch die Verwertung eines Beweismittels beeinträchtigt würde, nimmt der EGMR eine Gesamtbetrachtung vor. Denn eine Beurteilung, ob ein faires Verfahren gewährleistet werden kann, kann nur im Gesamtzusammenhang mit der jeweiligen Verfahrensordnung des betroffenen Mitgliedstaates erfolgen, da sich aus der Unterschiedlichkeit der Verfahrensordnungen ergibt, dass verschiedene Möglichkeiten vorgesehen sein können, um einen Verfahrensverstoß zu kompensieren.[736]

Eine solche Gesamtbetrachtung müsste auch im europäischen Beweisverfahren vorgesehen werden. Der Ausschluss jedes Beweismittels, das unter Verstoß gegen die europäischen Standards erlangt wurde, wäre unverhältnismäßig. Bei der Be-

---

[732] *Amelung*, NJW 1991, 2534.

[733] Brüning, HRRS 2007, 253.

[734] Vgl. hierzu beispielsweise *Trüg*, S. 25ff.

[735] Vgl. Löwe/Rosenberg-*Esser*, Art. 6 EMRK Rn. 295.

[736] *Kalb*, S. 86f.

urteilung dieser Frage müsste in Betracht gezogen werden, ob eine Verurteilung ausschließlich oder zu einem entscheidenden Teil auf dem rechtswidrig gewonnenen Beweismittel beruhen würde. Gibt es noch genügend weitere Beweise, auf die das Urteil gestützt werden kann, muss nach Rechtsprechung des EGMR das rechtswidrig erlangte Beweismittel nicht ausgeschlossen werden.[737]

Das Europäische Vorverfahrensgericht würde somit einen Verstoß zunächst nur feststellen, ohne das Beweismittel automatisch von der Verwertbarkeit auszuschließen. Da das Hauptverfahren vor einem nationalen Gericht stattfände (vgl. Art. 86 Abs. 2 Satz 2 AEUV), obläge es dem nationalen Richter zu beurteilen, ob das Beweismittel, das unter Verletzung der europäischen Standards von der Europäischen Staatsanwaltschaft erlangt wurde, auszuschließen ist (vgl. Art. 33 Abs. 1 Satz 2 CJ 2000). Nur er kann beurteilen, ob der Verstoß innerhalb seines Rechtssystems dazu führt, dass die Verwertung des Beweismittels das faire Verfahren beeinträchtigen würde. Insbesondere kann letztlich nur er feststellen, ob neben dem rechtswidrig erlangten Beweis ausreichend weitere Beweise vorhanden sind, auf die er ein Urteil stützen könnte.

Trotz der grundsätzlich vorzunehmenden Gesamtbetrachtung, bei der auch das nationale Verfahrensrecht berücksichtigt werden muss, könnten auf europäischer Ebene bestimmte verbindliche Ausschlussgründe für Beweismittel explizit geregelt werden.

Als solche kämen besonders gravierende Verstöße in Betracht, die die Durchführung eines fairen Verfahrens, unabhängig von der Verfahrensordnung des Mitgliedstaates, per se unmöglich machen. Weder in der EMRK noch in der Rechtsprechung des EGMR finden sich solche verbindlichen Beweisverbote. Dies spricht aber nicht dagegen, sie im Rahmen der Errichtung der Europäischen Staatsanwaltschaft auf europäischer Ebene festzulegen. Denn in bestimmten Fällen kann aufgrund der Schwere des Verstoßes ausgeschlossen werden, dass er im mitgliedstaatlichen Verfahren kompensiert werden kann. Zwingend zu einer Unverwertbarkeit des Beweismittels führen sollte z.B. ein Verstoß gegen das Folterverbot des Art. 4 GRC/Art. 3 EMRK[738] oder die bewusste Umgehung des Richtervorbehalts.

cc) Berücksichtigung nationaler Wertungen

Die Gewährleistung eines fairen Verfahrens kann die Berücksichtigung nationaler Wertungen erforderlich machen, obwohl die europäischen Zulässigkeitsstandards bei der Beweiserhebung gewahrt wurden. Zwar kann die Verwertbarkeit eines nach den europäischen Regeln gewonnenen Beweismittels nicht grundsätz-

---

737 *Kalb*, S. 85.

738 Vgl. zur absoluten Unverwertbarkeit eines solchen Beweismittels aufgrund von Art. 6 EMRK *Warnking*, S. 393.

lich deshalb abgelehnt werden, weil nationale Standards nicht eingehalten wurden, relevant werden könnten nationale Standards aber hinsichtlich der Punkte, zu denen auf europäischer Ebene keine Regelungen getroffen wurden. Kommt beispielsweise keine Einigung hinsichtlich des Bestehens von Zeugnisverweigerungsrechten zustande, müssten sie auf nationaler Ebene weiterhin geprüft und gewährleistet werden, wenn das nationale Recht ein solches Recht vorsieht. Dies müsste zumindest dann möglich sein, wenn die Gewährung des Zeugnisverweigerungsrechts in der nationalen Rechtsordnung als so wichtig angesehen wird, dass bei Versagung dieses Rechts ein faires Verfahren nicht gewährleistet werden könnte. Den mitgliedstaatlichen Gerichten muss also das Recht zukommen, auch Beweise, die die europäischen Standards erfüllen, daraufhin zu überprüfen, ob deren Verwertung unter Berücksichtigung der nationalen Wertungen ein faires Verfahren verhindern würde.

Dies darf jedoch nicht dazu führen, dass sämtliche Beweismittel, die den europäischen Standards entsprechen, von der Verwertung ausgeschlossen werden. Der Ausschluss eines Beweismittels müsste vielmehr unerlässlich und absolut notwendig sein, um ein faires Verfahren zu gewährleisten. Durch einen solch strengen Maßstab kann gewährleistet werden, dass durch die europäischen Zulässigkeitsstandards zwar tatsächlich eine Verbesserung der Beweisverwertbarkeit erreicht wird, gleichzeitig aber das faire Verfahren in den Mitgliedstaaten nicht gefährdet ist.

dd) Rolle des Europäischen Vorverfahrensgerichts

Aufgabe des Europäischen Vorverfahrensgerichts wäre es festzustellen, ob ein Verstoß gegen die europäischen Regeln vorliegt. Stellt das Europäische Vorverfahrensgericht fest, dass ein Beweismittel den Standards nicht gerecht wird, können sich hieraus unterschiedliche Folgen ergeben. Bei einem Verstoß, der so gravierend ist, dass er die Durchführung eines fairen Verfahrens unmöglich macht, müsste das Europäische Vorverfahrensgericht das Beweismittel ausschließen, bevor es zu einer Anklage kommt. Die Verstöße, die zur absoluten Unverwertbarkeit führen, müssten ausdrücklich in der europäischen Regelung festgelegt werden. Liegt ein solcher Fall nicht vor, stellt das Gericht lediglich fest, dass ein Verstoß vorliegt. Dieser Beweis wird dennoch bei der Anklageerhebung berücksichtigt.

ee) Rolle des nationalen Gerichts

Das nationale Gericht muss dann im Hauptverfahren prüfen, ob die Verwertung des Beweismittels dazu führen würde, dass nach der nationalen Rechtsordnung ein faires Verfahren nicht mehr gewährleistet werden kann. Bei dieser Bewertung ist auch die Möglichkeit in Betracht zu ziehen, einen Verstoß gegen die europäischen Standards im Rahmen des Hauptverfahrens zu heilen. Im Rahmen dieser Prüfung könnte das Gericht nationale Wertungen mit einbeziehen. Eine Berücksichtigung der Regeln des Mitgliedstaates, in dem der Beweis erhoben wurde, sollte jedoch nicht stattfinden.[739] Die Regeln der Beweiserhebungsrechtsordnung sind hier nicht relevant. Es geht allein darum, zu beurteilen, wie sich der Verstoß gegen die europäischen Vorschriften auf das nationale Verfahren auswirkt. Deshalb können nur die Wertungen berücksichtigt werden, die der Gesetzgeber des Beweisverwertungsstaates getroffen hat und solche, die sich aus der EMRK ergeben. Stellt das nationale Gericht hiernach fest, dass ein faires Verfahren nicht gewährleistet werden kann, wenn das Beweismittel verwertet wird, muss es die Verwertbarkeit des Beweismittels ablehnen. Denn Art. 6 Abs. 1 EMRK garantiert ein faires Verfahren. Hiervon kann nicht zugunsten einer verbesserten Strafverfolgung auf europäischer Ebene abgesehen werden.

ff) Ergebnis

Die Tatsache, dass nach der hier erarbeiteten Lösung trotz europäischer Standards in Zukunft nicht alle Beweismittel der Europäischen Staatsanwaltschaft verwertbar wären, ist dem Umstand geschuldet, dass Art. 86 AEUV die Schaffung einer europäischen Gerichtsbarkeit nicht vorsieht, sondern auf die nationalen Rechtssysteme verweist. Die nationalen Rechtssysteme sind so unterschiedlich, dass eine einheitliche europäische Beweisregelung, die unter allen Umständen ein faires Verfahren in allen Mitgliedstaaten gewährleisten kann, derzeit nicht möglich erscheint. Deshalb muss neben der Statuierung der europäischen Zulässigkeitsstandards festgelegt werden, dass die nationalen Gerichte ein Beweismittel immer dann ausschließen können, wenn seine Verwertung zu einem unfairen Verfahren führen würde. Natürlich darf dies nicht mit Verweis auf jene Punkte begründet werden, auf die sich die Mitgliedstaaten bei den europäischen Standards ausdrücklich geeinigt haben.

2. Urteilsvollstreckung

Die Urteilsvollstreckung wird den Mitgliedstaaten überlassen bleiben, da die Vollstreckung nicht mehr eine Aufgabe „vor den nationalen Gerichten" (Art. 86 Abs. 2 Satz 2) darstellt.[740] Der Staat, der für die Vollstreckung des Urteils zuständig ist, wird in der Regel der Staat sein, in dem das Urteil gefällt wurde, im Normalfall also der, in dem der Verurteilte seinen Wohnsitz hat.[741] Eine Überstellung

---

[739] So der Vorschlag der Verfasser des CJ/CJ 2000 (Art. 33 Abs. 2) und des Grünbuchs, vgl. EU-Kommission, Grünbuch finanzielle Interessen, S. 65, die allerdings von anderen Voraussetzungen bei der Beweiserhebung ausgingen.

[740] Schwarze-*Böse,* Art. 86 Rn. 11; anders: Grabitz/Hilf/Nettesheim-*Dannecker,* Art. 86 Rn. 42.

[741] Vgl. oben D.2.a).

des Verurteilten nach dem Überstellungübereinkommen des Europarats[742] und dem Zusatzprotokoll müsste unter den dort aufgeführten Bedingungen jedoch auch möglich sein. Dies kann besonders dann wichtig sein, wenn einer der Ausnahmetatbestände für die Bestimmung des Gerichtsorts einschlägig war.[743] Sobald er in allen Mitgliedstaaten umgesetzt ist, werden die aufgrund des Rahmenbeschlusses 2008/909/JI[744] erlassenen nationalen Gesetze die Grundlage für die Überstellung bilden. Ein Zustimmungserfordernis der Europäischen Staatsanwaltschaft zu einem Überstellungsantrag (vgl. Art. 23 Abs. 2 CJ/CJ 2000) ist nicht vorzusehen.[745] Liegen Gründe vor, die eine Überstellung rechtfertigen, gibt es keine Veranlassung, eine Regelung zu schaffen, mit der die Europäische Staatsanwaltschaft eine Überstellung noch verhindern könnte.

3. Rechtsbehelf

Nach Art. 2 Abs. 1 des 7. Zusatzprotokolls zur EMRK muss dem wegen einer Straftat Verurteilten die Möglichkeit zukommen, das Urteil von einem übergeordneten Gericht überprüfen zu lassen. Auch für die Europäische Staatsanwaltschaft könnte die Einlegung eines Rechtsbehelfs gegen ein Urteil von Interesse sein. Sie hat die Aufgabe, Straftaten zum Nachteil der finanziellen Interessen der Union zu bekämpfen. Um dieser nachzukommen, könnte es wichtig sein, dass sie einen Rechtsbehelf einlegen kann, wenn sie der Meinung ist, dass ein Freigesprochener schuldig ist oder ein Verurteilter keine angemessene Strafe erhalten hat.

a) Verurteilter

Das Hauptverfahren richtet sich grundsätzlich nach nationalem Recht. Dasselbe muss dann aber auch für Rechtsbehelfe gelten, die gegen ein solches Urteil eingelegt werden. Überlässt man den Mitgliedstaaten grundsätzlich die Rechtsprechung, wäre es inkonsequent, diese Entscheidung dadurch wieder „abzumildern", dass europäische Bedingungen für die Einlegung eines Rechtsbehelfs geschaffen würden. Der Verurteilte müsste etwaige Rechtsbehelfe gegen das Urteil somit nach Maßgabe der nationalen Rechtsordnung einlegen.

---

742 Übereinkommen über die Überstellung verurteilter Personen, abrufbar unter: http://conventions.coe.int/Treaty/ger/Treaties/Html/112.htm [Stand: 20.10.2011].

743 Vgl. oben D.2.a).

744 Rahmenbeschluss 2008/909/JI des Rates über die Anwendung des Grundsatzes der gegenseitigen Anerkennung auf Urteile in Strafsachen, durch die eine freiheitsentziehende Strafe oder Maßnahme verhängt wird, für die Zwecke ihrer Vollstreckung in der Europäischen Union.

745 So auch EU-Kommission, Grünbuch finanzielle Interessen, S. 66.

b) Europäische Staatsanwaltschaft

Obgleich auch die Verfasser des Corpus Juris davon ausgingen, dass das Hauptverfahren vor einem nationalen Gericht stattfinden würde, bestimmten sie in Art. 27 Abs. 2 CJ/CJ 2000, dass der europäischen Strafverfolgungsbehörde ein Rechtsbehelf gegen einen teilweisen oder vollständigen Freispruch zukommen solle. Ebenso geht die Kommission in ihrem Grünbuch davon aus, dass die Europäische Staatsanwaltschaft gegen ein freisprechendes Urteil Berufung einlegen können müsse.[746] Begründet wird dies damit, dass dadurch die Effizienz der Strafverfolgung gewährleistet werden könne und zu große Diskrepanzen zwischen den Gerichtsbarkeiten vermieden werden könnten.[747] In den Mitgliedstaaten ist das Recht der Staatsanwaltschaft zur Einlegung von Rechtsbehelfen unterschiedlich geregelt. Während dies in England nur unter sehr strengen Voraussetzungen und weniger häufig möglich ist als für den Verurteilten,[748] kann die Staatsanwaltschaft in Deutschland die gleichen Anfechtungsrechte gegen gerichtliche Entscheidungen geltend machen wie der Verurteilte (§ 296 Abs. 1 StPO). Es könnte deshalb naheliegen, eine europäische Regelung darüber zu treffen, ob die neue Einrichtung zur Einlegung eines Rechtsmittels befugt ist, und wenn dies der Fall sein sollte, in welchen Fällen.

Wie bereits erläutert, bietet Art. 86 AEUV jedoch keine Grundlage dafür, in das Gerichtssystem der Mitgliedstaaten einzugreifen. Eine Rechtsmittelbefugnis der Europäischen Staatsanwaltschaft kann deshalb nicht auf europäischer Ebene geregelt werden.[749] Da die europäische Institution vor den Gerichten die Aufgabe der nationalen Staatsanwaltschaften wahrnehmen soll (Art. 86 Abs. 2 Satz 2 AEUV), müssen ihr aber die nationalen Anfechtungsrechte, insofern sie bestehen, zukommen.[750] Dass der Rückgriff auf nationale Regelungen die Staatsanwaltschaft in ihrer Effizienz wesentlich beeinträchtigt, steht nicht zu befürchten. Denn mit den ihr nach dem in dieser Arbeit entwickelten Konzept zustehenden Kompetenzen wäre sie bereits gut aufgestellt, um Betrug zum Nachteil der finanziellen Interessen der EU zu bekämpfen. Eine Rechtsmittelbefugnis zur Anfechtung eines Urteils erscheint nicht zwingend erforderlich. Darüber hinaus wird durch das Fehlen einer europäischen Regelung nicht ausgeschlossen, dass die Staatsanwaltschaft dazu befugt ist, Rechtsmittel einzulegen. Die sich daraus ergebenden Unterschiedlichkeiten, dass sich die Bestimmung dieser Kompetenzen nach nationalem Recht richtet, sind im Hinblick auf das gewählte Verfahren, das zwischen europäischem Ermittlungsverfahren und nationalem Verfahren trennt, hinzunehmen.

---

[746] EU-Kommission, Grünbuch finanzielle Interessen, S. 80.

[747] Erläuterungen zu Art. 27 CJ, *Delmas-Marty* (Hrsg.), Corpus Juris, S. 68.

[748] Vgl. dazu ausführlich: *Buss*, S. 78ff.

[749] Anders Art. 4 Abs. 3, Vorschlag Europäische Staatsanwaltschaft. Hiernach soll die Staatsanwaltschaft rechtsmittelbefugt sein.

[750] So auch Schwarze-*Böse,* Art. 86 Rn. 11.

V. Rolle des Gerichtshofs der Europäischen Union

Bei der Errichtung einer Europäischen Staatsanwaltschaft muss überlegt werden, ob dem Europäischen Gerichtshof in diesem System eine Rolle zukommen und wie diese gegebenenfalls ausgestaltet sein sollte.

A. Kompetenzkonflikte

Kompetenzkonflikte können Ermittlungen behindern und damit letztlich die Strafverfolgung insgesamt lähmen. Bislang kommt dem Gerichtshof der Europäischen Union keine Kompetenz zu, in Fällen von Zuständigkeitskonflikten zwischen nationalen Strafverfolgungsbehörden zu entscheiden. In Zukunft könnte ihm möglicherweise die Befugnis übertragen werden, über derartige Auseinandersetzungen zwischen der Europäischen Staatsanwaltschaft und nationalen Strafverfolgungsbehörden zu entscheiden.

Die Einrichtung einer solchen Instanz, die verbindlich darüber entscheidet, ob eine nationale Strafverfolgungsbehörde die Strafverfolgung aufnehmen darf oder muss, würde einen massiven Eingriff in die Souveränität der Mitgliedstaaten darstellen. In dem Grünbuch, das dem Rahmenbeschluss Vermeidung und Beilegung von Kompetenzkonflikten in Strafverfahren von 2009[751] vorausging, wurde zumindest angedacht dem EuGH eine solche Kompetenz zu übertragen. Diese Idee wurde aber nicht in den Rahmenbeschluss übernommen.[752] Somit gibt es darin letztlich keine Lösung für den Fall, dass sich die Mitgliedstaaten nicht einigen können.

Um eine solche Situation von Anfang an zu vermeiden, sollte im Rahmen der Errichtung der Europäischen Staatsanwaltschaft für den zwar vermutlich seltenen, aber dennoch vorkommenden Fall, dass sich die nationalen Strafverfolgungsbehörden und die europäische Behörde nicht einigen können, gemäß Art. 257 AEUV ein Fachgericht geschaffen werden, das verbindlich über Kompetenzklagen entscheidet. Nach derzeitiger Rechtslage ist die Errichtung eines solchen Gerichts jedoch nicht möglich. Auftrag des Gerichtshofs der Europäischen Union ist es, das Recht bei der Auslegung und Anwendung der Verträge zu wahren (Art. 19 Abs. 1 Satz 2 EUV). Um dieser Aufgabe nachzukommen, kann er in den von den Verträgen vorgesehenen Fällen entscheiden (Art. 19 Abs. 3 EUV). In den Verträgen ist keine Klageart enthalten, durch die dem Gerichtshof die Rolle zukommt, über Kompetenzkonflikte zu entscheiden. Von der Möglichkeit, ein Fachgericht zu errichten (Art. 257 AEUV), kann nur Gebrauch gemacht werden, insofern überhaupt die Zuständigkeit eines europäischen Gerichts grundsätzlich gegeben ist. Sie kann also

---

[751] Rahmenbeschluss 2009/948/JI vom 30. November 2009 zur Vermeidung und Beilegung von Kompetenzkonflikten in Strafverfahren, ABl. 2009/L328/42.

[752] EU-Kommission, Grünbuch Kompetenzkonflikte, S. 6.

nicht genutzt werden, um eine Zuständigkeit neu zu begründen. Es müsste somit eine Vertragsänderung durchgeführt werden, in der dem Gerichtshof grundsätzlich die Befugnis übertragen wird, über Kompetenzklagen zu entscheiden. Doch auch wenn das nicht durchzusetzen sein sollte, könnte die Europäische Staatsanwaltschaft errichtet werden. Zwar wäre eine Situation, in der kein Gericht zur Entscheidung der Kompetenzkonflikte befugt ist, nicht optimal, da die Verfolgung von Straftaten zum Nachteil der finanziellen Interessen der Union deswegen in manchen Fällen sehr schwierig werden könnte. Aufgrund des vorgesehenen Konsultationsmechanismus[753] ist aber davon auszugehen, dass in den meisten Fällen eine gemeinsame Lösung erzielt werden könnte. Die Arbeit der neuen Strafverfolgungsbehörde würde somit durch Kompetenzkonflikte nicht wesentlich beeinträchtigt.

B. Vorabentscheidungsverfahren

Der EuGH kann im Rahmen eines Vorabentscheidungsverfahrens über die Gültigkeit und Auslegung der Handlungen der Organe, Einrichtungen und sonstigen Stellen der Union entscheiden (Art. 267 Abs. 1 lit. b AEUV). Dies bedeutet, dass nicht nur die Auslegung des primären Unionsrechts, sondern sämtlicher sekundärer Unionsrechtsakte vom EuGH überprüft werden können.[754] Somit unterläge auch die Verordnung zur Errichtung der Europäischen Staatsanwaltschaft der Überprüfbarkeit des EuGH. In diesem Zusammenhang ebenso relevant wäre die Verordnung zur Festlegung einheitlicher Straftatbestände auf dem Gebiet der Straftaten zum Nachteil der finanziellen Interessen der Union.[755] Diese wäre zwar nicht Teil der Errichtung der Europäischen Staatsanwaltschaft nach Art. 86 AEUV, sollte aber trotzdem erlassen werden.[756] Der Gerichtshof könnte somit innerhalb des Vorabentscheidungsverfahrens über die Gültigkeit und Auslegung dieser beiden Normen entscheiden.

Vorlageberechtigt sind alle Gerichte der Mitgliedstaaten (Art. 267 Abs. 2 AEUV). Voraussetzung ist, dass das vorlegende Gericht in seinem Verfahren die zur Anwendung kommende Bestimmung des Unionsrechts für auslegungsbedürftig hält oder berechtigte Zweifel an der Gültigkeit einer zur Entscheidung relevanten Bestimmung des sekundären Unionsrechts hat.[757] Eine Pflicht zu Vorlage besteht bei entsprechenden Zweifeln für letztinstanzliche Gerichte, aber auch für unter-

---

[753] Vgl. oben B.3.a)bb).

[754] Calliess/Ruffert-*Wegener,* Art. 267 Rn. 9.

[755] Vgl. oben II.

[756] Vgl. oben II.G.

[757] *Oppermann/Classen/Nettesheim,* § 13 Rn. 73.

instanzliche Gerichte, wenn deren Entscheidungen im konkreten Fall nicht mehr mit Rechtsmitteln angegriffen werden können.[758]

Bei einer Verletzung der Vorlagepflicht könnte ein Vertragsverletzungsverfahren nach Art. 258, 259 AEUV eingeleitet werden. Würde dabei festgestellt, dass das nationale Gericht seine Pflicht zur Vorlage verletzt hat, hätte dies allerdings keine direkten Auswirkungen auf das durch das nationale Gericht gefällte Urteil. Denn die Regierung des verurteilten Mitgliedstaates muss die Unabhängigkeit der nationalen Justiz akzeptieren und dürfte deshalb das Urteil nicht verändern.[759]

C. Individualbeschwerden

Der EuGH könnte ebenso dafür zuständig sein, über Klagen Einzelner im Zusammenhang mit der Europäischen Staatsanwaltschaft zu urteilen. Da diese zu Grundrechtseingriffen berechtigt wäre, muss ein angemessener Individualrechtsschutz gewährleistet werden.

1. Nationale strafrechtliche Entscheidungen

Teile der Strafverfolgung würden auf supranationale Ebene verlagert. Entsprechend könnte in Betracht gezogen werden, nationale strafrechtliche Entscheidungen auf europäischer Ebene überprüfen zu lassen. Es könnte für den Betroffenen eine Möglichkeit vorgesehen werden, den EuGH anzurufen, um ein gegen ihn auf nationaler Ebene ergangenes strafrechtliches Urteil überprüfen zu lassen. Der EuGH würde dann als Berufungsinstanz auf europäischer Ebene fungieren.

Diese Aufgabe entspräche jedoch nicht der derzeitigen Funktion des Gerichtshofs. Nur durch eine Vertragsänderung könnte ihm grundsätzlich die Zuständigkeit übertragen werden, nationale strafrechtliche Urteile zu überprüfen. Gegen eine solche Regelung spricht aber, dass der EuGH eben gerade nicht als europäisches Strafgericht ausgestaltet ist. Darüber hinaus soll das im Anschluss an die Ermittlungen der Europäischen Staatsanwaltschaft stattfindende Hauptverfahren nicht europäisch ausgestaltet werden.[760] Es soll vielmehr nach den jeweiligen nationalen Regelungen durchgeführt werden. Da hinsichtlich eines Berufungsverfahrens keine anderweitigen Regelungen getroffen wurden, ist davon auszugehen, dass die gerichtliche Entscheidung generell auf nationaler Ebene verbleiben soll.

---

758 *Haratsch/Koenig/Pechstein,* Rn. 563.

759 Schwarze-*Schwarze,* Art. 267 Rn. 52.

760 Vgl. oben IV. und IV.E.

Eine Zuständigkeit des EuGH zur Überprüfung strafrechtlicher Urteile, die auf die Tätigkeit der Europäischen Staatsanwaltschaft zurückzuführen sind, ist deshalb abzulehnen.

2. Handlungen der Europäischen Staatsanwaltschaft

Die Handlungen der neuen Behörde würden partiell bereits durch das Europäische Vorverfahrensgericht überprüft.[761] Es würde prüfen, ob die Voraussetzungen für die Anordnung einer von der Europäischen Staatsanwaltschaft beantragten Maßnahme vorliegen und dann gegebenenfalls eine Genehmigung aussprechen. Darüber hinaus würde es die erhobenen Beweismittel hinsichtlich ihrer Vereinbarkeit mit den europäischen Regelungen kontrollieren. In diesem Rahmen obläge ihm auch die Prüfung, ob sich die Europäische Staatsanwaltschaft bei der Sammlung von Beweisen innerhalb ihrer Befugnisse bewegt hat. Eine weitergehende Kontrolle der Handlungen der Staatsanwaltschaft würde durch das Europäische Vorverfahrensgericht nicht vorgenommen. Insbesondere könnte das Gericht, abgesehen davon, dass es einen Beweis von der Verwertbarkeit ausschließt, keine Konsequenzen aus einem Fehlverhalten der Europäischen Staatsanwaltschaft bestimmen. Es könnte beispielsweise nicht die Zahlung einer Entschädigungsleistung festlegen.

Weitergehenden Rechtsschutz könnte der Betroffene möglicherweise vor dem EuGH erlangen. Aufgrund von Art. 263 Abs. 4 i.V.m. Abs. 1 Satz 2 AEUV können natürliche und juristische Personen gegen an sie gerichtete Handlungen von Einrichtungen der Union, die Rechtswirkung entfalten, beim Gerichtshof der Europäischen Union Klage erheben.

Die neue Strafverfolgungsbehörde wäre eine Einrichtung der Union.[762] Die von ihr vorgenommene Handlung entfaltet Rechtswirkung, wenn sie dazu bestimmt ist, verbindliche Rechtswirkungen auszulösen, die die Interessen des Klägers durch einen Eingriff in seine Rechtsstellung beeinträchtigen.[763] Fraglich erscheint, ob die Staatsanwaltschaft eine Handlung mit Rechtswirkung für den Betroffenen vornehmen könnte. Eine solche Handlung könnte in der Vorladung eines Zeugen zu einer Vernehmung liegen. Dieser wäre dann verpflichtet zu der Vernehmung zu erscheinen und auszusagen. Ob darin allerdings tatsächlich eine Handlung liegt, die Rechtswirkung erzeugen kann, ist fraglich. Denn die Pflicht des Zeugen, zur Vernehmung zu erscheinen und auszusagen, würde auf europäischen Regelungen beruhen und nicht erst durch die Vorladung entstehen. Allerdings wird durch die Vorladung erst eine Konkretisierung dahingehend vorgenommen, wer als Zeuge in Betracht kommt und deshalb zum Erscheinen verpflichtet ist, sodass sich die Rechtswirkung hieraus ergeben könnte.

---

761 Vgl. oben IV.C.2.d), D.2.b) und E.1.b)dd).

762 Vgl. EU-Kommission, Grünbuch finanzielle Interessen, S. 81.

763 Schwarze-*Schwarze,* Art. 263 Rn. 26.

Unabhängig von dieser Frage handelt es sich jedoch spätestens bei der Androhung von Zwangsmaßnahmen für den Fall des Nichterscheinens um eine Handlung, die Rechtswirkung gegenüber demjenigen erzeugt, gegen den sie gerichtet ist. Dies wäre somit ein Beispiel für eine Handlung der Europäischen Staatsanwaltschaft, die Rechtswirkung erzeugt. Weitere Fälle sind insbesondere im Zusammenhang mit der Durchführung von Zwangsmaßnahmen denkbar.

Gegen diese Handlungen könnte vor dem Gerichtshof der Europäischen Union Klage nach Art. 263 Abs. 4 i.V.m. Abs. 1 AEUV erhoben werden. Für diese Klagemöglichkeit könnten bei der Errichtung der Europäischen Staatsanwaltschaft aufgrund von Art. 263 Abs. 5 AEUV einschränkende Bedingungen formuliert werden. Grenze für diese Einschränkungsmöglichkeit wäre allerdings die Gewährleistung eines effektiven Rechtsschutzes.[764]

3. Handlungen des Vorverfahrensgerichts

Auch Handlungen des Europäischen Vorverfahrensgerichts könnten der Überprüfung durch den Gerichtshof der Europäischen Union unterliegen. Als ein von der Union installiertes und auf Unionsebene angesiedeltes Gericht wäre es als Einrichtung der Union oder zumindest als sonstige Stelle der Union anzusehen. Eine Klagemöglichkeit im Rahmen des Art. 263 Abs. 4 i.V.m. Abs. 1 Satz 2 AEUV wäre auch nicht durch das Vorliegen speziellerer Regelungen ausgeschlossen. Denn das Vorverfahrensgericht wäre nicht Teil des Gerichtshofs der Union[765] und die Rechtsschutzmöglichkeiten, die im Rahmen von Entscheidungen des Gerichtshofs der Europäischen Union vorgesehen sind, wären deshalb nicht anwendbar. Gegen die Entscheidung könnte deshalb weder nach Art. 256 Abs. 1 Satz 3 AEUV beim EuGH noch nach Art. 256 Abs. 2 AEUV beim Europäischen Gericht ein Rechtsmittel eingelegt werden.

Eine Klage könnte gegen die Genehmigung einer Ermittlungsmaßnahme durch das Europäische Vorverfahrensgericht erhoben werden. Diese Genehmigung wäre zwar nicht an den Betroffenen gerichtet, aber sie könnte ihn unmittelbar und individuell betreffen. Ob dieser Grad der Betroffenheit und damit die Möglichkeit zur Klage tatsächlich gegeben wären, muss hier nicht weiter erörtert werden, da nach dem in dieser Arbeit entwickelten Konzept der spezielle Rechtsbehelf der Beschwerde vorgesehen ist, um gegen die Erteilung einer Genehmigung vorzugehen.[766] Um die Wirksamkeit dieses Rechtsbehelfs nicht auszuhöhlen, sollte festgelegt werden, dass gegen die Erteilung der Genehmigung Beschwerde einzulegen ist, bevor eine Klage vor dem Gerichtshof der Europäischen Union erhoben werden kann. Hierfür böte sich eine Regelung gemäß Art. 263 Abs. 5 AEUV an. Dieser

---

764 Calliess/Ruffert-*Cremer,* Art. 263 Rn. 73.

765 Vgl. oben IV.C.2.d)bb).

766 Vgl. zur Möglichkeit der Beschwerde oben IV.C.2.f).

sieht explizit die Möglichkeit vor, besondere Bedingungen und Einzelheiten für die Erhebung von Klagen natürlicher oder juristischer Personen zu statuieren. Dadurch können restriktivere Bedingungen als die des Art. 263 Abs. 4 AEUV für die Klageerhebung festgelegt werden.[767] Bei Errichtung der Europäischen Staatsanwaltschaft sollte festgelegt werden, dass von der europäischen Vorverfahrenskammer ausgesprochene Genehmigungen zunächst nur im Rahmen der Beschwerde überprüfbar sind.

Wird einer Beschwerde nicht abgeholfen, könnte der Rechtsweg zum Gerichtshof der Europäischen Union über Art. 263 Abs. 4 AEUV eröffnet sein. Durch eine „Nichtabhilfe-Entscheidung" des Europäischen Vorverfahrensgerichts muss der Betroffene die Maßnahme der Europäischen Staatsanwaltschaft dulden. Die Entscheidung ist an den Betroffenen gerichtet und entfaltet Rechtswirkung gegenüber dem Einzelnen. Sie fiele deshalb unter Art. 263 Abs. 4 AEUV und wäre vor dem Gerichtshof der Europäischen Union angreifbar.

Des Weiteren käme in Betracht, auch die Entscheidung des Europäischen Vorverfahrensgerichts darüber, ob ein Beweismittel als zulässig zu betrachten ist, durch den EuGH überprüfen zu lassen. Eine Zulassung des Beweises würde sich nicht direkt an den Einzelnen richten. Er könnte aber durch die Entscheidung unmittelbar und individuell betroffen sein, nämlich dann, wenn die angefochtene Handlung selbst den Kläger beeinträchtigt. Es reicht nicht aus, dass sie ihn benachteiligen kann, falls weitere Umstände hinzutreten.[768] Da sich die Beweiszulassung erst und nur auswirkt, sofern der Beweis bei der Urteilsfindung relevant ist, könnte die Beweiszulassung als eine Entscheidung gesehen werden, die den Einzelnen nur mittelbar betrifft.

Eine besondere Situation könnte sich vorliegend indes daraus ergeben, dass das Beweismittel, wenn es nach der Entscheidung des Europäischen Vorverfahrensgerichts den europäischen Standards entspricht, vom nationalen Gericht verwertet werden *muss*. Für an die Mitgliedstaaten gerichtete Rechtsakte gilt, dass diese eine unmittelbare Betroffenheit des Einzelnen auslösen können, wenn der Mitgliedstaat zur Umsetzung verpflichtet ist und ihm dabei kein Ermessensspielraum zukommt.[769] Zwar handelt es sich bei der Entscheidung zur Zulassung eines Beweismittels nicht um einen Rechtsakt, den mitgliedstaatlichen Gerichten verbleibt dabei aber dennoch kein Ermessensspielraum. Sie sind dazu verpflichtet, das Beweismittel zu verwerten, wenn nicht die Gewährleistung eines fairen Verfahrens seinen Ausschluss gebietet. Deshalb ergibt sich auch in dieser Situation für den Einzelnen eine Betroffenheit direkt aus der Entscheidung, ein bestimmtes Beweismittel zuzu

767 Vgl. Geiger/Khan/Kotzur-*Kotzur,* Art. 263 Rn. 40

768 Calliess/Ruffert-*Cremer,* Art. 263 Rn. 36.

769 Calliess/Ruffert-*Cremer,* Art. 263 Rn. 36; Schwarze-*Schwarze,* Art. 263 Rn. 45, 53.

lassen. Diese Handlung des Europäischen Vorverfahrensgerichts wäre demgemäß auch über Art. 263 Abs. 4 i.V.m. Abs. 1 Satz 2 AEUV angreifbar.

Genau wie im Rahmen des Vorabentscheidungsverfahrens hätte ein Urteil des Gerichtshofs der Europäischen Union, in dem festgestellt wird, dass das europäische Vorverfahrensgericht ein Beweismittel fälschlicherweise für zulässig erklärt hat, keine direkten Auswirkungen auf das nationale Urteil. Dem Gerichtshof soll ja gerade keine Berufungsfunktion zukommen. Dennoch könnte sich die Entscheidung mittelbar auf das Urteil auswirken. Durch die Entscheidung würde festgestellt, dass die Verwertung des Beweismittels nicht zulässig war. Hierauf könnte im jeweiligen Recht des betroffenen Mitgliedstaates eine Anfechtung des nationalen Urteils gestützt werden.

VI. Verhältnis zu bereits existierenden Akteuren

Durch die Errichtung einer Europäischen Staatsanwaltschaft würde eine neue Institution auf dem Gebiet der Bekämpfung von Straftaten zum Nachteil der finanziellen Interessen der Union geschaffen. Es gilt zu klären, welche Rolle ihr in dem derzeitigen System im Zusammenspiel mit den bereits existierenden Akteuren zukäme.

A. Nationale Strafverfolgungsbehörden

Das Verhältnis der Europäischen Staatsanwaltschaft zu nationalen Strafverfolgungsbehörden wurde bereits unter IV.B.3.a) erörtert. Hier soll dennoch kurz darauf eingegangen werden, um einzelne Aspekte zu ergänzen.

1. Mitgliedstaaten

Die nationalen Strafverfolgungsbehörden wären im Gegensatz zu den nationalen Ermittlungsbehörden[770] nicht der Weisung der Europäischen Staatsanwaltschaft unterworfen.[771] Ermittelt die Europäische in einem Mitgliedstaat, wird die nationale Staatsanwaltschaft in dieser Angelegenheit nicht tätig. Sie würde nicht zu deren „Hilfsbehörde", da ihre Zuständigkeit durch die der Europäischen Staatsanwalt-

770 Vgl. dazu oben IV.B.3.b).

771 Nach dem Vorschlag der Kommission zur Errichtung der Europäischen Staatsanwaltschaft sollen die mitgliedstaatlichen Behörden die Ermittlungen der Staatsanwaltschaft allerdings auf ihren Antrag aktiv fördern und unterstützen, Vorschlag Europäische Staatsanwaltschaft, Art. 11 Abs. 7.

schaft ausgeschlossen wird. Der europäischen Behörde käme nicht die Befugnis zu, bestimmte Fälle an die nationale Staatsanwaltschaft zu verweisen. Entweder wäre sie selbst aufgrund der europäischen Regelungen zuständig oder die nationalen Strafverfolgungsbehörden. Es würde sich also um getrennte Zuständigkeiten der Europäischen Staatsanwaltschaft und der nationalen Staatsanwaltschaften handeln. Allerdings müsste eine Regelung vorgesehen werden, die sicherstellt, dass der Grundsatz des ne bis in idem gewahrt bleibt.

Interessant ist die Frage, welchen Status die europäische Strafverfolgungsbehörde im Fall der verstärkten Zusammenarbeit gegenüber den nicht an dieser Zusammenarbeit teilnehmenden Mitgliedstaaten einnähme. Möglich wäre, dass sie wie eine zusätzliche nationale Strafverfolgungsbehörde auftritt und auf die Instrumente zurückgreifen kann, die den nationalen Strafverfolgungsbehörden aufgrund der in der EU geltenden Regelungen (Rechtshilfeübereinkommen, Europäische Beweisanordnung etc.) zur Verfügung stehen. Für den Fall, dass in diesen Regelungen die Mitwirkung eines Gerichts vorgeschrieben ist, könnte das Europäische Vorverfahrensgericht diese Rolle einnehmen.

Ebenfalls denkbar wäre, dass der Europäischen Staatsanwaltschaft eine anders geartete Position zukäme, da es sich gerade nicht um die Behörde eines Mitgliedstaates handeln würde, sondern um eine Behörde, die auf Unionsebene auf Initiative mehrerer Mitgliedstaaten errichtet wurde. In Anbetracht der Skepsis, die einige Mitgliedstaaten einer solchen Initiative entgegenbringen, ist ungewiss, ob sie der Europäischen Staatsanwaltschaft und dem europäischen Verfahrensgericht eine Stellung zugestehen würden, die derjenigen von nationalen Strafverfolgungsbehörden und Gerichten vergleichbar ist.

Zumindest wären die nicht teilnehmenden Mitgliedstaaten nach Art. 325 Abs. 3 Satz 2 AEUV verpflichtet, Rechts- und Amtshilfe auf dem Gebiet des Schutzes der finanziellen Interessen der Union zu leisten.[772] Denn hierbei wird keine Beschränkung dahingehend vorgenommen, dass dies nur für nationale Behörden gilt, sodass grundsätzlich auch Unionseinrichtungen, wie z.B. OLAF, Unterstützung zu gewähren ist. Nichts anderes könnte für eine europäische Strafverfolgungsbehörde gelten, selbst wenn sie nur unter Zusammenarbeit einiger Mitgliedstaaten errichtet würde. Dass diese Verpflichtung dazu führt, dass die Europäische wie eine nationale Staatsanwaltschaft behandelt und die bestehenden Vereinbarungen auf sie angewendet werden müssten, kann jedoch nicht angenommen werden.

Somit sind für die Zukunft beide vorgestellten Varianten denkbar. Wie sich die Mitgliedstaaten entscheiden, ist zurzeit nicht vorhersehbar. Wünschenswert wäre eine Anerkennung der Europäischen Staatsanwaltschaft als vollwertige Strafverfolgungsbehörde, die auf alle in der Union geltenden Rechtshilfeerleichterungen zurückgreifen kann. Wie das Verhältnis der Europäischen Staatsanwaltschaft zu den

---

772 Calliess/Ruffert-*Waldhoff,* Art. 325 Rn. 15.

Mitgliedstaaten konkret ausgestaltet wird, hängt von unterschiedlichen Faktoren, aber insbesondere dem guten Willen der nicht teilnehmenden Mitgliedstaaten ab.

Bevor eine im Rahmen der verstärkten Zusammenarbeit errichtete europäische Strafverfolgungsbehörde ihre Arbeit aufnehmen könnte, müsste en détail geklärt werden, welche Position ihr gegenüber den nicht teilnehmenden Mitgliedstaaten zukäme. Dabei stünde es den Mitgliedstaaten frei, sie wie eine nationale Staatsanwaltschaft zu behandeln. Sie wären hierzu aber nicht verpflichtet. Eventuell müssten die bestehenden Regelungen an die neue Einrichtung angepasst werden. Käme zwischen den nicht teilnehmenden Mitgliedstaaten kein Konsens darüber zustande, welche Stellung der Europäischen Staatsanwaltschaft zukommen sollte, müsste für jeden Mitgliedstaat einzeln festgelegt werden, welche Rolle sie in diesem Mitgliedstaat einnimmt.

2. Drittstaaten

Für die Zusammenarbeit der Europäischen Staatsanwaltschaft mit Strafverfolgungsbehörden von Nicht-Mitgliedstaaten[773] müssten eigene Regeln geschaffen werden.[774] Auch wenn die Europäische Staatsanwaltschaft in den Mitgliedstaaten als Strafverfolgungsbehörde tätig werden dürfte, wäre sie keine Behörde eines Mitgliedstaates, mit dem ein Drittland möglicherweise eine Kooperationsvereinbarung geschlossen hat. Deshalb könnten die dafür geltenden Regelungen nicht auf sie übertragen werden.

Da die Union gemäß Art. 47 EUV Rechtspersönlichkeit besitzt, könnte sie für die Europäische Staatsanwaltschaft Verträge mit Drittstaaten abschließen. Möglich wäre auch, der neuen Institution selbst Rechtspersönlichkeit zuzusprechen[775] und ihr die Befugnis zu erteilen, Kooperationsvereinbarungen mit Drittstaaten zu treffen.[776] Für Rechtshilfeübereinkommen könnte sich dies allerdings schwierig gestalten, da diese üblicherweise zwischen Staaten und nicht zwischen Behörden übermittelt werden.[777]

---

773 Vgl. hierzu auch oben IV.B.3.a)cc).

774 Vgl. zu möglichen Regeln den Vorschlag Europäische Staatsanwaltschaft, Art. 25 Abs. 2, 59.

775 So jetzt der Vorschlag Europäische Staatsanwaltschaft, Art. 3 Abs. 2.

776 So besitzt Europol beispielsweise Rechtspersönlichkeit, vgl. Art. 2 Abs. 1 Europol-Beschluss; auch der Vorschlag Europäische Staatsanwaltschaft sieht vor, dass die Europäische Staatsanwaltschaft sogenannte Arbeitsvereinbarungen mit Drittstaaten treffen kann, Art. 59 Abs.1.

777 Der Vorschlag Europäische Staatsanwaltschaft sieht dennoch vor, dass die Mitgliedstaaten die Europäische Staatsanwaltschaft als für die Durchführung ihrer internationalen Übereinkünfte über die Rechtshilfe in Strafsachen und bei der Auslieferung zuständige Behörde anerkennen oder bei Bedarf diese internationalen Übereinkünfte ändern, um

Generell ist nicht vorherzusagen, inwieweit sich Nicht-Mitgliedstaaten auf eine Kooperation mit der Europäischen Staatsanwaltschaft einlassen würden. Entstünde diese Behörde im Rahmen einer verstärkten Zusammenarbeit, würde sich die Situation vermutlich noch komplizierter darstellen. Die Staatsanwaltschaft stünde nach außen nicht als Behörde da, die von allen Mitgliedstaaten der Union getragen wird, sondern als eine Einrichtung, die durch den Willen einiger Mitgliedstaaten errichtet wurde und auch nur diese als Strafverfolgungsbehörde auf dem Gebiet des Schutzes der finanziellen Interessen der Union vertreten würde.

Vonseiten der Union müsste darauf hingewirkt werden, dass die Europäische Staatsanwaltschaft ihre Aufgabe möglichst effektiv wahrnehmen kann. Hierfür gilt es, das Vertrauen der Drittstaaten in die europäische Einrichtung zu erlangen. Gelingt dies, scheint eine Kooperation mit Drittstaaten gut denkbar. So konnten sowohl Eurojust als auch Europol mit Drittstaaten Kooperationsvereinbarungen schließen, die zwar teilweise für die jeweiligen Staaten unterschiedliche Rechte und Pflichten festlegen, jedoch zumindest ein gewisses Maß an gegenseitiger Unterstützung gewährleisten.[778] Denkbar ist aber, dass die Nicht-Mitgliedstaaten sich auf eine enge Kooperation erst einlassen, wenn sich die Europäische Staatsanwaltschaft bereits in der Union etabliert hat

Um die Rechte eines von einer Untersuchung der europäischen Strafverfolgungsbehörde Betroffenen zu wahren, müssen Regelungen mit den Nicht-Mitgliedstaaten vereinbart werden, die die Einhaltung des Ne-bis-in-idem-Grundsatzes (Art. 50 GRC/Art. 4 7. Zusatzprotokoll zur EMRK) gewährleisten.

B. Eurojust

Die Europäische Staatsanwaltschaft soll laut Art. 86 Abs. 1 AEUV „ausgehend von Eurojust" errichtet werden. Wie bereits erläutert[779] führt dies nicht dazu, dass eine der beiden Organisationen langfristig abgeschafft werden würde. Vielmehr würden Eurojust und die neue Behörde nebeneinander existieren.[780]

---

sicherzustellen, dass die Europäische Staatsanwaltschaft ihre Aufgaben ihre Funktionen aufgrund dieser Übereinkünfte wahrnehmen kann, Art. 59 Abs. 4.

778 Eurojust: Island, Kroatien, Mazedonien, Norwegen Schweiz und USA. Für Europol gibt es sogenannte *Operational Agreements* mit: Australien, Kanada, Kroatien, Mazedonien, Island, Norwegen. Schweiz, Monaco, USA und *Strategic Agreements* mit Albanien, Bosnien und Herzegowina, Kolumbien, Moldau, Russland, Türkei, Serbien, Montenegro und der Ukraine.

779 Vgl. Teil 3, II.C.3.

780 So auch der Vorschlag Europäische Staatsanwaltschaft, der davon ausgeht, dass die Europäische Staatsanwaltschaft und Eurojust nebeneinander bestehen, vgl. insbesondere Art. 57.

Die abgeordneten Europäischen Staatsanwälte könnten nach der in dieser Arbeit vertretenen Auffassung nicht gleichzeitig auch nationale Mitglieder von Eurojust sein. Dies ergibt sich zunächst aus dem bereits erläuterten Problem der in der Praxis nur schwer durchzuhaltenden Trennung der Aufgaben des Eurojustmitglieds von denen der Europäischen Staatsanwaltschaft.[781] Darüber hinaus würden die abgeordneten Europäischen Staatsanwälte ihr Gehalt von der Union beziehen.[782] Sie könnten im Namen der europäischen Einrichtung selbstständig Ermittlungen durchführen und wären dabei den Weisungen des Europäischen Staatsanwalts unterworfen. Die nationalen Mitglieder von Eurojust beziehen ihr Gehalt von ihrem Heimatstaat und müssen dessen Weisungen Folge leisten. Sähe man vor, dass ein und dieselbe Person gleichzeitig als abgeordneter Europäischer Staatsanwalt und als nationales Mitglied von Eurojust tätig sein könnte, ergäbe sich die Frage danach, von wem dieses „Doppelmitglied" sein Gehalt beziehen würde. Überließe man die Bezahlung den Mitgliedstaaten, würde das zu einer gewissen Abhängigkeit führen, die bei der Europäischen Staatsanwaltschaft ja gerade vermieden werden sollte. Nicht einzusehen wäre aber auch, dass die Union das Gehalt bezahlen würde, wenn die Person zum Teil auch als nationales Eurojustmitglied handeln würde. Zwar könnte darüber nachgedacht werden, dass Union und Mitgliedstaaten das Gehalt jeweils zur Hälfte tragen. Aber selbst wenn man sich hierauf einigen würde, entstünden weitere Probleme, die gegen die Zulassung einer solchen „Doppelmitgliedschaft" sprechen.

So wäre der abgeordnete Europäische Staatsanwalt dadurch, dass er gleichzeitig als nationales Mitglied von Eurojust fungieren würde, einmal den Weisungen des Europäischen Staatsanwalts und einmal den Weisungen seines Mitgliedstaates unterworfen. Wenngleich die Europäische Staatsanwaltschaft und Eurojust unterschiedliche Aufgaben wahrnehmen würden, entstünden für das „Doppelmitglied" unweigerlich Loyalitätskonflikte. Dies würde sich auf mindestens eine seiner Tätigkeiten hinderlich auswirken. Darüber hinaus entstünde das praktische Problem, dass das nationale Eurojustmitglied seinen Sitz in Den Haag haben müsste, um seine Arbeit wahrnehmen zu können. Die abgeordneten Europäischen Staatsanwälte wären aber in ihren jeweiligen Heimatstaaten angesiedelt. Eine „Doppelmitgliedschaft" würde folglich zu praktisch nicht lösbaren Schwierigkeiten und Konflikten führen und sollte deshalb nicht vorgesehen werden.[783]

Da sich ihre Zuständigkeitsgebiete überschneiden, müssen die Beziehungen zwischen Eurojust und der Europäischen Staatsanwaltschaft eindeutig geregelt werden. Ermittelt die Europäische Staatsanwaltschaft, dürfen die nationalen Strafverfolgungsbehörden in demselben Fall nicht tätig werden. Deshalb scheidet auch die Möglichkeit aus, Eurojust mit einer Befugnis auszustatten, die nationalen Behörden

781 Vgl. Teil 3, II.C.3.

782 Vgl. oben III.B.3.c)bb).

783 Zu dieser Frage auch European Public Prosecutor Working Group, S. 7f.

anzuweisen, Ermittlungen auf dem Gebiet der Straftaten zum Nachteil der finanziellen Interessen der Union aufzunehmen.[784] Auch eine Koordination der Strafverfolgung durch Eurojust müsste in diesen Fällen ausgeschlossen sein.[785] Dafür wären dann die abgeordneten Europäischen Staatsanwälte zuständig, die durch die zentrale Leitung unterstützt werden könnten. Der Umweg über Eurojust würde das Verfahren verkomplizieren und zu Verzögerungen führen. Außerdem soll die europäische Institution ja gerade unabhängig tätig werden, was bei einer Koordinierung durch Eurojust, dessen nationale Mitglieder den Weisungen ihrer Heimatstaaten unterworfen sind, nicht gewährleistet werden könnte.

Dennoch könnte eine gewisse Einbindung der Europäischen Staatsanwaltschaft in Eurojust unter bestimmten Umständen förderlich sein. Da zumindest zunächst Großbritannien, Irland und Dänemark nicht an der Errichtung teilnähmen, würde es sich anbieten, den Leiter der Europäischen Staatsanwaltschaft als 28. Mitglied in das Eurojust-Kollegium aufzunehmen.[786] Dadurch könnte die Zusammenarbeit mit diesen Staaten sinnvoll koordiniert werden. Darüber hinaus könnte die europäische Strafverfolgungsbehörde über diesen Weg informiert werden, wenn Ermittlungen in den nicht teilnehmenden Mitgliedstaaten erfolgen, für die sie grundsätzlich zuständig ist. Zudem wäre eine enge Zusammenarbeit mit Eurojust deshalb sinnvoll, weil so mögliche Zusammenhänge zwischen Delikten, für welche die Europäische Staatsanwaltschaft zuständig ist, und jenen, die in die Zuständigkeit Eurojusts fallen, erkannt werden könnten. Eine Koordinierung der Ermittlungen in diesen Fällen könnte innerhalb von Eurojust erfolgen.

Die gleichen Argumente sprechen auch dafür, den Europäischen Staatsanwalt in das Kollegium von Eurojust aufzunehmen, wenn die Europäische Staatsanwaltschaft über eine verstärkte Zusammenarbeit errichtet würde. Es wäre nicht sachgerecht, für den Fall, dass Ermittlungen mit nicht teilnehmenden Mitgliedstaaten koordiniert werden müssen, hier wieder den Weg über die Mitgliedstaaten zu nehmen und die Koordinierung im Rahmen von Eurojust durchführen zu lassen. Zwar sollten die bereits vorhandenen Koordinierungsstrukturen genutzt werden, dies wäre aber nur sinnvoll zu gestalten, wenn der Leiter der Europäischen Staatsanwaltschaft als 28. Mitglied in das Kollegium von Eurojust aufgenommen würde. Er könnte dann selbst die Koordination übernehmen und müsste diese nicht durch die nationalen Mitglieder der teilnehmenden Mitgliedstaaten vornehmen lassen.

---

784 Vgl. zu dieser Möglichkeit *Flore,* S. 591.

785 Auch der Vorschlag Europäische Staatsanwaltschaft sieht eine Möglichkeit zur Koordinierung durch Eurojust nur bei Ermittlungshandlungen in speziellen Aspekten vor, die nicht in sachliche und räumliche Zuständigkeit der Europäischen Staatsanwaltschaft fallen könnten, Art. 57 Abs. 2 b).

786 Vgl. Teil 3, II.C.3.

C. EJN

Das EJN wird für die Tätigkeit der Europäischen Staatsanwaltschaft keine große Rolle spielen. Denn die abgeordneten Staatsanwälte wären grundsätzlich nationale Staatsanwälte und wüssten deshalb über die notwendigen Verfahren und Formalitäten Bescheid. Dementsprechend wären sie die direkten Ansprechpartner der abgeordneten Staatsanwälte anderer Mitgliedstaaten und würden damit die Aufgaben des EJN übernehmen. Damit wäre ein Rekurs auf das EJN nicht notwendig, wenn die Staatsanwaltschaft von allen Mitgliedstaaten errichtet würde.

Von Bedeutung könnte das EJN sein, wenn die Europäische Staatsanwaltschaft lediglich im Rahmen einer verstärkten Zusammenarbeit errichtet würde. Dann könnten die Kontaktstellen der nicht teilnehmenden Mitgliedstaaten für die Europäische Staatsanwaltschaft als Ansprechpartner dienen. Das EJN könnte die Zusammenarbeit zwischen der Europäischen Staatsanwaltschaft (unabhängig davon, in wie vielen teilnehmenden Mitgliedstaaten sie tätig ist) und einem einzelnen nicht teilnehmenden Mitgliedstaat erleichtern. Allerdings wäre die Europäische Staatsanwaltschaft dadurch, dass der leitende Europäische Staatsanwalt als 28. Mitglied in das Kollegium von Eurojust aufgenommen werden sollte, bereits eng mit dieser Institution verbunden. Die dezentrale Struktur des EJN verhindert darüber hinaus, dass mögliche Zusammenhänge mit anderen Fällen erkannt werden können. Eine Zusammenarbeit der Europäischen Staatsanwaltschaft mit dem EJN wäre daher nicht sachgerecht. Deshalb sollte statuiert werden, dass Ersuchen zur Erleichterung der Zusammenarbeit mit einem nicht teilnehmenden Mitgliedstaat stets durch Eurojust koordiniert werden.

D. Europol

Für das Verhältnis der Europäischen Staatsanwaltschaft zu Europol ist in Art. 86 Abs. 2 AEUV bestimmt, dass die Staatsanwaltschaft „gegebenenfalls in Verbindung mit Europol“ für die strafrechtliche Untersuchung und Verfolgung von Straftaten zum Nachteil der finanziellen Interessen der Union zuständig sein soll. Welche Konsequenzen hieraus folgen, ist jedoch nicht klar. Zumindest ergibt sich daraus aber, dass die beiden Einrichtungen in irgendeiner Form zusammenarbeiten sollen.

1. Strafrechtliche Ermittlungen

Möglicherweise könnte das Europäische Polizeiamt die Europäische Staatsanwaltschaft bei strafrechtlichen Untersuchungen unterstützen. Zunächst ergibt sich aus dem derzeitigen Aufgabenbereich von Europol, dass hierunter auch Straftaten zum Nachteil der finanziellen Interessen der Union fallen.[787] Auch wenn nach Art. 88 AEUV neue Rechtsnormen erlassen würden, wäre Europol weiterhin für diese Straftaten zuständig. Insbesondere könnte dann davon abgesehen werden, dass bei Vorliegen solcher Straftaten zwei Mitgliedstaaten betroffen sein müssen. Nach Art. 88 Abs. 2 lit. b AEUV kann Europol die Befugnis übertragen werden, gemeinsam mit den zuständigen Behörden operative Maßnahmen wahrzunehmen. Zwangsmaßnahmen sind davon jedoch ausgeschlossen (Art. 88 Abs. 3 AEUV). Damit kommt für die Rolle Europols im Rahmen der strafrechtlichen Ermittlungen der europäischen Strafverfolgungseinrichtung nicht in Betracht, dass das Amt vollständig an die Stelle der nationalen Polizeien treten könnte. Eine Art eigenständige „Finanzpolizei" auf europäischer Ebene könnte Europol folglich nicht werden.[788] Europol könnte aber generell seine Aufgaben auf dem Gebiet der Straftaten zum Nachteil der finanziellen Interessen wahrnehmen. Dazu würden dann gegebenenfalls auch operative Maßnahmen in Zusammenarbeit mit den mitgliedstaatlichen Behörden gehören.

2. Kontrolle durch die Europäische Staatsanwaltschaft

Durch eine Weisungsbefugnis der Europäischen Staatsanwaltschaft könnte eine gewisse Kontrolle über die Tätigkeit von Europol ausgeübt werden.[789] Die fehlenden Kontrollmöglichkeiten über die Handlungen des Amtes waren bislang Ansatzpunkt für Kritik.[790]

Wird die Europäische Staatsanwaltschaft jedoch zunächst nur für Straftaten zum Nachteil der finanziellen Interessen der Union errichtet, gestaltete sich die Kontrolle in der Praxis als sehr schwierig, da sich das Aufgabenfeld von Europol auch über diese Straftaten hinaus erstreckt. Eine nur partielle, auf Finanzdelikte beschränkte, Weisungsbefugnis erscheint schwer durchsetzbar.[791] Zudem bestünde außerhalb des Zuständigkeitsgebiets der Staatsanwaltschaft weiterhin keine Verbesserung der Kontrollmöglichkeiten. Obendrein würden die Beziehungen zwischen Europol und der Europäischen Staatsanwaltschaft dadurch recht kompliziert.

Selbst wenn man davon ausginge, dass sich der Zuständigkeitsbereich der Europäischen Staatsanwaltschaft nach Erweiterung der Kompetenzen mit dem Europols decken würde,[792] könnte keine Weisungsbefugnis gegenüber Europol bestimmt werden. Hiergegen spricht eine systematische Auslegung des AEUV. Weder in Art. 86 noch in Art. 88 AEUV wird eine solche Möglichkeit erwähnt. Darüber hin-

---

787 Vgl. Art. 4 Abs. 1 i.V.m. dem Anhang Europol-Beschluss.

788 So auch Grabitz/Hilf/Nettesheim-*Dannecker,* Art. 86 Rn. 40.

789 *Gleß/Grote/Heine,* Kurzvorstellung, S. 20; *Radtke,* GA 2004, 13f.

790 *Günther*, S. 288ff; *Radtke,* GA 2004, 13f; *Van den Wyngaert*, S. 167.

791 *Ligeti*, EuCLR 2011, 140 schließt sie komplett aus.

792 Vgl. hierzu Teil 3, III.C.2. Exkurs.

aus findet sich in Art. 88 Abs. 2 AEUV eine Regelung, die sich ausdrücklich mit der Kontrolle Europols beschäftigt. Danach soll diese dem Europäischen Parlament übertragen und die nationalen Parlamente an dieser beteiligt werden. Es wurde also eine in Art. 30 Abs. 2 EUV a.F. noch nicht vorgesehene Kontrollmöglichkeit geschaffen. Folglich kann davon ausgegangen werden, dass das Problem dem Gesetzgeber bekannt war. Er hat sich dennoch nicht dafür entschieden, die Europäische Staatsanwaltschaft als Kontrollorgan einzusetzen, sondern für eine Kontrolle durch das Europäische Parlament. Zudem werden die Handlungen Europols spätestens zum 1. Dezember 2014[793] nach Art. 263 Abs. 4 AEUV durch den EuGH überprüfbar. Der Gesetzgeber hat sich somit lediglich für eine nachträgliche Kontrolle Europols entschieden. Da im Primärrecht ausdrücklich Kontrollmöglichkeiten für Europol vorgesehen sind, kann der Europäischen Staatsanwaltschaft eine solche nicht über eine weite Auslegung des Art. 86 Abs. 2 oder Abs. 3 AEUV zugesprochen werden. Dies wäre eine unzulässige Umgehung der bereits vorhandenen Regelungen. Es darf deshalb nicht davon ausgegangen werden, dass Europol der Europäischen Staatsanwaltschaft in irgendeiner Form untergeordnet sein soll.[794] Vielmehr muss angenommen werden, dass beide Institutionen nebeneinander auf gleicher Ebene stehen sollen. Für den Bereich der Straftaten zum Nachteil der finanziellen Interessen der Union sollte folglich eine enge Kooperation der beiden Einrichtungen vorgesehen werden.

3. Ergebnis

Weder in Art. 88 noch in Art. 86 AEUV wird das Verhältnis zwischen Europol und der Europäischen Staatsanwaltschaft näher definiert. Wie gezeigt, kann Europol nicht die Aufgabe übertragen werden, als eine Art Finanzpolizei für die europäische Strafverfolgungsbehörde tätig zu werden.[795] Die Beziehungen zwischen Europol und der europäischen Strafverfolgungsbehörde können keinesfalls als Über-/Unterordnungsverhältnis ausgestaltet werden, in dem die Europäische Staatsanwaltschaft Europol Weisungen erteilt. Dennoch müsste eine enge Zusammenarbeit der beiden Einrichtungen vorgesehen werden. Dies ergibt sich zum einen daraus, dass Art. 86 Abs. 2 Satz 1 AEUV ausdrücklich auf Europol verweist, zum anderen aus der praktischen Überlegung, dass dadurch positive Effekte erzielt werden könnten, die die Effizienz der Betrugsbekämpfung um ein Vielfaches steigern würden.

Eine der Kernaufgaben Europols ist die Sammlung von Informationen und Erkenntnissen sowie deren Analyse (vgl. Art. 5 Abs. 1 lit. a Europol-Beschluss). Die Informationen erhält Europol insbesondere von mitgliedstaatlichen Behörden oder

---

793 Vgl. hierzu Art. 10 des Protokolls Nr. 36 über die Übergangsbestimmungen.

794 Anders wohl Streinz-*Dannecker,* Art. 86 Rn. 16.

795 So auch Grabitz/Hilf/Nettesheim-*Dannecker,* Art. 86 Rn. 40.

Drittländern. Um die Daten zu bearbeiten, unterhält Europol automatisierte Informationssammlungen. Auf dem Gebiet der Datensammlung, -verarbeitung und -analyse hat das Amt Fähigkeiten, die vielen Mitgliedstaaten nicht zur Verfügung stehen. Daher kann es Zusammenhänge schneller erkennen und zudem fundierte Aussagen über die EU-weite Kriminalität treffen.[796] Die Erkenntnisse von Europol auf dem Gebiet der Straftaten zum Nachteil der finanziellen Interessen der Union könnten die Arbeit der Europäischen Staatsanwaltschaft entscheidend unterstützen. Europol sollte die Staatsanwaltschaft stets informieren, wenn es Anhaltspunkte für das Vorliegen einer Straftat hat, die in ihren Zuständigkeitsbereich fällt. Darüber hinaus müsste die Staatsanwaltschaft in bereits laufenden Verfahren Anfragen an Europol stellen können, um Informationen und Unterstützung zu bekommen.[797] Generell könnte vorgesehen werden, dass die Europäische Staatsanwaltschaft Europol darum ersuchen kann, Analysen zu erstellen. Dies könnte in Form von operativen Analysen geschehen, für die personenbezogene Daten verwertet werden und die die Ermittlungen unterstützen sollen.[798] Ebenso könnte die Staatsanwaltschaft um strategische Analysen ersuchen. Auch ein genereller Überblick könnte für die europäische Strafverfolgungsbehörde hilfreich sein, beispielsweise, um ihre Strafverfolgungsstrategie zu definieren. Des Weiteren könnte der europäischen Strafverfolgungsbehörde ein Zugriffsrecht für das Informationssystem (Art. 11ff Europol-Beschluss) und die Analysedateien (Art. 14ff Europol-Beschluss) Europols eingeräumt werden.

E. OLAF

Das OLAF ist derzeit die einzige Institution auf EU-Ebene, die sich allein mit der Bekämpfung von EU-Betrug beschäftigt. Im Gegensatz zu Eurojust und Europol wird OLAF in Art. 86 AEUV nicht erwähnt. Aufgrund des sich überschneidenden Aufgabengebiets der beiden Institutionen muss geklärt werden, in welchem Verhältnis sie zueinander stünden.

Da das OLAF ausschließlich verwaltungsrechtliche Untersuchungen anstellt, während die Europäische Staatsanwaltschaft eine Strafverfolgungsbehörde wäre, müssten nicht zwingend Kooperationsstrukturen vorgesehen werden. Ohne eine Zusammenarbeit der beiden Institutionen könnten jedoch sich ergebende Synergien nicht genutzt werden. OLAF ermittelt zwar verwaltungsrechtlich, kann in diesem Rahmen aber auch auf Hinweise stoßen, die auf eine strafrechtlich relevante Handlung deuten. Es nimmt deshalb bereits jetzt eine Unterstützungsfunktion bei der

---

[796] EuropStrafRecht-*Neumann,* § 44 Rn. 7.

[797] Für einen Informationsaustausch zwischen Europäischer Staatsanwaltschaft und Europol auch der Vorschlag Europäische Staatsanwaltschaft, Art. 58 Abs. 2.

[798] *Storbeck,* DRiZ 2000, 484.

Strafverfolgung von Straftaten zum Nachteil der finanziellen Interessen der Union wahr. Hiervon sollte die Europäische Staatsanwaltschaft profitieren können. Insbesondere sollte verhindert werden, dass es mangels Informationsflusses zu letztlich unnötiger Doppelarbeit kommt oder eine Strafverfolgung scheitert.

Am Ende einer Untersuchung gibt OLAF einen Untersuchungsbericht mit allen zweckdienlichen Schriftstücken an die zuständigen mitgliedstaatlichen Behörden weiter (Art. 9 Abs. 3 VO 1073/99), die dann gegebenenfalls die Einleitung eines Strafverfahrens prüfen. Unabhängig davon kann das Amt bereits während der Untersuchungen den betreffenden Mitgliedstaaten jederzeit Informationen übermitteln (Art. 10 Abs. 1 VO 1073/99). Für eine möglichst fruchtbare Zusammenarbeit mit der Europäischen Staatsanwaltschaft ist es wichtig, dass diese so früh wie möglich von Verdachtsmomenten erfährt, auf die das OLAF stößt. Deshalb sollte zumindest festgelegt werden, dass das OLAF, sobald es Anhaltspunkte dafür hat, dass eine Straftat begangen wurde, die in die Zuständigkeit der Europäischen Staatsanwaltschaft fällt, diese auch in noch laufenden Untersuchungsverfahren darüber informiert.

1. Strafrechtliche Ermittlungen

a) OLAF oder „europäische Finanzpolizei"

Wie bereits erörtert,[799] könnte es sich als sinnvoll erweisen, der Europäischen Staatsanwaltschaft eine eigene, weisungsgebundene europäische Ermittlungsbehörde zu unterstellen und hierfür auf das OLAF zurückzugreifen. In diesem Zusammenhang sind zwei verschiedene Varianten denkbar: Zum einen könnte vorgesehen werden, dass dem Amt selbst auch strafrechtliche Ermittlungsbefugnisse übertragen werden.[800] Zum anderen könnte vorgesehen werden, dass ein Teil der Mitarbeiter des OLAF eine eigene, von OLAF unabhängige Ermittlungsbehörde bildet. Der verwaltungsrechtliche Charakter des OLAF bliebe damit unberührt. Dennoch könnten die betrugsspezifischen Kenntnisse und Erfahrungen für die strafrechtlichen Ermittlungen fruchtbar gemacht werden.

Für die erstgenannte Möglichkeit spricht, dass die bereits vorhandenen Strukturen genutzt werden könnten. Dagegen lässt sich anführen, dass die Tatsache, dass verwaltungs- und strafrechtliche Befugnisse in derselben Behörde vereint würden, Probleme verursachen könnte. Das Verhältnis zur Europäischen Staatsanwaltschaft könnte sich kompliziert gestalten. Wie bereits dargelegt,[801] sollte dieser hinsichtlich

---

[799] Vgl. Teil IV, B.3.c).

[800] *Biehler/Gleß/Parra/Zeitler,* S. 69; EU-Kommission, Grünbuch finanzielle Interessen, S. 75; *Kuhl,* eucrim 2008 (3/4), 191; *Lopes da Mota,* eucrim 2008 (1/2), 64; *Vervaele,* in: Ghaleh Marzban (Hrsg.), Quelles perspectives, S. 192.

[801] Vgl. oben B.3.c).

der Durchführung der strafrechtlichen Ermittlungen eine Weisungsbefugnis zugesprochen werden, die sich nicht auf verwaltungsrechtliche Untersuchungen erstrecken dürfte. Eine Weisungsbefugnis für Verwaltungshandeln des OLAF zu statuieren, wäre erstens systemfremd und zweitens mit der der Europäischen Staatsanwaltschaft übertragenen Aufgabe nicht zu vereinbaren. In der Praxis könnte sich eine Trennung in verwaltungsrechtliche und strafrechtliche Tätigkeit und Kontrolle als schwer umsetzbar erweisen.

Auch im Hinblick auf die Mitwirkungspflichten des von Ermittlungen Betroffenen wäre eine solche Lösung problematisch. Während die Betroffenen im Verwaltungsverfahren teilweise zur Mitwirkung verpflichtet sind,[802] fände im Rahmen der strafrechtlichen Ermittlungen der Nemo-tenetur-Grundsatz Anwendung.[803] Bei einer Zuständigkeit derselben Behörde für beide Ermittlungsverfahren müsste die Mitwirkungspflicht des Betroffenen enden, sobald strafrechtliche Untersuchungen angestellt würden. Die Möglichkeiten des verwaltungsrechtlichen Verfahrens würden dadurch eingeschränkt.

Ebenso erscheint die Tatsache, dass das OLAF bei der Kommission angesiedelt ist, im Hinblick auf strafrechtliche Ermittlungen problematisch. Denn die für die Ermittlungen erforderliche Unabhängigkeit, könnte so nicht gewährleistet werden.

Für die zweite Möglichkeit, eine von OLAF unabhängige Ermittlungsbehörde, spricht, dass so eine eindeutige Trennung der Untersuchungen möglich wäre. Die Behörde würde dann zweckmäßigerweise nicht bei der Kommission angesiedelt, sondern der Europäischen Staatsanwaltschaft unterstellt. Aufgrund des Rückgriffs auf OLAF-Bedienstete könnten auch hier deren Fachkenntnisse und Erfahrungen genutzt werden. Gegen diese Option spricht, dass eine zusätzliche Behörde geschaffen werden müsste. Hierfür müssten dann eigene Strukturen aufgebaut werden und es wäre ein zusätzlicher Verwaltungsaufwand zu erwarten.

Um dem Problem der ersten Möglichkeit, der unklaren Kompetenzverteilung innerhalb eines Amtes, entgegenzuwirken, könnten zwei Abteilungen innerhalb des OLAF geschaffen werden. Eine Abteilung wäre für Verwaltungsuntersuchungen zuständig, die andere für strafrechtliche Untersuchungen. Die strafrechtliche Abteilung könnte dann selbstständig Untersuchungen anstellen und auf Hinweis der Verwaltungsmitarbeiter des OLAF tätig werden, stets unter der Weisungsbefugnis der Europäischen Staatsanwaltschaft. So könnte eine Trennung der Zuständigkeiten gewährleistet werden. Führen die beiden Abteilungen ihre Untersuchungen getrennt voneinander, wäre auch eindeutig, welche Mitwirkungspflichten dem Betroffenen jeweils zukämen. Um eine tatsächliche und komplette Unabhängigkeit bei seinen Ermittlungen zu ermöglichen, müsste das OLAF im Fall der Über-

---

[802] Dies gilt beispielsweise für Bedienstete der Union, Art. 4 VO 1073/99.

[803] Vgl. oben IV.B.2.b)bb).

tragung von wie auch immer gearteten strafrechtlichen Ermittlungsbefugnissen vollständig aus der Kommission ausgegliedert werden.[804]

Die Nachteile der zweiten Möglichkeit könnten dadurch minimiert werden, dass die Ermittlungsbehörde direkt bei der Europäischen Staatsanwaltschaft angesiedelt wird. Bei deren Schaffung könnte dann gleich berücksichtigt werden, welche Strukturen für die Ermittlungsbehörde notwendig wären und inwiefern die beiden Behörden auf dieselben, möglicherweise bereits auch schon vorhandenen Strukturen zurückgreifen könnten. So ließe sich der Verwaltungsaufwand reduzieren, da sich die Behörden einen Verwaltungskomplex teilen könnten.

Wenngleich beide Varianten Vor- und Nachteile haben, erscheint die komplette Loslösung der strafrechtlichen Ermittlungen von der Verwaltungsbehörde OLAF die günstigere. Denn so müssten keine komplizierten Regelungen getroffen werden, um ein reibungsloses Nebeneinander von straf- und verwaltungsrechtlichen Ermittlungen unter einem Dach sicherzustellen, zumal schwer einschätzbar ist, ob sich solche Regelungen und die strikte Verfahrenstrennung überhaupt durchhalten ließen. Zudem könnte die damit verbundene nachträgliche Schaffung zusätzlicher Regelungen innerhalb des Rechtsrahmens von OLAF zu Regelungslücken oder -kollisionen führen.

Ein weiterer Vorteil dieser Lösung wäre, dass das OLAF weiterhin bei der Kommission angesiedelt bleiben könnte und somit keine wesentlichen, strukturverändernden Maßnahmen notwendig wären. Die Besonderheiten, die sich im Rahmen der Errichtung einer „Finanzpolizei“ ergäben, könnten direkt bei der Schaffung der Europäischen Staatsanwaltschaft berücksichtigt werden. So könnte ein von Anfang an kohärentes System geschaffen werden.

Es würde also eine eigene strafrechtliche Ermittlungsbehörde geschaffen, die den Weisungen der europäischen Strafverfolgungsbehörde unterstellt, vom Europäischen Betrugsbekämpfungsamt aber unabhängig wäre. Die bei OLAF bereits vorhandenen Fachkenntnisse könnten für die neue Behörde dadurch nutzbar gemacht werden, dass Mitarbeiter des OLAF zu dieser Behörde wechseln. Das OLAF selbst wäre weiterhin ausschließlich für verwaltungsrechtliche Untersuchungen zuständig. Eine Kompetenzerweiterung des Amtes ginge mit dieser Lösung nicht einher.

b) Aufgaben und Zuständigkeit

Unabhängig davon, welche der beiden Varianten für europäische strafrechtliche Ermittlungen gewählt würde, könnte der Behörde zunächst die Aufgabe übertragen werden, Erkenntnisse zu sammeln, um einen hinreichend konkreten Anfangsverdacht zu ermitteln, der die Aufnahme von Ermittlungen rechtfertigt. Die Behörde

---

804 *Ligeti*, EuCLR 2011, 142.

wäre dann als Informationslieferant für die Europäische Staatsanwaltschaft tätig.[805] Dies käme der Aufgabe sehr nahe, die das OLAF zurzeit wahrnimmt. Denn dessen Ermittlungen dienen bereits jetzt oft als Grundlage für nationale strafrechtliche Ermittlungen. Die OLAF-Untersuchung stellt sich deshalb häufig schon als Teil des Vorverfahrens dar.[806]

Problematisch könnte sich dann allerdings das Verhältnis der europäischen Ermittlungsbehörde zu den nationalen Ermittlungsbehörden gestalten. Es ist denkbar, dass diese und die nationale Polizei gleichzeitig strafrechtliche Voruntersuchungen in einem bestimmten Fall anstellen, um einen Anfangsverdacht zu erhärten. Hier könnte es nicht nur zu unnötiger Doppelarbeit, sondern auch zu Kompetenzkonflikten kommen. Deshalb müsste eindeutig festgelegt werden, wer in welchem Fall welche Ermittlungen anstellen darf.

Eine Lösungsmöglichkeit wäre, die strafrechtlichen Untersuchungsmöglichkeiten der europäischen Ermittlungsbehörde auf Ermittlungen innerhalb der EU-Organe, Einrichtungen, Ämter und Agenturen zu beschränken.[807] Zwar sind die mitgliedstaatlichen Ermittlungsbehörden auch hier, zumindest so lange, bis die Europäische Staatsanwaltschaft tätig wird, grundsätzlich für die Untersuchungen zuständig, eine solche Aufteilung der Zuständigkeiten wäre jedoch sinnvoll, da es sich um Ermittlungen handeln würde, die insbesondere EU-interne Belange beträfen. Es ist davon auszugehen, dass die (ehemaligen) OLAF-Mitarbeiter sich auf diesem Gebiet besser auskennen und über bessere Kontakte verfügen als die nationalen Polizeibehörden.

Die Behörde könnte entweder aufgrund von Anhaltspunkten, die sie selbst erlangt hat, oder auf Anweisung der Europäischen Staatsanwaltschaft tätig werden. In jedem Fall müsste Letztere über ein Tätigwerden der Behörde informiert werden. Da es sich gerade um interne Ermittlungen handeln würde, müsste klargestellt werden, dass sie vollkommen unabhängig von der Kommission durchgeführt werden. Deshalb müsste das OLAF dann aus der Kommission ausgegliedert[808] oder die „Finanzpolizei" bei der Europäischen Staatsanwaltschaft angesiedelt werden.

Für alle anderen externen Untersuchungen wären weiterhin die nationalen Polizeibehörden zuständig. Denn die europäische Ermittlungsbehörde würde zu einer sehr großen und damit im Regelfall auch sehr bürokratischen Behörde, wenn sie auch bei externen Untersuchungen strafrechtliche Ermittlungen in allen 27 Mitgliedstaaten durchführen könnte. Für diese Untersuchungen sollte es zunächst dabei belassen werden, dass die Europäische Staatsanwaltschaft den nationalen Behörden

---

805 Vgl. *Brüner/Spitzer,* NStZ 2002, 397f.

806 *Gleß/Zeitler,* ELJ 2001, 235.

807 EU-Kommission, Grünbuch finanzielle Interessen, S. 75.

808 *Kinzel,* S. 177; vgl. auch *Vervaele,* in: Ghaleh Marzban (Hrsg.), Quelles perspectives, S. 192.

gegenüber weisungsbefugt ist. Zwar kann sich dies, wie bereits erörtert, unter Umständen als kompliziert erweisen, es erscheint jedoch insbesondere im Hinblick auf die auf europäischer Ebene zur Verfügung stehenden Ressourcen und dem mit der Durchführung externer Untersuchungen verbundenen Personalaufwand zumindest zunächst zweckmäßig.

Völlig ausgeschlossen wäre die Möglichkeit, auch externe Ermittlungen durch eine europäische Behörde durchführen zu lassen, jedoch nicht. Sie sollte dann wieder in Betracht gezogen werden, wenn der europäische Strafrechtsraum enger zusammenwächst und die Bereitschaft der Mitgliedstaaten zu einer einheitlichen Strafverfolgung und zur Bereitstellung von Mitteln hierfür steigen würde. Ebenfalls müsste darüber nachgedacht werden, wenn sich der Rückgriff auf nationale Behörden mangels Kooperationsbereitschaft als wenig effektiv herausstellt.

Des Weiteren käme in Betracht, dass die europäische Ermittlungsbehörde auch *nach* Erhärtung des Anfangsverdachts, wenn die Europäische Staatsanwaltschaft die Strafverfolgung offiziell aufgenommen hat, strafrechtliche Ermittlungsmaßnahmen ergreift. Die Europäische Staatsanwaltschaft wird bei ihren Ermittlungen auf die Unterstützung von Ermittlungsbehörden angewiesen sein. Eventuell könnte der europäischen Ermittlungsbehörde diese Rolle im Rahmen von internen Untersuchungen übertragen werden. Die Behörde würde anstelle der nationalen Polizeien unter der Aufsicht der Europäischen Staatsanwaltschaft agieren. Die damit zusätzlich zur Verfügung stehende betrugsspezifische Sachkenntnis wäre für den Erfolg der Ermittlungen sehr hilfreich.

Die Ermittlungsbehörde müsste dann unter den gleichen Bedingungen wie nationale Behörden Zwangsmaßnahmen ergreifen können.[809] Das bedeutet, dass die Mitarbeiter dann Zwang anwenden könnten, wenn die Europäische Staatsanwaltschaft hierfür über eine Genehmigung des Europäischen Vorverfahrensgerichts verfügt und die Zwangsmaßnahme unter ihrer Leitung durchgeführt würde. Ebenso könnten sie Zwang ausüben, wenn die Europäische Staatsanwaltschaft von ihren Notkompetenzen Gebrauch macht.

Eine auf interne Untersuchungen beschränkte Kompetenz zur Durchführung strafrechtlicher Ermittlungen erscheint zumindest zunächst sinnvoll. Wie oben dargelegt, könnte diese unter Umständen auch auf externe Ermittlungen erweitert werden. Hierfür müssten jedoch erst einmal Bedingungen geschaffen werden, die gewährleisten, dass die Ermittlungsbehörde nicht aufgrund ihrer Größe zu einer statischen, bürokratischen und dadurch langsam arbeitenden Behörde wird.

---

[809] Vgl. EuropStrafRecht-*Kuhl/Spitzer* § 8 Rn. 56,

2. Kontrolle durch die Europäische Staatsanwaltschaft

Spätestens in diesem Zusammenhang stellt sich die Frage nach der Kontrolle der Handlungen des OLAF oder der „Finanzpolizei". Nach dem derzeitigen System wird das OLAF allein durch den Überwachungsausschuss kontrolliert. Dieser kann aber nicht konkret in die Untersuchungen eingreifen, sondern nur allgemeine Stellungnahmen abgeben (Art. 11 Abs. 1 VO 1073/99). Die Kontrolle durch den Überwachungsausschuss wird bereits jetzt, da OLAF nur verwaltungsrechtlich tätig ist, als nicht ausreichend angesehen, um die Rechte eines von der Untersuchung Betroffenen zu schützen.[810] Eine gerichtliche Kontrolle der Handlungen des OLAF ist erst möglich, wenn der Untersuchungsbericht verfasst wurde, da allein dieser als abschließende Handlung verstanden wird, die zu einer Klage gemäß Art. 263 Abs. 4 AEUV berechtigt.[811]

Die Kontrolle der Handlungen des OLAF durch die Europäische Staatsanwaltschaft könnte ein geeigneter Weg sein, um das Problem des fehlenden Rechtsschutzes zu lösen. Dies könnte durch die vorgesehene Weisungsbefugnis verwirklicht werden. Das entspräche dem Konzept, das in den Mitgliedstaaten mit einer Rechtsordnung kontinentaler Prägung vorherrscht.[812] So könnten die Handlungen des OLAF direkt durch die Staatsanwaltschaft geleitet und entsprechende Weisungen erlassen werden. Damit sie von dieser Befugnis Gebrauch machen könnte, müsste das OLAF die Staatsanwaltschaft sofort, wenn sich Hinweise auf Straftaten ergeben, informieren.

Wie bereits dargelegt, könnte sich die Weisungsbefugnis jedoch ausschließlich auf strafrechtliche Ermittlungen des OLAF beziehen. Für die verwaltungsrechtlichen Untersuchungen des OLAF müsste eine andere Lösung gefunden werden.

In dieser Arbeit wird vorgeschlagen, dem OLAF selbst keine strafrechtlichen Ermittlungen zu übertragen, sondern es bei einer rein verwaltungsrechtlichen Zuständigkeit zu belassen. Eine Kontrolle durch die Europäische Staatsanwaltschaft kommt damit nicht in Betracht. Aber auch, wenn die Lösung gewählt würde, nach der das OLAF in eine strafrechtliche und eine verwaltungsrechtliche Abteilung aufgeteilt würde, bestünde das Problem der mangelnden Kontrolle weiterhin. Denn auch hier wäre allein eine Kontrolle der strafrechtlichen Untersuchungen des OLAF durch die Staatsanwaltschaft möglich. Unabhängig davon, wie die europäische Ermittlungsbehörde letztlich ausgestaltet würde, könnte durch ihre Errichtung keine verbesserte Kontrolle der verwaltungsrechtlichen Untersuchungen des OLAF gewährleistet werden.

---

810 *Radtke,* GA 2004, 13.

811 1. Leitsatz EuG, Urt. v. 6.7.2006, Rs T-391/03, Sammlung der Rechtsprechung 2006 II-2023.

812 *Biehler/Gleß/Parra/Zeitler,* S. 71.

3. Ergebnis

Wie gezeigt, böte sich die Schaffung einer „Finanzpolizei“ zumindest für interne Untersuchungen an. Sie wäre zuständig für die Durchführung strafrechtlicher Ermittlungen auf Weisung der Staatsanwaltschaft. Nicht zu ihrem Aufgabenbereich würden rein verwaltungstechnische Aufgaben gehören, wie beispielswiese Sekretariatsarbeiten oder die Lohnbuchführung. Diesbezüglich sollten die Europäische Staatsanwaltschaft und die europäische „Finanzpolizei“ so weit wie möglich, auf denselben Verwaltungsunterbau zurückgreifen, um den Verwaltungsaufwand so gering wie möglich zu halten.

Unklar ist jedoch, ob die Schaffung einer Finanzpolizei nach dem derzeitig geltenden Unionsrecht überhaupt möglich wäre. Art. 86 AEUV käme als Ermächtigungsgrundlage nicht in Betracht,[813] möglicherweise jedoch Art. 325 Abs. 4 AEUV. Nach diesem dürfen zur Verhütung und Bekämpfung von Betrügereien erforderliche Maßnahmen von der Union ergriffen werden. Fraglich ist, ob die Übertragung strafrechtlicher Befugnisse im Rahmen der Ermittlungen der europäischen Strafverfolgungseinrichtung auf diesen Artikel gestützt werden könnte.

Art. 86 Abs. 2 Satz 1 AEUV statuiert, dass die Europäische Staatsanwaltschaft ihre Zuständigkeit für die strafrechtliche Untersuchung und Verfolgung gegebenenfalls in Verbindung mit Europol wahrnimmt. Nach Art. 88 Abs. 2 lit. b AEUV kann Europol die Befugnis zur Durchführung operativer Maßnahmen, die gemeinsam mit den zuständigen Behörden der Mitgliedstaaten oder im Rahmen gemeinsamer Ermittlungsgruppen durchgeführt werden, übertragen werden. Art. 88 Abs. 3 Satz 2 AEUV schließt die Anwendung von Zwangsmaßnahmen durch Europol ausdrücklich aus. Diese sollen den nationalen Behörden vorbehalten bleiben.

Dass es für die Europäische Staatsanwaltschaft hilfreich wäre, wenn sie von einer europäischen Polizeibehörde unterstützt würde, wurde in der Gesetzgebung bedacht. Dies zeigt der Verweis des Art. 86 Abs. 2 Satz 1 AEUV auf das europäische Polizeiamt. Ausdrücklich für diese Aufgabe vorgesehen wurde aber Europol, das über keine Zwangsbefugnisse verfügt. OLAF oder eine eigene Finanzpolizei werden hingegen nicht einmal erwähnt. Daraus lässt sich schließen, dass die Anwendung von Zwangsmaßnahmen weiterhin den nationalen Behörden vorbehalten bleiben soll. Andernfalls hätte auch hierzu eine Regelung getroffen werden müssen. Es erscheint nicht logisch, dass Europol zwar explizit erwähnt wird, aber dennoch davon ausgegangen werden soll, dass neben dieser vorgesehenen polizeilichen Unterstützung eine zusätzliche europäische Polizei geschaffen werden soll. Insbesondere im Hinblick darauf, dass dem bereits seit längerer Zeit bestehenden Europol bislang keine auch nur beschränkten Zwangsbefugnisse zugesprochen wurden, wä-

---

[813] Vgl. Grabitz/Hilf/Nettesheim-*Vogel,* Art. 86 Rn. 13; Schwarze-*Böse,* Art. 86 Rn. 4, die allerdings generell eine „Europäische Kriminalpolizei“ auf Grundlage des Art. 86 AEUV ausschließen.

re die Schaffung einer europäischen Finanzpolizei, beispielsweise unter Rückgriff auf die allgemein und weit gehaltene Norm des Art. 325 AEUV, nur schwer zu rechtfertigen.

Die Einführung einer strafrechtlichen Ermittlungskompetenz für eine europäische Ermittlungsbehörde über Art. 325 Abs. 4 AEUV, inklusive der Befugnis Zwangsmaßnahmen durchzuführen, wäre eine Umgehung der speziellen Regelung des Art. 86 Abs. 2 Satz 1 AEUV und damit nicht zulässig. Dafür spricht auch, dass Titel V Kapitel 5 des AEUV, der ausdrücklich die polizeiliche Zusammenarbeit regelt, eine „Finanzpolizei" nicht erwähnt. Wäre eine solche gewollt, wäre dies wohl hier zu erwähnen gewesen.

Des Weiteren sieht Art. 86 AEUV im Interesse mitgliedstaatlicher Souveränität vor, dass die Europäische Staatsanwaltschaft nur im Rahmen eines besonderen Gesetzgebungsverfahrens eingerichtet werden kann.[814] Für Maßnahmen nach Art. 325 Abs. 4 AEUV findet allerdings das ordentliche Gesetzgebungsverfahren Anwendung. Die Übertragung von Zwangsbefugnissen auf eine europäische Finanzpolizei würde zu einem Souveränitätsverlust der Mitgliedstaaten führen. Darüber hinaus könnte sie massive Eingriffe in die Rechte des Beschuldigten vornehmen. Dass hierfür allein das ordentliche Gesetzgebungsverfahren Anwendung finden soll, erscheint nicht einleuchtend.

Unabhängig davon, ob Art. 325 Abs. 4 AEUV grundsätzlich so weit geht, dass strafrechtliche Ermittlungsbefugnisse auf europäische Institutionen übertragen werden können, geht die Regelung des Art. 86 Abs. 2 Satz 1 AEUV jedenfalls als speziellere Norm vor. Somit dürften nach derzeitiger Rechtslage keine strafrechtlichen Ermittlungsbefugnisse auf eine europäische Behörde übertragen werden. Hierfür wäre vielmehr eine Vertragsänderung notwendig.

Die Errichtung der Staatsanwaltschaft wird jedoch durch dieses Ergebnis nicht infrage gestellt. Aufgrund ihrer Weisungsbefugnis gegenüber den nationalen Ermittlungsbehörden ist davon auszugehen, dass sie auch mit diesen erfolgreich zusammenarbeiten kann, wenngleich eventuell nicht ganz so effektiv, wie es mit einer europäischen Finanzpolizei möglich wäre.

Obwohl das Europäische Betrugsbekämpfungsamt im Primärrecht nicht erwähnt wird, sollte eine enge Kooperation zwischen ihm und der Europäischen Staatsanwaltschaft stattfinden. Die bei OLAF bereits vorhandene Fachkenntnis auf dem Gebiet der Betrugsbekämpfung müsste auch der neuen Einrichtung zur Verfügung stehen. Deshalb müsste eine Verpflichtung des OLAF statuiert werden, die Europäische Staatsanwaltschaft sofort zu informieren, wenn Hinweise auf eine Straftat auftauchen. Ebenso sollte das OLAF verpflichtet sein, die Staatsanwaltschaft fachlich zu unterstützen. Insbesondere zu Beginn ihrer Tätigkeit könnte die Arbeit der

---

[814] Geiger/Khan/Kotzur-*Kotzur,* Art. 86 Rn. 3.

Staatsanwaltschaft erheblich erleichtert werden, wenn sie auf die Kenntnisse des OLAF zurückgreifen könnte.

Trotz seiner verwaltungsrechtlichen Ausrichtung kann das OLAF beispielsweise im Rahmen der sogenannten *Follow-ups* die strafrechtlichen Verfahren in den Mitgliedstaaten begleiten. Zudem kennt das Amt die Verhaltensweisen und Schemata, nach denen EU-Betrüger vorgehen. Bei strafrechtlichen Ermittlungen stehen lediglich weitere Möglichkeiten zur Verfügung, um einen Betrug aufzudecken.

Doch nicht nur zu Beginn ihrer Tätigkeit wäre eine enge Kooperation der Europäischen Staatsanwaltschaft mit OLAF sinnvoll. Denn sowohl die Kenntnisse des OLAF als auch die der europäischen Strafverfolgungsbehörde werden sich weiterentwickeln. Ein regelmäßiger Austausch zwischen diesen Institutionen wäre deshalb wichtig, damit beide von den Erkenntnissen der jeweils anderen profitieren können. Sonst stünde zu befürchten, dass eine Institution erheblichen Arbeitsaufwand in die Erlangung bestimmter Informationen investiert, über die die andere Einrichtung bereits verfügt. Auch in konkreten Fällen könnte eine Zusammenarbeit von OLAF und der Europäischen Staatsanwaltschaft, insbesondere in Form von Informationsaustausch, zu einer Verbesserung des Ermittlungsergebnisses und einer Effektuierung der Arbeit beitragen.

Teil 5

Schlussbetrachtung

Straftaten zum Nachteil der finanziellen Interessen der Union richten Schäden sowohl materieller als auch ideeller Art an. Zum einen entstehen dem Haushalt der Union durch diese Delikte Verluste bzw. Mindereinnahmen, zum anderen sinkt das Vertrauen der Bevölkerung in die Union, wenn der Eindruck entsteht, die der Union unter anderem durch Steuereinnahmen zur Verfügung stehenden Mittel würden nicht rechtmäßig verwendet. Um diese Schäden möglichst gering zu halten, muss eine angemessene Strafverfolgung dieser Delikte innerhalb der Union gewährleistet werden. Dies kann auch eine Abschreckungswirkung für potenzielle Täter entfalten.

Das existierende System zur Verfolgung von Straftaten zum Nachteil der finanziellen Interessen der Union, nach dem die Mitgliedstaaten für die Strafverfolgung verantwortlich sind, hat sich als problembehaftet herausgestellt.[1] Es stößt auf Schwierigkeiten unterschiedlichster Art. Viele davon wären durch die Errichtung einer Europäischen Staatsanwaltschaft zu lösen. Insofern hat sich gezeigt, dass die Mitgliedstaaten nicht ausreichend dazu in der Lage sind, die Verfolgung von EU-Finanzdelikten zu gewährleisten und anzunehmen ist, dass die Union besser dazu in der Lage wäre.

Durch diese Feststellung allein kann jedoch nicht beurteilt werden, ob die Errichtung einer europäischen Strafverfolgungsbehörde mit dem Subsidiaritätsprinzip zu vereinbaren wäre. Hierfür müssen vielmehr auch die konkret zu treffenden Bestimmungen überprüft werden.[2]

Im Rahmen dieser Arbeit wurden verschiedene Vorschläge zur Ausgestaltung dieser Regelungen daraufhin untersucht, ob bzw. inwiefern sie bei der Schaffung einer Europäischen Staatsanwaltschaft zu berücksichtigen wären. Es hat sich gezeigt, dass Elemente dieser Vorschläge übernommen werden können, aber keiner vollständig umgesetzt werden sollte. Dies ist unter anderem darauf zurückzuführen, dass bei Erstellung der Vorschläge von einer Rechtslage ausgegangen wurde, die nur weniger weitgehende Eingriffe in das mitgliedstaatliche Recht zuließ, als dies nun möglich ist. Mitunter wurden aber auch Empfehlungen abgegeben, die vermeintlich der Wahrung des Subsidiaritätsprinzips dienen. Bei näherer Betrachtung hat sich jedoch herausgestellt, dass dies gerade nicht der Fall ist. Denn wenn

[1] Vgl. Teil 2, IV.

[2] Vgl. ausführlich Teil 3, II.A.2.c).

dadurch, dass die Regelungsbefugnis auf mitgliedstaatlicher Ebene belassen wird, eine effektive Strafverfolgung durch die Europäische Staatsanwaltschaft verhindert wird, läuft dies auch dem Zweck der Errichtung dieser Behörde zuwider. Dann wäre die Union nicht besser als die Mitgliedstaaten in der Lage, die Bekämpfung von Straftaten zum Nachteil der finanziellen Interessen der Union durch eine effektive Strafverfolgung zu verbessern.

Im Rahmen der Untersuchung hat sich zunächst ergeben, dass die Zuständigkeit der Europäischen Staatsanwaltschaft durch europäische Straftatbestände[3] definiert sein sollte,[4] da das Fehlen einheitlicher Bestimmungen innerhalb der Union zu Rechtsunsicherheiten führen würde. Zudem könnten Gesetzeslücken, die durch unterschiedliche Regelungen möglicherweise entstünden, von kriminellen Organisationen gezielt ausgenutzt werden. Solange die europäische Strafverfolgungseinrichtung allein zur Bekämpfung von Straftaten zum Nachteil der finanziellen Interessen der Union tätig wäre, sollte sich ihr materieller Zuständigkeitsbereich auf die folgenden Straftaten erstrecken: Betrug, Ausschreibungsbetrug, Bestechlichkeit und Bestechung, Missbrauch von Amtsbefugnissen, Verletzung des Dienstgeheimnisses, Geldwäsche und Hehlerei. Neben einheitlichen Definitionen der Straftatbestände sollten auch die Verjährung und das Strafmaß geregelt werden. Der Erlass dieser Normen müsste auf Art. 325 AEUV gestützt werden, da Art. 86 AEUV hierfür keine Rechtsgrundlage bietet.

Hinsichtlich der Stellung der Europäischen Staatsanwaltschaft konnte gezeigt werden, dass allein eine unabhängig und unparteiisch ermittelnde Institution die Anforderungen an ein faires Verfahren gewährleisten kann.[5] Leiter der Einrichtung wäre der Europäische Staatsanwalt. Er hätte seinen Sitz, zusammen mit den ihm zur Unterstützung beigeordneten Europäischen Staatsanwälten, auf zentraler Ebene. Die Ermittlungsmaßnahmen würden jedoch von den abgeordneten Europäischen Staatsanwälten durchgeführt, die in ihren jeweiligen Heimatstaaten angesiedelt wären. Sie wären für die Zeit ihrer Abordnung allein der Europäischen Staatsanwaltschaft verantwortlich und würden keine nationalen Tätigkeiten wahrnehmen. Für die Mitglieder der neuen Einrichtung müsste ein eigenes Statut geschaffen werden, da sich weder der Rückgriff auf das europäische Personalstatut noch auf die Statuten der Mitgliedstaaten anbietet.

In Bezug auf die Verfahrensregelungen der Europäischen Staatsanwaltschaft wurde herausgearbeitet, dass auch diese von der Union getroffen werden sollten.[6] Ein Rekurs auf nationale Regelungen stellt in den theoretisch denkbaren Fällen keine echte Alternative dar. Denn dadurch könnte weder ein reibungsloser Ablauf

---

3 Vgl. dazu ausführlich Teil 4, II.

4 So wohl auch Satzger-*Streinz,* Art. 325 Rn. 24; *Walter*, ZStW 117 (2005), 920.

5 Vgl. dazu ausführlich Teil 4, III.

6 Vgl. dazu ausführlich Teil 4, IV.

der Tätigkeit der Staatsanwaltschaft noch eine effektives und rechtsstaatliches Handeln gewährleistet werden.

Bei ihren Ermittlungen sollte die Europäische Staatsanwaltschaft grundsätzlich dem Legalitätsprinzip unterworfen sein. Gleichzeitig sollten ihr Möglichkeiten zur Einstellung des Verfahrens zugestanden werden. Die Stellung des Beschuldigten im Verfahren würde durch europäische Vorgaben geregelt. Seine Rechte wären klar definiert. Die Kompetenz der neuen Behörde ginge nicht so weit, dass sie den nationalen Strafverfolgungsbehörden Weisungen erteilen könnte. Anders verhielte es sich hingegen für die nationalen Ermittlungsbehörden. Diese wären den Weisungen der Europäischen Staatsanwaltschaft unterstellt.

Damit eine effektive und zugleich rechtsstaatliche Strafverfolgung durch die europäische Einrichtung sichergestellt werden kann, müssten ihr eigene, europäische Ermittlungsbefugnisse übertragen werden. Die Vorschläge, die hiervon absehen und stattdessen auf nationale Regelungen rekurrieren, haben sich als zum Teil nicht praktikabel und teilweise als mit einem fairen Verfahren nicht vereinbar herausgestellt.

Zur Durchführung ihrer Ermittlungen sollten der Europäischen Staatsanwaltschaft folgende Ermittlungsbefugnisse übertragen werden: Sammlung von Informationen, Befragung von Personen und Auskunftsverlangen. Des Weiteren sollte ihr die Kompetenz übertragen werden, Durchsuchungen, Beschlagnahmen und Telekommunikationsüberwachungsmaßnahmen durchzuführen sowie Untersuchungshaft zu beantragen. Die Übertragung weiterer Ermittlungsbefugnisse, wie z.B. zur Durchführung verdeckter Ermittlungen oder kontrollierter Lieferungen, könnte darüber hinaus sinnvoll sein.[7]

Die erstgenannten Ermittlungsbefugnisse sollten im Ermessen der Staatsanwaltschaft stehen. Wegen der mit der Durchführung der letztgenannten Ermittlungsmaßnahmen häufig einhergehenden Grundrechtsverletzungen müssten diese einer richterlichen Kontrolle unterstellt werden. In Anbetracht der europäischen Ausgestaltung des Verfahrens hat es sich als sinnvoll erwiesen, diese Kontrolle von einem eigens dafür zu schaffenden Europäischen Vorverfahrensgericht vornehmen zu lassen. In einem eng begrenzten Rahmen sollte es der Staatsanwaltschaft auch möglich sein, eine Maßnahme ohne diese Kontrolle durchzuführen. Dies dürfte ausschließlich dann geschehen, wenn nur so verhindert werden kann, dass durch die zeitraubende Einholung einer richterlichen Entscheidung Beweismittel unwiederbringlich verloren gehen.[8]

Der von einer Ermittlungsmaßnahme Betroffene hätte die Möglichkeit, mit einer Beschwerde, die vom Europäischen Vorverfahrensgericht zu prüfen wäre, gegen die Durchführung der Maßnahme vorzugehen. Zugleich könnte auch die Europäi-

---

[7] Vgl. EU-Kommission, Grünbuch finanzielle Interessen, S. 54.

[8] Vgl. SK-StPO-*Wohlers,* § 98 Rn. 33.

sche Staatsanwaltschaft Beschwerde einlegen, wenn die Genehmigung einer Maßnahme ihrer Ansicht nach zu Unrecht vom Europäischen Vorverfahrensgericht verweigert wurde. Führt die Europäische Staatsanwaltschaft eine Ermittlungsmaßnahme durch, muss sie sich hierbei nach europäisch festgelegten Beweisvorschriften richten. Es hat sich gezeigt, dass keiner der Vorschläge, die auf nationale Beweisregeln zurückgreifen, sachgerecht wäre. Allein durch europäische Beweisvorschriften könnte eine praktikable und faire Regelung getroffen werden, die gleichzeitig eine maximale Verwertbarkeit der von der Europäischen Staatsanwaltschaft gesammelten Beweismittel ermöglicht.

Der Abschluss des Ermittlungsverfahrens würde entweder durch Einstellung des Verfahrens oder durch Anklageerhebung erfolgen. Diese sollte, bis auf wenige Ausnahmen, in dem Mitgliedstaat erfolgen, in dem der Beschuldigte seinen Wohnsitz hat. Das Europäische Vorverfahrensgericht wäre befugt darüber zu urteilen, ob die Europäische Staatsanwaltschaft den richtigen Mitgliedstaat ausgewählt hat. Zudem käme ihm im Rahmen der Anklageerhebung eine weitere bedeutende Aufgabe zu. Es wäre dafür verantwortlich zu überprüfen, ob die von der Staatsanwaltschaft gesammelten Beweismittel den europäischen Beweisvorschriften entsprechen. Führt ein dabei festgestellter Verstoß nach den europäischen Regeln zwingend zum Ausschluss eines Beweismittels, muss das Europäische Vorverfahrensgericht dieses Beweismittel ausschließen, bevor eine Anklage erfolgen kann.

In das Hauptverfahren vor den mitgliedstaatlichen Gerichten kann auf Grundlage des Art. 86 AEUV nur indirekt eingegriffen werden, nämlich dadurch, dass europäische Regelungen zur Zulässigkeit der Beweismittel getroffen werden können. Beweise der Europäischen Staatsanwaltschaft wären zumindest stets dann zulässig und müssten verwertet werden, wenn sie den europäischen Beweisvorschriften entsprächen. Ob ein Verstoß zur Unverwertbarkeit des Beweismittels führt, müsste am jeweiligen Einzelfall überprüft werden. Hierfür wäre nicht nur das Europäische Vorverfahrensgericht zuständig. Denn führt ein Verstoß nicht zwingend zur Unzulässigkeit, obläge die Prüfung, ob dieses Beweismittel letztlich verwertbar ist, dem nationalen Gericht. Es muss sich bei seiner Entscheidung daran orientieren, ob bei Verwertung des Beweismittels nach den Standards seiner eigenen Rechtsordnung ein faires Verfahren gewährleistet werden kann. Das Urteil des nationalen Gerichts könnte sowohl vom Verurteilten als auch von der Europäischen Staatsanwaltschaft nur nach den Möglichkeiten des jeweiligen Mitgliedstaates angefochten werden, da Art. 86 AEUV keine Möglichkeit dafür bietet, Regelungen auf diesem Gebiet zu treffen.

Für den Gerichtshof der Union sind unterschiedliche Aufgaben denkbar.[9] Allerdings hat sich gezeigt, dass nach derzeitiger Lage eine Entscheidung von Kompetenzkonflikten ebenso wenig möglich wäre wie eine Überprüfung nationaler straf-

---

[9] Vgl. dazu ausführlich Teil 4, V.

rechtlicher Urteile. Allerdings könnte der Gerichtshof im Vorabentscheidungsverfahren über die Gültigkeit der im Rahmen von Art. 86 AEUV und Art. 325 AEUV erlassenen Normen entscheiden. Darüber hinaus käme ihm die Aufgabe zu, über Klagen gemäß Art. 263 Abs. 4 i.V.m. Abs. 1 AEUV zu entscheiden, die sich gegen Handlungen der Europäischen Staatsanwaltschaft richten. Zumindest eingeschränkt wären auch Handlungen des Europäischen Vorverfahrensgerichts nach Art. 263 Abs. 4 i.V.m. Abs. 1 Satz 2 AEUV angreifbar.

Die Beziehung der Europäischen Staatsanwaltschaft zu den bereits existierenden Akteuren wäre je nach Institution unterschiedlicher Art. Wie bereits festgestellt, käme ihr eine Weisungsbefugnis gegenüber nationalen Ermittlungsbehörden, nicht aber gegenüber nationalen Strafverfolgungsbehörden zu. Das Verhältnis zu Behörden von Drittstaaten könnte sich sehr schwierig gestalten. Es ist nicht vorauszusehen, inwieweit die europäische Institution hier auf Akzeptanz stoßen würde. Es kann nicht ohne Weiteres davon ausgegangen werden, dass sie wie eine nationale Strafverfolgungsbehörde behandelt würde.

Besonders eng sollte die Beziehung zu Eurojust ausgestaltet werden. Der Europäische Staatsanwalt sollte als 28. Mitglied in das Eurojust-Kollegium aufgenommen werden. Dies wäre insbesondere dann sehr sinnvoll, wenn die Europäische Staatsanwaltschaft ohne Großbritannien, Irland und Dänemark errichtet würde, was derzeit aufgrund der *Opting-outs* anzunehmen ist. Die Zusammenarbeit der Staatsanwaltschaft mit den Behörden dieser Mitgliedstaaten könnte dann über Eurojust koordiniert werden. Aus dem gleichen Grund wäre die Aufnahme des Europäischen Staatsanwalts in das Kollegium von Eurojust auch dann sinnvoll, wenn die europäische Strafverfolgungsbehörde im Rahmen einer verstärkten Zusammenarbeit errichtet würde. Sogar wenn sich alle Mitgliedstaaten an der Errichtung beteiligen würden, wäre die Mitgliedschaft des Staatsanwalts im Kollegium sinnvoll. Dadurch könnten möglicherweise Zusammenhänge erkannt werden, die über die Begehung von Straftaten zum Nachteil der finanziellen Interessen der Union hinausgehen und sich auf Delikte beziehen, für die Eurojust zuständig ist.

Zum EJN unterhielte die Europäische Staatsanwaltschaft keine Beziehungen. Es hat sich gezeigt, dass eine Kooperation dieser beiden Institutionen nicht zu einem Mehrwert bei der Strafverfolgung führen würde.

Für das Verhältnis zum Europäischen Polizeiamt konnte herausgearbeitet werden, dass Europol weder als eine Art „Finanzpolizei“ für die Staatsanwaltschaft tätig werden könnte noch dass der Europäischen Staatsanwaltschaft eine Kontrollfunktion gegenüber Europol zukommen könnte. Vielmehr sollten die beiden Einrichtungen auf Augenhöhe eng zusammenarbeiten.

Auch mit OLAF, dem derzeit einzigen Akteur, dessen Hauptaufgabe die Bekämpfung von EU-Betrug ist, sollte eine enge Kooperation installiert werden, um die Fachkenntnis des Amtes zu nutzen. Abgesehen von dieser engen Kooperation könnte das OLAF jedoch nach bisheriger Rechtslage keine weitergehenden Aufgaben im Rahmen der Betrugsbekämpfung durch die Europäische Staatsanwaltschaft übernehmen. Insbesondere könnte ihm ebenso wenig wie Europol die Aufgabe übertragen werden, als eine Art „Finanzpolizei" zu agieren. Da das Amt somit nur verwaltungsrechtlich tätig würde, wäre auch eine Weisungsbefugnis der europäischen Strafverfolgungsbehörde gegenüber OLAF nicht sachgerecht. Auch die Schaffung einer von OLAF unabhängigen, aber mit ehemaligen Mitarbeitern des Amtes besetzten Ermittlungsbehörde, die der Europäischen Staatsanwaltschaft unterstellt wäre, ist nach derzeitiger Rechtslage nicht möglich.

Insgesamt hat sich gezeigt, dass bei Errichtung der Europäischen Staatsanwaltschaft eine stark supranational geprägte Ausgestaltung gewählt werden müsste. Obgleich es zunächst paradox klingt, könnte nur dadurch, dass die meisten Bestimmungen durch die Union getroffen werden, das Subsidiaritätsprinzip gewahrt werden. Denn ein tatsächlicher Mehrwert für die Strafverfolgung ergibt sich nur, wenn eine von Beginn an funktionsfähige europäische Strafverfolgungsbehörde in einem Verfahren ermittelt, das sämtlichen rechtsstaatlichen Ansprüchen gerecht wird. Eine solche Lösung kann nur erreicht werden, wenn supranationale Regelungen erlassen werden. Unter Berücksichtigung dieser Tatsache wurde in dieser Arbeit ein Konzept zur Errichtung einer Europäischen Staatsanwaltschaft entwickelt. Nach diesem könnte ein funktionierendes supranationales System zur Strafverfolgung durch die Europäische Staatsanwaltschaft geschaffen werden. Es konnte gezeigt werden, dass die Errichtung dieser Institution mit dem Subsidiaritätsprinzip zu vereinbaren wäre, wenn die hier vorgeschlagenen Regelungen übernommen würden.

Literaturverzeichnis

Ambos, Kai, Transnationale Beweiserlangung – 10 Thesen zum Grünbuch der EU-Kommission „Erlangung verwertbarer Beweise in Strafsachen aus einem anderen Mitgliedstaat“. ZIS 2010, 557–566.

– Der Europäische Gerichtshof für Menschenrechte und die Verfahrensrechte. ZStW (2003) 115, 583–637.

– Internationales Strafrecht. 2. Aufl. München 2008.

Amelung, Knut, Grundfragen der Verwertungsverbote bei beweissichernden Haussuchungen im Strafverfahren. NJW 1991, 2533–2540.

Antor, Stefan, Das Europäische Justizielle Netz. DRiZ 2002, 330.

Arnold, Jörg, Vorschläge zur Verbesserung des Schutzes des Strafverteidigers: Auf dem Weg zu einem „europäischen“ Strafverteidiger? HRRS 2008, 10–23.

Bachmaier Winter, Lorena, European investigation order for obtaining evidence in the criminal proceedings. ZIS 2010, 580–589.

Bacigalupo, Enrique, Rapport national espagnol. In: Delmas-Marty, Mireille/Vervaele, John A.E. (Hrsg.), The implementation of the Corpus Juris in the member states – Volume II. Antwerpen 2000, S. 775–813.

Barrot, Jaques, Vers une Europe de l’action publique? Enjeux, acquis, perspectives. In: Ghaleh Marzban, Peimane (Hrsg.), Quelles perspectives pour un ministère public européen? – Protéger les intérêts financiers et fondamentaux de l’Union européenne. Paris 2010, S. 25–30.

Becker, Ulrich, Differenzierungen der Rechtseinheit durch „abgestufte Integration“. In: Schwarze, Jürgen (Hrsg.), Europäische Rechtseinheit durch einheitliche Rechtsdurchsetzung – Vorträge der Fachgruppe für Europarecht auf der 26. Tagung der Gesellschaft für Rechtsvergleichung vom 24.–27. September 1997 in Graz. Europarecht Beiheft 1. Baden-Baden 1998, S. 29–57.

Biehler, Anke/Gleß, Sabine/Parra, Nina/Zeitler, Helge Elisabeth, Analyse des Grünbuchs zum strafrechtlichen Schutz der finanziellen Interessen der EG und zur Schaffung einer Europäischen Staatsanwaltschaft – Studie im Auftrag des Haushaltsausschusses des Europäischen Parlamentes. Freiburg 2002.

Bleckmann, Albert, Europarecht – das Recht der Europäischen Gemeinschaft. 6. Auflage. Köln u.a. 1997.

Böse, Martin, Die polizeiliche und justizielle Zusammenarbeit in Strafsachen im Entwurf eines Vertrages über eine Verfassung für Europa. In: Schwarze, Jürgen (Hrsg.), Der Verfassungsentwurf des Europäischen Konvents – verfassungsrechtliche Grundstrukturen und wirtschaftsverfassungsrechtliches Konzept. Baden-Baden 2004, S. 151–161.

– Ein europäischer Ermittlungsrichter – Perspektiven des präventiven Rechtsschutzes bei Errichtung einer Europäischen Staatsanwaltschaft. RW 2012, 172–196.

Braum, Stefan, Das „Corpus Juris" – Erforderlichkeit, Legitimität und Machbarkeit. JZ 2000, 493–500.

– Europäische Strafgesetzlichkeit. Frankfurt a.M. 2003.

– Das Prinzip der gegenseitigen Anerkennung – Historische Grundlagen und Perspektiven europäischer Strafrechtsentwicklung. GA 2005, 681–699.

Brüner, Franz-Hermann, Was erwartet das Europäische Amt für Betrugsbekämpfung (OLAF) von dieser Anhörung? Rede anlässlich: Strengthening OLAF: The Revision of the Regulation on the European Anti-Fraud Office. Brüssel 12./13. Juli 2005.

– The Future European Public Prosecutor's Office. In: Espina Ramos, Jorge A./Vicente Carbajosa, Isabel (Hrsg.), The Future European Public Prosecutor's Office. Madrid 2008, S. 48–52.

Brüner, Franz-Hermann/Spitzer, Harald, Der Europäische Staatsanwalt – ein Instrument zur Verbesserung des Schutzes der EU-Finanzen oder ein Beitrag zur Verwirklichung eines Europas der Freiheit, der Sicherheit und des Rechts? NStZ 2002, 393–398.

– OLAF-REFORM II – Kosmetischer Eingriff oder Großer Wurf? EuR 2008, 859–872.

Brüning, Janique, Die Rechtsfolgen eines Verstoßes gegen den Richtervorbehalt – Zugleich eine Anmerkung zum Urteil des BGH vom 18. April 2007 (5 StR 546/06). HRRS 2007, 250–255.

Bundesministerium der Finanzen, Die Bundeszollverwaltung – Jahresstatistik 2010. Berlin 2011.

Bundesrechtsanwaltskammer und Deutscher Anwaltverein – Gemeinsame Stellungnahme Nr. 48/2012, abrufbar unter: http://www.brak.de/zur-rechtspolitik/stellungnahmen-pdf/stellungnahmen-europa/2012/november/stellungnahme-der-brak-2012-48.pdf [Stand: 18.11.2012].

Bundesregierung und die Länder der Bundesrepublik Deutschland, Gemeinsame Stellungnahme – Grünbuch zum strafrechtlichen Schutz der finanziellen Interessen der Europäischen Gemeinschaften und zur Schaffung einer europäischen Staatsanwaltschaft, abrufbar unter: http://ec.europa.eu/anti_fraud/documents/fwk-green-paper-contributions/gp_gba_st_de_en.pdf; http://ec.europa.eu/anti_fraud/green_paper/contributions/pdf/gp_gba_st_de.pdf [Stand: 18.11.2012].

Buss, Sebastian, Staatsanwaltschaft und Crown Prosecution Service. Baden-Baden 2010.

Calliess, Christian, Subsidiaritäts- und Solidaritätsprinzip in der Europäischen Union. 2. Aufl. Baden-Baden 1999.

– Die neue Europäische Union nach dem Vertrag von Lissabon. Tübingen 2010.

Calliess, Christian/Ruffert, Matthias (Hrsg.), Verfassung der Europäischen Union. München 2006.

– EUV, AEUV – Das Verfassungsrecht der Europäischen Union mit Europäischer Grundrechtecharta. 4. Aufl. München 2011. Zitiert: Calliess/Ruffert-*Bearbeiter* Art. Rn.

Costa, Jorge, Eurojust vis-à-vis the European Public Prosecutor. In: Apap, Joanna (Hrsg.), Justice and home affairs in the EU – Liberty and security issues after enlargement. Cheltenham 2004, S. 141–150.

Crétin, Thierry, The Future European Public Prosecutor. In: Espina Ramos, Jorge A./ Vicente Carbajosa, Isabel (Hrsg.), The Future European Public Prosecutor's Office. Madrid 2008, S. 53–59.

Dannecker, Gerhard, Strafrecht in der Europäischen Gemeinschaft. JZ 1996, 869–880.

– Die Dynamik des materiellen Strafrechts unter dem Einfluss europäischer und internationaler Entwicklungen. ZStW 117 (2005), 697–748.

Dannecker, Gerhard/Reinel, Stefan, Rechts- und Amtshilfe in der EG – aktuelle Entwicklungen. In: Leitner, Roman (Hrsg.), Finanzstrafrecht 2006. Wien 2007, S. 49–116.

Deimel, Martin, Finanzielle Verantwortung von Bund und Ländern bei Anlastungen der Europäischen Gemeinschaft. NL-BzAR 2006, 312–316.

Deiters, Mark, Legalitätsprinzip und Normgeltung. Tübingen 2006.

Delmas-Marty, Mireille, Necessity, legitimacy and feasibility of the Corpus Juris. In: Delmas-Marty, Mireille/Vervaele, John A.E. (Hrsg.), The implementation of the Corpus Juris in the member states – Volume I. Antwerpen 2000, S. 7–213.

– (Hrsg.), Corpus Juris der strafrechtlichen Regelungen zum Schutz der finanziellen Interessen der Union. Köln u.a. 1998.

Delmas-Marty, Mireille/Manacorda, Stefano, Rapport national français. In: Delmas-Marty, Mireille/Vervaele, John A.E. (Hrsg.), The implementation of the Corpus Juris in the member states – Volume II. Antwerpen 2000, S. 287–348.

Desterbeck, Francis, Der Mehrwert des OLAF – Betrachtungen über die Beweiskraft der OLAF-Berichte bei strafrechtlichen Ermittlungen und vor Strafgerichten in Belgien. Rede anlässlich: Feierliche Eröffnungssitzung des Berufungsgerichtshofs Gent am 1. September 2005.

Deutsche Vernetzungsstelle LEADER+ in der Bundesanstalt für Landwirtschaft und Ernährung, LEADER+ in Deutschland – Ausgewählte Projekte. Bonn 2006.

Deutscher Bundestag, Beschluss des Deutschen Bundestages zur Initiative des Königreichs Spanien, des Königreichs Belgien, der Republik Estland, der Republik Bulgarien, der Republik Österreich, der Republik Slowenien und des Königreichs Schweden für eine Richtlinie des Europäischen Parlaments und des Rates über die Europäische Ermittlungsanordnung in Strafsachen (Ratsdok. 9145/10), 7. Oktober 2010.

Deutscher Richterbund, Stellungnahme des Deutschen Richterbundes zum Grünbuch der Kommission der EG zum strafrechtlichen Schutz der finanziellen Interessen der EG und zur Schaffung einer Europäischen Staatsanwaltschaft [KOM(2001) 715 endg.: Ratsdok. 5252/02]. Berlin 2002.

Diedrichs, Udo, Flexible Formen der Zusammenarbeit in der EU: Dynamik durch Differenzierung? ZSE 2004, 239–247.

Diehm, Dirk, Das Strafrecht im (gescheiterten?) Vertrag von Lissabon. In: Laubenthal, Klaus (Hrsg.), Festgabe des Instituts für Strafrecht und Kriminologie der Juristischen Fakultät der Julius-Maximilians-Universität Würzburg für Rainer Paulus zum 70. Geburtstag am 20. Januar 2009. Würzburg 2009, S. 35–52.

Döhring, Erich, Die deutsche Staatsanwaltschaft in ihrer geschichtlichen Entwicklung. DRiZ 1958, 282–287.

EG-Kommission, Mitteilung der Kommission an den Rat und an das Europäische Parlament betreffend das Subsidiaritätsprinzip. EUROPE/Dokumente Nr. 1804/05 vom 30.10.1992.

Eisenberg, Sonja, Kompetenzausübung und Subsidiaritätskontrolle im europäischen Umweltrecht. Berlin 2006.

Eisenberg, Ulrich, Beweisrecht der StPO. 7. Aufl. München 2011.

Ellersiek, Dirk, Die Beschwerde im Strafprozeß. Berlin 1981.

Emmerich-Fritsche, Angelika, Der Grundsatz der Verhältnismäßigkeit als Direktive und Schranke der EG-Rechtsetzung. Berlin 2000.

Epiney, Astrid, Rechtshilfe in Strafsachen in der EU – Zugleich ein Beitrag zum derzeitigen Stand der Verhandlungen der EG im Rahmen der „Bilateralen II" mit der Schweiz. EuZW 2003, 421–427.

Erb, Volker u.a. (Hrsg.), Löwe/Rosenberg – Die Strafprozeßordnung und das Gerichtsverfassungsgesetz. Fünfter Band. 26. Aufl. Berlin 2008. Zitiert: Löwe/Rosenberg-*Bearbeiter*.

– Löwe/Rosenberg – Die Strafprozeßordnung und das Gerichtsverfassungsgesetz. Elfter Band. 26. Aufl. Berlin 2012. Zitiert: Löwe/Rosenberg-*Bearbeiter*.

Esser, Robert, Auf dem Weg zu einem europäischen Strafverfahrensrecht – Die Grundlagen im Spiegel der Rechtsprechung des Europäischen Gerichtshofs für Menschenrechte (EGMR) in Straßburg. Berlin 2002.

– Mindeststandards einer Europäischen Strafprozessordnung unter Berücksichtigung der Rechtsprechung des Europäischen Gerichtshofs für Menschenrechte. StraFo 2003, 335–344.

– Mindestanforderungen der Europäischen Menschenrechtskonvention (EMRK) an den strafprozessualen Beweis. In: Marauhn, Thilo (Hrsg.), Bausteine eines europäischen Beweisrechts. Tübingen 2007, S. 39–63.

Esser, Robert/Herbold, Anna Lina, Neue Wege für die justizielle Zusammenarbeit in Strafsachen – Das Eurojust-Gesetz. NJW 2004, 2421–2424.

EU-Kommission, Bericht der Kommission an das Europäische Parlament und den Rat – Betrugsbekämpfung – Jahresbericht 2008, KOM(2009) 372 endg.

– Bericht der Kommission an das Europäische Parlament und den Rat – Betrugsbekämpfung – Jahresbericht 2009, KOM(2010) 382 endg./2.

– Bericht der Kommission an das Europäische Parlament und den Rat – Betrugsbekämpfung – Jahresbericht 2010, KOM(2011) 595 endg.

– Bericht der Kommission über die Umsetzung des Übereinkommens über den Schutz der finanziellen Interessen der Europäischen Gemeinschaften und seiner Protokolle durch die Mitgliedstaaten – Artikel 10 des Übereinkommens, KOM(2004) 709 endg.

– Commission Staff Working Paper to the European Parliament, the Council, the European Economic and Social Committee and the Committee of the Regions. Accompanying the document Communication from the commission On the protection of the financial interests of the European Union by criminal law and by administrative investigations: An integrated policy to safeguard taxpayer's money {COM(2011) 293 final}, SEC(2011) 621.

– Die Finanzverfassung der Europäischen Union. Luxemburg 2009.

– Die öffentlichen Finanzen der Gemeinschaft – der Gemeinschaftshaushalt nach der Reform von 1988. Luxemburg 1989.

– Follow-Up Mitteilung – Grünbuch zum strafrechtlichen Schutz der finanziellen Interessen der Gemeinschaften und zur Schaffung einer Europäischen Staatsanwaltschaft, KOM(2003) 128 endg.

– Geänderter Vorschlag für eine Richtlinie des Europäischen Parlaments und des Rates über den strafrechtlichen Schutz der finanziellen Interessen der Gemeinschaft, KOM(2002) 577 endg.

– Geänderter Vorschlag für eine Verordnung des Europäischen Parlaments und des Rates über die gegenseitige Amtshilfe zum Schutz der finanziellen Interessen der Gemeinschaft gegen Betrug und sonstige widerrechtliche Handlungen, KOM(2006) 473 endg.

– Geänderter Vorschlag für eine Verordnung des Europäischen Parlaments und des Rates zur Änderung der Verordnung (EG) Nr. 1073/1999 über die Untersuchungen des Europäischen Amtes für Betrugsbekämpfung (OLAF) und zur Aufhebung der Verordnung (Euratom) Nr. 1074/1999, KOM(2011) 135 endg.

– Gesamthaushaltsplan der Europäischen Union für das Haushaltsjahr 2010 – Übersicht in Zahlen. Luxemburg 2010.

– Grünbuch zum strafrechtlichen Schutz der finanziellen Interessen der Europäischen Gemeinschaften und zur Schaffung einer Europäischen Staatsanwaltschaft, KOM(2001) 715 endg.

– Grünbuch der Kommission – Verfahrensgarantien in Strafverfahren innerhalb der Europäischen Union, KOM(2003) 75 endg.

– Grünbuch über Kompetenzkonflikte und den Grundsatz ne bis in idem in Strafverfahren, KOM(2005) 696 endg.

– Haushalt 2012 – Für 500 Millionen Bürger – Für Wachstum und Beschäftigung. Luxemburg 2012. Abrufbar unter: http://ec.europa.eu/budget/library/biblio/publications/2012/budget_folder/print/186978_2011_4429_EU_BUDGET_2012_DE.pdf [Stand: 18.11.2012].

– Mitteilung der Kommission – Ergänzender Beitrag der Kommission zur Regierungskonferenz über die institutionellen Reformen – Schutz der finanziellen Interessen der Gemeinschaft: das Amt eines europäischen Staatsanwalts, KOM(2000) 608 endg.

– Mitteilung der Kommission – Erklärung der Kommission zum Inkrafttreten des Zweiten Protokolls zum Übereinkommen über den Schutz der finanziellen Interessen der Europäischen Gemeinschaften am 19. Mai 2009, ABl. 2009/C219/1.

– Mitteilung der Kommission an das Europäische Parlament, den Rat, den Europäischen Wirtschafts- und Sozialausschuss und den Ausschuss der Regionen – Schutz der finanziellen Interessen der Europäischen Union durch strafrechtliche Vorschriften und verwaltungsrechtliche Untersuchungen – Gesamtkonzept zum Schutz von Steuergeldern, KOM(2011) 293 endg.

– Mitteilung der Kommission an den Rat und das Europäische Parlament – Unsere gemeinsame Zukunft aufbauen – Politische Herausforderungen und Haushaltsmittel der erweiterten Union – 2007–2013, KOM(2004) 101 endg./3.

– Neue Fonds, bessere Regeln – Übersicht über die neuen Finanzregeln und Fördermittel Möglichkeiten für den Zeitraum 2007–2013. Luxemburg 2008.

– Schutz der finanziellen Interessen der Gemeinschaft und Betrugsbekämpfung – Jahresbericht 1998, KOM(99) 590 endg.

– Vorschlag für eine Richtlinie des Europäischen Parlaments und des Rates über das Recht auf Belehrung in Strafsachen, KOM(2010) 392 endg.

– Vorschlag für eine Richtlinie des Europäischen Parlaments und des Rates über die strafrechtliche Bekämpfung von gegen die finanziellen Interessen der Europäischen Union gerichtetem Betrug, COM(2012) 363 final.

– Vorschlag für eine Richtlinie des Europäischen Parlaments und des Rates über den strafrechtlichen Schutz der finanziellen Interessen der Gemeinschaft, KOM(2001) 272 endg.

– Vorschlag für einen Rahmenbeschluss des Rates über die Europäische Beweisanordnung zur Erlangung von Sachen, Schriftstücken und Daten zur Verwendung in Strafsachen, KOM(2003) 688 endg.

– Vorschlag für eine Verordnung des Rates über die Errichtung einer Europäischen Staatsanwaltschaft, COM(2013) 534 final.

– Zweiter Bericht der Kommission über die Umsetzung des Übereinkommens über den Schutz der finanziellen Interessen der Europäischen Gemeinschaften und seiner Protokolle – Artikel 10 des Übereinkommens, KOM(2008) 77 endg.

Eurojust, Eurojust – Jahresbericht 2008. Den Haag 2009.

– Eurojust – Jahresbericht 2009. Den Haag 2010.

European Public Prosecutor Working Group, Conclusions. Madrid, 29. Juni–1. Juli 2009, abrufbar unter: http://www.fiscal.es/cs/Satellite?cid=1240560068043&language=es&pagename=PFiscal %2FPage %2FFGE_buscadorArchivoDocument [Stand: 19.11.2012].

Europol, Europol review – General report on Europol activities 2009, abrufbar unter: https://www.europol.europa.eu/sites/default/files/publications/europolreview2009.pdf [Stand: 19.11.2012].

Fawzy, Oliver M., Die Errichtung von Eurojust – zwischen Funktionalität und Rechtsstaatlichkeit – Unter Berücksichtigung der Vorschläge des Europäischen Verfassungskonvents. Baden-Baden 2005.

Fijnaut, Cyrille/Groenhuijsen, Marc S., A European Public Prosecution Service: Comments on the Green Paper. (2002) 10 Eur. J. Crime Cr.L.Cr.J., 321–336.

Flore, Daniel, La perspective d'un parquet européen. Rede anlässlich: Die Zukunft des europäischen Strafrechts nach dem Vertrag von Lissabon, ERA-Tagung 11.–12. März 2010.

– Droit pénal européen – Les enjeux d'une justice pénale européenne. Brüssel 2009.

Frenz, Walter, Handbuch Europarecht – Band 5 – Wirkungen und Rechtsschutz. Heidelberg 2010.

– Handbuch Europarecht – Band 5 – Institutionen und Politiken. Heidelberg 2011.

Frenz, Walter, Nationalstaatlicher Umweltschutz und EG-Wettbewerbsfreiheit. Köln 1997.

– Subsidiaritätsprinzip und -klage nach dem Vertrag von Lissabon. JURA 2010, 641–645.

Fromm, Ingo Erasmus, Neue supranationale Strafrechtsordnung zum Schutz der finanziellen Interessen der EG? StraFo 2008, 358–365.

– EG-Rechtssetzungsbefugnis im Kriminalstrafrecht. Baden-Baden 2009.

Frowein, Jochen Abr., Konkurrierende Zuständigkeit und Subsidiarität – Zur Kompetenzverteilung in bündnischen Systemen. In: Badura, Peter/Lerche, Peter (Hrsg.), Wege und Verfahren des Verfassungslebens – Festschrift für Peter Lerche zum 65. Geburtstag. München 1993, S. 401–410.

Frowein, Jochen Abr./Peukert, Wolfgang (Hrsg.), Europäische Menschenrechtskonvention. 3. Aufl. Kehl 2009. Zitiert: Frowein/Peukert-*Bearbeiter*.

Fuchs, Helmut, Bemerkungen zur gegenseitigen Anerkennung justizieller Entscheidungen. ZStW (2004) 116, 368–371.

Gaede, Karsten, Nullum judicium sine lege – Die völkerrechtliche Bindung eines gemeinschaftsrechtlichen Sonderstrafverfahrens an das Potential der Europäischen Konvention für Menschenrechte und Grundfreiheiten. ZStW 115 (2003), 845–879.

Geiger, Rudolf/Khan, Daniel-Erasmus/Kotzur, Markus (Hrsg.), EUV/AEUV – Vertrag über die Europäische Union und Vertrag über die Arbeitsweise der Europäischen Union; Kommentar. 5. Aufl. München 2010. Zitiert: Geiger/Khan/Kotzur-*Bearbeiter*.

Gerichtshof der Europäischen Union, Pressemitteilung Nr. 13/11 vom 2.3.2011, abrufbar unter: http://curia.europa.eu/jcms/upload/docs/application/pdf/2011-03/cp110013de.pdf [Stand: 19.11.2012].

Gleß, Sabine, Die „Verkehrsfähigkeit von Beweisen" im Strafverfahren. ZStW 115 (2003), 131–150.

– Beweisrechtsgrundsätze einer grenzüberschreitenden Strafverfolgung. Baden-Baden 2006.

Gleß, Sabine/Grote, Rainer/Heine, Günter, Justitielle Einbindung und Kontrolle von Europol – Kurzvorstellung der Ergebnisse eines rechtsvergleichenden Gutachtens im Auftrag des Bundesministeriums der Justiz. Freiburg 2001.

Gleß, Sabine/Grote, Rainer/Heine, Günter (Hrsg.), Justitielle Einbindung und Kontrolle von Europol – rechtsvergleichendes Gutachten im Auftrag des Bundesministeriums der Justiz – Band 1 „Nationale und europäische Strafverfolgung". Freiburg 2001.

Gleß, Sabine/Zeitler, Helge Elisabeth, Fair Trial Rights and the European Community's Fight Against Fraud. EJL 2001, 219–236.

Gómez Colomer, Juan-Luis, Das Ermittlungsverfahren in Spanien. ZStW 112 (2000), 135–156.

Grabenwarter, Christoph, Die Menschenrechtskonvention und Grundrechte-Charta in der europäischen Verfassungsentwicklung. In: Cremer, Hans-Joachim (Hrsg.), Tradition und Weltoffenheit des Rechts – Festschrift für Helmut Steinberger. Berlin 2002, S. 1129–1152.

– Europäische Menschenrechtskonvention. 4. Aufl. München 2009.

Grabitz, Eberhard/Hilf, Meinhard/Nettesheim, Martin (Hrsg.), Das Recht der Europäischen Union. Loseblattsammlung [Stand: April 2012]. München. Zitiert: Grabitz/Hilf/Nettesheim-*Bearbeiter*.

Griese, Antonia, Die Finanzierung der Europäischen Union. EuR 1998, 462–477.

Günther, Markus, Europol – Rechtsschutzmöglichkeiten und deren Vereinbarkeit mit nationalen und internationalen Anforderungen. Frankfurt a.M. 2006.

Hackner, Thomas, Der Europäische Haftbefehl in der Praxis der Staatsanwaltschaften und Gerichte. NStZ 2005, 311–315.

Hackner, Thomas/Lagodny, Otto/Schomburg, Wolfgang/Wolf, Norbert, Internationale Rechtshilfe in Strafsachen. München 2003.

– Internationale Rechtshilfe in Strafsachen. München 2012.

Hallmann-Häbler, Ute/Stiegel, Ute, Das Europäische Amt für Betrugsbekämpfung (OLAF). DRiZ 2003, 241–246.

Haratsch, Andreas/Koenig, Christian/Pechstein, Matthias, Europarecht. 8. Aufl. Tübingen 2012.

Harings, Lothar, Grenzüberschreitende Zusammenarbeit der Polizei- und Zollverwaltungen und Rechtsschutz in Deutschland. Berlin 1998.

Harms, Sven, Anmerkung zum Beschluss des BGH vom 16.4.2008 – 2 ARs 74/08 (AG Leer, AG Bremen). NStZ 2009, 465–467.

Härtel, Ines, Handbuch Europäische Rechtsetzung. Berlin, Heidelberg 2006.

Hatje, Armin, Die institutionelle Reform der Europäischen Union – der Vertrag von Nizza auf dem Prüfstand. EuR 2001, 143–184.

Hauer, Sabine, Europäische Staatsanwaltschaft – Zukunftsperspektive oder Illusion? Eine kritische Würdigung ausgewählter Problembereiche. Wien 2009.

Hecker, Bernd, Europäisches Strafrecht. 4. Aufl. Berlin 2012.

– Sind die nationalen Grenzen des Strafrechts überwindbar? Die Harmonisierung des materiellen Strafrechts in der Europäischen Union. JA 2007, 561–567.

Hefendehl, Roland, Zur Frage der Legitimität europarechtlicher Straftatbestände. In: Schünemann, Bernd (Hrsg.), Alternativentwurf Europäische Strafverfolgung. Köln, Berlin, München 2004, S. 82–100.

Herdegen, Matthias, Europarecht. 14. Aufl. München 2012.

Hirsch, Günter, Die Auswirkungen des Subsidiaritätsprinzips auf die Rechtsetzungsbefugnis der Europäischen Gemeinschaften. In: Ress, Georg/Stein, Torsten (Hrsg.), Vorträge, Reden und Berichte aus dem Europa-Institut – Sektion Rechtswissenschaft – Nr. 330 1995.

Hobe, Stephan, Europarecht. 6. Aufl. München 2011.

Isensee, Josef, Subsidiaritätsprinzip und Verfassungsrecht. 2. Aufl. Berlin 2001.

Jarass, Hans Dieter/Pieroth, Bodo (Hrsg.), Grundgesetz für die Bundesrepublik Deutschland – Kommentar. 12. Aufl. München 2012. Zitiert: Jarass/Pieroth-*Bearbeiter*.

Jareborg, Nils, National report of Sweden. In: Delmas-Marty, Mireille/Vervaele, John A.E. (Hrsg.), The implementation of the Corpus Juris in the member states Volume IV – Penal provisions for the protection of European finances. Antwerpen 2001, S. 251.

Joecks, Wolfgang/Miebach, Klaus (Hrsg.), Münchener Kommentar zum Strafgesetzbuch – Band 3. 2003. Zitiert: MüKo-*Bearbeiter*.

Kalb, Sebastian, Die funktionale Begründung strafprozessualer Beweisverbote. Hamburg 2006.

Kempf, Eberhard, Der Europäische Staatsanwalt – Freier Fuchs im freien Hühnerstall? StV 2003, 128–130.

Kinzel, Patricia, Formen der justiziellen Zusammenarbeit im Bereich von Pfeiler III der Europäischen Union und ihre institutionelle Fortentwicklung durch die Europäische Verfassung – Überlegungen zur Einrichtung einer Europäischen Staatsanwaltschaft. Regensburg 2005.

Klip, André, Integrated Protection of the Community's Financial Interests: Shift from "State-State" Approach towards Verticalisation of the Procedure? In: Vervaele, John A.E. (Hrsg.), Transnational Enforcement of the Financial Interests of the European Union – Developments in the Treaty of Amsterdam and the Corpus Juris. Antwerpen 1999, S. 95–107.

Koenig, Christian/Lorz, Ralph Alexander, Stärkung des Subsidiaritätsprinzips. JZ 2003, 167–173.

Krämer, Gregor, Die Bekämpfung von Geldwäsche und Terrorismusfinanzierung. Baden-Baden 2008.

Kretschmer, Joachim, Europol, Eurojust, OLAF – was ist das und was dürfen die? JURA 2007, 169–175.

Kuhl, Lothar, UCLAF im Kampf gegen EU-Betrugskriminalität, Kriminalistik 1997, 105–113.

– The Future of the European Union's Financial Interests – Financial Criminal Law Investigations under the Lead of a European Prosecutor's Office. eucrim 2008, 186–191.

Kuhl, Lothar/Spitzer, Harald, Die Verordnung (Euratom, EG) Nr. 2185/96 des Rates über die Kontrollbefugnisse der Kommission im Bereich der Betrugsbekämpfung. EuZW 1998, 37–44.

– Das Europäische Amt für Betrugsbekämpfung (OLAF). EuR 2000, 671–685.

Kühne, Hans-Heiner, Strafprozessrecht. 8. Aufl. Heidelberg 2010.

Lahti, R./Pölönen, P., National report of Finland. In: Delmas-Marty, Mireille/Vervaele, John A.E. (Hrsg.), The implementation of the Corpus Juris in the member states – Volume II. Antwerpen 2000, S. 251–285.

Langner, Katrin, Verstärkte Zusammenarbeit in der Europäischen Union. Frankfurt a.M. 2004.

Lelieur, Juliette, L'application de la reconnaissance mutuelle à l'obtention transnationale de preuves pénales dans l'Union européenne: une chance pour un droit probatoire français en crise? ZIS 2010, 590–601.

Lenz, Carl-Otto/Borchardt, Klaus-Dieter (Hrsg.), EU-Verträge – Kommentar nach dem Vertrag von Lissabon. 5. Aufl. Wien 2010.

Lettieri, Franco, Organisierte Kriminalität und Wirtschaftskriminalität am Beispiel des EU-Subventionsbetrugs. In: Polizei-Führungsakademie (Hrsg.), Organisierte Kriminalität mit Schwerpunkt Wirtschaftskriminalität. Münster 1997, S. 111–130.

Ligeti, Katalin, Die Europäische Staatsanwaltschaft: welches Modell? In: Karsai, Krisztina/Nagy, Ferenc/Szomora, Zsolt (Hrsg.), Freiheit – Sicherheit – (Straf)Recht. Beiträge eines Humboldt-Kollegs, Schriften des Zentrums für Europäische und Internationale Strafrechtsstudien. Osnabrück 2011, S. 157–174.

– The European Public Prosecutor's Office: how should the rules applicable to its procedure be determined? EuCLR 2011, 123–148.

Lindner, Josef Franz, EUROPOL: Baustein europäischen Polizeirechts – Ein Überblick über die rechtlichen Grundlagen und Grundstrukturen. BayVBl 2001, 193–203.

Lingenthal, Lukas, Eine Europäische Staatsanwaltschaft „ausgehend von Eurojust"? ZEuS 2010, 79–109.

Linke, Gerrit, Das Instrument der verstärkten Zusammenarbeit im Vertrag von Nizza. Frankfurt a.M. 2006.

Lopes da Mota, José Luís, Eurojust – The Heart of the Future European Public Prosecutor's Office. eucrim 2008 (1/2), 62–65.

Magiera, Siegfried, Der Schutz der finanziellen Interessen der Europäischen Union. In: Friauf, Karl Heinrich/Wendt, Rudolf (Hrsg.), Staat, Wirtschaft, Steuern – Festschrift für Karl Heinrich Friauf zum 65. Geburtstag. Heidelberg 1996, S. 13–36.

Malek, Klaus/Wohlers, Wolfgang, Zwangsmaßnahmen und Grundrechtseingriffe im Ermittlungsverfahren. 2. Aufl. Heidelberg 2001.

Maurer, Hartmut, Allgemeines Verwaltungsrecht. München 2011.

Meuters, Stefan, Leitung und Kontrolle grenzüberschreitender Ermittlungen. Hamburg 2004.

Meyer, Jürgen (Hrsg.), Charta der Grundrechte der Europäischen Union. 3. Auflage. Baden-Baden 2011. Zitiert: Meyer-*Bearbeiter*.

Meyer-Goßner, Lutz, Strafprozessordnung. 55. Aufl. München 2012.

Meyer-Ladewig, Jens (Hrsg.), EMRK – Europäische Menschenrechtskonvention – Handkommentar. 3. Aufl. Baden-Baden 2011.

Milke, Tile, Europol und Eurojust – Zwei Institutionen zur internationalen Verbrechensbekämpfung und ihre justitielle Kontrolle. Göttingen 2003.

Moll, Dietmar, Europäisches Strafrecht durch nationale Blankettstrafgesetzgebung? Göttingen 1998.

Müller, Wolfgang, Die Europäischen Netzwerke zur Unterstützung grenzüberschreitender Ermittlungen, S. 40–50.

Muthorst, Olaf, Das Beweisverbot. Hamburg 2009.

Nehm, Kay, Zusammenarbeit der Strafverfolgungsorgane in Europa. Eine Zwischenbilanz. DRiZ 2000, 355–364.

Nelles, Ursula, Europäisierung des Strafverfahrens – Strafprozeßrecht für Europa? ZStW 109 (1997), 727–755.

– Die verfahrensrechtlichen Vorgaben des Corpus Juris, insbesondere Stellung und Aufgaben einer europäischen Strafverfolgungsbehörde. In: Huber, Barbara (Hrsg.), Das Corpus Juris als Grundlage eines europäischen Strafrechts – Europäisches Kolloquium, Trier, 4.–6. März 1999. Freiburg 2000, S. 261–276.

Nestler, Cornelius, Europäisches Strafprozessrecht. ZStW 116 (2004), 332–352.

Neuhann, Florian, Europa – Paradies für Betrüger? Das Mehrebenensystem der Europäischen Union und sein Kampf gegen Betrug zu Lasten des Gemeinschaftshaushalts. In: Möllers, Martin H./van Ooyen, Robert Chr. (Hrsg.), Jahrbuch Öffentliche Sicherheit 2008/2009. Frankfurt a.M. 2008, S. 533–541.

Niemeier, Michael/Walter, Marcus, Neue Rechtsgrundlage für Europol, Kriminalistik 2010, 17–22.

OLAF, Erster Bericht über die operativen Tätigkeiten – 1. Juni 1999 – 31. Mai 2000. Brüssel 2000.

– Bericht des Europäischen Amtes für Betrugsbekämpfung – Sechster Tätigkeitsbericht für den Zeitraum 1. Juli 2004 – 31. Dezember 2005. Brüssel 2006.

– Bericht des Europäischen Amtes für Betrugsbekämpfung, Achter Tätigkeitsbericht – 1. Januar 2007–31. Dezember 2007. Luxemburg 2008.

– Der OLAF-Bericht 2011 – Zwölfter Bericht des Europäischen Amtes für Betrugsbekämpfung – 1. Januar bis 31. Dezember 2011. Luxemburg 2012.

– Jahresbericht 2011 – Europäisches Amt für Betrugsbekämpfung – Für den Zeitraum vom 1. Januar bis zum 31. Dezember 2010. Luxemburg 2012.

– Neunter Tätigkeitsbericht – 1. Januar 2008 – 31. Dezember 2008. Brüssel 2009.

– Tenth Activity Report – 1 January to 31 December 2009. Brüssel 2010.

– Pressemitteilung vom 10.10.2006, abrufbar unter: http://ec.europa.eu/anti_fraud/media-corner/press-releases/press-releases/2006/20061010_01_en.htm [Stand: 19.11.2012].

– Pressemitteilung vom 4.12.2006, abrufbar unter: http://ec.europa.eu/anti_fraud/media-corner/press-releases/press-releases/2006/20061204_01_en.htm [Stand: 19.11.2012].

– Pressemitteilung vom 23.4.2008, abrufbar unter: http://ec.europa.eu/anti_fraud/media-corner/press-releases/press-releases/2008/20080323_01_en.htm [Stand: 19.11.2012].

Oppermann, Thomas/Classen, Claus Dieter/Nettesheim, Martin, Europarecht – ein Studienbuch. 5. Aufl. München 2012.

Ostendorf, Heribert/Brüning, Janique, Die gerichtliche Überprüfbarkeit der Voraussetzungen von „Gefahr im Verzug“ – BVerfG, NJW 2001, 1121; JuS 2001, 1063–1067.

Otto, Harro, Anmerkungen zu den Tatbeständen des Besonderen Teils. In: Huber, Barbara (Hrsg.), Das Corpus Juris als Grundlage eines europäischen Strafrechts – Europäisches Kolloquium, Trier, 4.–6. März 1999. Freiburg 2000, S. 141–162.

Pache, Eckhard, Der Schutz der finanziellen Interessen der Europäischen Gemeinschaften. Berlin 1994.

Perron, Walter, Europäische Strafverfolgung ohne europäisches Strafverfahren? In: Militello, Vincenzo/Arnold, Jörg/Paoli, Letizia (Hrsg.), Organisierte Kriminalität als transnationales Phänomen. Freiburg 2000, S. 33–51.

– Perspektiven der Europäischen Strafrechtsintegration. In: Hettinger, Michael u.a. (Hrsg.), Festschrift für Wilfried Küper zum 70. Geburtstag. Heidelberg 2007, S. 429–441.

Pfeiffer, Gerd (Hrsg.), Strafprozessordnung – Kommentar. München 2005.

Pfützner, Peggy, Organisierte Kriminalität im französischen Strafverfahren. Berlin, 2008.

Picotti, Lorenzo, Prozessuale und materielle Aspekte des Legalitätsprinzips im Corpus Juris. In: Huber, Barbara (Hrsg.), Das Corpus Juris als Grundlage eines europäischen Strafrechts – Europäisches Kolloquium, Trier, 4.–6. März 1999. Freiburg i.Br. 2000, S. 291–303.

Pieper, Stefan Ulrich, Subsidiaritätsprinzip – Strukturprinzip der Europäischen Union. DVBl. 1993, 705–712.

Plöckinger, Oliver/Leidenmühler, Franz, Zum Verbot doppelter Strafverfolgung nach Art. 54 SDÜ 1990. wistra 2003, 81–88.

Rabe, Hans-Jürgen, OLAF – auch ein Rechtsproblem. NJW-Sonderheft 2001, 54–56.

Radtke, Henning, Der Europäische Staatsanwalt – Ein Modell für die Strafverfolgung in Europa mit Zukunft? GA 2004, 1–21.

– Der Begriff der „Tat“ im prozessualen Sinne. In: Schneider, Hendrik (Hrsg.), Festschrift für Manfred Seebode zum 70. Geburtstag am 15. September 2008. Berlin 2008, S. 297–316.

Radtke, Henning/Hohmann, Olaf (Hrsg.), Strafprozessordnung. München 2011. Zitiert: Radtke/Hohmann-*Bearbeiter*.

Raschke, Andreas, Die Staatsanwaltschaft und der Gang an die Öffentlichkeit. ZJS 2011, 38–49.

Rat, Mitteilung betreffend die Tätigkeitsaufnahme von Europol. ABl. 1999/C185/01.

– Vorschlag für eine Richtlinie des Europäischen Parlaments und des Rates über die Europäische Ermittlungsanordnung in Strafsachen. Interinstitutionelles Dossier: 2010/0817 (COD), Dok. 9145/10.

– Vorschlag für eine Richtlinie des Europäischen Parlaments und des Rates über die Europäische Ermittlungsanordnung in Strafsachen – Begründung, Interinstitutionelles Dossier: 2010/0817 (COD), Dok. 9288/10 ADD1.

Rechnungshof, Sonderbericht Nr. 8/98 des Rechnungshofs. ABl. 1998/C230/1.

– Stellungnahme Nr. 8/2005 zu einem Vorschlag für eine Verordnung des Europäischen Parlaments und des Rates über die gegenseitige Amtshilfe zum Schutz der finanziellen Interessen der Gemeinschaft gegen Betrug und sonstige rechtswidrige Handlungen, ABl. 2005/C313/01.

Republik Österreich Bundesministerium für Justiz, Stellungnahme zum Grünbuch der Kommission der Europäischen Gemeinschaften zum strafrechtlichen Schutz der finanziellen Interessen der Europäischen Gemeinschaften und zur Schaffung einer Europäischen Staatsanwaltschaft. Wien 2002.

Riegel, Ralf, Gemeinsame Ermittlungsgruppen. eucrim 2009 (3), 99–106.

Rieß, Peter (Hrsg.), Löwe/Rosenberg – Die Strafprozeßordnung und das Gerichtsverfassungsgesetz. Dritter Band. 25. Berlin, New York 2004. Zitiert: Löwe/Rosenberg-*Bearbeiter*.

– Löwe/Rosenberg – Die Strafprozeßordnung und das Gerichtsverfassungsgesetz. Achter Band. 25. Aufl. Berlin, New York 2005, Zitiert: Löwe/Rosenberg-*Bearbeiter*.

Rijken, Conny, Joint Investigation Teams: principles, practice, and problems – Lessons learnt from the first efforts to establish a JIT. Utrecht Law Review 2006, 99–118.

Rosenau, Henning, Zur Europäisierung im Strafrecht – Vom Schutz finanzieller Interessen der EG zu einem gemeineuropäischen Strafgesetzbuch? ZIS 2008, 9–19.

Roxin, Claus, Strafverfahrensrecht. 25. Aufl. München 1998.

Roxin, Claus/Schünemann, Bernd, Strafverfahrensrecht. 26. Aufl. München 2009.

Rudolphi, Hans-Joachim u.a. (Hrsg.), SK-StPO – Systematischer Kommentar zur Strafprozessordnung; mit GVG und EMRK. Loseblattsammlung [Stand: Oktober 2009] Köln, Zitiert: SK-StPO-*Bearbeiter*.

Satzger, Helmut, Die Europäisierung des Strafrechts. Köln u.a. 2001.

– Gefahren für eine effektive Verteidigung im geplanten europäischen Verfahrensrecht – eine kritische Würdigung des Grünbuchs zum strafrechtlichen Schutz der finanziellen Interessen der Europäischen Gemeinschaften und zur Schaffung einer europäischen Staatsanwaltschaft. StV 2003, 137–142.

– Die Rolle des Richters im Ermittlungsverfahren in Deutschland und Frankreich. In: Jung, Heike/Leblois-Happe, Jocelyne/Witz, Claude (Hrsg.), 200 Jahre Code d'instruction criminelle – le bicentenaire du code d'instruction criminelle. Baden-Baden 2010, S. 93–107.

– Internationales und Europäisches Strafrecht. 5. Aufl. Baden-Baden 2011.

Schenke, Wolf-Rüdiger, Polizei- und Ordnungsrecht. 6. Aufl. Heidelberg 2009.

Scheuermann, Sandra, Das Prinzip der gegenseitigen Anerkennung im geltenden und künftigen Europäischen Strafrecht – zugleich eine Abhandlung über die Notwendigkeit einer Europäischen Staatsanwaltschaft. Hamburg 2009.

Schmidhuber, Peter M., Das Subsidiaritätsprinzip im Vertrag von Maastricht. DVBl 1993, 417–422.

Schmidhuber, Peter M./Hitzler, Gerhard, Die Verankerung des Subsidiaritätsprinzips im EWG-Vertrag – ein wichtiger Schritt auf dem Weg zu einer föderalen Verfassung der Europäischen Gemeinschaft. NVwZ 1992, 720–725.

Schneiders, Benedikt, Die Grundrechte der EU und die EMRK. Baden-Baden 2010.

Schönke, Adolf/Schröder, Horst/Eser, Albin (Hrsg.), Strafgesetzbuch – Kommentar. 28. Aufl. München 2010. Zitiert: Schönke/Schröder-*Bearbeiter*.

Schroeder, Werner, Die Auslegung des EU-Rechts. JuS 2004. 180–186.

Schünemann, Bernd, Bürgerrechte ernst nehmen bei der Europäisierung des Strafverfahrens! StV 2003, 116–122.

– Grundzüge eines Alternativ-Entwurfs zur europäischen Strafverfolgung. ZStW 116 (2004), 376–399.

– Mindestnormen oder sektorales Europastrafrecht? In: Schünemann, Bernd (Hrsg.), Alternativentwurf Europäische Strafverfolgung. Köln, Berlin, München 2004, S. 75–81.

– (Hrsg.), Alternativentwurf Europäische Strafverfolgung. Köln, Berlin, München 2004.

Schuster, Frank Peter, Verwertbarkeit im Ausland gewonnener Beweise im deutschen Strafprozess. Berlin 2006.

Schwarze, Jürgen (Hrsg.), EU-Kommentar. 3. Aufl. Baden-Baden 2012. Zitiert: Schwarze-*Bearbeiter*.

Sieber, Ulrich, Subventions- und Steuerbetrug zum Nachteil der Europäischen Gemeinschaft. ZStR 1996, 357–395.

– Auf dem Weg zu einem europäischen Strafrecht – Einführung zum Corpus Juris der strafrechtlichen Regelungen zum Schutz der finanziellen Interessen der EU. In: Delmas-Marty, Mireille (Hrsg.), Corpus Juris der strafrechtlichen Regelungen zum Schutz der finanziellen Interessen der Europäischen Union. Köln u.a. 1998, S. 1–10.

– Bekämpfung des EG-Betrugs und Perspektiven der europäischen Amts- und Rechtshilfe. ZRP 2000, 186–192.

– Die Zukunft des Europäischen Strafrechts. ZStW 121 (2009), 1–67.

Sieber, Ulrich u.a. (Hrsg.), Europäisches Strafrecht. Baden-Baden 2011. Zitiert: EuropStrafRecht-*Bearbeiter*.

Sieber, Ulrich/Cornils, Karin (Hrsg.), Nationales Strafrecht in rechtsvergleichender Darstellung; Teilband 5 – Gründe für den Ausschluss der Strafbarkeit, Aufhebung der Strafbarkeit, Verjährung. Berlin 2010.

Siegel, Thorsten, Die Widerspruchskammer im System des europäischen Verwaltungsrechtsschutzes – Wesen und Funktionsweise der Widerspruchskammer nach der neuen REACH-Verordnung für Chemikalien. EuZW 2008, 141–144.

Spencer, John, National Report of the United Kingdom. In: Delmas-Marty, Mireille/Vervaele, John A.E. (Hrsg.), The implementation of the Corpus Juris in the member states – Volume III. Antwerpen 2000, S. 857–946.

– The Proposed European Public Prosecutor. In: Huber, Barbara (Hrsg.), Das Corpus Juris als Grundlage eines europäischen Strafrechts – Europäisches Kolloquium, Trier, 4.–6. März 1999. Freiburg 2000, S. 249–259.

– Synthesis report on Evidence gathered abroad. In: Delmas-Marty, Mireille/Vervaele, John A.E. (Hrsg.), The implementation of the Corpus Juris in the member states Volume IV – Penal provisions for the protection of European finances. Antwerpen 2001, S. 253–268.

– The English System. In: Delmas-Marty, Mireille/Spencer, John (Hrsg.), European criminal procedures. Cambridge 2006, S. 142–217.

Spinellis, Dionysios, Securing Evidence Abroad: A European Perspective. In: Bassiouni, M. Cherif (Hrsg.), International Criminal Law – Procedural and enforcement mechanisms. Ardsley, New York 1999.

Spitzer, Harald, Kontrollen und Überprüfungen der Kommission vor Ort zum Schutz der finanziellen Interessen der EG – Erste praktische Erfahrungen mit der Anwendung von VO (Euratom, EG) Nr. 2185/96. In: Henke, Reginhard (Hrsg.), Kontrollen – ATLAS – Risikoanalyse – Tagungsband des 11. Europäischen Zollrechtstags des Europäischen Forums für Außenwirtschaft, Verbrauchsteuern und Zoll e.V. (EFA) am 10. und 11. Juni 1999 in Mannheim. Köln 2000, S. 31–46.

– Reformbedarf bei OLAF? Europa-Blätter 2004, 208–217.

Stadler, Max, Europäische Ermittlungsanordnung in Strafsachen. Rede anlässlich: 871. Sitzung des Bundesrats 4. Juni 2010. Abrufbar unter: http://www.max-stadler.de/Europaeische-Ermittlungsanordnung-in-Strafsachen/31034c1i1p2521/index.html [Stand: 20.10.2011].

Stessens, Guy, Rapport national de la Belgique. In: Delmas-Marty, Mireille/Vervaele, John A.E. (Hrsg.), The implementation of the Corpus Juris in the member states Volume IV – Penal provisions for the protection of European finances. Antwerpen 2001, S. 243–250.

Stiegel, Ute, Stellungnahme des Europäischen Amtes für Betrugsbekämpfung (OLAF). Rede anlässlich: Öffentliche Anhörung über das Grünbuch zum Schutz der finanziellen Interessen der Europäischen Gemeinschaften und zur Schaffung einer Europäischen Staatsanwaltschaft. Brüssel 16./17.9.2001.

Stieglitz, Edgar, Allgemeine Lehren im Grundrechtsverständnis nach der EMRK und der Grundrechtsjudikatur des EuGH. Baden-Baden, Bochum 2002.

Storbeck, Jürgen, Die Zusammenarbeit der Strafverfolgungsbehörden in Europa. DRiZ 2000, 481–489.

Streinz, Rudolf (Hrsg.), EUV/AEUV – Vertrag über die Europäische Union und Vertrag über die Arbeitsweise der Europäischen Union. 6. Aufl. München 2012. Zitiert: Streinz-*Bearbeiter.*

Thun-Hohenstein, Christoph, Die Möglichkeit einer „verstärkten Zusammenarbeit" zwischen EU-Mitgliedstaaten – Chancen und Gefahren der „Flexibilität". In: Hummer, Waldemar (Hrsg.), Die Europäische Union nach dem Vertrag von Amsterdam. Wien 1998, S. 125–139.

Tiedemann, Klaus, Re-Europäisierung des Strafrechts versus Nationalismus der (deutschen) Strafrechtslehre. GA 1998, 107–110.

– Réflexions sur la base juridique du Corpus Juris. AGON 23 (1999), 7–8.

– Legal Basis for the Implementation. In: Delmas-Marty, Mireille/Vervaele, John A.E. (Hrsg.), The implementation of the Corpus Juris in the member states – Volume I. Antwerpen 2000, S. 385–394.

– Gegenwart und Zukunft des Europäischen Strafrechts. ZStW 116 (2004), 945–958.

Tiedemann, Klaus/Vogel, Joachim, Rapport national allemand – National report of Germany. In: Delmas-Marty, Mireille/Vervaele, John A.E. (Hrsg.), The implementation of the Corpus Juris in the member states – Volume II. Antwerpen 2000, S. 349–416.

Trüg, Gerson, Lösungskonvergenzen trotz Systemdivergenzen im deutschen und US-amerikanischen Strafverfahren – Ein strukturanalytischer Vergleich am Beispiel der Wahrheitserforschung. Tübingen 2003.

Van den Wyngaert, Christine, Organized Crime, Proactive Policing and International Cooperation in Criminal Matters: Who Controls the Police in a Transnational Context? In: Den Boer, Monica (Hrsg.), Undercover Policing and Accountability from an International Perspective. Maastricht 1997, S. 163–177.

– Eurojust and the European Public Prosecutor in the Corpus Juris Model: Water and Fire? In: Walker, Neil (Hrsg.), Europe's area of freedom, security and justice. Oxford 2006, S. 203–239.

Van den Wyngaert, Christine/Stessens, Guy, Rapport national belge. In: Delmas-Marty, Mireille/Vervaele, John A.E. (Hrsg.), The implementation of the Corpus Juris in the member states – Volume II. Antwerpen 2000, S. 75–220.

Varraso, Gianluca, Wire Tapping Exchange. Rede anlässlich: Symposium – Transmission of evidence within the European Union and protection of the European Union's financial interests. Mailand 28.1.2011.

Vedder, Christoph/Heintschel von Heinegg, Wolff (Hrsg.), Europäischer Verfassungsvertrag – Handkommentar. Baden-Baden 2007.

– Europäisches Unionsrecht – EUV – AEUV – Handkommentar. Baden-Baden 2012. Zitiert: Vedder/von Heinegg-*Bearbeiter*.

Vervaele, John A.E., Quel statut pour le ministère public? – European Enforcement Agencies in the Area of Freedom, Security and Justice: the Eurojust-European Public Prosecutor binominal. In: Ghaleh Marzban, Peimane (Hrsg.), Quelles perspectives pour un ministère public européen? – Protéger les intérêts financiers et fondamentaux de l'Union européenne. Paris 2010, S. 171–200.

Von Bubnoff, Eckhart, Institutionelle Kriminalitätsbekämpfung in der EU – Schritte auf dem Weg zu einem europäischen Ermittlungs- und Strafverfolgungsraum. ZEuS 2002, 185–237.

– Der europäische Haftbefehl. Heidelberg 2005.

von Danwitz, Thomas, Der Grundsatz der Verhältnismäßigkeit im Gemeinschaftsrecht. EWS, 393–403.

Von der Groeben, Hans/Schwarze, Jürgen (Hrsg.), Kommentar zum Vertrag über die Europäische Union und zur Gründung der Europäischen Gemeinschaft. 6. Aufl. Baden-Baden 2004. Zitiert: Von der Groeben/Schwarze-*Bearbeiter*.

Von Langsdorff, Hermann, Maßnahmen der Europäischen Union zur Vereinfachung und Beschleunigung der Rechtshilfe und insoweit vorgesehene Beschuldigten- und Verteidigerrechte. StV 2003, 472–477.

Wade, Marianne, OLAF and the Push and Pull Factors of a European Criminal Justice System. eucrim 2008 (3/4), 128–131.

– EuroNEEDs – Evaluating the need for and the needs of a European Criminal Justice System, abrufbar unter: http://www.mpicc.de/shared/data/pdf/euroneeds_report_jan_2011.pdf [Stand: 19.11.2012].

Walter, Tonio, Inwieweit erlaubt die Europäische Verfassung ein europäisches Strafgesetz? ZStW 117 (2005), 912–933.

Wandl, Christian, Europol – Unterstützung der Kriminalpolizei im Kampf gegen schwere internationale Kriminalität. Linz 2008.

Warnking, Vera, Strafprozessuale Beweisverbote in der Rechtsprechung des Europäischen Gerichtshofs für Menschenrechte und ihre Auswirkungen auf das deutsche Recht. Frankfurt a.M. u.a. 2009.

Wassmann, Jörg, OLAF und Art. 280 EGV: Zwei Etappen auf dem Weg zum wirksamen Schutz der Finanzinteressen der EU – Rechtsfragen aus Lehre und Forschung des Fachbereichs Finanzen der Fachhochschule des Bundes zum europäischen Integrationsprozess. In: Bongartz, Matthias (Hrsg.), Europa im Wandel – Rechtsfragen aus Lehre und Forschung des Fachbereichs Finanzen der Fachhochschule des Bundes zum europäischen Integrationsprozess. Köln u.a. 2000, S. 371–387.

Weber, Vanessa, Der europäische Staatsanwalt – Ein Modell für die Zukunft? Bonn 2008.

– Kontrollen des Europäischen Amtes für Betrugsbekämpfung (OLAF) in Italien. Witten 2003.

Weertz, Antje, Der Schutz der finanziellen Interessen der Europäischen Gemeinschaften – Betrachtung des Vorhabens zur Errichtung einer europäischen Staatsanwaltschaft und der Auswirkungen auf die Verfahrensrechte der Betroffenen. Berlin 2008.

Weigend, Thomas, Die Europäische Menschenrechtskonvention als deutsches Recht – Kollisionen und ihre Lösung. StV 2000, 384–390.

– Unverzichtbares im Strafverfahrensrecht. ZStW 113 (2001), 271–304.

– Mindestanforderungen an ein europaweit geltendes harmonisiertes Strafrecht. In: Zieschang, Frank/Hilgendorf, Eric/Laubenthal, Klaus (Hrsg.), Strafrecht und Kriminalität in Europa. Baden-Baden 2003, S. 57–80.

– Der Entwurf einer Europäischen Verfassung und das Strafrecht. ZStW 2004 (116), 275–303.

Welp, Jürgen, Zwangsbefugnisse für die Staatsanwaltschaft. Tübingen 1976.

Wohlers, Wolfgang, Strafverfolgungskompetenzen im Bundesstaat. In: Schünemann, Bernd (Hrsg.), Alternativentwurf Europäische Strafverfolgung. Köln, Berlin, München 2004, S. 51–74.

Wolffgang, Hans-Michael, Betrugsbekämpfung im Marktordnungsrecht. In: Ehlers, Dirk/Wolffgang, Hans-Michael (Hrsg.), Rechtsfragen der europäischen Marktordnungen. Münster 1998, S. 209–238.

Wolffgang, Hans-Michael/Stephan, Ulrich, Schutz der finanziellen Interessen der Europäischen Gemeinschaften. EuR 1998, 616–647.

Wolter, Jürgen (Hrsg.), Systematischer Kommentar zur Strafprozessordnung – Zweiter Band. 4. Aufl. Köln 2010. Zitiert: SK-StPO-*Bearbeiter*.

– Systematischer Kommentar zur Strafprozessordnung – Dritter Band, 4. Aufl. Köln 2011. Zitiert: SK-StPO-*Bearbeiter*.

– Systematischer Kommentar zur Strafprozessordnung – Zehnter Band, 4. Aufl. 2012. Zitiert: SK-StPO-*Bearbeiter*.

Zander, Michael, Cases and materials on the English legal system. 10. Aufl. Cambridge 2007.

Zimmermann, Frank, Die Auslegung künftiger EU-Strafrechtssetzungskompetenzen nach dem Lissabon-Urteil des Bundesverfassungsgerichts. JURA 2009, 844–851.

Zuccala, Giuseppe, Einheitliches europäisches Strafgesetzbuch als Ziel der Strafrechtsvergleichung? In: Duttge, Gunnar (Hrsg.), Gedächtnisschrift für Ellen Schlüchter. Köln 2002, S. 117–130.

Schriftenreihe des Max-Planck-Instituts für ausländisches und internationales Strafrecht

Die zentralen Veröffentlichungen des Max-Planck-Instituts für ausländisches und internationales Strafrecht werden in Zusammenarbeit mit dem Verlag Duncker & Humblot in den folgenden vier Unterreihen der „Schriftenreihe des Max-Planck-Instituts für ausländisches und internationales Strafrecht“ vertrieben:

- „Strafrechtliche Forschungsberichte“,
- „Kriminologische Forschungsberichte“,
- „Interdisziplinäre Forschungen aus Strafrecht und Kriminologie“ sowie
- „Sammlung ausländischer Strafgesetzbücher in deutscher Übersetzung“.

Diese Publikationen können direkt über das Max-Planck-Institut unter <www.mpicc.de> oder über den Verlag Duncker & Humblot unter <www.duncker-humblot.de> erworben werden.

Darüber hinaus erscheinen im Hausverlag des Max-Planck-Instituts in der Unterreihe „research in brief“ zusammenfassende Kurzbeschreibungen von Forschungsergebnissen und in der Unterreihe „Arbeitsberichte“ Veröffentlichungen vorläufiger Forschungsergebnisse. Diese Veröffentlichungen können über das Max-Planck-Institut bezogen werden.

Detaillierte Informationen zu den einzelnen Publikationen des Max-Planck-Instituts für ausländisches und internationales Strafrecht sind unter <www.mpicc.de> abrufbar.

The main research activities of the Max Planck Institute for Foreign and International Criminal Law are published in the following four subseries of the “Schriftenreihe des Max-Planck-Instituts für ausländisches und internationales Strafrecht” (Research Series of the Max Planck Institute for Foreign and International Criminal Law), which are distributed in cooperation with the publisher Duncker & Humblot:

- “Strafrechtliche Forschungsberichte” (Reports on Research in Criminal Law),
- “Kriminologische Forschungsberichte” (Reports on Research in Criminology),
- “Interdisziplinäre Forschungen aus Strafrecht und Kriminologie” (Reports on Interdisciplinary Research in Criminal Law and Criminology), and
- “Sammlung ausländischer Strafgesetzbücher in deutscher Übersetzung” (Collection of Foreign Criminal Laws in German Translation).

These publications can be ordered from the Max Planck Institute at <www.mpicc.de> or from Duncker & Humblot at <www.duncker-humblot.de>.

Two additional subseries are published directly by the Max Planck Institute for Foreign and International Criminal Law: “research in brief” contains short reports on results of research activities, and “Arbeitsberichte” (working materials) present preliminary results of research projects. These publications are available at the Max Planck Institute.

Detailed information on all publications of the Max Planck Institute for Foreign and International Criminal Law can be found at <www.mpicc.de>.

Max-Planck-Institut für ausländisches
und internationales Strafrecht

Auswahl aus dem strafrechtlichen Veröffentlichungsprogramm:

S 137 *Nadine Zurkinden*
Joint Investigation Teams
Chancen und Grenzen von gemeinsamen Ermittlungsgruppen in der Schweiz, Europa und den USA
2013 • 396 Seiten • ISBN 978-3-86113-821-1 € 41,00

S 136 *Nico Herbert*
Strafrechtlicher Schutz von EU-Subventionen
Reichweite und Grenzen in Deutschland, Österreich und England am Beispiel nicht wirtschaftsfördernder Subventionen
2013 • 320 Seiten • ISBN 978-3-86113-823-5 € 38,00

S 135 *Nandor Knust*
Strafrecht und Gacaca
Entwicklung eines pluralistischen Rechtsmodells am Beispiel des ruandischen Völkermordes
2013 • 423 Seiten • ISBN 978-3-86113-824-2 € 41,00

S 134 *Mayeul Hiéramente*
Internationale Haftbefehle in noch andauernden Konflikten
Rechtliche Rahmenbedingungen bei strafrechtlicher Intervention externer Akteure
2013 • 332 Seiten • ISBN 978-3-86113-825-9 € 35,00

S 132 *Lautaro Contreras*
Normative Kriterien zur Bestimmung der Sorgfaltspflichten des Produzenten
Eine rechtsvergleichende Analyse aus der Perspektive Deutschlands und Spaniens
2012 • 280 Seiten • ISBN 978-3-86113-829-7 € 35,00

S 128.1.1 *Ulrich Sieber / Konstanze Jarvers / Emily Silverman* (eds.)
National Criminal Law in a Comparative Legal Context
Volume 1.1: Introduction to National Systems
2013 • 363 Seiten • ISBN 978-3-86113-822-8 € 40,00

S 128.1.2 *Ulrich Sieber / Konstanze Jarvers / Emily Silverman* (eds.)
National Criminal Law in a Comparative Legal Context
Volume 1.2: Introduction to National Systems
2013 • 314 Seiten • ISBN 978-3-86113-826-6 € 43,00

S 128.2.1 *Ulrich Sieber / Susanne Forster / Konstanze Jarvers* (eds.)
National Criminal Law in a Comparative Legal Context
Volume 2.1: General limitations on the application of criminal law
2011 • 399 Seiten • ISBN 978-3-86113-834-1 € 43,00

Max-Planck-Institut für ausländisches
und internationales Strafrecht

Auswahl aus dem kriminologischen und interdisziplinären
Veröffentlichungsprogramm:

K 161 *Gunda Wößner, Roland Hefendehl, Hans-Jörg Albrecht* (Hrsg.)
Sexuelle Gewalt und Sozialtherapie
Bisherige Daten und Analysen zur Längsschnittstudie „Sexualstraftäter in den sozialtherapeutischen Abteilungen des Freistaates Sachsen“
Berlin 2013 • 274 Seiten • ISBN 978-3-86113-241-7 € 35,00

K 159 *Andreas Amborst*
Jihadi Violence
A study of al-Quaeda's media
Berlin 2013 • 266 Seiten • ISBN 978-3-86113-119-9 € 35,00

K 158 *Martin Brandenstein*
Auswirkungen von Hafterfahrungen auf Selbstbild und Identität rechtsextremer jugendlicher Gewalttäter
Berlin 2012 • 335 Seiten • ISBN 978-3-86113-118-2 € 35,00

K 157 *Ghassem Ghassemi*
Criminal Policy in Iran Following the Revolutionn of 1979
A Comparative Analysis of Criminal Punishment and Sentencing in Iran and Germany
Berlin 2013 • 265 Seiten • ISBN 978-3-86113-116-8 € 35,00

K 156 *Gunther Olt*
Pressefreiheit im Kontext strafrechtlicher Ermittlungsmaßnahmen
Berlin 2013 • 265 Seiten • ISBN 978-3-86113-114-4 € 35,00

K 155 *Anna-Maria Getoš*
Politische Gewalt auf dem Balkan.
Schwerpunkt Terrorismus und Hasskriminalität:
Konzepte, Entwicklungen und Analysen
Berlin 2012 • 330 Seiten • zahlr. Abb. in Farbe • ISBN 978-3-86113-113-7 € 35,00

I 20 *Almuth Voß*
Die Notwehrsituation innerhalb sozialer Näheverhältnisse
Eine kritische Auseinandersetzung mit den Grundsätzen der beziehungsbedingten Notwehrbeschränkung
Berlin 2013 • 161 Seiten • ISBN 978-3-86113-240-0 € 29,00

I 19 *Qi Xiong*
Massenmedien und Strafurteil
Eine rechtsvergleichende normorientierte Forschung zum Phänomen „mediale Verurteilung“
Berlin 2012 • 348 Seiten • ISBN 978-3-86113-117-5 € 35,00